AF238253

Código de Violencia de Género

Ley Orgánica 1/2004, de 28 de diciembre y sus leyes complementarias

COMITÉ CIENTÍFICO DE LA EDITORIAL TIRANT LO BLANCH

ACCESO GRATIS *a la Lectura en la Nube + Actualizaciones*

Para visualizar el libro electrónico en la nube de lectura envíe junto a su nombre y apellidos una fotografía del código de barras situado en la contraportada del libro y otra del ticket de compra a la dirección:

ebooktirant@tirant.com

En un máximo de 72 horas laborables le enviaremos el código de acceso con sus instrucciones.

Código de Violencia de Género

Ley Orgánica 1/2004, de 28 de diciembre y sus leyes complementarias

2ª Edición

ELENA MARTÍNEZ GARCÍA
Catedrática de Derecho Procesal
Universitat de València

tirant lo blanch
Valencia, 2022

©   Elena Martínez García

©   TIRANT LO BLANCH
    EDITA: TIRANT LO BLANCH
    C/ Artes Gráficas, 14 - 46010 - Valencia
    TELFS.: 96/361 00 48 - 50
    FAX: 96/369 41 51
    Email: tlb@tirant.com
    www.tirant.com
    Librería virtual: www.tirant.es
    DEPÓSITO LEGAL: V-2686-2022
    ISBN: 978-84-1147-303-3

Si tiene alguna queja o sugerencia, envíenos un mail a: *atencioncliente@tirant.com*.
En caso de no ser atendida su sugerencia, por favor, lea en *www.tirant.net/index.php/
empresa/politicas-de-empresa* nuestro procedimiento de quejas.

Responsabilidad Social Corporativa: http://www.tirant.net/Docs/RSCTirant.pdf

ÍNDICE

PRÓLOGO AÑO 2022

El objeto de este libro no es otro que el de facilitar al cuerpo Letrado que asiste a víctimas de violencia de género, un conjunto de normas que tratan de abarcar la regulación de las numerosas situaciones que debe de afrontar una víctima de violencia de género cuando se enfrenta al sistema judicial.

I. Contextualización de la violencia de género

En esta nueva edición comprobamos que el salto ha sido cualitativo y cuantitativo desde la última publicación en 2009. Llama la atención la hiperinflación normativa que se ha dado desde entonces. Ello pone de manifiesto la complejidad de abordaje preventivo y punitivo de una materia *a priori* sencilla, aunque solo en apariencia, como vemos.

Como bien se explica en el prólogo de hace trece años, la razón por la que el legislador comenzó abordando esta lacra social —violencia machista—, desde la perspectiva judicial, respondía a la urgencia en mandar un mensaje a la sociedad claro, destinado a transmitir desde la justicia y el orden público la tolerancia cero con lo que hasta entonces había sido relegado a un ámbito privado estrictamente y, por tanto, sin relevancia ni para las Fuerzas y Cuerpos de Seguridad del Estado ni para juzgadores y fiscalía, a pesar de que antes del año 2004 sí existían previsiones legales que castigaban esta violencia. Sobre esta nueva forma de percibir a la mujer y la situación de violencia que vive en nuestra sociedad, se construyeron los primeros pasos en este nuevo sistema de tutela contra la violencia de género. Y debemos de entender que era necesario hacerlo así.

Hoy, dieciocho años después, tenemos datos suficientes para comprobar que el camino ha sido correcto, pero el brazo preventivo todavía no ha demostrado su eficacia, por la razón de que la transformación real de la sociedad requiere de muchos más esfuerzos en el área social y administrativa. La justicia debe ser siempre la última ratio y, especialmente, la penal.

Según el Instituto Nacional de Estadística, en su última encuesta del 2022 el número de mujeres víctimas de violencia de género aumentó un

3,2% en el año 2021, hasta 30.141. La tasa de víctimas de violencia de género fue de 1,4 por cada 1.000 mujeres de 14 y más años. El número de víctimas de violencia doméstica disminuyó un 0,5%. A la vista de estos datos debemos reflexionar sobre la eficacia de la actuación. ¿Cómo es posible que con este gran acervo normativo no afecte al número de víctimas anual? Simple y sencillamente porque cambiar una cultura que percibe a la mujer de forma desigual en una sociedad no es fácil. Nuestra Ley orgánica 1/2004 de Medidas Integrales para la erradicación de la Violencia de género (LOVG) dedica varios títulos a dicha transformación (medios de comunicación, sanidad, tutela institucional...) pero, en mi opinión, todavía no se han implementado de una forma realista que produzca cambios materiales. Los próximos años debiera profundizarse en esta dirección y para ello no puede tratarse en nuestra sociedad aisladamente la violencia de género, como si fuera un compartimento separado de la prostitución, vientres de alquiler, ausencia de políticas de conciliación corresponsable, etc. El mundo se ha construido históricamente sobre un relato cultural, legal, económico, donde la mujer (52% de la sociedad) está cosificada al servicio del hombre y, por tanto, cualquier lucha para prevenir y erradicar la violencia sobre la mujer pasa por un doble enfoque, a saber, el individual, que actúa sobre la violencia concreta a la que se ha sometido a una mujer, y el colectivo, que remueva en la sociedad todos los obstáculos que impiden la igualdad real de estas.

En conclusión, pensemos que llevamos 18 años de aplicación de la LOVG 1/2004. Ya son años en términos de madurez de una ley y de profundidad en su utilización. Ha dado tiempo a surgir aristas en su aplicación, así como a realizar ajustes legales propios de la necesidad de mejorar la práctica de la misma. Atrás quedan los primeros años donde se dudó de su falta de constitucionalidad, al introducir la perspectiva de género en el código penal. Ahora los avances son mucho más claros y en una dirección garantista y que profundiza en la mejora de la aplicación de la Ley, no sólo con perspectiva de género, sino con una clara decisión de evitar, en la medida de lo posible, la revictimización secundaria de la mujer víctima de malos tratos. En este sentido, me parece muy interesante la revisión del estudio introductorio de la anterior edición de este Código de Leyes especializado. Os invito a leerlos y comprender lo mucho que se ha evolucionado en determinados aspectos de la Ley objeto de estudio.

En este sentido, han aparecido leyes nacionales importantísimas. Muchas de ellas se recogen en este código, pero me he visto forzada a incorporar solamente las que considero relevantes y que facilitan el trabajo, con el fin de no cargar con varios códigos de leyes cuando se procede a la defensa de los intereses de la persona tutelada.

II. Plano internacional: ¿cómo nos obliga?

Contamos con el marco normativo internacional tanto la declaración Universal de Derechos Humanos, la Convención sobre la Eliminación de todas las formas de violencia contra las mujeres (CEDAW), la Declaración de la ONU sobre la eliminación de la violencia sobre la mujer (1993), la Declaración y Plataforma de acción de la IV Conferencia internacional sobre la Mujer de Beijing (1995), como con el Manual de Naciones Unidas sobre Legislación en materia de violencia contra la mujer (2012). También con un marco europeo como es, principalmente, la Carta de los derechos Fundamentales de la Unión Europea (2000) y el Convenio del Consejo de Europa para prevenir y combatir la violencia contra la mujer y la violencia doméstica 2011 (Convenio de Estambul), y un gran acervo de directivas y Reglamentos que se pueden consultar en la Web de EU JUSTICE: legislación de la Unión Europea sobre violencia de género. Muy loable el esfuerzo realizado por la Unión Europea por aprobar una Directiva sobre la lucha contra la violencia de género y violencia doméstica (COM (2022) 105 final), que supondrá un gran avance armonización en la materia para todos los estados de la Unión. Junto a este instrumento, cabe resaltar la Directiva sobre la orden europea de protección y el reglamento civil de medidas de protección, cuya eficacia era limitada precisamente por la ausencia de la citada Directiva.

El artículo 10.2 de la Constitución española nos obliga a entender estas normas como parte de nuestro derecho interno y como cuerpo letrado debemos tenerlo en cuanta a la hora de planificar la estrategia defensiva de nuestro cliente.

De todas las normas citadas, especial relevancia tiene el denominado Convenio de Estambul, porque amplifica nuestra propia del LOVG y le dota de requisitos algo más exigentes que nuestra LOVG. Repárese en los artículos 4 y 5 que impone unos niveles de diligencia exigible muy elevados, por los que se puede hacer responder al Estado ante su incumplimiento. Allí se alude precisamente a ese doble nivel de diligencia al que me refería *supra*, a saber, el individual y el colectivo: si el Estado no ha hecho lo posible por remover los obstáculos que impiden la igualdad y, por ejemplo, la policía o judicatura ha actuado sobre la base de prejuicios y estereotipos y, consecuencia de ello, ha habido una daño claro a una víctima, puede hacérsele responder. Ejemplo de ello es la STS de 30 de septiembre de 2020 la Sala de lo Contencioso-administrativo.

III. Novedades en el marco nacional

La LOVG se debe de entender e interpretar en el marco constitucional español, la Ley 3/2003 de Igualdad efectiva de mujeres y hombres, la Ley 4/2015 del Estatuto de la Víctima del delito y su Reglamento de desarrollo RD 119/2015 y el RD-Legislativo 9/2018 sobre el Pacto de Estado contra la violencia de género. Todas estas normas dotan de mayor precisión y profundidad a la LOVG.

Durante estos años ha evolucionado el concepto de quién puede ser víctima de violencia de género y cómo acreditar esta situación administrativamente, han cambiado —y mucho— los derechos a la asistencia social integral, a la asistencia jurídica gratuita, inmediata y especializada, los derechos laborales, derechos en materia de seguridad social, empleo y para la inserción laboral, derechos de las funcionarias públicas, derechos económicos, derechos de escolarización inmediata, becas y ayudas al estudio, empadronamiento por razones de seguridad, derechos al cambio de apellidos o identidad, derechos de las mujeres extranjeras víctimas en situación regular e irregular o derechos de las mujeres españolas fuera del territorio nacional. Véase la Guía de derechos para las mujeres víctimas de violencia de género de la Delegación de Gobierno contra la Violencia de Género en el Ministerio de Igualdad. Es numerosísima la legislación a tener en cuenta y nuestra selección de normas para este código de apoyo al cuerpo Letrado aborda el siguiente elenco de leyes:

Marco internacional

- Convenio de Estambul
- LOVG
- Ley de Igualdad
- Estatuto de la Víctima de Delito y Reglamento que lo desarrolla

Marco nacional

- Circular Fiscalía sobre Violencia de género
- Acuerdo del CGPJ por el que se modifica el Reglamento 1/2005
- RD 1109/2015 de desarrollo del Estatuto de la Víctima del delito y se crean las Oficinas de Víctima del delito

Normas civiles

- Artículo 94 Código civil
- Artículo 156 Código Civil
- Ley 6/2021 que modifica el registro civil para el cambio de apellidos en caso de violencia de género y vicaria.

Normas sobre asistencia jurídica gratuita

- Real decreto 141/2021 por el que se aprueba el Reglamento de asistencia jurídica gratuita sobre violencia de género.

Normas sobre tutela de menores

- Ley Orgánica 8/2021, de 4 de junio, de protección integral a la infancia y la adolescencia frente a la violencia.

Normas sobre asistencia social integral, laboral y seguridad social

- Resolución de 2 de diciembre de 2021, de la Secretaría de Estado de Igualdad y contra la Violencia de Género, por la que se publica el Acuerdo sobre la acreditación de las situaciones de violencia de género.

- Real Decreto 1971/2008 sobre programa de reinserción laboral para víctimas de violencia de género
- Resolución de 2 de diciembre de 2020 sobre la gestión del padrón municipal en casos de violencia de género.
- RD-ley 20/2020 sobre el ingreso mínimo vital para víctimas de violencia de género.
- Acuerdo de 16 de noviembre de 2018 para favorecer la movilidad de funcionarias víctimas de violencia de género
- Real Decreto 1369/2006 sobre la renta de Inserción activa
- Ley 20/2007 sobre el Estatuto del Trabajador Autónomo.

Normas sobre protección de víctimas

- Protección nacional
- Orden de protección europea

Normas sobre extranjería e inmigración

- LOVG 1/2004
- LO 4/2000 sobre derechos y libertades de los extranjeros en España y su integración social.
- RD 557/2011 que desarrolla la LO 4/2000.
- RD 240/2007 sobre entrada, circulación y residencia dentro de la Unión Europea.

IV. Algunos cambios importantes en los últimos años

En primer lugar, durante estos años se han introducido conceptos importantísimos en el ámbito de aplicación de la violencia de género, tal como la violencia vicaria (la ejercida sobre los hijos e hijas para dañar a la madre) o como sujetos de derechos a los servicios sociales; en segundo lugar, y también de gran transcendencia, se modifica el apartado 1 del art. 416 Lecrim por la disposición final 1.4 cuando introduce la dispensa de declarar «4.º Cuando el testigo esté o haya estado personado en el procedimiento como acusación particular». Esta novedad bebe de la STS 10 julio 2020, que afirmaba que las víctimas, una vez constituidas en acusación particular, no recuperan el derecho a la dispensa de declarar contra su pareja, si renuncian a ejercer dicha posición procesal. Con ello se superaba los anteriores Acuerdos del TS, tales como el Acuerdo del Pleno No Jurisdiccional de la Sala Segunda del TS (24/4/2013), por el que se excepciona de la dispensa los supuestos en que el testigo esté personado como acusación en el proceso. Y Posteriormente se vino a aclarar por el Acuerdo del Pleno No Jurisdiccional de la Sala Segunda del TS (23/1/2018), por el cual no queda excluido de la posibilidad de acogerse a la dispensa quien, habiendo estado constituido como acusación particular, ha cesado en esa condición. De modo que esta S. de 2020, cambia lo que se venía diciendo hasta el momento por la Ley y la Jurisprudencia. Ahora, con el cambio legal, no hay lugar a dudas. Igualmente, está cambiando de forma notable —gracias a que el Convenio de Estambul forma parte de nuestro derecho interno ex 20.2 CE— el concepto de diligencia exigible al Estado. El 30 de septiembre de 2020 la Sala de lo Contencioso-administrativo (Sección 5.ª) de la Audiencia Nacional condenó al Ministerio del Interior a pagar una indemnización —a los familiares de la víctima— en concepto de responsabilidad patrimonial del Estado, por la deficiente protección que la Guardia Civil proporcionó a una mujer que solicitó una orden de protección. Concretamente, por entender que se erró en la realización de la estimación inicial de la situación de riesgo de la víctima, que asignó el nivel más bajo de «no apreciado».

Por último, también hacer referencia a la Resolución de 2 de diciembre de 2021, de la Secretaría de Estado de Igualdad y contra la Violencia de Género, por la que se publica el Acuerdo de la Conferencia Sectorial de Igualdad, de 11 de noviembre de 2021, relativo a la acreditación de las situaciones de violencia de género. Allí se define la acreditación de naturaleza administrativa de las situaciones de violencia de género por las mujeres que se encuentren en una de las siguientes situaciones:

– Víctimas que se encuentren en proceso de toma de decisión de denunciar.

– Víctimas respecto de las cuales el procedimiento judicial haya quedado archivado o sobreseído.

– Víctimas que han interpuesto denuncia y el procedimiento penal esté instruyéndose.

– Víctimas con sentencia condenatoria firme con pena o penas ya extinguidas por prescripción, muerte del penado, cumplimiento de la condena, entre otras causas, u orden de protección que haya quedado inactiva (las medidas impuestas ya no están en vigor), por sentencia absolutoria o cualquier otra causa que no declare probada la existencia de la violencia.

– Víctimas a las que se haya denegado la orden de protección, pero existan diligencias penales abiertas.

– Cuando existan antecedentes previos de denuncia o retirada de la misma.

V. Conclusiones

En definitiva, para abordar y tratar en plenitud la violencia contra la mujer, hay que atender a los diferentes ejes que conforman la vida social, laboral e identidad de las mujeres y el grado de vulnerabilidad que pueden incidir en su vida diaria, vulnerabilidad que se puede ver incrementada ante una situación excepcional como la provocada por la situación creada por el COVID-19. Todo lo dicho, nos debe hacer pensar que la tutela contra la violencia de género va mucho más allá de la tutela penal, pues en una situación de vulnerabilidad social como la vivida, el proceso penal era una instancia inalcanzable, si antes no se aseguran determinados derechos sociales básicos, como el acceso a la información de las víctimas de violencia de género. Sin la garantía de este derecho, no hay denuncia, ni asesoramiento, ni fuentes de prueba, ni las bases mínimas para el inicio de un proceso penal y asegurar el derecho de acceso a la justicia de las mujeres víctimas de violencia machista.

La perspectiva de género introducida por el Tribunal Supremo introducida por el Magistrado Vicente Magro, entre otras, La Sentencia del Tribunal Supremo, Sala de lo Penal, 08-10-2019 (rec. 10309/2019) ha marcado un antes y un después en la jurisprudencia española y hoy, irremediablemente, abre un nuevo camino para la defensa de los derechos de la mujer en una realidad contextualizada en la desigualdad estructural y sistémica, de modo que, de no darse esta interpretación con perspectiva de género, es decir, de aplicarse de forma neutra la norma, en numerosas ocasiones dará un resultado que deja en desprotección a las víctimas. Los artículos 10.2 y 14 de la Constitución obligar a ello.

Pero para vencer en este gran viaje, es necesario convencer a toda la ciudadanía sobre el mundo en el que vivimos, heredado pero no por ello asumible sin actitud crítica. Convencer de la necesidad de integrar en este discurso a tantos hombres que aborrecen la presión del patriarcado, sus expectativas y su soledad; convencer de que la vida es más sana si valoramos los cuidados de las personas, de la familia y la sostenibilidad de vida.

No puede ser razonable un sistema económico, cuya fotografía resultante, no coincida con la estructura natural de nuestra sociedad, en la que algo más del cincuenta por ciento somos mujeres, a las que nuestra Constitución reconoce formal y materialmente iguales a los hombres. Sin embargo, esa fotografía muestra desequilibrios de género reales. Esta imagen es la que se debe *deconstruir* para volver a *construir* con otros mimbres o, lo que es lo mismo, a través de la firma de un contrato social en el que de forma justa nos reconozcamos. Y ello conlleva comenzar por entender que la desaparición del patriarcado beneficia a todas las personas que quedan fuera de la jerarquía que impone el poder, tal y como se manifiesta cruelmente hoy en día, donde la transformación de un modelo económico productivo, debe añadir valores y sentido al puro interés crematístico actual, y donde reconozcamos que si respiran las personas, también lo hace el planeta. En este espacio, necesariamente, hay que perder privilegios para que ganen la vida y las personas, todas las personas. Así se ha evidenciado en la pandemia. Todas y todos somos corresponsables de estos cambios.

ELENA MARTÍNEZ GARCÍA
Catedrática de Derecho Procesal
Universitat de València

PRÓLOGO AÑO 2009

Al tiempo de la publicación de esta segunda edición de la Ley Orgánica 1/2004, de 28 de diciembre, de Protección Integral contra la Violencia de Género, se celebra el cuarto aniversario de su aprobación. Desde entonces, es mucho el camino recorrido. La presente Ley supone un paso adelante en materia de violencia sobre la mujer y un indubitado cambio de mentalidad. No cabe duda que el legislador ha intentado conceptuar estas agresiones como actos fruto de la violencia que se ejerce por razones de pertenencia al género mujer, es decir entendida esta forma de desequilibrio, entre el hombre y la mujer, exclusivamente, dentro de las relaciones de afectividad. El citado cambio ha sido propiciado por una realidad transmitida por los datos estadísticos, que han evidenciado que esta violencia se genera — algo más que mayoritariamente— en una dirección, es decir, del hombre hacia la mujer. A partir de ahí, nuestros poderes públicos no han podido seguir obviando esta situación pues la igualdad, dignidad y libertad son derechos fundamentales y contra ellos se atenta tanto por acción como por omisión (por no reconocerlos o garantizarlos). De esta forma, gracias a esta Ley se ha pasado de tener una concepción privada del conflicto, donde esta violencia no era un problema político ni social y cuanto menos jurídico, a una toma de conciencia pública del mismo, visualizado en el plano político y social, con una inevitable repercusión en la transformación de nuestros usos y hábitos culturales.

Desde el mes de junio 2005 se encuentran en vigor los artículos relativos a la tutela judicial y por tanto, la creación de los Juzgados de Violencia sobre la Mujer y la Fiscalía de este mismo nombre. Desde la fecha son muchos los esfuerzos realizados por la Administración central y autonómicas pero mucho también el camino que queda por recorrer. La práctica —a día de hoy— no arroja nuevas o diferentes estadísticas que demuestren un verdadero cambio, algo —en nuestra opinión— lógico si atendemos al carácter estructural de esta violencia machista tan intrincada en nuestra sociedad. Parece un tanto ingenuo esperar que una sociedad se transforme a golpe de BOE. Deberemos esperar todavía el paso de varias generaciones para obtener nuevas y diferentes cifras. Es comprensible, que determinados colectivos sostengan —en un intento de minar la eficacia de esta Ley— que desde su promulgación han aumentado los casos de violencia de género, desconociendo el hecho de que lo que ha disminuido es el nivel de tolerancia a la agresión sufrida por la mujer dentro de una relación de afectividad. Es decir, esa violencia en la pareja o expareja es real y presente en esos casos, pero ahora se cuenta con el apoyo de la Administración, lo que hace a la mujer, familiares, conocidos o testigos proceder a denunciar más y antes. De hecho, si acudimos a las estadísticas del Observatorio del Consejo General del Poder Judicial comprobaremos que dos de cada tres muertes acaecidas tanto en los años anteriores, como en el presente, se trataban de casos en los que no se había puesto denuncia y, por tanto, no se había puesto en marcha la maquinaria judicial. En conclusión, para evitar ese argumento fácil que da base al presunto fracaso de la Ley sólo hay que poner en marcha de forma real y constante los términos diseñados en el Plan Nacional de Sensibilización y Prevención de la Violencia de Género aprobado el 15 de diciembre 2006 por el Consejo de Ministros, así como el Catálogo de Medidas de desarrollo, pues es la única forma de que la mujer no se convierta en víctima.

La Ley de protección Integral parte de una concepción que pretende ser más activa y pluridisciplinar en la lucha contra la violencia de género a través del desarrollo de una acción positiva. Para ello se diseña una actuación administrativa más preventiva e interventora, destinada a evitar que la mujer adquiera el status de víctima. Las medidas de prevención y protección social y laboral introducidas son la esperanza del cambio, pues cuando aparecen los Jueces y Fiscales, significa que ya tenemos mujer víctima y por tanto, la Administración en su función preventiva ya ha fracasado. Debe entonces procederse, en su caso, a la punición del maltratador, siempre jugando dentro de las reglas del Estado de Derecho que, procesalmente hablando, son garantías del imputado frente a la propia Administración. En el momento actual y mientras no se reforme integralmente la Ley de Enjuiciamiento Criminal, existe una protección común u ordinaria de la víctima de cualquier delito, una protección específica para aquellas que sufren violencia doméstica, y una exclusiva y reforzada para las mujeres que son víctimas de violencia de género. Con ello queremos precisar que salvo que decidamos cambiar esta perspectiva constitucional del proceso y la pena, la víctima no es la protagonista del proceso penal, sin perjuicio de que acertadamente cada vez tiene un mayor peso en el sistema.

En los presentes procesos por violencia de género, se manifiesta un importante protagonismo de la víctima en materia de protección cautelar, que encuentra su justificación en la especial vulnerabilidad en la que se encuentra. Razones de aseguramiento de la persona, la evitación de nuevos riesgos para la víctima o su círculo próximo o la posible alteración de la principal fuente de prueba, a saber, la declaración de ella, son las finalidades que deben de mover a los Miembros y Fuerzas de Seguridad del Estado y a los órganos jurisdiccionales a someter a esta tutela cautelar al presunto agresor y a otorgar un estatuto de protección cautelar. En este contexto resulta imaginable la importancia de la coordinación de servicios que entran en funcionamiento ante un acto de violencia de género con el fin de que no existan espacios «sordos» en la protección de la víctima frente al agresor. Dichos fallos podrían derivar en posibles exigencias de responsabilidades patrimoniales al Estado. Dentro de la presente coordinación hay que tener en cuenta la obligación de la Administración central y autonómica de crear Protocolos de coordinación y la más que útil creación de las Unidades de Valoración Integral de la Víctima, que poco a poco se van desarrollando en las Comunidades Autónomas en virtud del Plan nacional y consiguientes medidas de desarrollo. Cuestión diferente es la dotación real de medios personales y materiales que se realice, lo que puede dejar en papel mojado las bondades de estas medidas. En todo este proceso, consideramos que el papel del Ministerio Fiscal, a través de la Fiscalía de Violencia sobre la Mujer es clave.

Por lo que se refiere a la acción positiva desarrollada por el legislador, afirmar que se trata de una obligación para los poderes públicos el remover todos los obstáculos que impidan que los ciudadanos disfruten del principio de igualdad. Y ello porque el artículo 14 consagra, en primer lugar, el derecho a *la igualdad formal,* que impone la obligación de preservar, por un lado, la *igualdad de trato* a no ser tratado jurídicamente de manera diferente a quienes se encuentren en la misma situación y, por otro, la *prohibición de discriminación*. En este sentido, la prohibición de la discriminación tiene un alcance *material* en el artículo 14 en relación con el art. 9.2 CE. Ello implica una obligación para los poderes públicos generar las condiciones necesarias para asegurar la igualdad efectiva. Y es aquí cuando se permite la discriminación positiva para lograr tal fin. Nos encontramos, pues, en lo que el Tribunal Constitucional ha denominado el *«derecho desigual igualatorio»*; esto es, la desigual situación de partida de un determinado colectivo requiere la adopción de medidas que tiendan a reequilibrar dichas situaciones con el objetivo de igualarlas de modo real y efectivo. De lo contrario se produciría la *«discriminación por indiferenciación»*, es decir, la provocada por el hecho de tratar de modo igual situaciones disímiles (STC 216/1991). En consecuencia, la Ley Orgánica 1/2004 ha desarrollado a lo largo de su articulado una acción positiva clara y que alcanza a numerosas vertientes del ordenamiento jurídico español. Una de ellas incide sobre el derecho penal y el Alto Tribunal se ha pronunciado al respecto asegurando la compatibilidad constitucional de dicha decisión agravatoria de penas en el ámbito de la violencia de género (STC 59/2008).

Otra cuestión importante, que a la luz de la aplicación de la Ley se viene planteando al legislador *de lege ferenda*, es la relativa a la aconsejable futura modificación de la previsión legal contenida en el artículo 57 del Código Penal, que impone el alejamiento obligatorio en el caso de condena por delito de violencia de género. En nuestra opinión, debe ser objeto de revisión en futuras reformas legales, permitiendo que sea el Juez, valorando las circunstancias concurrentes, quien acuerde en su caso dicho alejamiento, pues no hay que olvidar las particulares características que envuelven estos delitos sin que parezca lógico imponer a la víctima —en todo caso— dicha medida, sobre todo en aquellos casos de menor gravedad. Se trata esta cuestión una de las que penden en el momento actual ante el Tribunal Constitucional al suponer que la imposición de dicho alejamiento podría ser una intromisión del sistema penal intolerable en la privacidad de la pareja cuyo derecho más relevante es el derecho a vivir juntos, como recuerda la SSTEDH de 24 de marzo de 1988 y 9 de junio de 1998, entre otras, tal y como se afirma en la Sentencia del Tribunal Supremo de la Sección Primera de la Sala de lo Penal de fecha veintiséis de septiembre de 2005, al hilo de los tan habituales quebrantamientos consentidos de la medida de alejamiento, tanto en su vertiente cautelar como punitiva (art. 468 del Código Penal). En definitiva, el Tribunal Supremo, considera que no existirá el delito en el caso de quebrantamientos con anuencia de la víctima, estableciendo además que no podrá estarse a los cambios en la decisión de la víctima que primero acoge al agresor y luego, si surge un nuevo incidente, lo denuncia por haber quebrantado la orden concedida. Parece lógica la conclusión a la que se llega en la Sentencia en el sentido de considerar que si la mujer consiente de forma libre y voluntaria regresar con su agresor, no podrá ser éste condenado por un delito de quebrantamiento, debiéndose alzar la medida y correspondiendo a aquella la solicitud, en su caso, de una nueva medida de protección si se produjeran nuevos hechos de violencia sobre ella. Aunque esta doctrina del TS ha sido acogida de forma mayoritaria por las Audiencias Provinciales, el propio Tribunal Supremo se ha pronunciado en un sentido diferente en las Sentencias de diecinueve de enero de 2007, con cita de la veinte de enero de 2006, cuando concluye «que la vigencia del bien jurídico protegido no queda enervada o empañada por el consentimiento de la mujer, ya que es el principio de autoridad el que se ofende con el delito de quebrantamiento de medida. Cierto que tal medida se acuerda por razones de seguridad en beneficio de la mujer, para la protección de su vida e integridad corporal, que tampoco son bienes jurídicos disponibles por parte de aquella, pero en cualquier caso no es el bien jurídico que directamente protege el precepto. De esta forma el cumplimiento de una pena no puede quedar al arbitrio del condenado y lo mismo debe decirse de la medida de alejamiento como medida cautelar. Solamente un consentimiento firme y relevante por parte de la víctima, puede ser apreciado a los efectos interesados por el recurrente, y siempre desde la óptica propuesta de un error invencible de tipo». Corresponde ahora al legislador pronunciarse al respecto.

En esta misma línea argumental encontramos los problemas derivados de la aplicación del artículo 416 LECrim sobre el derecho de la víctima a no declarar contra su agresor, en calidad de cónyuge o pareja estable (STS 134/2007). Es muy numerosa y contradictoria la jurisprudencia derivada de la aplicación del precepto en cuestión, oscilando entre las posturas tendentes a admitir por el juez sentenciador el uso de dichas declaraciones formuladas libremente y con la previa información de la policía y del órgano jurisdiccional (STS 21 de noviembre 2003) que asesora a la víctima, por suponer una renuncia al citado derecho ex art. 416 LECrim (SAP Cuenca 24 de mayo 2006), hasta aquella jurisprudencia menor que afirma que devendría ilícito el uso de esa fuente probatoria en juicio oral, dado que la parte se puede retractar de lo dicho sobre la base del aludido precepto, no valiendo las declaraciones sumariales sin la debida contradicción y audiencia en el juicio oral (STC 76/1993).

Finalmente, otro tema de calado, en la actualidad muy debatido, es el relativo al mandato establecido en el artículo 87 ter número 5 de la LOPJ, relativo a la prohibición de que los Jueces de Violencia realicen cualquier tipo de mediación. Parece que la práctica arroja una casuística con un perfil adecuado que permitiría dar a la víctima la posibilidad de pronunciarse en cuanto a la forma de resolución más satisfactoria de su problema (y que no siempre pasa por la separación obligatoria de su compañero) y al agresor se le permitiría poder optar por un compromiso resocializador (aceptando la reprochabilidad de su comportamiento, comprometiéndose a cumplir con la propuesta de restauración de la víctima en los términos pactados y su sometimiento a un programa de rehabilitación). En nuestra opinión, esta opción sería planteable por el futuro legislador sólo ante actos de violencia incipiente y leve y, en ningún caso, cuando se trate de violencia habitual y enquistada. En esta misma línea, consideramos que uno de los temas neurálgicos, muy controvertidos y poco o nada desarrollado por el legislador, es el relativo a la rehabilitación del maltratador. Legalmente se trata ésta de una de las finalidades constitucionales exigidas a la pena. Desde una perspectiva psicológica y sociológica, es la clave para el cambio y la ruptura con los ciclos de violencia en la pareja. Lograr integrarlos a ellos en este cambio de mentalidad da argumentos positivos en contra de los que todavía niegan la existencia del problema hasta el punto de rechazar la voluntad plasmada por el legislador en la Ley 1/2004.

Esta propuesta es acorde con la experiencia desarrollada en otros países como, por ejemplo, Alemania y Austria, donde se focaliza el diseño de su legislación en la prevención. Nuestro vecino alemán, por ejemplo, haciéndose eco de sus estadísticas y una vez corroborado que los actos intimidatorios y violentos porcentualmente se dan con mucha mayor frecuencia en las situaciones de crisis no declarada judicialmente, frente los supuestos de conflictos de pareja que se encuentran bajo custodia judicial (incoación de procesos de separación y divorcio), se optó por diseñar un sistema preventivo ante los Tribunales civiles (GewSchG). Ante la primera sospecha de violencia, incluso leve, se provoca la separación inmediata y forzosa en la convivencia durante veinticuatro horas, con la obligatoria personación ante los Tribunales de Familia con la finalidad, por un lado, de tener un carácter intimidatorio para el agresor y persuasivo para la víctima, con una prease mediadora (no destinada a arreglar ese matrimonio o convivencia sino que se trata de una fase informadora de los evidentes riesgos de continuar con esa relación); por otro lado, otra de las claves de estas legislaciones europeas citadas radica en la idea de que, desde el primer momento se impone al presunto agresor o agresora medidas de asistencia social y reeducativas para, a continuación, entrar voluntariamente en un proceso de disolución del vínculo civil. Con ello se logra que no perdure una convivencia no pacífica y además un control judicial inmediato de esta situación de crisis por lo que se intenta evitar efectos criminógenos.

Por contra, nuestro legislador ha optado por poner el golpe legal de voz en los casos en los que ya surgido la violencia en la pareja y, por tanto, cuando existe una víctima. Y en esa línea ha prohibido a los órganos de este orden realizar funciones mediadoras que, como decimos, podría permitir —como en el caso alemán— una antefase tendente precisamente a evitar que una situación de crisis pase a arrojar una agravación de la situación de la víctima.

Para acabar, merece una mención específica en materia de violencia de género la aplicación de los procedimientos para el enjuiciamiento rápido y la institución de la conformidad que, con carácter general, se puede considerar un arma de doble filo y así se evidencia en la presente materia. Celeridad significa Justicia, pero ésta no se concibe sin un pleno respeto por los derechos del imputado y sus garantías procesales, con suficiencia de medios que eviten tanto las conformidades como las absoluciones y sobreseimientos indebidos. Los recortes de derechos que pueden suponer estas fórmulas pueden hacer la Justicia más «acelerada», pero no mejor. La impresión que suele quedar tras la asistencia a una Guardia es la de que el sistema no ha mejorado, sino al contrario, si por mejora entendemos dotar al proceso de mayores garantías. Tal vez nuestro legislador, en un intento de quererle poner puertas al mar, últimamente nos ha tenido muy acostumbrados a dar soluciones penales y procesales a problemas sociales y, dentro de esta mentalidad, los recortes de tiempo suelen sonar convincentes. Ya con carácter concreto, en mi opinión, la práctica está arrojando unos resultados «perversos» en cuanto a la aplicación de este tipo de enjuiciamiento acelerado, dado que, salvo los casos evidentes de violencia puntual, se está dejando de investigar violencias habituales y perpetuadas en el tiempo, dado que esta inercia procedimental —añadido a la enorme carga de trabajo que tienes estos Juzgados— hace que no se proceda a transformar esta fase sumarial en diligencias previas, destinadas a investigar cuál es la situación real de la pareja.

Nos encontramos ante una reforma necesaria, esperada y compleja. Esta ley pasará por ser la primera de la legislatura de este gobierno socialista, pero con toda seguridad se trata de la primera toma de conciencia de la existencia de un problema real de género en nuestra sociedad. El legislador ha creado una imagen normativa de la mujer y corresponde ahora a los órganos jurisdiccionales, en primer lugar, asimilar que no es el «sexo» la variable fundamental que mueve esta forma de protección sino el «genero», y en segundo lugar, determinar que la exclusión de la protección que establece la presente ley no puede darse en función de las expectativas (indefensión, vulnerabilidad, dependencia económica, etc.) que se prediquen de las víctimas.

Russafa (Valencia), noviembre 2008

ELENA MARTÍNEZ GARCÍA
Profesora Titular de Derecho Procesal
Universitat de València

ABREVIATURAS

Circular 4/2005: Circular 4/2005, de 19 de julio de 2005, relativa a los criterios de aplicación de la Ley Orgánica de Medidas de Protección Integral contra la Violencia de Género.

CP: Código Penal.

Instrucción 10/2007: Sistema de seguimiento en Violencia de Género y el Protocolo común de valoración del riesgo para Cuerpos y Fuerzas de Seguridad del Estado y policías autonómicas y su comunicación a los órganos judiciales y al Ministerio Fiscal, aprobado el 23 de julio de 2007 y modificada por la Instrucción 14/2007 y por la Instrucción 5/2008.

Instrucción 14/2005: Instrucción 14/2005, de 29 de julio, de la Secretaría de Estado de Seguridad sobre actuación en dependencias policiales en relación con mujeres extranjeras víctimas de violencia doméstica o de género en situación administrativa irregular.

LECrim: Ley de Enjuiciamiento Criminal.

Ley de la Comunidad Valenciana 13/2008, de 8 de octubre, reguladora de los puntos de Encuentro Familiar.

LI: Ley 3/20087 de 22 de marzo, de Igualdad LOPJ: Ley Orgánica del Poder Judicial

LOVG: Ley Orgánica de Medidas de Protección Integral contra la Violencia de Género.

Orden TAS/3698/2006, de 22 de noviembre: Orden de la Secretaría de Estado para la Seguridad sobre la Inscripción en los servicios públicos de empleo de las mujeres víctimas de violencia de género que hayan obtenido autorización de residencia por esta causa.

PFCSyA: Protocolo de Actuación y Coordinación de Fuerzas y Cuerpos de Seguridad del Estado y Abogados ante la Violencia de género regulada por la Ley 1/2004, aprobado por el Comité Técnico de la Comisión Nacional de Coordinación de la Policía Judicial, en su reunión de 3 de julio de 2007.

PFCSyOJ: Protocolo de actuación de las Fuerzas y Cuerpos de Seguridad y de coordinación con los órganos judiciales para la protección de las víctimas de violencia doméstica y de género, de 28 de junio del 2005.

PFCSyPL: Protocolo de colaboración y coordinación entre las Fuerzas y Cuerpos de Seguridad del Estado y los Cuerpos de Policía Local para la protección de las víctimas de violencia doméstica y de género, suscrito el 13 de marzo de 2006.

Pfo: párrafo

RAJG: Reglamento de Asistencia Jurídica Gratuita, aprobado por Real Decreto 996/2003, de 25 de julio, y modificado por el RD 1455/2005, de 2 de diciembre

Real Decreto 2393/2004: Reglamento de la Ley Orgánica 4/2000, de 11 de enero sobre la Posibilidad de obtención de autorización de residencia temporal por razones humanitarias (arts. 45.4.ª) y 46.3) y de conservar el derecho de residencia obtenido mediante reagrupación familiar (art. 9.4 del Real Decreto 240/2007, de 16 de febrero).

Rto. 1/2005: Acuerdo de 15 de septiembre de 2005, del Pleno del Consejo General del Poder Judicial, por el que se aprueba el Reglamento 1/2005, de los aspectos accesorios de las actuaciones judiciales.

STC 59/2008: Sentencia del Tribunal Constitucional 59/2008, de 14 de mayo de 2008.

TBC: Trabajos en beneficio de la Comunidad.

Instrumento de ratificación del Convenio de Estambul sobre la prevención y lucha contra la violencia contra la mujer y violencia doméstica, hecho en Estambul el 11 de mayo de 2011

PREÁMBULO

Los Estados miembros del Consejo de Europa y los demás signatarios del presente Convenio,

Recordando el Convenio para la protección de los derechos humanos y de las libertades fundamentales (STE n.º 5, 1950) y sus Protocolos, la Carta Social Europea (STE n.º 35, 1961, revisada en 1996, STE n.º 163), el Convenio del Consejo de Europa sobre la lucha contra la trata de seres humanos (STCE n.º 197, 2005) y el Convenio del Consejo de Europa para la protección de los niños contra la explotación y el abuso sexual (STCE n.º 201, 2007);

Recordando las siguientes recomendaciones del Comité de Ministros a los Estados del Consejo de Europa: Recomendación Rec(2002)5 sobre la protección de las mujeres contra la violencia, Recomendación CM/Rec(2007)17 sobre normas y mecanismos de igualdad entre las mujeres y los hombres, Recomendación CM/Rec(2010)10 sobre el papel de las mujeres y de los hombres en la prevención y solución de conflictos y la consolidación de la paz, y las demás recomendaciones pertinentes;

Teniendo en cuenta el volumen creciente de la jurisprudencia del Tribunal Europeo de Derechos Humanos que establece normas importantes en materia de violencia contra las mujeres;

Considerando el Pacto Internacional de Derechos Civiles y Políticos (1966), el Pacto Internacional de Derechos Económicos, Sociales y Culturales (1966), la Convención de las Naciones Unidas sobre la eliminación de todas las formas de discriminación contra la mujer («CEDCM», 1979) y su Protocolo facultativo (1999) así como la Recomendación general n.º 19 del Comité de la CEDCM sobre la violencia contra la mujer, la Convención de las Naciones Unidas sobre los derechos del niño (1989) y sus Protocolos facultativos (2000) y la Convención de las Naciones Unidas sobre los derechos de las personas discapacitadas (2006);

Considerando el Estatuto de Roma de la Corte Penal Internacional (2002);

Recordando los principios básicos del derecho humanitario internacional, y en particular el Convenio (IV) de Ginebra relativo a la protección de personas civiles en tiempo de guerra (1949) y sus Protocolos adicionales I y II (1977);

Condenando toda forma de violencia contra la mujer y de violencia doméstica;

Reconociendo que la realización *de jure* y *de facto* de la igualdad entre mujeres y hombres es un elemento clave de la prevención de la violencia contra la mujer;

Reconociendo que la violencia contra la mujer es una manifestación de desequilibrio histórico entre la mujer y el hombre que ha llevado a la dominación y a la discriminación de la mujer por el hombre, privando así a la mujer de su plena emancipación;

Reconociendo que la naturaleza estructural de la violencia contra la mujer está basada en el género, y que la violencia contra la mujer es uno de los mecanismos sociales cruciales por los que se mantiene a las mujeres en una posición de subordinación con respecto a los hombres;

Reconociendo con profunda preocupación que las mujeres y niñas se exponen a menudo a formas graves de violencia como la violencia doméstica, el acoso sexual, la violación, el matrimonio forzoso, los crímenes cometidos supuestamente en nombre del «honor» y las mutilaciones genitales, que constituyen una violación grave de los derechos humanos de las mujeres y las niñas y un obstáculo fundamental para la realización de la igualdad entre mujeres y hombres;

Reconociendo las violaciones constantes de los derechos humanos en situación de conflictos armados que afectan a la población civil, y en particular a las mujeres, en forma de violaciones y de violencias sexuales generalizadas o sistemáticas y el aumento potencial de la violencia basada en el género tanto durante como después de los conflictos;

Reconociendo que las mujeres y niñas están más expuestas que los hombres a un riesgo elevado de violencia basada en el género;

Reconociendo que la violencia doméstica afecta a las mujeres de manera desproporcionada y que los hombres pueden ser también víctimas de violencia doméstica;

Reconociendo que los niños son víctimas de la violencia doméstica, incluso como testigos de violencia dentro de la familia;

Aspirando a crear una Europa libre de violencia contra la mujer y de violencia doméstica;

Han convenido en lo siguiente:

CAPÍTULO I. OBJETIVOS, DEFINICIONES, IGUALDAD Y NO DISCRIMINACIÓN, OBLIGACIONES GENERALES

Artículo 1. Objetivos del Convenio.

1. Los objetivos del presente Convenio son:

a) Proteger a las mujeres contra todas las formas de violencia, y prevenir, perseguir y eliminar la violencia contra la mujer y la violencia doméstica;

b) Contribuir a eliminar toda forma de discriminación contra la mujer y promover la igualdad real entre mujeres y hombres, incluyendo el empoderamiento de las mujeres;

c) Concebir un marco global, políticas y medidas de protección y asistencia a todas las víctimas de violencia contra la mujer y la violencia doméstica;

d) Promover la cooperación internacional para eliminar la violencia contra la mujer y la violencia doméstica;

e) Apoyar y ayudar a las organizaciones y las fuerzas y cuerpos de seguridad para cooperar de manera eficaz para adoptar un enfoque integrado con vistas a eliminar la violencia contra la mujer y la violencia doméstica.

2. Para garantizar una aplicación efectiva de sus disposiciones por las Partes, el presente Convenio crea un mecanismo de seguimiento específico.

Artículo 2. Ámbito de aplicación del Convenio.

1. El presente Convenio se aplicará a todas las formas de violencia contra la mujer, incluida la violencia doméstica, que afecta a las mujeres de manera desproporcionada.

2. Se alienta a las Partes a aplicar el presente Convenio a todas las víctimas de violencia doméstica. Las Partes prestarán especial atención a las mujeres víctimas de violencia basada en el género en la aplicación del presente Convenio.

3. El presente Convenio se aplicará en tiempo de paz y en situación de conflicto armado.

Artículo 3. Definiciones.

A los efectos del presente Convenio:

a) Por «violencia contra la mujer» se deberá entender una violación de los derechos humanos y una forma de discriminación contra las mujeres, y se designarán todos los actos de violencia basados en el género que implican o pueden implicar para las mujeres daños o sufrimientos de naturaleza física, sexual, psicológica o económica, incluidas las amenazas de realizar dichos actos, la coacción o la privación arbitraria de libertad, en la vida pública o privada;

b) Por «violencia doméstica» se entenderán todos los actos de violencia física, sexual, psicológica o económica que se producen en la familia o en el hogar o entre cónyuges o parejas de hecho antiguos o actuales, independientemente de que el autor del delito comparta o haya compartido el mismo domicilio que la víctima;

c) Por «género» se entenderán los papeles, comportamientos, actividades y atribuciones socialmente construidos que una sociedad concreta considera propios de mujeres o de hombres;

d) Por «violencia contra la mujer por razones de género» se entenderá toda violencia contra una mujer porque es una mujer o que afecte a las mujeres de manera desproporcionada;

e) Por «víctima» se entenderá toda persona física que esté sometida a los comportamientos especificados en los apartados a y b;

f) El término «mujer» incluye a las niñas menores de 18 años.

Artículo 4. Derechos fundamentales, igualdad y no discriminación.

1. Las Partes adoptarán las medidas legislativas o de otro tipo necesarias para promover y proteger el derecho de todos, en particular de las mujeres, a vivir a salvo de la violencia tanto en el ámbito público como en el ámbito privado.

2. Las Partes condenan todas las formas de discriminación contra las mujeres y tomarán, sin demora, las medidas legislativas y de otro tipo para prevenirla, en particular:

– Indicando en sus constituciones nacionales o en cualquier otro texto legislativo adecuado el principio de la igualdad entre mujeres y hombres, garantizando la aplicación efectiva del mencionado principio;

– Prohibiendo la discriminación contra las mujeres, recurriendo incluso, en su caso, a sanciones;

– Derogando todas las leyes y prácticas que discriminan a la mujer.

3. La aplicación por las Partes de las disposiciones del presente Convenio, en particular las medidas para proteger los derechos de las víctimas, deberá asegurarse sin discriminación alguna, basada en particular en el sexo, el género, la raza, el color, la lengua, la religión, las opiniones políticas o cualquier otra opinión, el origen nacional o social, la pertenencia a una minoría nacional, la fortuna, el nacimiento, la orientación sexual, la identidad de género, la edad, el estado de salud, la discapacidad, el estado civil, el estatuto de emigrante o de refugiado, o cualquier otra situación.

4. Las medidas específicas necesarias para prevenir y proteger a las mujeres contra la violencia por razones de género no se consideran discriminatorias en el presente Convenio.

Artículo 5. Obligaciones del Estado y diligencia debida.

1. Las Partes de abstendrán de cometer cualquier acto de violencia contra la mujer y se asegurarán de que las autoridades, los funcionarios, los agentes y las instituciones estatales, así como los demás actores que actúan en nombre del Estado se comporten de acuerdo con esta obligación.

2. Las Partes tomarán las medidas legislativas y demás necesarias para actuar con la diligencia debida para prevenir, investigar, castigar y conceder una indemnización por los actos de violencia incluidos en el ámbito de aplicación del presente Convenio cometidos por actores no estatales.

Artículo 6. Políticas sensibles al género.

Las Partes se comprometen a incluir un enfoque de género en la aplicación y la evaluación del impacto de las disposiciones del presente Convenio y a promover y aplicar de manera efectiva políticas de igualdad entre mujeres y hombres y el empoderamiento de las mujeres.

CAPÍTULO II. POLÍTICAS INTEGRADAS Y RECOGIDA DE DATOS

Artículo 7. Políticas globales y coordinadas.

1. Las Partes adoptarán las medidas legislativas y de otro tipo necesarias para adoptar y poner en práctica políticas nacionales efectivas, globales y coordinadas, incluyendo todas las medidas pertinentes para prevenir y combatir todas las formas de violencia incluidas en el ámbito de aplicación del presente Convenio, y ofrecer una respuesta global a la violencia contra la mujer.

2. Las Partes velarán por que las políticas mencionadas en el apartado 1 pongan los derechos de la víctima en el centro de todas las medidas y se apliquen por medio de una cooperación efectiva entre todas las agencias, instituciones y organizaciones pertinentes.

3. Las medidas tomadas conforme al presente artículo deberán implicar, en su caso, a todos los actores pertinentes como las agencias gubernamentales, los parlamentos y las autoridades nacionales, regionales y locales, las instituciones nacionales de derechos humanos y las organizaciones de la sociedad civil.

Artículo 8. Recursos financieros.

Las Partes dedicarán recursos financieros y humanos adecuados para la correcta aplicación de políticas integradas, medidas y programas dirigidos a prevenir y combatir todas las formas de violencia incluidas en el ámbito de aplicación del presente Convenio, incluidos los que realicen las organizaciones no gubernamentales y la sociedad civil.

Artículo 9. Organizaciones no gubernamentales y sociedad civil.

Las Partes reconocerán, fomentarán y apoyarán, a todos los niveles, el trabajo de las organizaciones no gubernamentales pertinentes y de la sociedad civil que sean activas en la lucha contra la violencia contra la mujer y establecerán una cooperación efectiva con dichas organizaciones.

Artículo 10. Órgano de coordinación.

1. Las Partes designarán o crearán una o varias entidades oficiales responsables de la coordinación, aplicación, seguimiento y evaluación de las políticas y medidas tomadas para prevenir y combatir todas las formas de violencia incluidas en el presente Convenio. Estas entidades coordinarán la recogida de datos a que se refiere el artículo 11, y analizarán y difundirán los resultados.

2. Las Partes velarán por que las entidades designadas o creadas con arreglo al presente artículo reciban informaciones de naturaleza general relativas a las medidas tomadas conforme al Capítulo VIII.

3. Las Partes velarán por que las entidades designadas o creadas con arreglo al presente artículo tengan capacidad para comunicar directamente y fomentar relaciones con sus homólogas de las otras Partes.

Artículo 11. Recogida de datos e investigación.
1. A los fines de la aplicación del presente Convenio, las Partes se comprometen a:
a) Recoger los datos estadísticos detallados pertinentes, a intervalos regulares, sobre los asuntos relativos a todas las formas de violencia incluidas en el ámbito de aplicación del presente Convenio;
b) Apoyar la investigación en los ámbitos relativos a todas las formas de violencia incluidas en el ámbito de aplicación del presente Convenio, con el fin de estudiar sus causas profundas y sus efectos, su frecuencia y los índices de condena, así como la eficacia de las medidas tomadas para aplicar el presente Convenio.
2. Las Partes se esforzarán por realizar encuestas basadas en la población, a intervalos regulares, para evaluar la amplitud y las tendencias de todas las formas de violencia incluidas en el ámbito de aplicación del presente Convenio.
3. Las Partes proporcionarán las informaciones recogidas con arreglo al presente artículo al grupo de expertos a que se refiere el artículo 66 del presente Convenio, con el fin de estimular la cooperación internacional y permitir una comparación internacional.
4. Las Partes velarán por que las informaciones recogidas con arreglo al presente artículo se pongan a disposición del público.

CAPÍTULO III. PREVENCIÓN

Artículo 12. Obligaciones generales.
1. Las Partes tomarán las medidas necesarias para promover los cambios en los modos de comportamiento socioculturales de las mujeres y los hombres con vistas a erradicar los prejuicios, costumbres, tradiciones y cualquier otra práctica basada en la idea de la inferioridad de la mujer o en un papel estereotipado de las mujeres y los hombres.
2. Las Partes adoptarán las medidas legislativas y de otro tipo necesarias para prevenir todas las formas de violencia incluidas en el ámbito de aplicación del presente Convenio por toda persona física o jurídica.
3. Todas las medidas tomadas conforme al presente capítulo tendrán en cuenta y tratarán las necesidades específicas de las personas que sean vulnerables debido a circunstancias particulares, y pondrán en su centro los derechos humanos de todas las víctimas.

4. Las Partes tomarán las medidas necesarias para animar a todos los miembros de la sociedad, en particular los hombres y los niños, a contribuir activamente a la prevención de todas las formas de violencia incluidas en el ámbito de aplicación del presente Convenio.

5. Las Partes velarán por que no se considere que la cultura, las costumbres, la religión, la tradición o el supuesto «honor» justifican actos de violencia incluidos en el ámbito de aplicación del presente Convenio.

6. Las Partes tomarán las medidas necesarias para promover programas y actividades para el empoderamiento de las mujeres.

Artículo 13. Sensibilización.

1. Las Partes promoverán o dirigirán, regularmente y a todos los niveles, campañas o programas de sensibilización, incluso en cooperación con las instituciones nacionales de derechos humanos y las entidades competentes en materia de igualdad, la sociedad civil y las organizaciones no gubernamentales, en particular las organizaciones de mujeres, en su caso, para incrementar la concienciación y la comprensión por el público en general de las distintas manifestaciones de todas las formas de violencia incluidas en el ámbito de aplicación del presente Convenio y sus consecuencias en los menores, y de la necesidad de prevenirlos.

2. Las Partes garantizarán la amplia difusión entre el público en general de información sobre las medidas disponibles para prevenir los actos de violencia incluidos en el ámbito de aplicación del presente Convenio.

Artículo 14. Educación.

1. Las Partes emprenderán, en su caso, las acciones necesarias para incluir en los programas de estudios oficiales y a todos los niveles de enseñanza material didáctico sobre temas como la igualdad entre mujeres y hombres, los papeles no estereotipados de los géneros, el respeto mutuo, la solución no violenta de conflictos en las relaciones interpersonales, la violencia contra la mujer por razones de género, y el derecho a la integridad personal, adaptado a la fase de desarrollo de los alumnos.

2. Las Partes emprenderán las acciones necesarias para promover los principios mencionados en el apartado 1 en las estructuras educativas informales así como en las estructuras deportivas, culturales y de ocio, y en los medios de comunicación.

Artículo 15. Formación de profesionales.

1. Las Partes impartirán o reforzarán la formación adecuada de los profesionales pertinentes que traten con víctimas o autores de todos los actos de violencia incluidos en el ámbito de aplicación del presente Convenio, en materia de prevención y detección de dicha violencia, igualdad entre mujeres y hombres, necesidades y derechos de las víctimas, así como sobre la manera de prevenir la victimización secundaria.

2. Las Partes fomentarán la inclusión en la formación a que se refiere el apartado 1 de una formación en materia de cooperación coordinada e interinstitucional con el fin de permitir una gestión global y adecuada de las directrices en los asuntos de violencia incluidos en el ámbito del presente Convenio.

Artículo 16. Programas preventivos de intervención y tratamiento.

1. Las Partes tomarán medidas legislativas u otras necesarias para crear o apoyar programas dirigidos a enseñar a quienes ejerzan la violencia doméstica a adoptar un comportamiento no violento en las relaciones interpersonales para prevenir nuevas violencias y cambiar los esquemas de comportamiento violentos.

2. Las Partes tomarán medidas legislativas u otras necesarias para crear o apoyar programas de tratamiento dirigidos a prevenir la reincidencia de los autores de delitos, en particular los autores de delitos de carácter sexual.

3. Al tomar las medidas mencionadas en los apartados 1 y 2, las Partes velarán por que la seguridad, el apoyo y los derechos humanos de las víctimas sean una prioridad y que, en su caso, se creen y apliquen esos programas en estrecha coordinación con los servicios especializados en el apoyo a las víctimas.

Artículo 17. Participación del sector privado y los medios de comunicación.

1. Las Partes animarán al sector privado, al sector de las tecnologías de la información y de la comunicación y a los medios de comunicación, respetando la libertad de expresión y su independencia, a participar en la elaboración y aplicación de políticas, así como a establecer líneas directrices y normas de autorregulación para prevenir la violencia contra la mujer y reforzar el respeto de su dignidad.

2. Las Partes desarrollarán y promoverán, en cooperación con los actores del sector privado, las capacidades de niños, padres y educadores para hacer frente a un entorno de tecnologías de la información y de la comunicación que da acceso a contenidos degradantes de carácter sexual o violento que pueden ser nocivos.

CAPÍTULO IV. PROTECCIÓN Y APOYO

Artículo 18. Obligaciones generales.

1. Las Partes tomarán las medidas legislativas u otras necesarias para proteger a todas las víctimas contra cualquier nuevo acto de violencia.

2. Las Partes tomarán las medidas legislativas u otras necesarias, conforme a su derecho interno, para velar por que existan mecanismos adecuados para poner en práctica una cooperación eficaz entre todas las agencias estatales pertinentes, incluidas las autoridades judiciales, los fiscales, las fuerzas y cuerpos de seguridad, las autoridades locales y regionales, así como las organizaciones no gubernamentales y las demás organizaciones o entidades pertinentes para la protección y el apoyo a las víctimas y testigos de todas las formas de violencia incluidas en el ámbito de aplicación del presente Convenio, remitiéndose incluso a los servicios de apoyo generales y especializados a que se refieren los artículos 20 y 22 del presente Convenio.

3. Las Partes velarán por que las medidas tomadas conforme al presente capítulo:

– Se basen en una comprensión fundamentada en el género de la violencia contra la mujer y la violencia doméstica, y se concentren en los derechos humanos y la seguridad de la víctima;

– Se basen en un enfoque integrado que tome en cuenta la relación entre las víctimas, los autores de los delitos, los niños y su entorno social más amplio;

– Estén dirigidas a evitar la victimización secundaria;

– Estén dirigidas al empoderamiento e independencia económica de las mujeres víctimas de violencia;

– Permitan, en su caso, el establecimiento de un conjunto de servicios de protección y apoyo en los mismos locales;

– Respondan a las necesidades específicas de las personas vulnerables, incluso los hijos de las víctimas, y sean accesibles para ellos.

4. La prestación de servicios no debe depender de la voluntad de las víctimas de emprender acciones legales ni de testimoniar contra cualquier autor de delito.

5. Las Partes tomarán las medidas adecuadas para garantizar la protección consular u otra, y el apoyo a sus nacionales y a las demás víctimas que tengan derecho a esa protección conforme a las obligaciones derivadas del derecho internacional.

Artículo 19. Información.

Las Partes tomarán las medidas legislativas u otras necesarias para que las víctimas reciban una información adecuada y en el momento oportuno sobre los servicios de apoyo y las medidas legales disponibles en una lengua que comprendan.

Artículo 20. Servicios de apoyo generales.

1. Las Partes tomarán las medidas legislativas u otras necesarias para que las víctimas tengan acceso a servicios que faciliten su restablecimiento. Estas medidas deberían incluir, en caso necesario, servicios como el asesoramiento jurídico y psicológico, la asistencia financiera, los servicios de alojamiento, la educación, la formación y la asistencia en materia de búsqueda de empleo.

2. Las Partes tomarán las medidas legislativas u otras necesarias para que las víctimas tengan acceso a servicios de salud y servicios sociales, que los servicios dispongan de recursos adecuados y que los profesionales estén formados para prestar asistencia a las víctimas y orientarlas hacia servicios adecuados.

Artículo 21. Apoyo en materia de denuncias individuales/colectivas.

Las Partes velarán por que las víctimas se beneficien de información sobre los mecanismos regionales e internacionales de demandas individuales/colectivas aplicables y del acceso a dichos mecanismos. Las Partes promoverán la puesta a disposición de un apoyo a las víctimas sensible y consciente en la presentación de sus demandas.

Artículo 22. Servicios de apoyo especializado.

1. Las Partes tomarán las medidas legislativas u otras necesarias para suministrar o adecuar, según un reparto geográfico adecuado, servicios de apoyo especializado inmediatos, a corto o largo plazo, a toda víctima que haya sido

objeto de cualquier acto de violencia incluido en el ámbito de aplicación del presente Convenio.

2. Las Partes suministrarán o adecuarán servicios de apoyo especializados para todas las mujeres víctimas de violencia y sus hijos.

Artículo 23. Casas de acogida.

Las Partes tomarán las medidas legislativas u otras necesarias para permitir la creación de casas de acogida apropiadas, fácilmente accesibles y en número suficiente, para ofrecer alojamiento seguro a las víctimas, en particular las mujeres y sus hijos, y para ayudarlas de manera eficaz.

Artículo 24. Guardias telefónicas.

Las Partes tomarán las medidas legislativas u otras necesarias para establecer a nivel nacional guardias telefónicas gratuitas, accesibles las 24 horas del día, siete días por semana, para proporcionar a las personas que llamen, confidencialmente o respetando su anonimato, consejos relativos a todas las formas de violencia incluidas en el ámbito de aplicación del presente Convenio.

Artículo 25. Apoyo a las víctimas de violencia sexual.

Las Partes tomarán las medidas legislativas u otras necesarias para permitir la creación de centros de ayuda de emergencia para las víctimas de violaciones y de violencias sexuales, apropiados, fácilmente accesibles y en número suficiente, para realizarles un reconocimiento médico y médico forense, y darles un apoyo vinculado al traumatismo y consejos.

Artículo 26. Protección y apoyo a los menores expuestos.

1. Las Partes tomarán las medidas legislativas u otras necesarias para que, en la oferta de servicios de protección y apoyo a las víctimas, se tengan en cuenta adecuadamente los derechos y necesidades de los menores expuestos a todas las formas de violencia incluidas en el ámbito de aplicación del presente Convenio.

2. Las medidas tomadas con arreglo al presente artículo incluirán los consejos psicosociales adaptados a la edad de los menores expuestos a todas las formas de violencia incluidas en el ámbito de aplicación del presente Convenio y tendrán en cuenta debidamente el interés superior del niño.

Artículo 27. Denuncia.

Las Partes tomarán las medidas necesarias para alentar a toda persona testigo de la comisión de cualquier acto de violencia incluido en el ámbito de aplicación del presente Convenio, o que tenga serias razones para creer que se podría cometer algún acto o que hay riesgo de que se produzcan nuevos actos de violencia, para que lo denuncie a las organizaciones u autoridades competentes.

Artículo 28. Denuncia por profesionales.

Las Partes tomarán las medidas necesarias para que las normas de confidencialidad impuestas por sus legislaciones internas a ciertos profesionales no impidan, en condiciones apropiadas, hacer una denuncia a las organizaciones u autoridades competentes si tienen razones serias para creer que se ha cometido un acto grave de violencia incluido en el ámbito de aplicación del presente Convenio y que hay riesgo de que se produzcan nuevos actos graves de violencia.

CAPÍTULO V. DERECHO MATERIAL

Artículo 29. Acciones y recursos civiles.

1. Las Partes tomarán las medidas legislativas u otras necesarias para proporcionar a las víctimas recursos civiles adecuados contra el autor del delito.

2. Con arreglo a los principios generales de derecho internacional, las Partes tomarán las medidas legislativas u otras necesarias para proporcionar a las víctimas recursos civiles adecuados contra las autoridades estatales que hubieran incumplido su deber de tomar medidas preventivas o de protección necesarias dentro del límite de sus poderes.

Artículo 30. Indemnización.

1. Las Partes tomarán las medidas legislativas u otras necesarias para que las víctimas tengan derecho a solicitar una indemnización por parte de los autores de todo delito previsto en el presente Convenio.

2. El Estado debería conceder una indemnización adecuada a quienes hayan sufrido graves daños contra su integridad física o a la salud, en la medida en que el perjuicio no esté cubierto por otras fuentes, en particular por el autor del delito, los seguros o los servicios sociales y médicos financiados por el Estado. Esto no impide a las Partes requerir al autor del delito el reembolso de

la indemnización concedida, siempre que la seguridad de la víctima se tenga en cuenta de manera adecuada.

3. Las medidas tomadas con arreglo al apartado 2 deberán garantizar la concesión de la indemnización en un plazo razonable.

Artículo 31. Custodia, derecho de visita y seguridad.

1. Las Partes tomarán las medidas legislativas u otras necesarias para que, en el momento de estipular los derechos de custodia y visita relativos a los hijos, se tengan en cuenta los incidentes de violencia incluidos en el ámbito de aplicación del presente Convenio.

2. Las Partes tomarán las medidas legislativas u otras necesarias para que el ejercicio de ningún derecho de visita o custodia ponga en peligro los derechos y la seguridad de la víctima y de los niños.

Artículo 32. Consecuencias civiles de los matrimonios forzosos.

Las Partes tomarán las medidas legislativas u otras necesarias para que los matrimonios contraídos recurriendo a la fuerza puedan ser anulables, anulados o disueltos sin que esto suponga para la víctima cargas económicas o administrativas excesivas.

Artículo 33. Violencia psicológica.

Las Partes adoptarán las medidas legislativas o de otro tipo necesarias para tipificar como delito el hecho, cuando se cometa intencionadamente, de atentar gravemente contra la integridad psicológica de una persona mediante coacción o amenazas.

Artículo 34. Acoso.

Las Partes adoptarán las medidas legislativas o de otro tipo necesarias para tipificar como delito el hecho, cuando se cometa intencionadamente, de adoptar, en varias ocasiones, un comportamiento amenazador contra otra persona que lleve a ésta a temer por su seguridad.

Artículo 35. Violencia física.

Las Partes adoptarán las medidas legislativas o de otro tipo necesarias para tipificar como delito el hecho, cuando se cometa intencionadamente, de cometer actos de violencia física sobre otra persona.

Artículo 36. Violencia sexual, incluida la violación.

1. Las Partes adoptarán las medidas legislativas o de otro tipo necesarias para tipificar como delito, cuando se cometa intencionadamente:

a) La penetración vaginal, anal u oral no consentida, con carácter sexual, del cuerpo de otra persona con cualquier parte del cuerpo o con un objeto;

b) Los demás actos de carácter sexual no consentidos sobre otra persona;

c) El hecho de obligar a otra persona a prestarse a actos de carácter sexual no consentidos con un tercero.

2. El consentimiento debe prestarse voluntariamente como manifestación del libre arbitrio de la persona considerado en el contexto de las condiciones circundantes.

3. Las Partes adoptarán las medidas legislativas o de otro tipo necesarias para que las disposiciones del apartado 1 se apliquen también contra los cónyuges o parejas de hecho antiguos o actuales, de conformidad con su derecho interno.

Artículo 37. Matrimonios forzosos.

1. Las Partes adoptarán las medidas legislativas o de otro tipo necesarias para tipificar como delito el hecho, cuando se cometa intencionadamente, de obligar a un adulto o un menor a contraer matrimonio.

2. Las Partes adoptarán las medidas legislativas o de otro tipo necesarias para tipificar como delito el hecho, cuando se cometa intencionadamente, de engañar a un adulto o un menor para llevarlo al territorio de una Parte o de un Estado distinto a aquel en el que reside con la intención de obligarlo a contraer matrimonio.

Artículo 38. Mutilaciones genitales femeninas.

Las Partes adoptarán las medidas legislativas o de otro tipo necesarias para tipificar como delito, cuando se cometa de modo intencionado:

a) La escisión, infibulación o cualquier otra mutilación de la totalidad o parte de los labios mayores, labios menores o clítoris de una mujer;

b) El hecho de obligar a una mujer a someterse a cualquiera de los actos enumerados en el punto a) o de proporcionarle los medios para dicho fin;

c) El hecho de incitar u obligar a una niña a someterse a cualquiera de los actos enumerados en el punto a) o de proporcionarle los medios para dicho fin.

Artículo 39. Aborto y esterilización forzosos.

Las Partes adoptarán las medidas legislativas o de otro tipo necesarias para tipificar como delito, cuando se cometa de modo intencionado:

a) La práctica de un aborto a una mujer sin su consentimiento previo e informado;

b) El hecho de practicar una intervención quirúrgica que tenga por objeto o por resultado poner fin a la capacidad de una mujer de reproducirse de modo natural sin su consentimiento previo e informado o sin su entendimiento del procedimiento.

Artículo 40. Acoso sexual.

Las Partes adoptarán las medidas legislativas o de otro tipo necesarias para que toda forma de comportamiento no deseado, verbal, no verbal o físico, de carácter sexual, que tenga por objeto o resultado violar la dignidad de una persona, en particular cuando dicho comportamiento cree un ambiente intimidatorio, hostil, degradante, humillante u ofensivo, sea castigado con sanciones penales u otro tipo de sanciones legales.

Artículo 41. Asistencia o complicidad y tentativa.

1. Las Partes adoptarán las medidas legislativas o de otro tipo necesarias para tipificar como delito, cuando sea intencionada, la asistencia o la complicidad en la comisión de los delitos previstos en los artículos 33, 34, 35, 36, 37, 38 a) y 39 del presente Convenio.

2. Las Partes adoptarán las medidas legislativas o de otro tipo necesarias para tipificar como delito, cuando sea intencionada, la tentativa de comisión de los delitos previstos en los artículos 35, 36, 37, 38 a) y 39 del presente Convenio.

Artículo 42. Justificación inaceptable de los delitos penales, incluidos los delitos cometidos supuestamente en nombre del «honor»

1. Las Partes adoptarán las medidas legislativas o de otro tipo necesarias para garantizar que, en los procedimientos penales abiertos por la comisión de uno de los actos de violencia incluidos en el ámbito de aplicación del presente Convenio, no se considere a la cultura, la costumbre, la religión, la tradición o el supuesto «honor» como justificación de dichos actos. Ello abarca, en especial, las alegaciones según las cuales la víctima habría transgredido las

normas o costumbres culturales, religiosas, sociales o tradicionales relativas a un comportamiento apropiado.

2. Las Partes adoptarán las medidas legislativas o de otro tipo necesarias para que la incitación hecha por cualquier persona a un menor para que cometa cualquiera de los actos mencionados en el apartado 1 no disminuya la responsabilidad penal de dicha persona en relación con los actos cometidos.

Artículo 43. Sanción de los delitos penales.

Los delitos previstos en el presente Convenio se sancionarán con independencia de la relación existente entre la víctima y el autor del delito.

Artículo 44. Competencia.

1. Las Partes adoptarán las medidas legislativas o de otro tipo necesarias para establecer su competencia con respecto a cualquiera de los delitos previstos en el presente Convenio cuando el delito sea cometido:

a) En su territorio; o

b) A bordo de un buque que enarbole su pabellón; o

c) A bordo de una aeronave matriculada de conformidad con sus leyes internas; o

d) Por uno de sus nacionales; o

e) Por una persona que tenga su residencia habitual en su territorio.

2. Las Partes se esforzarán por adoptar las medidas legislativas o de otro tipo necesarias para establecer su competencia con respecto a cualquiera de los delitos previstos en el presente Convenio cuando la víctima del delito sea uno de sus nacionales o una persona con residencia habitual en su territorio.

3. A efectos de la persecución de los delitos previstos en los artículos 36, 37, 38 y 39 del presente Convenio, las Partes adoptarán las medidas legislativas o de otro tipo necesarias para que su competencia no esté subordinada a la condición de que los hechos también estén tipificados en el territorio en el que se hayan cometido.

4. A efectos de la persecución de los delitos previstos en los artículos 36, 37, 38 y 39 del presente Convenio, las Partes adoptarán las medidas legislativas o de otro tipo necesarias para que su competencia con respecto a los puntos d) y e) del apartado 1 no esté subordinada a la condición de que la apertura de diligencias venga precedida de una demanda de la víctima o de una denuncia del Estado del lugar en el que el delito haya sido cometido.

5. Las Partes adoptarán las medidas legislativas o de otro tipo necesarias para establecer su competencia con respecto a cualquiera de los delitos previstos en el presente Convenio en los casos en los que el presunto autor se encuentre presente en su territorio y no pueda ser extraditado a otra Parte únicamente por razón de su nacionalidad.

6. Cuando varias Partes reivindiquen su competencia con respecto a un presunto delito de los previstos en el presente Convenio, las Partes en cuestión se pondrán de acuerdo, en su caso, a efectos de determinar aquella que se encuentre en mejor situación de tramitar las diligencias.

7. Sin perjuicio de las normas generales de derecho internacional, el presente Convenio no excluye ninguna competencia penal ejercida por una Parte de conformidad con su legislación interna.

Artículo 45. Sanciones y medidas.

1. Las Partes adoptarán las medidas legislativas o de otro tipo necesarias para que los delitos previstos en el presente Convenio sean castigados con sanciones efectivas, proporcionales y disuasivas, según su gravedad. Estas incluirán, en su caso, las penas privativas de libertad que pueden dar lugar a la extradición.

2. Las Partes podrán adoptar otras medidas en relación con los autores de los delitos, tales como:

– El seguimiento o la vigilancia de la persona condenada;

– La pérdida de sus derechos dimanantes de la patria potestad si el interés superior del menor, que puede incluir la seguridad de la víctima, no se puede garantizar de ninguna otra forma.

Artículo 46. Circunstancias agravantes.

Las Partes adoptarán las medidas legislativas o de otro tipo necesarias para que las circunstancias que se expresan a continuación, siempre que no sean de por sí elementos constitutivos del delito, de conformidad con las disposiciones aplicables de su derecho interno, puedan ser tomadas en consideración como circunstancias agravantes en el momento de la determinación de las penas correspondientes a los delitos previstos en el presente Convenio:

a) Que el delito se haya cometido contra un cónyuge o pareja de hecho actual o antiguo, de conformidad con el derecho interno, por un miembro de la familia, una persona que conviva con la víctima o una persona que haya abusado de su autoridad;

b) Que el delito, o los delitos emparentados, se haya cometido de forma reiterada;

c) Que el delito se haya cometido contra una persona que se encuentre en situación de vulnerabilidad por la concurrencia de particulares circunstancias;

d) Que el delito se haya cometido contra o en presencia de un menor;

e) Que el delito se haya cometido por dos o más personas actuando conjuntamente;

f) Que el delito haya sido precedido o se haya acompañado de una violencia de extrema gravedad;

g) Que el delito se haya cometido utilizando o amenazando con un arma;

h) Que el delito haya provocado graves daños físicos o psicológicos a la víctima:

i) Que el autor haya sido condenado anteriormente por hechos de similar naturaleza.

Artículo 47. Condenas en otra Parte.

Las Partes adoptarán las medidas legislativas o de otro tipo necesarias para prever la posibilidad de tener en cuenta, en el marco de la apreciación de la pena, las condenas firmes dictadas en otra de las Partes por los delitos previstos en el presente Convenio.

Artículo 48. Prohibición de modos alternativos obligatorios de resolución de conflictos o imposición de condenas.

1. Las Partes adoptarán las medidas legislativas o de otro tipo necesarias para prohibir los modos alternativos obligatorios de resolución de conflictos, incluidas la mediación y la conciliación, en lo que respecta a todas las formas de violencia incluidas en el ámbito de aplicación del presente Convenio.

2. Las Partes adoptarán las medidas legislativas o de otro tipo necesarias para que, en el caso de que se condene al pago de una multa, se tenga debidamente en cuenta la capacidad del autor del delito para hacer frente a las obligaciones económicas que tenga contraídas con la víctima.

CAPÍTULO VI. INVESTIGACIÓN, PROCEDIMIENTOS, DERECHO PROCESAL Y MEDIDAS DE PROTECCIÓN

Artículo 49. Obligaciones generales.

1. Las Partes adoptarán las medidas legislativas o de otro tipo necesarias para que la investigación y los procedimientos judiciales relativos a todas las formas de violencia incluidas en el ámbito de aplicación del presente Convenio se lleven a cabo sin demoras injustificadas, sin perjuicio del derecho de la víctima a todas las fases del proceso penal.

2. Las Partes adoptarán las medidas legislativas o de otro tipo necesarias, de conformidad con los principios fundamentales de los derechos humanos y teniendo en cuenta la perspectiva de género en este tipo de violencia, para garantizar una investigación y un procedimiento efectivos por los delitos previstos en el presente Convenio.

Artículo 50. Respuesta inmediata, prevención y protección.

1. Las Partes adoptarán las medidas legislativas o de otro tipo necesarias para que las fuerzas y cuerpos de seguridad competentes respondan de forma rápida y eficaz a todas las formas de violencia incluidas en el ámbito de aplicación del presente Convenio ofreciendo protección adecuada e inmediata a las víctimas.

2. Las Partes adoptarán las medidas legislativas o de otro tipo necesarias para que las fuerzas y cuerpos de seguridad competentes tomen de forma rápida y adecuada medidas de prevención y protección frente a todas las formas de violencia incluidas en el ámbito de aplicación del presente Convenio, incluidas las medidas operativas preventivas y la recogida de pruebas.

Artículo 51. Valoración y gestión de riesgos.

1. Las Partes adoptarán las medidas legislativas o de otro tipo necesarias para que todas las autoridades pertinentes puedan llevar a cabo una valoración del riesgo de letalidad, de la gravedad de la situación y del riesgo de reincidencia de la violencia a efectos de gestionar el riesgo y garantizar, en su caso, la coordinación de la seguridad y el apoyo.

2. Las Partes adoptarán las medidas legislativas o de otro tipo necesarias para que la valoración mencionada en el apartado 1 tenga debidamente en cuenta, en todas las fases de la investigación y de la aplicación de las medidas

de protección, el hecho de que el autor de actos de violencia incluidos en el campo de aplicación del presente Convenio posea o tenga acceso a armas de fuego.

Artículo 52. Órdenes urgentes de prohibición.

Las Partes adoptarán las medidas legislativas o de otro tipo necesarias para que las autoridades competentes dispongan de la facultad de ordenar, en situaciones de peligro inmediato, que el autor del acto de violencia doméstica abandone la residencia de la víctima o de la persona en peligro por un periodo de tiempo suficiente y de prohibir que el autor entre en el domicilio de la víctima o de la persona en peligro o contacte con ella. Las medidas adoptadas de conformidad con el presente artículo deberán dar prioridad a la seguridad de las víctimas o personas en peligro.

Artículo 53. Mandamientos u órdenes de protección.

1. Las Partes adoptarán las medidas legislativas o de otro tipo necesarias para que las víctimas de todas las formas de violencia incluidas en el ámbito de aplicación del presente Convenio puedan beneficiarse de mandamientos u órdenes de protección adecuados.

2. Las Partes adoptarán las medidas legislativas o de otro tipo necesarias para que los mandamientos u órdenes de protección mencionados en el apartado 1:

– Ofrezcan una protección inmediata y no supongan una carga económica o administrativa excesiva para la víctima;

– Tengan efecto por un periodo determinado o hasta su modificación o revocación;

– En su caso, se dicten sin audiencia a la otra parte con efecto inmediato;

– Puedan disponerse de forma independiente o acumulable a otros procedimientos judiciales;

– Puedan introducirse en procesos judiciales subsiguientes.

3. Las Partes adoptarán las medidas legislativas o de otro tipo necesarias para que los mandamientos u órdenes de protección dictados de conformidad con el apartado 1 sean objeto de sanciones legales, efectivas, proporcionadas y disuasorias.

Artículo 54. Investigación y pruebas.

1. Las Partes adoptarán las medidas legislativas o de otro tipo necesarias para que en cualquier procedimiento, civil o penal, las pruebas relativas a los antecedentes sexuales y al comportamiento de la víctima no sean admitidas salvo que sea pertinente y necesario.

Artículo 55. Procedimientos *ex parte* y *ex officio*.

1. Las Partes velarán por que las investigaciones o los procedimientos relativos a los delitos previstos en los artículos 35, 36, 37, 38 y 39 del presente Convenio no dependan totalmente de una denuncia o demanda de la víctima cuando el delito se hubiera cometido, en parte o en su totalidad, en su territorio, y por que el procedimiento pueda continuar su tramitación incluso cuando la víctima se retracte o retire su denuncia.

2. Las Partes adoptarán las medidas legislativas o de otro tipo necesarias para garantizar, de acuerdo con las condiciones previstas en su derecho interno, la posibilidad de que las organizaciones gubernamentales y no gubernamentales y los consejeros especializados en violencia doméstica puedan asistir y/o apoyar a las víctimas, a petición de éstas, a lo largo de las investigaciones y procedimientos judiciales relativos a los delitos previstos en el presente Convenio.

Artículo 56. Medidas de protección.

1. Las Partes adoptarán las medidas legislativas o de otro tipo necesarias para salvaguardar los derechos e intereses de las víctimas, incluidas sus necesidades específicas cuando actúen en calidad de testigos, en todas las fases de las investigaciones y procedimientos judiciales, en especial:

a) Velando por que tanto ellas como sus familiares y testigos de cargo estén al amparo de los riesgos de intimidación, represalias y nueva victimización;

b) Velando por que las víctimas sean informadas, al menos en los casos en que las víctimas y sus familiares pudieran estar en peligro, cuando el autor del delito se evada o salga en libertad de forma temporal o definitiva;

c) Manteniéndolas informadas, según las condiciones establecidas en su derecho interno, de sus derechos y de los servicios existentes a su disposición, así como del curso dado a su demanda, de los cargos imputados, del desarrollo general de la investigación o del procedimiento y de su papel en el mismo, y de la resolución recaída;

d) Dando a las víctimas, de conformidad con las normas procedimentales de su derecho interno, la posibilidad de ser oídas, de presentar elementos de prueba y de exponer sus puntos de vista, necesidades y preocupaciones, directamente o a través de un intermediario, y de que éstos sean examinados;

e) Proporcionando a las víctimas una asistencia adecuada para que sus derechos e intereses sean debidamente expuestos y considerados;

f) Velando por que se puedan adoptar medidas para proteger la vida privada y la imagen de la víctima;

g) Velando por que, siempre que sea posible, se evite el contacto entre las víctimas y los autores de los delitos en la sede de los tribunales o de los locales de las fuerzas y cuerpos de seguridad;

h) Proporcionando a las víctimas intérpretes independientes y competentes, cuando las víctimas sean parte en el procedimiento o cuando aporten elementos de prueba;

i) Permitiendo a las víctimas declarar ante el tribunal, de conformidad con las normas de su derecho interno, sin estar presentes, o al menos sin que el presunto autor del delito esté presente, especialmente recurriendo a las tecnologías de la comunicación adecuadas, si se dispone de ellas.

2. Se deberán disponer, en su caso, medidas de protección específicas que tengan en consideración el interés superior del menor que haya sido víctima y testigo de actos de violencia contra la mujer y de violencia doméstica.

Artículo 57. Asistencia jurídica.

Las Partes velarán por que las víctimas tengan derecho a asistencia jurídica y ayuda legal gratuita según las condiciones previstas en su derecho interno.

Artículo 58. Prescripción.

Las Partes adoptarán las medidas legislativas o de otro tipo necesarias a efectos de que el plazo de prescripción para instar un procedimiento relativo a los delitos previstos en los artículos 36, 37, 38 y 39 del presente Convenio tenga una duración suficiente y proporcional a la gravedad del delito de que se trate, a fin de permitir la tramitación eficaz del procedimiento, después de que la víctima haya adquirido la mayoría de edad.

CAPÍTULO VII. MIGRACIÓN Y ASILO

Artículo 59. Estatuto de residente.

1. Las Partes adoptarán las medidas legislativas o de otro tipo necesarias para garantizar que se conceda a las víctimas, cuyo estatuto de residente dependa del de su cónyuge o de su pareja de hecho, de conformidad con su derecho interno, previa petición, un permiso de residencia autónomo, en el caso de disolución del matrimonio o de la relación, en situaciones particularmente difíciles, con independencia de la duración del matrimonio o de la relación. Las condiciones relativas a la concesión y a la duración del permiso de residencia autónomo se establecerán de conformidad con el derecho interno.

2. Las Partes adoptarán las medidas legislativas o de otro tipo necesarias para que las víctimas puedan obtener la suspensión de los procedimientos de expulsión iniciados por causa de que su estatuto de residente dependa del de su cónyuge o de su pareja de hecho, de conformidad con su derecho interno, con el fin de permitirles solicitar un permiso de residencia autónomo.

3. Las Partes expedirán un permiso de residencia renovable a las víctimas, en al menos una de las situaciones siguientes:

a) cuando la autoridad competente considere que su estancia es necesaria con respecto a su situación personal;

b) cuando la autoridad competente considere que su estancia es necesaria a los fines de cooperación con las autoridades competentes en el marco de una investigación o de procedimientos penales.

4. Las Partes adoptarán las medidas legislativas o de otro tipo necesarias para que las víctimas de matrimonios forzosos llevadas a otro país a fines de celebración de dichos matrimonios, y que pierdan, en consecuencia, su estatuto de residentes en el país en que residan habitualmente, puedan recuperar este estatuto.

Artículo 60. Solicitudes de asilo basadas en el género.

1. Las Partes adoptarán las medidas legislativas o de otro tipo necesarias para que la violencia contra la mujer basada en el género pueda reconocerse como una forma de persecución en el sentido del artículo 1, A (2) del Convenio, relativo al estatuto de los refugiados de 1951 y como una forma de daño grave que da lugar a una protección complementaria o subsidiaria.

2. Las Partes velarán por la aplicación a cada uno de los motivos del Convenio de una interpretación sensible al género y por que los solicitantes de asilo puedan obtener el estatuto de refugiado en los casos en que haya quedado establecido que el riesgo de persecución está basado en uno o varios de esos motivos, conforme a los instrumentos pertinentes aplicables.

3. Las Partes adoptarán las medidas legislativas o de otro tipo necesarias para desarrollar procedimientos de acogida sensibles al género y servicios de apoyo a los solicitantes de asilo, así como directrices basadas en el género y procedimientos de asilo sensibles al género, incluidos los relativos a la obtención del estatuto de refugiado y a la solicitud de protección internacional.

Artículo 61. La no devolución.

1. Las Partes adoptarán las medidas legislativas o de otro tipo necesarias para respetar el principio de no devolución, conforme a las obligaciones existentes derivadas del derecho internacional.

2. Las Partes adoptarán las medidas legislativas o de otro tipo necesarias para que las víctimas de violencia contra la mujer necesitadas de protección, con independencia de su condición o de su lugar de residencia, no puedan ser devueltas en circunstancia alguna a un país en el que su vida pudiera estar en peligro o en el que pudieran ser víctimas de tortura o de penas o tratos inhumanos o degradantes.

CAPÍTULO VIII. COOPERACIÓN INTERNACIONAL

Artículo 62. Principios generales.

1. Las Partes cooperarán para celebrar acuerdos, conforme a las disposiciones del presente Convenio y en aplicación de los instrumentos internacionales y regionales pertinentes, relativos a la cooperación en materia civil y penal, basados en legislaciones uniformes o recíprocas y en su derecho interno, en la medida más amplia posible, a los fines de:

a) Prevenir, combatir y perseguir todas las formas de violencia incluidas en el ámbito de aplicación del presente Convenio;

b) Proteger y asistir a las víctimas;

c) Llevar a cabo investigaciones o procedimientos en relación con los delitos establecidos en virtud del presente Convenio;

d) Aplicar las sentencias civiles y penales pertinentes dictadas por las autoridades judiciales de las Partes, incluidas las órdenes de protección.

2. Las Partes adoptarán las medidas legislativas o de otro tipo necesarias para que las víctimas de un delito establecido conforme al presente Convenio y que haya sido cometido en el territorio de una Parte distinta de aquél en el que ellas sean residentes, puedan presentar denuncia ante las autoridades competentes de su Estado de residencia.

3. En el caso de que una Parte que subordina la asistencia judicial en materia penal, la extradición o la ejecución de sentencias civiles o penales dictadas por otra de las Partes en el presente Convenio a la existencia de un tratado, recibe una solicitud en relación con esta cooperación en materia judicial de una Parte con la que no tenga firmado un tratado de ese tipo, podrá considerar al presente Convenio como base legal para la asistencia judicial penal, la extradición, o la ejecución de sentencias civiles o penales dictadas por otra de las Partes en el presente Convenio con respecto a los delitos establecidos de conformidad con el presente Convenio.

4. Las Partes se esforzarán por incluir, cuando proceda, la prevención y la lucha contra la violencia contra la mujer y la violencia doméstica, dentro de los programas de ayuda al desarrollo elaborados a favor de terceros Estados, incluida la celebración de acuerdos bilaterales y multilaterales con terceros Estados destinados a facilitar la protección de las víctimas, conforme al apartado 5 del artículo 18.

Artículo 63. Medidas relativas a las personas en situación de riesgo.

Cuando una de las Partes, sobre la base de la información que posea, tenga serios motivos para creer que una persona corre el riesgo de quedar sometida de modo inmediato en el territorio de otra Parte a uno de los actos de violencia a que se refieren los artículos 36, 37, 38 y 39 del presente Convenio, se anima a la Parte que disponga de la información a transmitirla sin demora a la otra Parte con el fin de asegurarse de que se toman las medidas protección apropiadas. Esta información deberá contener, en su caso, indicaciones acerca de las disposiciones de protección existentes a favor de la persona en peligro.

Artículo 64. Información.

1. La Parte requerida deberá informar rápidamente a la Parte requirente del resultado final de la acción ejercida, de conformidad con el presente capítulo.

La Parte requerida deberá informar igualmente con rapidez a la Parte requirente de todas las circunstancias que puedan hacer imposible la ejecución de la acción contemplada o que puedan retrasarla de manera significativa.

2. Cualquier Parte podrá transferir a otra Parte, dentro del límite de las normas establecidas por su legislación interna, y sin necesidad de petición previa, las informaciones obtenidas en el marco de sus propias investigaciones cuando considere que la divulgación de tales informaciones puede ayudar a la Parte que las reciba a prevenir los delitos establecidos en virtud del presente Convenio, o a entablar o perseguir las investigaciones o los procedimientos relativos a tales delitos, o que podría desembocar en una solicitud de cooperación formulada por dicha Parte conforme al presente capítulo.

3. La Parte que reciba cualquier información de conformidad con el apartado 2 deberá transmitirla a sus autoridades competentes de manera que puedan entablarse procedimientos cuando se consideren adecuados, o que dicha información pueda ser tomada en consideración en los procedimientos civiles y penales pertinentes.

Artículo 65. Protección de datos.

Los datos personales se conservarán y utilizarán conforme a las obligaciones contraídas por las Partes en el Convenio para la protección de las personas con respecto al tratamiento automatizado de datos de carácter personal (STE n.º 108).

CAPÍTULO IX. MECANISMO DE SEGUIMIENTO

Artículo 66. Grupo de Expertos en la lucha contra la violencia contra la mujer y la violencia doméstica.

1. El Grupo de Expertos en la lucha contra la violencia contra la mujer y la violencia doméstica (en lo sucesivo denominado «GREVIO») se hará cargo de velar por la aplicación del presente Convenio por las Partes.

2. El GREVIO estará compuesto por 10 miembros como mínimo y un máximo de 15 miembros, debiendo tomarse en consideración una participación equilibrada entre mujeres y hombres y una distribución geográficamente equilibrada, así como la participación multidisciplinaria de expertos. Sus miembros serán elegidos por el Comité de las Partes entre los candidatos designados por

las Partes, por un mandato de cuatro años, prorrogables una sola vez, y de entre los nacionales de las Partes.

3. La elección inicial de 10 miembros será organizada dentro del plazo de un año a partir de la fecha de entrada en vigor del presente Convenio. La elección de 5 miembros adicionales se organizará tras producirse la vigesimoquinta ratificación o adhesión.

4. La elección de los miembros del GREVIO se basará en los principios siguientes:

a) Serán elegidos conforme a un procedimiento transparente de entre personalidades de alta moralidad conocidas por su competencia en materia de derechos humanos, igualdad entre mujeres y hombres, violencia contra la mujer y violencia doméstica, o en asistencia y protección a las víctimas, o que tengan una experiencia profesional reconocida en los ámbitos incluidos en el presente Convenio;

b) El GREVIO no podrá incluir más de un nacional del mismo Estado;

c) Deberían representar a los principales sistemas jurídicos;

d) Deberían representar a los actores e instancias pertinentes en el ámbito de la violencia contra la mujer y la violencia doméstica;

e) Participarán a título individual, siendo independientes e imparciales en el ejercicio de sus mandatos y estando disponibles para desempeñar sus funciones de manera efectiva.

5. El procedimiento de elección de los miembros del GREVIO será establecido por el Comité de Ministros del Consejo de Europa, previa consulta y consentimiento unánime de las Partes, en el plazo de seis meses a partir de la entrada en vigor del presente Convenio.

6. El GREVIO adoptará su propio reglamento interno.

7. Los miembros del GREVIO y los demás miembros de las delegaciones encargadas de efectuar las visitas a los países, gozarán, conforme al modo establecido en los apartados 9 y 14 del artículo 68, de los privilegios e inmunidades previstos por el anejo al presente Convenio.

Artículo 67. Comité de las Partes.

1. El Comité de las Partes estará compuesto por representantes de las Partes en el Convenio.

2. El Comité de las Partes será convocado por el Secretario General del Consejo de Europa. Su primera reunión deberá celebrarse en el plazo de un año

a partir de la entrada en vigor del presente Convenio con el fin de elegir a los miembros del GREVIO. Posteriormente, se reunirá a solicitud de un tercio de las Partes, o del Presidente del Comité de las Partes o del Secretario General.

3. El Comité de las Partes adoptará su propio reglamento interno.

Artículo 68. Procedimiento.

1. Las Partes presentarán al Secretario General del Consejo de Europa, basándose en un cuestionario preparado por el GREVIO, un informe sobre las medidas de tipo legislativo y de otro tipo que hagan efectivas las disposiciones del presente Convenio, para su examen por el GREVIO.

2. El GREVIO examinará el informe que se le someta de conformidad con el apartado 1 junto con los representantes de la Parte de que se trate.

3. El procedimiento de evaluación posterior se dividirá en ciclos cuya duración será determinada por el GREVIO. Al inicio de cada ciclo, el GREVIO seleccionará las disposiciones particulares sobre las que las va a tratar el procedimiento de evaluación y enviará un cuestionario.

4. El GREVIO determinará los medios apropiados para proceder a dicha evaluación. En particular, podrá adoptar un cuestionario para cada uno de los ciclos que servirá de base para la evaluación de su aplicación por las Partes. Este cuestionario será enviado a todas las Partes. Las Partes responderán al mismo, así como a cualquier otra información que les pida el GREVIO.

5. El GREVIO podrá recibir informaciones relativas a la aplicación del Convenio de organizaciones no gubernamentales y de la sociedad civil, así como de instituciones nacionales de protección de derechos humanos.

6. El GREVIO tomará debidamente en consideración las informaciones existentes de que se disponga en otros instrumentos y organizaciones regionales e internacionales en los ámbitos incluidos en el campo de aplicación del presente Convenio.

7. En el momento de adoptar el cuestionario para cada ciclo de evaluación, el GREVIO tomará debidamente en consideración la recopilación de los datos y las investigaciones existentes en las Partes, tal como se indica en el artículo 11 del presente Convenio.

8. El GREVIO podrá recibir informaciones relativas a la aplicación del Convenio por parte del Comisario de Derechos Humanos del Consejo de Europa, la Asamblea parlamentaria y otros organismos especializados pertinentes del Consejo de Europa, así como los establecidos por otros instrumentos interna-

cionales. Las denuncias presentadas ante estos organismos y los resultados derivados de las mismas serán puestos a disposición del GREVIO.

9. El GREVIO podrá organizar visitas a los países de que se trate de manera subsidiaria, en cooperación con las autoridades nacionales y con asistencia de expertos nacionales independientes, en el caso de que las informaciones recibidas resulten ser insuficientes o en los casos previstos en el apartado 14. En esas visitas, el GREVIO podrá estar asistido por especialistas en áreas específicas.

10. El GREVIO elaborará un proyecto de informe que contenga sus análisis en relación con la aplicación de las disposiciones de que trata el procedimiento de evaluación, así como las sugerencias y propuestas relativas al modo en que la Parte de que se trate pueda tratar los problemas definidos. Se dará traslado del proyecto de informe a la Parte objeto de la evaluación para que aporte sus comentarios. Estos serán tomados en consideración por el GREVIO cuando apruebe su informe.

11. Sobre la base de todas las informaciones recibidas y los comentarios de las Partes, el GREVIO aprobará su informe y conclusiones en relación con las medidas adoptadas por la Parte de que se trate para aplicar las disposiciones del presente Convenio. Este informe y sus conclusiones se reenviarán a la Parte afectada y al Comité de las Partes. El informe y las conclusiones del GREVIO se harán públicos desde el momento en que se adopten, junto con los comentarios que pueda ofrecer la Parte afectada.

12. Dejando a salvo el procedimiento previsto en los apartados 1 a 8, el Comité de las Partes podrá adoptar, basándose en el informe y las conclusiones del GREVIO, recomendaciones dirigidas a dicha Parte (a) en relación con las medidas que deban adoptarse para poner en práctica las conclusiones del GREVIO, fijando una fecha si ello fuera necesario para la presentación de informaciones acerca de su aplicación, y (b) que tengan como objetivo promover la cooperación con dicha Parte con el fin de aplicar el presente Convenio de manera satisfactoria.

13. En el caso de que el GREVIO reciba informaciones fiables que indiquen una situación en la que existan problemas que requieren una atención inmediata con el fin de prevenir o limitar la extensión y el número de violaciones graves del Convenio, podrá solicitar que se le someta con urgencia un informe especial relativo a las medidas adoptadas para prevenir un tipo de violencia grave, extendida o concomitante, contra las mujeres.

14. El GREVIO podrá designar, teniendo en cuenta las informaciones que le proporcione la Parte afectada, así como cualquier otra información fiable disponible, a uno o varios de sus miembros para que lleven a cabo una investigación y presenten de modo urgente un informe al GREVIO. Cuando se considere necesario y previo acuerdo con esa Parte, la investigación podrá incluir una visita a su territorio.

15. Una vez examinadas las conclusiones relativas a la investigación mencionada en el apartado 14, el GREVIO transmitirá dichas conclusiones a la Parte de que se trate y, en su caso, al Comité de las Partes y al Comité de Ministros del Consejo de Europa con cualquier otro comentario y recomendación.

Artículo 69. Recomendaciones generales.

El GREVIO podrá adoptar, cuando proceda, recomendaciones generales acerca de la aplicación del presente Convenio.

Artículo 70. Participación de los parlamentos en el seguimiento.

1. Los parlamentos nacionales quedan invitados a participar en el seguimiento de las medidas adoptadas para la aplicación del presente Convenio.

2. Las Partes someterán los informes del GREVIO a sus parlamentos nacionales.

3. Se invita a Asamblea Parlamentaria del Consejo de Europa a hacer balance, con regularidad, de la aplicación del presente Convenio.

CAPÍTULO X. RELACIÓN CON OTROS INSTRUMENTOS INTERNACIONALES

Artículo 71. Relación con otros instrumentos internacionales.

1. El presente Convenio no afectará a las obligaciones derivadas de otros instrumentos internacionales en los que las Partes en el presente Convenio sean o serán Partes y que contengan disposiciones relativas a las materias que abarca el presente Convenio.

2. Las Partes en el presente Convenio podrán celebrar entre ellas acuerdos bilaterales o multilaterales en relación con las cuestiones reguladas por el presente Convenio, a los fines de completar o reforzar sus disposiciones o de facilitar la aplicación de los principios que el mismo consagra.

CAPÍTULO XI. ENMIENDAS AL CONVENIO

Artículo 72. Enmiendas.

1. Toda enmienda al presente Convenio propuesta por una Parte deberá ser comunicada al Secretario General del Consejo de Europa quien se encargará de transmitirla a los Estados Miembros del Consejo de Europa, a cualquier otro signatario, a toda Parte, a la Unión Europea, a cualquier Estado invitado a firmar el presente Convenio de conformidad con lo dispuesto en el artículo 75, así como a cualquier otro Estado invitado a adherirse al presente Convenio de conformidad con lo dispuesto en el artículo 76.

2. El Comité de Ministros del Consejo de Europa examinará la enmienda propuesta y podrá aprobar dicha enmienda por la mayoría prevista en el artículo 20.d del Estatuto del Consejo de Europa, una vez consultadas las Partes en el Convenio que no sean miembros del Consejo de Europa.

3. El texto de toda enmienda aprobada por el Comité de Ministros conforme al apartado 2 se comunicará a las Partes, para su aceptación.

4. Toda enmienda adoptada de conformidad con el apartado 2 entrará en vigor el primer día del mes siguiente a la expiración de un plazo de un mes después de la fecha en que todas las Partes hayan informado al Secretario General de su aceptación.

CAPÍTULO XII. CLÁUSULAS FINALES

Artículo 73. Efectos del Convenio.

Las disposiciones del presente Convenio no afectarán a las disposiciones de la legislación interna ni a las de otros instrumentos internacionales vinculantes vigentes o que puedan entrar en vigor y en cuya aplicación se reconozcan o puedan ser reconocidos a las personas derechos más favorables en materia de prevención y de lucha contra la violencia contra la mujer y la violencia doméstica.

Artículo 74. Solución de controversias.

1. En caso de cualquier divergencia en torno a la aplicación o la interpretación de las disposiciones del presente Convenio las Partes deberán tratar de encontrar su solución, ante todo, por medio de negociación, conciliación o arbitraje, o por cualquier otro medio de solución pacífica aceptado conjuntamente por las mismas.

2. El Comité de Ministros del Consejo de Europa podrá establecer procedimientos de solución que puedan ser utilizados por las Partes en un litigio, en el caso de que estas consientan su aplicación.

Artículo 75. Firma y entrada en vigor.

1. El presente Convenio estará abierto a la firma de los Estados Miembros del Consejo de Europa, los Estados no miembros que hayan participado en su elaboración, y de la Unión Europea.

2. El presente Convenio estará sujeto a ratificación, aceptación o aprobación. Los instrumentos de ratificación, aceptación o aprobación serán depositados en poder del Secretario General del Consejo de Europa.

3. El presente Convenio entrará en vigor el primer día del mes siguiente a la expiración de un plazo de tres meses a partir de la fecha en que diez signatarios, al menos ocho de los cuales sean Estados miembros del Consejo de Europa, hayan expresado su consentimiento en quedar vinculados por el Convenio de conformidad con lo dispuesto en el apartado 2.

4. En el caso de que un Estado de los que hace referencia el apartado 1, o la Unión Europea, exprese con posterioridad su consentimiento en quedar vinculado por el Convenio, éste entrará en vigor con respecto al mismo el primer día del mes siguiente a la expiración de un plazo de tres meses a partir de la fecha del depósito de su instrumento de ratificación, aceptación o aprobación.

Artículo 76. Adhesión al Convenio.

1. Después de la entrada en vigor del presente Convenio, el Comité de Ministros del Consejo de Europa, podrá invitar, previa consulta con las Partes del presente Convenio y después de haber obtenido su consentimiento unánime, a cualquier Estado no miembro del Consejo de Europa que no haya participado en la elaboración del Convenio, a adherirse al presente Convenio mediante una decisión tomada por la mayoría prevista en el artículo 20.d, del Estatuto del Consejo de Europa, y con el voto unánime de los representantes de los Estados Contratantes con derecho a formar parte del Comité de Ministros.

2. Respecto a cualquier Estado que se adhiera, el Convenio entrará en vigor el primer día del mes siguiente a la expiración de un plazo de tres meses a partir de la fecha del depósito del instrumento de adhesión en poder del Secretario General del Consejo de Europa.

Artículo 77. Aplicación territorial.

1. Cualquier Estado, o la Unión Europea, podrá designar, en el momento de la firma o del depósito de su instrumento de ratificación, aceptación, aprobación o adhesión, el territorio o territorios a los que se aplicará el presente Convenio.

2. Toda Parte podrá ampliar, en fecha posterior y mediante una declaración dirigida al Secretario General del Consejo de Europa, la aplicación del presente Convenio a cualquier otro territorio expresado en la declaración de cuyas relaciones internacionales sea responsable o en cuyo nombre esté autorizado para comprometerse. Con respecto a dicho territorio, el Convenio entrará en vigor el primer día del mes siguiente a la expiración de un plazo de tres meses a partir de la fecha de recepción de dicha declaración por el Secretario General.

3. Toda declaración formulada en virtud de los dos apartados anteriores podrá ser retirada, respecto de cualquier territorio designado en dicha declaración, mediante notificación dirigida al Secretario General del Consejo de Europa. La retirada surtirá efecto el primer día del mes siguiente a la expiración de un plazo de tres meses a partir de la fecha de recepción de la notificación por el Secretario General.

Artículo 78. Reservas.

1. No podrá formularse ninguna reserva a las disposiciones del presente Convenio, a excepción de las previstas en los apartados 2 y 3.

2. Todo Estado o la Unión Europea podrá precisar, en el momento de la firma o del depósito de su instrumento de ratificación, aceptación, aprobación o adhesión, mediante declaración dirigida al Secretario General del Consejo de Europa, que se reserva el derecho a no aplicar, o a aplicar únicamente en casos o condiciones específicas, las disposiciones establecidas en:

– El apartado 2 del artículo 30;

– Los apartados 1.e, 3 y 4 del artículo 44;

– El apartado 1 del artículo 55, en lo que concierne al artículo 35 con respecto a los delitos de menor importancia;

– El artículo 58 en lo que se refiere a los artículos 37, 38 y 39;

– El artículo 59.

3. Cualquier Estado o la Unión Europea podrá precisar, en el momento de la firma o del depósito de su instrumento de ratificación, aceptación, aprobación o adhesión, mediante declaración dirigida al Secretario General del Consejo

de Europa, que se reserva el derecho a prever sanciones no penales, en lugar de sanciones penales, con respecto a las conductas indicadas en los artículos 33 y 34.

4. Cualquier Parte podrá retirar total o parcialmente una reserva mediante una declaración dirigida al Secretario General del Consejo de Europa. Esta declaración surtirá efecto en la fecha de su recepción por el Secretario General.

Artículo 79. Validez y examen de las reservas.

1. Las reservas previstas en los apartados 2 y 3 del artículo 78, tendrán validez durante cinco años a partir del primer día de la entrada en vigor del Convenio con respecto a la Parte de que se trate. No obstante, dichas reservas podrán prorrogarse por plazos de igual duración.

2. Dieciocho meses después de la expiración de la reserva, el Secretario General del Consejo de Europa informará a la Parte de que se trate de dicha expiración. Tres meses antes de la fecha de expiración, la Parte notificará al Secretario General su intención de mantener, modificar o retirar la reserva. En caso contrario, el Secretario General informará a esa Parte de que su reserva queda prorrogada automáticamente por un plazo de seis meses. En el caso de que la Parte de que se trate no notifique su decisión de mantener o modificar sus reservas antes de expirar dicho plazo, la reserva o las reservas se considerarán caducadas.

3. Cuando una de las Partes formule una reserva conforme a los apartados 2 y 3 del artículo 78, deberá dar explicaciones al GREVIO, con anterioridad a su prórroga o cuando sea requerida para ello, sobre los motivos que justifican su mantenimiento.

Artículo 80. Denuncia.

1. Toda Parte podrá denunciar en cualquier momento el presente Convenio dirigiendo una notificación al Secretario General del Consejo de Europa.

2. Dicha denuncia surtirá efecto el primer día del mes siguiente a la expiración de un plazo de tres meses a partir de la fecha de recepción de la notificación por el Secretario General.

Artículo 81. Notificaciones.

El Secretario General del Consejo de Europa notificará a los Estados Miembros del Consejo de Europa, a los Estados no miembros del Consejo de Europa que hayan participado en la elaboración del presente Convenio, a cualquier signatario, a toda Parte, a la Unión Europea y a cualquier Estado invitado a adherirse al presente Convenio:

a) Toda firma;

b) El depósito de cualquier instrumento de ratificación, aceptación, aprobación o adhesión;

c) Cualquier fecha de entrada en vigor del presente Convenio de conformidad con los artículos 75 y 76;

d) Toda enmienda adoptada de conformidad con el artículo 72, así como la fecha de entrada en vigor de dicha enmienda;

e) Toda reserva y toda retirada de reservas efectuadas en aplicación del artículo 78;

f) Toda denuncia hecha en virtud de lo dispuesto en el artículo 80;

g) Cualquier otro acto, notificación o comunicación que se refieran al presente Convenio.

En fe de lo cual, los abajo firmantes, debidamente autorizados a tal efecto, firman el presente Convenio.

Hecho en Estambul, el 11 de mayo de 2011, en francés e inglés, siendo ambos textos igualmente auténticos, en un solo ejemplar que quedará depositado en los archivos del Consejo de Europa. El Secretario General del Consejo de Europa transmitirá copias certificadas conformes a cada Estado Miembro del Consejo de Europa, a los Estados no miembros que hayan participado en la elaboración del presente Convenio, a la Unión Europea y a cualquier Estado invitado a adherirse al presente Convenio.

ANEXO. PRIVILEGIOS E INMUNIDADES (ARTÍCULO 66)

(...)

* * *

El presente Convenio entra en vigor de forma general y para España el 1 de agosto de 2014, de conformidad con lo dispuesto en su artículo 75.

Madrid, 27 de mayo de 2014.– La Secretaria General Técnica del Ministerio de Asuntos Exteriores y de Cooperación, Fabiola Gallego Caballero.

Constitución Española

Artículo 1

1. España se constituye en un Estado social y democrático de Derecho, que propugna como valores superiores de su ordenamiento jurídico la libertad, la justicia, la igualdad y el pluralismo político.

2. La soberanía nacional reside en el pueblo español, del que emanan los poderes del Estado.

3. La forma política del Estado español es la Monarquía parlamentaria.

Artículo 9

1. Los ciudadanos y los poderes públicos están sujetos a la Constitución y al resto del ordenamiento jurídico.

2. Corresponde a los poderes públicos promover las condiciones para que la libertad y la igualdad del individuo y de los grupos en que se integra sean reales y efectivas; remover los obstáculos que impidan o dificulten su plenitud y facilitar la participación de todos los ciudadanos en la vida política, económica, cultural y social.

3. La Constitución garantiza el principio de legalidad, la jerarquía normativa, la publicidad de las normas, la irretroactividad de las disposiciones sancionadoras no favorables o restrictivas de derechos individuales, la seguridad jurídica, la responsabilidad y la interdicción de la arbitrariedad de los poderes públicos.

Artículo 10

1. La dignidad de la persona, los derechos inviolables que le son inherentes, el libre desarrollo de la personalidad, el respeto a la ley y a los derechos de los demás son fundamento del orden político y de la paz social.

2. Las normas relativas a los derechos fundamentales y a las libertades que la Constitución reconoce se interpretarán de conformidad con la Declaración Universal de Derechos Humanos y los tratados y acuerdos internacionales sobre las mismas materias ratificados por España.

Artículo 14

Los españoles son iguales ante la ley, sin que pueda prevalecer discriminación alguna por razón de nacimiento, raza, sexo, religión, opinión o cualquier otra condición o circunstancia personal o social.

Artículo 15

Todos tienen derecho a la vida y a la integridad física y moral, sin que, en ningún caso, puedan ser sometidos a tortura ni a penas o tratos inhumanos o degradantes. Queda abolida la pena de muerte, salvo lo que puedan disponer las leyes penales militares para tiempos de guerra.

Artículo 23

1. Los ciudadanos tienen el derecho a participar en los asuntos públicos, directamente o por medio de representantes, libremente elegidos en elecciones periódicas por sufragio universal.

2. Asimismo, tienen derecho a acceder en condiciones de igualdad a las funciones y cargos públicos, con los requisitos que señalen las leyes.

LOVG
Ley Orgánica 1/2004, de 28 de diciembre, de Medidas de Protección Integral Contra la Violencia de Género

(BOE n.º 313, de 29 de diciembre de 2004)

JUAN CARLOS I REY DE ESPAÑA

A todos los que la presente vieren y entendieren.

Sabed: Que las Cortes Generales han aprobado y Yo vengo en sancionar la siguiente ley orgánica.

EXPOSICIÓN DE MOTIVOS

I

La violencia de género no es un problema que afecte al ámbito privado. Al contrario, se manifiesta como el símbolo más brutal de la desigualdad existente en nuestra sociedad. Se trata de una violencia que se dirige sobre las mujeres por el hecho mismo de serlo, por ser consideradas, por sus agresores, carentes de los derechos mínimos de libertad, respeto y capacidad de decisión.

Nuestra Constitución incorpora en su artículo 15 el derecho de todos a la vida y a la integridad física y moral, sin que en ningún caso puedan ser sometidos a torturas ni a penas o tratos inhumanos o degradantes. Además, continúa nuestra Carta Magna, estos derechos vinculan a todos los poderes públicos y sólo por ley puede regularse su ejercicio.

La Organización de Naciones Unidas en la IV Conferencia Mundial de 1995 reconoció ya que la violencia contra las mujeres es un obstáculo para lograr los objetivos de igualdad, desarrollo y paz y viola y menoscaba el disfrute de los derechos humanos y las libertades fundamentales. Además la define ampliamente como una manifestación de las relaciones de poder históricamente desiguales entre mujeres y hombres. Existe ya incluso una definición técnica del síndrome de la mujer maltratada que consiste en «las agresiones sufridas por la mujer como consecuencia de los condicionantes socioculturales que actúan sobre el género masculino y femenino, situándola en una posición de subordinación al hombre y manifestadas en los tres ámbitos básicos de relación de la persona: maltrato en el seno de las relaciones de pareja, agresión sexual en la vida social y acoso en el medio laboral».

En la realidad española, las agresiones sobre las mujeres tienen una especial incidencia, existiendo hoy una mayor conciencia que en épocas anteriores sobre ésta, gracias, en buena medida, al esfuerzo realizado por las organizaciones de mujeres en su lucha contra todas las formas de violencia de género. Ya no es un «delito invisible», sino que produce un rechazo colectivo y una evidente alarma social.

II

Los poderes públicos no pueden ser ajenos a la violencia de género, que constituye uno de los ataques más flagrantes a derechos fundamentales como la libertad, la igualdad, la vida, la seguridad y la no discriminación proclamados en nuestra Constitución. Esos mismos poderes públicos tienen, conforme a lo dispuesto en el artículo 9.2 de la Constitución, la obligación de adoptar medidas de acción positiva para hacer reales y efectivos dichos derechos, removiendo los obstáculos que impiden o dificultan su plenitud.

En los últimos años se han producido en el derecho español avances legislativos en materia de lucha contra la violencia de género, tales como la Ley Orgánica 11/2003, de 29 de septiembre, de Medidas Concretas en Materia de Seguridad Ciudadana, Violencia Doméstica e Integración Social de los Extranjeros; la Ley Orgánica 15/2003, de 25 de noviembre, por la que se modifica la Ley Orgánica 10/1995, de 23 de noviembre, del Código Penal, o la Ley 27/2003, de 31 de julio, reguladora de la Orden de Protección de las Víctimas de la Violencia Doméstica; además de las leyes aprobadas por diversas Comunidades Autónomas, dentro de su ámbito competencial. Todas ellas han incidido en distintos ámbitos civiles, penales, sociales o educativos a través de sus respectivas normativas.

La Ley pretende atender a las recomendaciones de los organismos internacionales en el sentido de proporcionar una respuesta global a la violencia que se ejerce sobre las mujeres. Al respecto se puede citar la Convención sobre la eliminación de todas las formas de discriminación sobre la mujer de 1979; la Declaración de Naciones Unidas sobre la eliminación de la violencia sobre la mujer, proclamada en diciembre de 1993 por la Asamblea General; las

Resoluciones de la última Cumbre Internacional sobre la Mujer celebrada en Pekín en septiembre de 1995; la Resolución WHA49.25 de la Asamblea Mundial de la Salud declarando la violencia como problema prioritario de salud pública proclamada en 1996 por la OMS; el informe del Parlamento Europeo de julio de 1997; la Resolución de la Comisión de Derechos Humanos de Naciones Unidas de 1997; y la Declaración de 1999 como Año Europeo de Lucha Contra la Violencia de Género, entre otros. Muy recientemente, la Decisión n.º 803/2004/ CE del Parlamento Europeo, por la que se aprueba un programa de acción comunitario (2004-2008) para prevenir y combatir la violencia ejercida sobre la infancia, los jóvenes y las mujeres y proteger a las víctimas y grupos de riesgo (programa Daphne II), ha fijado la posición y estrategia de los representantes de la ciudadanía de la Unión al respecto.

El ámbito de la Ley abarca tanto los aspectos preventivos, educativos, sociales, asistenciales y de atención posterior a las víctimas, como la normativa civil que incide en el ámbito familiar o de convivencia donde principalmente se producen las agresiones, así como el principio de subsidiariedad en las Administraciones Públicas. Igualmente se aborda con decisión la respuesta punitiva que deben recibir todas las manifestaciones de violencia que esta Ley regula.

La violencia de género se enfoca por la Ley de un modo integral y multidisciplinar, empezando por el proceso de socialización y educación.

La conquista de la igualdad y el respeto a la dignidad humana y la libertad de las personas tienen que ser un objetivo prioritario en todos los niveles de socialización.

La Ley establece medidas de sensibilización e intervención en al ámbito educativo. Se refuerza, con referencia concreta al ámbito de la publicidad, una imagen que respete la igualdad y la dignidad de las mujeres. Se apoya a las víctimas a través del reconocimiento de derechos como el de la información, la asistencia jurídica gratuita y otros de protección social y apoyo económico. Proporciona por tanto una respuesta legal integral que abarca tanto las normas procesales, creando nuevas instancias, como normas sustantivas penales y civiles, incluyendo la debida formación de los operadores sanitarios, policiales y jurídicos responsables de la obtención de pruebas y de la aplicación de la ley.

Se establecen igualmente medidas de sensibilización e intervención en el ámbito sanitario para optimizar la detección precoz y la atención física y psicológica de las víctimas, en coordinación con otras medidas de apoyo.

Las situaciones de violencia sobre la mujer afectan también a los menores que se encuentran dentro de su entorno familiar, víctimas directas o indirectas de esta violencia. La Ley contempla también su protección no sólo para la tutela de los derechos de los menores, sino para garantizar de forma efectiva las medidas de protección adoptadas respecto de la mujer.

III

La Ley se estructura en un título preliminar, cinco títulos, veinte disposiciones adicionales, dos disposiciones transitorias, una disposición derogatoria y siete disposiciones finales.

En el título preliminar se recogen las disposiciones generales de la Ley que se refieren a su objeto y principios rectores.

En el título I se determinan las medidas de sensibilización, prevención y detección e intervención en diferentes ámbitos. En el educativo se especifican las obligaciones del sistema para la transmisión de valores de respeto a la dignidad de las mujeres y a la igualdad entre hombres y mujeres. El objetivo fundamental de la educación es el de proporcionar una formación integral que les permita conformar su propia identidad, así como construir una concepción de la realidad que integre a la vez el conocimiento y valoración ética de la misma.

En la Educación Secundaria se incorpora la educación sobre la igualdad entre hombres y mujeres y contra la violencia de género como contenido curricular, incorporando en todos los Consejos Escolares un nuevo miembro que impulse medidas educativas a favor de la igualdad y contra la violencia sobre la mujer.

En el campo de la publicidad, ésta habrá de respetar la dignidad de las mujeres y su derecho a una imagen no estereotipada, ni discriminatoria, tanto si se exhibe en los medios de comunicación públicos como en los privados. De otro lado, se modifica la acción de cesación o rectificación de la publicidad legitimando a las instituciones y asociaciones que trabajan a favor de la igualdad entre hombres y mujeres para su ejercicio.

En el ámbito sanitario se contemplan actuaciones de detección precoz y apoyo asistencial a las víctimas, así como la aplicación de protocolos sanitarios ante las agresiones derivadas de la violencia objeto de esta Ley, que se remitirán a los Tribunales correspondientes con objeto de agilizar el procedimiento judicial. Asimismo, se crea, en el seno del Consejo Interterritorial del

Sistema Nacional de Salud, una Comisión encargada de apoyar técnicamente, coordinar y evaluar las medidas sanitarias establecidas en la Ley.

En el título II, relativo a los derechos de las mujeres víctimas de violencia, en su capítulo I, se garantiza el derecho de acceso a la información y a la asistencia social integrada, a través de servicios de atención permanente, urgente y con especialización de prestaciones y multidisciplinariedad profesional. Con el fin de coadyuvar a la puesta en marcha de estos servicios, se dotará un Fondo al que podrán acceder las Comunidades Autónomas, de acuerdo con los criterios objetivos que se determinen en la respectiva Conferencia Sectorial.

Asimismo, se reconoce el derecho a la asistencia jurídica gratuita, con el fin de garantizar a aquellas víctimas con recursos insuficientes para litigar una asistencia letrada en todos los procesos y procedimientos, relacionados con la violencia de género, en que sean parte, asumiendo una misma dirección letrada su asistencia en todos los procesos. Se extiende la medida a los perjudicados en caso de fallecimiento de la víctima.

Se establecen, asimismo, medidas de protección en el ámbito social, modificando el Real Decreto Legislativo 1/1995, de 24 de marzo, por el que se aprueba el texto refundido de la Ley del Estatuto de los Trabajadores, para justificar las ausencias del puesto de trabajo de las víctimas de la violencia de género, posibilitar su movilidad geográfica, la suspensión con reserva del puesto de trabajo y la extinción del contrato.

En idéntico sentido se prevén medidas de apoyo a las funcionarias públicas que sufran formas de violencia de las que combate esta Ley, modificando los preceptos correspondientes de la Ley 30/1984, de 2 de agosto, de Medidas para la Reforma de la Función Pública.

Se regulan, igualmente, medidas de apoyo económico, modificando el Real Decreto Legislativo 1/1994, de 20 de junio, por el que se aprueba el texto refundido de la Ley General de la Seguridad Social, para que las víctimas de la violencia de género generen derecho a la situación legal de desempleo cuando resuelvan o suspendan voluntariamente su contrato de trabajo.

Para garantizar a las víctimas de violencia de género que carezcan de recursos económicos unas ayudas sociales en aquellos supuestos en que se estime que la víctima debido a su edad, falta de preparación general especializada y circunstancias sociales no va a mejorar de forma sustancial su empleabilidad, se prevé su incorporación al programa de acción específico creado al efecto para su inserción profesional. Estas ayudas, que se modularán en relación a la edad y responsabilidades familiares de la víctima, tienen como objetivo fundamental facilitarle unos recursos mínimos de subsistencia que le permitan independizarse del agresor; dichas ayudas serán compatibles con las previstas en la Ley 35/1995, de 11 de diciembre, de Ayudas y Asistencia a las Víctimas de Delitos Violentos y Contra la Libertad Sexual.

En el título III, concerniente a la Tutela Institucional, se procede a la creación de dos órganos administrativos. En primer lugar, la Delegación Especial del Gobierno contra la Violencia sobre la Mujer, en el Ministerio de Trabajo y Asuntos Sociales, a la que corresponderá, entre otras funciones, proponer la política del Gobierno en relación con la violencia sobre la mujer y coordinar e impulsar todas las actuaciones que se realicen en dicha materia, que necesariamente habrán de comprender todas aquellas actuaciones que hagan efectiva la garantía de los derechos de las mujeres. También se crea el Observatorio Estatal de Violencia sobre la Mujer, como un órgano colegiado en el Ministerio de Trabajo y Asuntos Sociales, y que tendrá como principales funciones servir como centro de análisis de la situación y evolución de la violencia sobre la mujer, así como asesorar y colaborar con el Delegado en la elaboración de propuestas y medidas para erradicar este tipo de violencia.

En su título IV la Ley introduce normas de naturaleza penal, mediante las que se pretende incluir, dentro de los tipos agravados de lesiones, uno específico que incremente la sanción penal cuando la lesión se produzca contra quien sea o haya sido la esposa del autor, o mujer que esté o haya estado ligada a él por una análoga relación de afectividad, aun sin convivencia. También se castigarán como delito las coacciones leves y las amenazas leves de cualquier clase cometidas contra las mujeres mencionadas con anterioridad.

Para la ciudadanía, para los colectivos de mujeres y específicamente para aquellas que sufren este tipo de agresiones, la Ley quiere dar una respuesta firme y contundente y mostrar firmeza plasmándolas en tipos penales específicos.

En el título V se establece la llamada Tutela Judicial para garantizar un tratamiento adecuado y eficaz de la situación jurídica, familiar y social de las víctimas de violencia de género en las relaciones intrafamiliares.

Desde el punto de vista judicial nos encontramos ante un fenómeno complejo en el que es necesario intervenir desde distintas perspectivas jurídicas, que tienen que abarcar desde las normas procesales y sustantivas hasta las disposiciones relativas a la atención a las víctimas, intervención que sólo es posible a través de una legislación específica.

Una Ley para la prevención y erradicación de la violencia sobre la mujer ha de ser una Ley que recoja medidas procesales que permitan procedimientos ágiles y sumarios, como el establecido en la Ley 27/2003, de 31 de julio, pero, además, que compagine, en los ámbitos civil y penal, medidas de protección a las mujeres y a sus hijos e hijas, y medidas cautelares para ser ejecutadas con carácter de urgencia.

La normativa actual, civil, penal, publicitaria, social y administrativa presenta muchas deficiencias, debidas fundamentalmente a que hasta el momento no se ha dado a esta cuestión una respuesta global y multidisciplinar. Desde el punto de vista penal la respuesta nunca puede ser un nuevo agravio para la mujer.

En cuanto a las medidas jurídicas asumidas para garantizar un tratamiento adecuado y eficaz de la situación jurídica, familiar y social de las víctimas de violencia sobre la mujer en las relaciones intrafamiliares, se han adoptado las siguientes: conforme a la tradición jurídica española, se ha optado por una fórmula de especialización dentro del orden penal, de los Jueces de Instrucción, creando los Juzgados de Violencia sobre la Mujer y excluyendo la posibilidad de creación de un orden jurisdiccional nuevo o la asunción de competencias penales por parte de los Jueces Civiles. Estos Juzgados conocerán de la instrucción, y, en su caso, del fallo de las causas penales en materia de violencia sobre la mujer, así como de aquellas causas civiles relacionadas, de forma que unas y otras en la primera instancia sean objeto de tratamiento procesal ante la misma sede. Con ello se asegura la mediación garantista del debido proceso penal en la intervención de los derechos fundamentales del presunto agresor, sin que con ello se reduzcan lo más mínimo las posibilidades legales que esta Ley dispone para la mayor, más inmediata y eficaz protección de la víctima, así como los recursos para evitar reiteraciones en la agresión o la escalada en la violencia.

Respecto de la regulación expresa de las medidas de protección que podrá adoptar el Juez de Violencia sobre la Mujer, se ha optado por su inclusión expresa, ya que no están recogidas como medidas cautelares en la Ley de Enjuiciamiento Criminal, que sólo regula la prohibición de residencia y la de acudir a determinado lugar para los delitos recogidos en el artículo 57 del Código Penal (artículo 544 bis de la Ley de Enjuiciamiento Criminal, introducido por la Ley Orgánica 14/1999, de 9 de junio, de modificación del Código Penal de 1995, en materia de protección a las víctimas de malos tratos y de la Ley de Enjuiciamiento Criminal). Además se opta por la delimitación temporal de estas medidas (cuando son medidas cautelares) hasta la finalización del proceso. Sin embargo, se añade la posibilidad de que cualquiera de estas medidas de protección pueda ser utilizada como medida de seguridad, desde el principio o durante la ejecución de la sentencia, incrementando con ello la lista del artículo 105 del Código Penal (modificado por la Ley Orgánica 15/2003, de 25 de noviembre, por la que se modifica la Ley Orgánica 10/1995, de 23 de noviembre, del Código Penal), y posibilitando al Juez la garantía de protección de las víctimas más allá de la finalización del proceso.

Se contemplan normas que afectan a las funciones del Ministerio Fiscal, mediante la creación del Fiscal contra la Violencia sobre la Mujer, encargado de la supervisión y coordinación del Ministerio Fiscal en este aspecto, así como mediante la creación de una Sección equivalente en cada Fiscalía de los Tribunales Superiores de Justicia y de las Audiencias Provinciales a las que se adscribirán Fiscales con especialización en la materia. Los Fiscales intervendrán en los procedimientos penales por los hechos constitutivos de delitos o faltas cuya competencia esté atribuida a los Juzgados de Violencia sobre la Mujer, además de intervenir en los procesos civiles de nulidad, separación o divorcio, o que versen sobre guarda y custodia de los hijos menores en los que se aleguen malos tratos al cónyuge o a los hijos.

En sus disposiciones adicionales la Ley lleva a cabo una profunda reforma del ordenamiento jurídico para adaptar las normas vigentes al marco introducido por el presente texto. Con objeto de armonizar las normas anteriores y ofrecer un contexto coordinado entre los textos legales, parte de la reforma integral se ha llevado a cabo mediante la modificación de normas existentes. En este sentido, las disposiciones adicionales desarrollan las medidas previstas en el articulado, pero integrándolas directamente en la legislación educativa, publicitaria, laboral, de Seguridad Social y de Función Pública; asimismo, dichas disposiciones afectan, en especial, al reconocimiento de pensiones y a la dotación del Fondo previsto en esta Ley para favorecer la asistencia social integral a las víctimas de violencia de género.

En materia de régimen transitorio se extiende la aplicación de la presente Ley a los procedimientos en tramitación en el momento de su entrada en vigor, aunque respetando la competencia judicial de los órganos respectivos.

Por último, la presente Ley incluye en sus disposiciones finales las habilitaciones necesarias para el desarrollo normativo de sus preceptos.

TÍTULO PRELIMINAR

Artículo 1. Objeto de la ley.

1. La presente Ley tiene por objeto actuar contra la violencia que, como manifestación de la discriminación, la situación de desigualdad y las relaciones de poder de los hombres sobre las mujeres, se ejerce sobre éstas por parte de quienes sean o hayan sido sus cónyuges o de quienes estén o hayan estado ligados a ellas por relaciones similares de afectividad, aun sin convivencia.

2. Por esta ley se establecen medidas de protección integral cuya finalidad es prevenir, sancionar y erradicar esta violencia y prestar asistencia a las mujeres, a sus hijos menores y a los menores sujetos a su tutela, o guarda y custodia, víctimas de esta violencia.

3. La violencia de género a que se refiere la presente Ley comprende todo acto de violencia física y psicológica, incluidas las agresiones a la libertad sexual, las amenazas, las coacciones o la privación arbitraria de libertad.

4. La violencia de género a que se refiere esta Ley también comprende la violencia que con el objetivo de causar perjuicio o daño a las mujeres se ejerza sobre sus familiares o allegados menores de edad por parte de las personas indicadas en el apartado primero.

Artículo 2. Principios rectores.

A través de esta Ley se articula un conjunto integral de medidas encaminadas a alcanzar los siguientes fines:

a) Fortalecer las medidas de sensibilización ciudadana de prevención, dotando a los poderes públicos de instrumentos eficaces en el ámbito educativo, servicios sociales, sanitario, publicitario y mediático.

b) Consagrar derechos de las mujeres víctimas de violencia de género, exigibles ante las Administraciones Públicas, y así asegurar un acceso rápido, transparente y eficaz a los servicios establecidos al efecto.

c) Reforzar hasta la consecución de los mínimos exigidos por los objetivos de la ley los servicios sociales de información, de atención, de emergencia, de apoyo y de recuperación integral, así como establecer un sistema para la más eficaz coordinación de los servicios ya existentes a nivel municipal y autonómico.

d) Garantizar derechos en el ámbito laboral y funcionarial que concilien los requerimientos de la relación laboral y de empleo público con las circunstancias de aquellas trabajadoras o funcionarias que sufran violencia de género.

e) Garantizar derechos económicos para las mujeres víctimas de violencia de género, con el fin de facilitar su integración social.

f) Establecer un sistema integral de tutela institucional en el que la Administración General del Estado, a través de la Delegación Especial del Gobierno contra la Violencia sobre la Mujer, en colaboración con el Observatorio Estatal de la Violencia sobre la Mujer, impulse la creación de políticas públicas dirigidas a ofrecer tutela a las víctimas de la violencia contemplada en la presente Ley.

g) Fortalecer el marco penal y procesal vigente para asegurar una protección integral, desde las instancias jurisdiccionales, a las víctimas de violencia de género.

h) Coordinar los recursos e instrumentos de todo tipo de los distintos poderes públicos para asegurar la prevención de los hechos de violencia de género y, en su caso, la sanción adecuada a los culpables de los mismos.

i) Promover la colaboración y participación de las entidades, asociaciones y organizaciones que desde la sociedad civil actúan contra la violencia de género.

j) Fomentar la especialización de los colectivos profesionales que intervienen en el proceso de información, atención y protección a las víctimas.

k) Garantizar el principio de transversalidad de las medidas, de manera que en su aplicación se tengan en cuenta las necesidades y demandas específicas de todas las mujeres víctimas de violencia de género.

TÍTULO I. MEDIDAS DE SENSIBILIZACIÓN, PREVENCIÓN Y DETECCIÓN

Artículo 3. Planes de sensibilización.

1. Desde la responsabilidad del Gobierno del Estado y de manera inmediata a la entrada en vigor de esta Ley, con la consiguiente dotación presupuestaria, se pondrá en marcha un Plan Nacional de Sensibilización y Prevención de la Violencia de Género que como mínimo recoja los siguientes elementos:

Que introduzca en el escenario social las nuevas escalas de valores basadas en el respeto de los derechos y libertades fundamentales y de la igualdad entre hombres y mujeres, así como en el ejercicio de la tolerancia y de la libertad dentro de los principios democráticos de convivencia, todo ello desde la perspectiva de las relaciones de género.

Dirigido tanto a hombres como a mujeres, desde un trabajo comunitario e intercultural.

Que contemple un amplio programa de formación complementaria y de reciclaje de los profesionales que intervienen en estas situaciones.

Controlado por una Comisión de amplia participación, que se creará en un plazo máximo de un mes, en la que se ha de asegurar la presencia de los afectados, las instituciones, los profesionales y de personas de reconocido prestigio social relacionado con el tratamiento de estos temas.

2. Los poderes públicos, en el marco de sus competencias, impulsarán además campañas de información y sensibilización específicas con el fin de prevenir la violencia de género.

3. Las campañas de información y sensibilización contra esta forma de violencia se realizarán de manera que se garantice el acceso a las mismas de las personas con discapacidad.

CAPÍTULO I. EN EL ÁMBITO EDUCATIVO

Artículo 4. Principios y valores del sistema educativo.

1. El sistema educativo español incluirá entre sus fines la formación en el respeto de los derechos y libertades fundamentales y de la igualdad entre hombres y mujeres, así como en el ejercicio de la tolerancia y de la libertad dentro de los principios democráticos de convivencia.

Igualmente, el sistema educativo español incluirá, dentro de sus principios de calidad, la eliminación de los obstáculos que dificultan la plena igualdad entre hombres y mujeres y la formación para la prevención de conflictos y para la resolución pacífica de los mismos.

2. La Educación Infantil contribuirá a desarrollar en la infancia el aprendizaje en la resolución pacífica de conflictos.

3. La Educación Primaria contribuirá a desarrollar en el alumnado su capacidad para adquirir habilidades en la resolución pacífica de conflictos y para comprender y respetar la igualdad entre sexos.

4. La Educación Secundaria Obligatoria contribuirá a desarrollar en el alumnado la capacidad para relacionarse con los demás de forma pacífica y para conocer, valorar y respetar la igualdad de oportunidades de hombres y mujeres.

5. El Bachillerato y la Formación Profesional contribuirán a desarrollar en el alumnado la capacidad para consolidar su madurez personal, social y moral, que les permita actuar de forma responsable y autónoma y para analizar y valorar críticamente las desigualdades de sexo y fomentar la igualdad real y efectiva entre hombres y mujeres.

6. La Enseñanza para las personas adultas incluirá entre sus objetivos desarrollar actividades en la resolución pacífica de conflictos y fomentar el respeto a la dignidad de las personas y a la igualdad entre hombres y mujeres.

7. Las Universidades incluirán y fomentarán en todos los ámbitos académicos la formación, docencia e investigación en igualdad de género y no discriminación de forma transversal.

Artículo 5. Escolarización inmediata en caso de violencia de género.

Las Administraciones competentes deberán prever la escolarización inmediata de los hijos que se vean afectados por un cambio de residencia derivada de actos de violencia de género.

Artículo 6. Fomento de la igualdad.

Con el fin de garantizar la efectiva igualdad entre hombres y mujeres, las Administraciones educativas velarán para que en todos los materiales educativos se eliminen los estereotipos sexistas o discriminatorios y para que fomenten el igual valor de hombres y mujeres.

Artículo 7. Formación inicial y permanente del profesorado.

Las Administraciones educativas adoptarán las medidas necesarias para que en los planes de formación inicial y permanente del profesorado se incluya una formación específica en materia de igualdad, con el fin de asegurar que adquieren los conocimientos y las técnicas necesarias que les habiliten para:

a) La educación en el respeto de los derechos y libertades fundamentales y de la igualdad entre hombres y mujeres y en el ejercicio de la tolerancia y de la libertad dentro de los principios democráticos de convivencia.

b) La educación en la prevención de conflictos y en la resolución pacífica de los mismos, en todos los ámbitos de la vida personal, familiar y social.

c) La detección precoz de la violencia en el ámbito familiar, especialmente sobre la mujer y los hijos e hijas.

d) El fomento de actitudes encaminadas al ejercicio de iguales derechos y obligaciones por parte de mujeres y hombres, tanto en el ámbito público como privado, y la corresponsabilidad entre los mismos en el ámbito doméstico.

Artículo 8. Participación en los consejos escolares.

Se adoptarán las medidas precisas para asegurar que los Consejos Escolares impulsen la adopción de medidas educativas que fomenten la igualdad real y efectiva entre hombres y mujeres. Con el mismo fin, en el Consejo Escolar del Estado se asegurará la representación del Instituto de la Mujer y de las organizaciones que defiendan los intereses de las mujeres, con implantación en todo el territorio nacional.

Artículo 9. Actuación de la inspección educativa.

Los servicios de inspección educativa velarán por el cumplimiento y aplicación de los principios y valores recogidos en este capítulo en el sistema educativo destinados a fomentar la igualdad real entre mujeres y hombres.

CAPÍTULO II. EN EL ÁMBITO DE LA PUBLICIDAD Y DE LOS MEDIOS DE COMUNICACIÓN

Artículo 10. Publicidad ilícita.

De acuerdo con lo establecido en la Ley 34/1988, de 11 de noviembre, General de Publicidad, se considerará ilícita la publicidad que utilice la imagen de la mujer con carácter vejatorio o discriminatorio.

Artículo 11

El Ente público al que corresponda velar para que los medios audiovisuales cumplan sus obligaciones adoptará las medidas que procedan para asegurar un tratamiento de la mujer conforme con los principios y valores constitucionales, sin perjuicio de las posibles actuaciones por parte de otras entidades.

Artículo 12. Titulares de la acción de cesación y rectificación.

La Delegación Especial del Gobierno contra la Violencia sobre la Mujer, el Instituto de la Mujer u órgano equivalente de cada Comunidad Autónoma, el Ministerio Fiscal y las Asociaciones que tengan como objetivo único la defensa de los intereses de la mujer estarán legitimados para ejercitar ante los Tribunales la acción de cesación de publicidad ilícita por utilizar en forma vejatoria la imagen de la mujer, en los términos de la Ley 34/1988, de 11 de noviembre, General de Publicidad.

Artículo 13. Medios de comunicación.

1. Las Administraciones Públicas velarán por el cumplimiento estricto de la legislación en lo relativo a la protección y salvaguarda de los derechos fundamentales, con especial atención a la erradicación de conductas favorecedoras de situaciones de desigualdad de las mujeres en todos los medios de comunicación social, de acuerdo con la legislación vigente.

2. La Administración pública promoverá acuerdos de autorregulación que, contando con mecanismos de control preventivo y de resolución extrajudicial de controversias eficaces, contribuyan al cumplimiento de la legislación publicitaria.

Artículo 14

Los medios de comunicación fomentarán la protección y salvaguarda de la igualdad entre hombre y mujer, evitando toda discriminación entre ellos.

La difusión de informaciones relativas a la violencia sobre la mujer garantizará, con la correspondiente objetividad informativa, la defensa de los derechos humanos, la libertad y dignidad de las mujeres víctimas de violencia y de sus hijos. En particular, se tendrá especial cuidado en el tratamiento gráfico de las informaciones.

CAPÍTULO III. EN EL ÁMBITO SANITARIO

Artículo 15. Sensibilización y formación.

1. Las Administraciones sanitarias, en el seno del Consejo Interterritorial del Sistema Nacional de Salud, promoverán e impulsarán actuaciones de los profesionales sanitarios para la detección precoz de la violencia de género y propondrán las medidas que estimen necesarias a fin de optimizar la contribución del sector sanitario en la lucha contra este tipo de violencia.

2. En particular, se desarrollarán programas de sensibilización y formación continuada del personal sanitario con el fin de mejorar e impulsar el diagnóstico precoz, la asistencia y la rehabilitación de la mujer en las situaciones de violencia de género a que se refiere esta Ley.

3. Las Administraciones educativas competentes asegurarán que en los ámbitos curriculares de las licenciaturas y diplomaturas, y en los programas

de especialización de las profesiones sociosanitarias, se incorporen contenidos dirigidos a la capacitación para la prevención, la detección precoz, intervención y apoyo a las víctimas de esta forma de violencia.

4. En los Planes Nacionales de Salud que procedan se contemplará un apartado de prevención e intervención integral en violencia de género.

Artículo 16. Consejo interterritorial del sistema nacional de salud.

En el seno del Consejo Interterritorial del Sistema Nacional de Salud se constituirá, en el plazo de un año desde la entrada en vigor de la presente Ley, una Comisión contra la Violencia de Género que apoye técnicamente y oriente la planificación de las medidas sanitarias contempladas en este capítulo, evalúe y proponga las necesarias para la aplicación del protocolo sanitario y cualesquiera otras medidas que se estimen precisas para que el sector sanitario contribuya a la erradicación de esta forma de violencia.

La Comisión contra la Violencia de Género del Consejo Interterritorial del Sistema Nacional de Salud estará compuesta por representantes de todas las Comunidades Autónomas con competencia en la materia.

La Comisión emitirá un informe anual que será remitido al Observatorio Estatal de la Violencia sobre la Mujer y al Pleno del Consejo Interterritorial.

TÍTULO II. DERECHOS DE LAS MUJERES VÍCTIMAS DE VIOLENCIA DE GÉNERO

CAPÍTULO I. DERECHO A LA INFORMACIÓN, A LA ASISTENCIA SOCIAL INTEGRAL Y A LA ASISTENCIA JURÍDICA GRATUITA

Artículo 17. Garantía de los derechos de las víctimas.

1. Todas las mujeres víctimas de violencia de género, con independencia de su origen, religión o cualquier otra condición o circunstancia personal o social, tienen garantizados los derechos reconocidos en esta Ley.

2. La información, la asistencia social integral y la asistencia jurídica a las víctimas de la violencia de género, en los términos regulados en este capítulo, contribuyen a hacer reales y efectivos sus derechos constitucionales a la integridad física y moral, a la libertad y seguridad y a la igualdad y no discriminación por razón de sexo.

Artículo 18. Derecho a la información.

1. Las mujeres víctimas de violencia de género tienen derecho a recibir plena información y asesoramiento adecuado a su situación personal, a través de los servicios, organismos u oficinas que puedan disponer las Administraciones Públicas.

Dicha información comprenderá las medidas contempladas en esta Ley relativas a su protección y seguridad, y los derechos y ayudas previstos en la misma, así como la referente al lugar de prestación de los servicios de atención, emergencia, apoyo y recuperación integral.

2. Se garantizará, a través de los medios necesarios, que las mujeres con discapacidad víctimas de violencia de género tengan acceso integral a la información sobre sus derechos y sobre los recursos existentes. Esta información deberá ofrecerse en formato accesible y comprensible a las personas con discapacidad, tales como lengua de signos u otras modalidades u opciones de comunicación, incluidos los sistemas alternativos y aumentativos.

3. Asimismo, se articularán los medios necesarios para que las mujeres víctimas de violencia de género que por sus circunstancias personales y sociales puedan tener una mayor dificultad para el acceso integral a la información, tengan garantizado el ejercicio efectivo de este derecho.

Artículo 19. Derecho a la asistencia social integral.

1. Las mujeres víctimas de violencia de género tienen derecho a servicios sociales de atención, de emergencia, de apoyo y acogida y de recuperación integral. La organización de estos servicios por parte de las Comunidades Autónomas y las Corporaciones Locales, responderá a los principios de atención permanente, actuación urgente, especialización de prestaciones y multidisciplinariedad profesional.

2. La atención multidisciplinar implicará especialmente:

a) Información a las víctimas.

b) Atención psicológica.

c) Apoyo social.

d) Seguimiento de las reclamaciones de los derechos de la mujer.

e) Apoyo educativo a la unidad familiar.

f) Formación preventiva en los valores de igualdad dirigida a su desarrollo personal y a la adquisición de habilidades en la resolución no violenta de conflictos.

g) Apoyo a la formación e inserción laboral.

3. Los servicios adoptarán fórmulas organizativas que, por la especialización de su personal, por sus características de convergencia e integración de acciones, garanticen la efectividad de los indicados principios.

4. Estos servicios actuarán coordinadamente y en colaboración con los Cuerpos de Seguridad, los Jueces de Violencia sobre la Mujer, los servicios sanitarios y las instituciones encargadas de prestar asistencia jurídica a las víctimas, del ámbito geográfico correspondiente. Estos servicios podrán solicitar al Juez las medidas urgentes que consideren necesarias.

5. También tendrán derecho a la asistencia social integral a través de estos servicios sociales los menores que se encuentren bajo la patria potestad o guarda y custodia de la persona agredida. A estos efectos, los servicios sociales deberán contar con personal específicamente formado para atender a los menores, con el fin de prevenir y evitar de forma eficaz las situaciones que puedan comportar daños psíquicos y físicos a los menores que viven en entornos familiares donde existe violencia de género.

6. En los instrumentos y procedimientos de cooperación entre la Administración General del Estado y la Administración de las Comunidades Autónomas en las materias reguladas en este artículo, se incluirán compromisos de aportación, por parte de la Administración General del Estado, de recursos financieros referidos específicamente a la prestación de los servicios.

7. Los organismos de igualdad orientarán y valorarán los programas y acciones que se lleven a cabo y emitirán recomendaciones para su mejora.

Artículo 20. Asistencia jurídica.

1. Las víctimas de violencia de género tienen derecho a recibir asesoramiento jurídico gratuito en el momento inmediatamente previo a la interposición de la denuncia, y a la defensa y representación gratuitas por abogado y procurador en todos los procesos y procedimientos administrativos que tengan causa directa o indirecta en la violencia padecida. En estos supuestos, una misma dirección letrada deberá asumir la defensa de la víctima, siempre que con ello se garantice debidamente su derecho de defensa. Este derecho asistirá también a los causahabientes en caso de fallecimiento de la víctima, siempre que no fueran partícipes en los hechos. En todo caso, se garantizará la defensa jurídica, gratuita y especializada de forma inmediata a todas las víctimas de violencia de género que lo soliciten.

2. En todo caso, cuando se trate de garantizar la defensa y asistencia jurídica a las víctimas de violencia de género, se procederá de conformidad con lo dispuesto en la Ley 1/1996, de 10 enero, de Asistencia Jurídica Gratuita.

3. Los Colegios de Abogados, cuando exijan para el ejercicio del turno de oficio cursos de especialización, asegurarán una formación específica que coadyuve al ejercicio profesional de una defensa eficaz en materia de violencia de género.

4. Igualmente, los Colegios de Abogados adoptarán las medidas necesarias para la designación urgente de letrado o letrada de oficio en los procedimientos que se sigan por violencia de género y para asegurar su inmediata presencia y asistencia a las víctimas.

5. Los Colegios de Procuradores adoptarán las medidas necesarias para la designación urgente de procurador o procuradora en los procedimientos que se sigan por violencia de género cuando la víctima desee personarse como acusación particular.

6. El abogado o abogada designado para la víctima tendrá también habilitación legal para la representación procesal de aquella hasta la designación del procurador o procuradora, en tanto la víctima no se haya personado como acusación conforme a lo dispuesto en el apartado siguiente. Hasta entonces cumplirá el abogado o abogada el deber de señalamiento de domicilio a efectos de notificaciones y traslados de documentos.

7. Las víctimas de violencia de género podrán personarse como acusación particular en cualquier momento del procedimiento si bien ello no permitirá retrotraer ni reiterar las actuaciones ya practicadas antes de su personación, ni podrá suponer una merma del derecho de defensa del acusado.

CAPÍTULO II. DERECHOS LABORALES Y PRESTACIONES DE LA SEGURIDAD SOCIAL

Artículo 21. Derechos laborales y de seguridad social.

1. La trabajadora víctima de violencia de género tendrá derecho, en los términos previstos en el Estatuto de los Trabajadores, a la reducción o a la reordenación de su tiempo de trabajo, a la movilidad geográfica, al cambio de centro de trabajo, a la suspensión de la relación laboral con reserva de puesto de trabajo y a la extinción del contrato de trabajo.

2. En los términos previstos en la Ley General de la Seguridad Social, la suspensión y la extinción del contrato de trabajo previstas en el apartado anterior darán lugar a situación legal de desempleo. El tiempo de suspensión se considerará como período de cotización efectiva a efectos de las prestaciones de Seguridad Social y de desempleo.

3. Las empresas que formalicen contratos de interinidad para sustituir a trabajadoras víctimas de violencia de género que hayan suspendido su contrato de trabajo o ejercitado su derecho a la movilidad geográfica o al cambio de centro de trabajo, tendrán derecho a una bonificación del 100 por 100 de las cuotas empresariales a la Seguridad Social por contingencias comunes, durante todo el período de suspensión de la trabajadora sustituida o durante seis meses en los supuestos de movilidad geográfica o cambio de centro de trabajo. Cuando se produzca la reincorporación, ésta se realizará en las mismas condiciones existentes en el momento de la suspensión del contrato de trabajo.

4. Las ausencias o faltas de puntualidad al trabajo motivadas por la situación física o psicológica derivada de la violencia de género se considerarán justificadas, cuando así lo determinen los servicios sociales de atención o servicios de salud, según proceda, sin perjuicio de que dichas ausencias sean comunicadas por la trabajadora a la empresa a la mayor brevedad.

5. A las trabajadoras por cuenta propia víctimas de violencia de género que cesen en su actividad para hacer efectiva su protección o su derecho a la asistencia social integral, se les suspenderá la obligación de cotización durante un período de seis meses, que les serán considerados como de cotización efectiva a efectos de las prestaciones de Seguridad Social. Asimismo, su situación será considerada como asimilada al alta.

A los efectos de lo previsto en el párrafo anterior, se tomará una base de cotización equivalente al promedio de las bases cotizadas durante los seis meses previos a la suspensión de la obligación de cotizar.

Artículo 22. Programa específico de empleo.

En el marco del Plan de Empleo del Reino de España, se incluirá un programa de acción específico para las víctimas de violencia de género inscritas como demandantes de empleo.

Este programa incluirá medidas para favorecer el inicio de una nueva actividad por cuenta propia.

Artículo 23. Acreditación de las situaciones de violencia de género.

Las situaciones de violencia de género que dan lugar al reconocimiento de los derechos regulados en este capítulo se acreditarán mediante una sentencia condenatoria por un delito de violencia de género, una orden de protección o cualquier otra resolución judicial que acuerde una medida cautelar a favor de la víctima, o bien por el informe del Ministerio Fiscal que indique la existencia de indicios de que la demandante es víctima de violencia de género. También podrán acreditarse las situaciones de violencia de género mediante informe de los servicios sociales, de los servicios especializados, o de los servicios de acogida destinados a víctimas de violencia de género de la Administración Pública competente; o por cualquier otro título, siempre que ello esté previsto en las disposiciones normativas de carácter sectorial que regulen el acceso a cada uno de los derechos y recursos.

El Gobierno y las Comunidades Autónomas, en el marco de la Conferencia Sectorial de Igualdad, diseñaran, de común acuerdo, los procedimientos básicos que permitan poner en marcha los sistemas de acreditación de las situaciones de violencia de género.

CAPÍTULO III. DERECHOS DE LAS FUNCIONARIAS PÚBLICAS

Artículo 24. Ámbito de los derechos.

La funcionaria víctima de violencia de género tendrá derecho a la reducción o a la reordenación de su tiempo de trabajo, a la movilidad geográfica de centro de trabajo y a la excedencia en los términos que se determinen en su legislación específica.

Artículo 25. Justificación de las faltas de asistencia.

Las ausencias totales o parciales al trabajo motivadas por la situación física o psicológica derivada de la violencia de género sufrida por una mujer funcionaria se considerarán justificadas en los términos que se determine en su legislación específica.

Artículo 26. Acreditación de las situaciones de violencia de género ejercida sobre las funcionarias.

La acreditación de las circunstancias que dan lugar al reconocimiento de los derechos de movilidad geográfica de centro de trabajo, excedencia, y reducción o reordenación del tiempo de trabajo, se realizará en los términos establecidos en el artículo 23.

CAPÍTULO IV. DERECHOS ECONÓMICOS

Artículo 27. Ayudas sociales.

1. Cuando las víctimas de violencia de género careciesen de rentas superiores, en cómputo mensual, al 75 por 100 del salario mínimo interprofesional, excluida la parte proporcional de dos pagas extraordinarias, recibirán una ayuda de pago único, siempre que se presuma que debido a su edad, falta de preparación general o especializada y circunstancias sociales, la víctima tendrá especiales dificultades para obtener un empleo y por dicha circunstancia no participará en los programas de empleo establecidos para su inserción profesional.

2. El importe de esta ayuda será equivalente al de seis meses de subsidio por desempleo. Cuando la víctima de la violencia ejercida contra la mujer tuviera reconocida oficialmente una discapacidad en grado igual o superior al 33 por 100, el importe será equivalente a doce meses de subsidio por desempleo.

3. Estas ayudas, financiadas con cargo a los Presupuestos Generales del Estado, serán concedidas por las Administraciones competentes en materia de servicios sociales. En la tramitación del procedimiento de concesión, deberá incorporarse informe del Servicio Público de Empleo referido a la previsibilidad de que por las circunstancias a las que se refiere el apartado 1 de este artículo, la aplicación del programa de empleo no incida de forma sustancial en la mejora de la empleabilidad de la víctima.

La concurrencia de las circunstancias de violencia se acreditará de conformidad con lo establecido en el artículo 23 de esta Ley.

4. En el caso de que la víctima tenga responsabilidades familiares, su importe podrá alcanzar el de un período equivalente al de 18 meses de subsidio, o de 24 meses si la víctima o alguno de los familiares que conviven con ella tiene reconocida oficialmente una minusvalía en grado igual o superior al 33 por 100, en los términos que establezcan las disposiciones de desarrollo de la presente Ley.

5. Estas ayudas serán compatibles con cualquiera de las previstas en la Ley 35/1995, de 11 de diciembre, de Ayudas y Asistencia a las Víctimas de Delitos Violentos y contra la Libertad Sexual, así como con cualquier otra

ayuda económica de carácter autonómico o local concedida por la situación de violencia de género.

Artículo 28. Acceso a la vivienda y residencias públicas para mayores.

Las mujeres víctimas de violencia de género serán consideradas colectivos prioritarios en el acceso a viviendas protegidas y residencias públicas para mayores, en los términos que determine la legislación aplicable.

TÍTULO III. TUTELA INSTITUCIONAL

Artículo 29. La delegación especial del gobierno contra la violencia sobre la mujer.

1. La Delegación Especial del Gobierno contra la Violencia sobre la Mujer, adscrito al Ministerio de Trabajo y Asuntos Sociales, formulará las políticas públicas en relación con la violencia de género a desarrollar por el Gobierno, y coordinará e impulsará cuantas acciones se realicen en dicha materia, trabajando en colaboración y coordinación con las Administraciones con competencia en la materia.

2. El titular de la Delegación Especial del Gobierno contra la Violencia sobre la Mujer estará legitimado ante los órganos jurisdiccionales para intervenir en defensa de los derechos y de los intereses tutelados en esta Ley en colaboración y coordinación con las Administraciones con competencias en la materia.

3. Reglamentariamente se determinará el rango y las funciones concretas del titular de la Delegación Especial del Gobierno contra la Violencia sobre la Mujer.

Artículo 30. Observatorio estatal de violencia sobre la mujer.

1. Se constituirá el Observatorio Estatal de Violencia sobre la Mujer, como órgano colegiado adscrito al Ministerio de Trabajo y Asuntos Sociales, al que corresponderá el asesoramiento, evaluación, colaboración institucional, elaboración de informes y estudios, y propuestas de actuación en materia de violencia de género. Estos informes, estudios y propuestas considerarán de forma especial la situación de las mujeres con mayor riesgo de sufrir violencia de género o con mayores dificultades para acceder a los servicios. En cualquier caso, los datos contenidos en dichos informes, estudios y propuestas se consignarán desagregados por sexo.

2. El Observatorio Estatal de Violencia sobre la Mujer remitirá al Gobierno y a las Comunidades Autónomas, con periodicidad anual, un informe sobre la evolución de la violencia ejercida sobre la mujer en los términos a que se refiere el artículo 1 de la presente Ley, con determinación de los tipos penales que se hayan aplicado, y de la efectividad de las medidas acordadas para la protección de las víctimas. El informe destacará asimismo las necesidades de reforma legal con objeto de garantizar que la aplicación de las medidas de protección adoptadas puedan asegurar el máximo nivel de tutela para las mujeres.

3. Reglamentariamente se determinarán sus funciones, su régimen de funcionamiento y su composición, en la que se garantizará, en todo caso, la participación de las Comunidades Autónomas, las entidades locales, los agentes sociales, las asociaciones de consumidores y usuarios, y las organizaciones de mujeres con implantación en todo el territorio del Estado así como de las organizaciones empresariales y sindicales más representativas.

Artículo 31. Fuerzas y cuerpos de seguridad.

1. El Gobierno establecerá, en las Fuerzas y Cuerpos de Seguridad del Estado, unidades especializadas en la prevención de la violencia de género y en el control de la ejecución de las medidas judiciales adoptadas.

2. El Gobierno, con el fin de hacer más efectiva la protección de las víctimas, promoverá las actuaciones necesarias para que las Policías Locales, en el marco de su colaboración con las Fuerzas y Cuerpos de Seguridad del Estado, cooperen en asegurar el cumplimiento de las medidas acordadas por los órganos judiciales cuando éstas sean algunas de las previstas en la presente Ley o en el artículo 544 bis de la Ley de Enjuiciamiento Criminal o en el artículo 57 del Código Penal.

3. La actuación de las Fuerzas y Cuerpos de Seguridad habrá de tener en cuenta el Protocolo de Actuación de las Fuerzas y Cuerpos de Seguridad y de Coordinación con los Órganos Judiciales para la protección de la violencia doméstica y de género.

4. Lo dispuesto en el presente artículo será de aplicación en las Comunidades Autónomas que cuenten con cuerpos de policía que desarrollen las funciones de protección de las personas y bienes y el mantenimiento del orden y la seguridad ciudadana dentro del territorio autónomo, en los términos previstos en sus Estatutos, en la Ley Orgánica 2/1986, de 13 de marzo, de Fuerzas y Cuerpos de Seguridad, y en sus leyes de policía, y todo ello con la finalidad de hacer más efectiva la protección de las víctimas.

Artículo 32. Planes de colaboración.

1. Los poderes públicos elaborarán planes de colaboración que garanticen la ordenación de sus actuaciones en la prevención, asistencia y persecución de los actos de violencia de género, que deberán implicar a las administraciones sanitarias, la Administración de Justicia, las Fuerzas y Cuerpos de Seguridad y los servicios sociales y organismos de igualdad.

2. En desarrollo de dichos planes, se articularán protocolos de actuación que determinen los procedimientos que aseguren una actuación global e integral de las distintas administraciones y servicios implicados, y que garanticen la actividad probatoria en los procesos que se sigan.

3. Las administraciones con competencias sanitarias promoverán la aplicación, permanente actualización y difusión de protocolos que contengan pautas uniformes de actuación sanitaria, tanto en el ámbito público como privado, y en especial, del Protocolo aprobado por el Consejo Interterritorial del Sistema Nacional de Salud.

Tales protocolos impulsarán las actividades de prevención, detección precoz e intervención continuada con la mujer sometida a violencia de género o en riesgo de padecerla.

Los protocolos, además de referirse a los procedimientos a seguir, harán referencia expresa a las relaciones con la Administración de Justicia, en aquellos casos en que exista constatación o sospecha fundada de daños físicos o psíquicos ocasionados por estas agresiones o abusos.

4. En las actuaciones previstas en este artículo se considerará de forma especial la situación de las mujeres que, por sus circunstancias personales y sociales puedan tener mayor riesgo de sufrir la violencia de género o mayores dificultades para acceder a los servicios previstos en esta Ley, tales como las pertenecientes a minorías, las inmigrantes, las que se encuentran en situación de exclusión social o las mujeres con discapacidad.

TÍTULO IV. TUTELA PENAL

Artículo 33. Suspensión de penas.

El párrafo segundo del apartado 1, 6.ª, del artículo 83 del Código Penal, en la redacción dada por la Ley Orgánica 15/2003, queda redactado de la forma siguiente:

«Si se tratase de delitos relacionados con la violencia de género, el Juez o Tribunal condicionará en todo caso la suspensión al cumplimiento de las obligaciones o deberes previstos en las reglas 1.ª, 2.ª y 5.ª de este apartado».

Artículo 34. Comisión de delitos durante el período de suspensión de la pena.

El apartado 3 del artículo 84 del Código Penal, en la redacción dada por la Ley Orgánica 15/2003, queda redactado de la forma siguiente (modificado por la LO 1/2015):

«3. En el supuesto de que la pena suspendida fuera de prisión por la comisión de delitos relacionados con la violencia de género, el incumplimiento por parte del reo de las obligaciones o deberes previstos en las reglas 1.ª, 2.ª y 5.ª del apartado 1 del artículo 83 determinará la revocación de la suspensión de la ejecución de la pena».

Artículo 35. Sustitución de penas.

El párrafo tercero del apartado 1 del artículo 88 del Código Penal, en la redacción dada por la Ley Orgánica 15/2003, queda redactado de la forma siguiente (derogado por la LO 1/2015):

«En el caso de que el reo hubiera sido condenado por un delito relacionado con la violencia de género, la pena de prisión sólo podrá ser sustituida por la de trabajos en beneficio de la comunidad. En estos supuestos, el Juez o Tribunal impondrá adicionalmente, además de la sujeción a programas específicos de reeducación y tratamiento psicológico, la observancia de las obligaciones o deberes previstos en las reglas 1.ª y 2.ª, del apartado 1 del artículo 83 de este Código».

Artículo 36. Protección contra las lesiones.

Se modifica el artículo 148 del Código Penal que queda redactado de la siguiente forma:

«Las lesiones previstas en el apartado 1 del artículo anterior podrán ser castigadas con la pena de prisión de dos a cinco años, atendiendo al resultado causado o riesgo producido:

1.º Si en la agresión se hubieren utilizado armas, instrumentos, objetos, medios, métodos o formas concretamente peligrosas para la vida o salud, física o psíquica, del lesionado.

2.º Si hubiere mediado ensañamiento o alevosía.

3.º Si la víctima fuere menor de doce años o incapaz.

4.º Si la víctima fuere o hubiere sido esposa, o mujer que estuviere o hubiere estado ligada al autor por una análoga relación de afectividad, aun sin convivencia.

5.º Si la víctima fuera una persona especialmente vulnerable que conviva con el autor».

Artículo 37. Protección contra los malos tratos.

El artículo 153 del Código Penal, queda redactado como sigue:

«1. El que por cualquier medio o procedimiento causare a otro menoscabo psíquico o una lesión no definidos como delito en este Código, o golpeare o maltratare de obra a otro sin causarle lesión, cuando la ofendida sea o haya sido esposa, o mujer que esté o haya estado ligada a él por una análoga relación de afectividad aun sin convivencia, o persona especialmente vulnerable que conviva con el autor, será castigado con la pena de prisión de seis meses a un año o de trabajos en beneficios de la comunidad de treinta y uno a ochenta días y, en todo caso, privación del derecho a la tenencia y porte de armas de un año y un día a tres años, así como, cuando el Juez o Tribunal lo estime adecuado al interés del menor o incapaz, inhabilitación para el ejercicio de la patria potestad, tutela, curatela, guarda o acogimiento hasta cinco años.

2. Si la víctima del delito previsto en el apartado anterior fuere alguna de las personas a que se refiere el artículo 173.2, exceptuadas las personas contempladas en el apartado anterior de este artículo, el autor será castigado con la pena de prisión de tres meses a un año o de trabajos en beneficio de la comunidad de treinta y uno a ochenta días y, en todo caso, privación del derecho a la tenencia y porte de armas de un año y un día a tres años, así como, cuando el Juez o Tribunal lo estime adecuado al interés del menor o incapaz, inhabilitación para el ejercicio de la patria potestad, tutela, curatela, guarda o acogimiento de seis meses a tres años.

3. Las penas previstas en los apartados 1 y 2 se impondrán en su mitad superior cuando el delito se perpetre en presencia de menores, o utilizando armas, o tenga lugar en el domicilio común o en el domicilio de la víctima, o se realice quebrantando una pena de las contempladas en el artículo 48 de este Código o una medida cautelar o de seguridad de la misma naturaleza.

4. No obstante lo previsto en los apartados anteriores, el Juez o Tribunal, razonándolo en sentencia, en atención a las circunstancias personales del autor y las concurrentes en la realización del hecho, podrá imponer la pena inferior en grado».

Artículo 38. Protección contra las amenazas.

Se añaden tres apartados, numerados como 4, 5 y 6, al artículo 171 del Código Penal, que tendrán la siguiente redacción:

«4. El que de modo leve amenace a quien sea o haya sido su esposa, o mujer que esté o haya estado ligada a él por una análoga relación de afectividad aun sin convivencia, será castigado con la pena de prisión de seis meses a un año o de trabajos en beneficio de la comunidad de treinta y uno a ochenta días y, en todo caso, privación del derecho a la tenencia y porte de armas de un año y un día a tres años, así como, cuando el Juez o Tribunal lo estime adecuado al interés del menor o incapaz, inhabilitación especial para el ejercicio de la patria potestad, tutela, curatela, guarda o acogimiento hasta cinco años.

Igual pena se impondrá al que de modo leve amenace a una persona especialmente vulnerable que conviva con el autor.

5. El que de modo leve amenace con armas u otros instrumentos peligrosos a alguna de las personas a las que se refiere el artículo 173.2, exceptuadas las contempladas en el apartado anterior de este artículo, será castigado con la pena de prisión de tres meses a un año o trabajos en beneficio de la comunidad de treinta y uno a ochenta días y, en todo caso, privación del derecho a la tenencia y porte de armas de uno a tres años, así como, cuando el Juez o Tribunal lo estime adecuado al interés del menor o incapaz, inhabilitación especial para el ejercicio de la patria potestad, tutela, curatela, guarda o acogimiento por tiempo de seis meses a tres años.

Se impondrán las penas previstas en los apartados 4 y 5, en su mitad superior cuando el delito se perpetre en presencia de menores, o tenga lugar en el domicilio común o en el domicilio de la víctima, o se realice quebrantando una pena de las contempladas en el artículo 48 de este Código o una medida cautelar o de seguridad de la misma naturaleza.

6. No obstante lo previsto en los apartados 4 y 5, el Juez o Tribunal, razonándolo en sentencia, en atención a las circunstancias personales del autor y a las concurrentes en la realización del hecho, podrá imponer la pena inferior en grado».

Artículo 39. Protección contra las coacciones.

El contenido actual del artículo 172 del Código Penal queda numerado como apartado 1 y se añade un apartado 2 a dicho artículo con la siguiente redacción:

«2. El que de modo leve coaccione a quien sea o haya sido su esposa, o mujer que esté o haya estado ligada a él por una análoga relación de afectividad, aun sin convivencia, será castigado con la pena de prisión de seis meses a un año o de trabajos en beneficio de la comunidad de treinta y uno a ochenta días y, en todo caso, privación del derecho a la tenencia y porte de armas de un año y un día a tres años, así como, cuando el Juez o Tribunal lo estime adecuado al interés del menor o incapaz, inhabilitación especial para el ejercicio de la patria potestad, tutela, curatela, guarda o acogimiento hasta cinco años.

Igual pena se impondrá al que de modo leve coaccione a una persona especialmente vulnerable que conviva con el autor.

Se impondrá la pena en su mitad superior cuando el delito se perpetre en presencia de menores, o tenga lugar en el domicilio común o en el domicilio de la víctima, o se realice quebrantando una pena de las contempladas en el artículo 48 de este Código o una medida cautelar o de seguridad de la misma naturaleza.

No obstante lo previsto en los párrafos anteriores, el Juez o Tribunal, razonándolo en sentencia, en atención a las circunstancias personales del autor y a las concurrentes en la realización del hecho, podrá imponer la pena inferior en grado».

Artículo 40. Quebrantamiento de condena.

Se modifica el artículo 468 del Código Penal que queda redactado de la siguiente forma:

«1. Los que quebrantaren su condena, medida de seguridad, prisión, medida cautelar, conducción o custodia serán castigados con la pena de prisión de seis meses a un año si estuvieran privados de libertad, y con la pena de multa de doce a veinticuatro meses en los demás casos.

2. Se impondrá en todo caso la pena de prisión de seis meses a un año a los que quebrantaren una pena de las contempladas en el artículo 48 de este Código o una medida cautelar o de seguridad de la misma naturaleza impuestas en procesos criminales en los que el ofendido sea alguna de las personas a las que se refiere el artículo 173.2».

Artículo 41. Protección contra las vejaciones leves.

El artículo 620 del Código Penal queda redactado como sigue:

«Serán castigados con la pena de multa de diez a veinte días:

1.º Los que de modo leve amenacen a otro con armas u otros instrumentos peligrosos, o los saquen en riña, como no sea en justa defensa, salvo que el hecho sea constitutivo de delito.

2.º Los que causen a otro una amenaza, coacción, injuria o vejación injusta de carácter leve, salvo que el hecho sea constitutivo de delito.

Los hechos descritos en los dos números anteriores sólo serán perseguibles mediante denuncia de la persona agraviada o de su representante legal.

En los supuestos del número 2.º de este artículo, cuando el ofendido fuere alguna de las personas a las que se refiere el artículo 173.2, la pena será la de localización permanente de cuatro a ocho días, siempre en domicilio diferente y alejado del de la víctima, o trabajos en beneficio de la comunidad de cinco a diez días. En estos casos no será exigible la denuncia a que se refiere el párrafo anterior de este artículo, excepto para la persecución de las injurias».

Artículo 42. Administración penitenciaria.

1. La Administración penitenciaria realizará programas específicos para internos condenados por delitos relacionados con la violencia de género.

2. Las Juntas de Tratamiento valorarán, en las progresiones de grado, concesión de permisos y concesión de la libertad condicional, el seguimiento y aprovechamiento de dichos programas específicos por parte de los internos a que se refiere el apartado anterior.

TÍTULO V. TUTELA JUDICIAL

CAPÍTULO I. DE LOS JUZGADOS DE VIOLENCIA SOBRE LA MUJER

Artículo 43. Organización territorial.

Se adiciona un artículo 87 bis en la Ley Orgánica 6/1985, de 1 de julio, del Poder Judicial, con la siguiente redacción:

«1. En cada partido habrá uno o más Juzgados de Violencia sobre la Mujer, con sede en la capital de aquél y jurisdicción en todo su ámbito territorial. Tomarán su designación del municipio de su sede.

2. No obstante lo anterior, podrán establecerse, excepcionalmente, Juzgados de Violencia sobre la Mujer que extiendan su jurisdicción a dos o más partidos dentro de la misma provincia.

3. El Consejo General del Poder Judicial podrá acordar, previo informe de las Salas de Gobierno, que, en aquellas circunscripciones donde sea conveniente en función de la carga de trabajo existente, el conocimiento de los asuntos referidos en el artículo 87 ter de la presente Ley Orgánica, corresponda a uno de los Juzgados de Primera Instancia e Instrucción, o de Instrucción en su caso, determinándose en esta situación que uno solo de estos Órganos conozca de todos estos asuntos dentro del partido judicial, ya sea de forma exclusiva o conociendo también de otras materias.

4. En los partidos judiciales en que exista un solo Juzgado de Primera Instancia e Instrucción será éste el que asuma el conocimiento de los asuntos a que se refiere el artículo 87 ter de esta Ley».

Artículo 44. Competencia.

Se adiciona un artículo 87 ter en la Ley Orgánica 6/1985, de 1 de julio, del Poder Judicial, con la siguiente redacción:

«1. Los Juzgados de Violencia sobre la Mujer conocerán, en el orden penal, de conformidad en todo caso con los procedimientos y recursos previstos en la Ley de Enjuiciamiento Criminal, de los siguientes supuestos:

a) De la instrucción de los procesos para exigir responsabilidad penal por los delitos recogidos en los títulos del Código Penal relativos a homicidio, aborto, lesiones, lesiones al feto, delitos contra la libertad, delitos contra la integridad moral, contra la libertad e indemnidad sexuales o cualquier otro delito cometido con violencia o intimidación, siempre que se hubiesen cometido contra quien sea o haya sido su esposa, o mujer que esté o haya estado ligada al autor por análoga relación de afectividad, aun sin convivencia, así como de los cometidos sobre los descendientes, propios o de la esposa o conviviente, o sobre los menores o incapaces que con él convivan o que se hallen sujetos a la potestad, tutela, curatela, acogimiento o guarda de hecho de la esposa o conviviente, cuando también se haya producido un acto de violencia de género.

b) De la instrucción de los procesos para exigir responsabilidad penal por cualquier delito contra los derechos y deberes familiares, cuando la víctima sea alguna de las personas señaladas como tales en la letra anterior.

c) De la adopción de las correspondientes órdenes de protección a las víctimas, sin perjuicio de las competencias atribuidas al Juez de Guardia.

d) Del conocimiento y fallo de las faltas contenidas en los títulos I y II del libro III del Código Penal, cuando la víctima sea alguna de las personas señaladas como tales en la letra a) de este apartado.

2. Los Juzgados de Violencia sobre la Mujer podrán conocer en el orden civil, en todo caso de conformidad con los procedimientos y recursos previstos en la Ley de Enjuiciamiento Civil, de los siguientes asuntos:

a) Los de filiación, maternidad y paternidad.

b) Los de nulidad del matrimonio, separación y divorcio.

c) Los que versen sobre relaciones paterno filiales.

d) Los que tengan por objeto la adopción o modificación de medidas de trascendencia familiar.

e) Los que versen exclusivamente sobre guarda y custodia de hijos e hijas menores o sobre alimentos reclamados por un progenitor contra el otro en nombre de los hijos e hijas menores.

f) Los que versen sobre la necesidad de asentimiento en la adopción.

g) Los que tengan por objeto la oposición a las resoluciones administrativas en materia de protección de menores.

3. Los Juzgados de Violencia sobre la Mujer tendrán de forma exclusiva y excluyente competencia en el orden civil cuando concurran simultáneamente los siguientes requisitos:

a) Que se trate de un proceso civil que tenga por objeto alguna de las materias indicadas en el número 2 del presente artículo.

b) Que alguna de las partes del proceso civil sea víctima de los actos de violencia de género, en los términos a que hace referencia el apartado 1 a) del presente artículo.

c) Que alguna de las partes del proceso civil sea imputado como autor, inductor o cooperador necesario en la realización de actos de violencia de género.

d) Que se hayan iniciado ante el Juez de Violencia sobre la Mujer actuaciones penales por delito o falta a consecuencia de un acto de violencia sobre la mujer, o se haya adoptado una orden de protección a una víctima de violencia de género.

4. Cuando el Juez apreciara que los actos puestos en su conocimiento, de forma notoria, no constituyen expresión de violencia de género, podrá inadmitir la pretensión, remitiéndola al órgano judicial competente.

5. En todos estos casos está vedada la mediación».

Artículo 45. Recursos en materia penal.

Se adiciona un nuevo ordinal 4.º al artículo 82.1 de la Ley Orgánica 6/1985, de 1 de julio, del Poder Judicial, con la siguiente redacción:

«De los recursos que establezca la ley contra las resoluciones en materia penal dictadas por los Juzgados de Violencia sobre la Mujer de la provincia. A fin de facilitar el conocimiento de estos recursos, y atendiendo al número de asuntos existentes, deberán especializarse una o varias de sus secciones de conformidad con lo previsto en el artículo 98 de la citada Ley Orgánica. Esta especialización se extenderá a aquellos supuestos en que corresponda a la Audiencia Provincial el enjuiciamiento en primera instancia de asuntos instruidos por los Juzgados de Violencia sobre la Mujer de la provincia».

Artículo 46. Recursos en materia civil.

Se adiciona un nuevo párrafo al artículo 82.4 en la Ley Orgánica 6/1985, de 1 de julio, del Poder Judicial, con la siguiente redacción:

«Las Audiencias Provinciales conocerán, asimismo, de los recursos que establezca la ley contra las resoluciones dictadas en materia civil por los Juzgados de Violencia sobre la Mujer de la provincia. A fin de facilitar el conocimiento de estos recursos, y atendiendo al número de asuntos existentes, podrán especializarse una o varias de sus secciones de conformidad con lo previsto en el artículo 98 de la citada Ley Orgánica».

Artículo 47. Formación.

El Gobierno, el Consejo General del Poder Judicial y las Comunidades Autónomas, en el ámbito de sus respectivas competencias, asegurarán una formación específica relativa a la igualdad y no discriminación por razón de sexo y sobre violencia de género en los cursos de formación de Jueces y Magistrados, Fiscales, Secretarios Judiciales, Fuerzas y Cuerpos de Seguridad y Médicos Forenses. En todo caso, en los cursos de formación anteriores se introducirá el enfoque de la discapacidad de las víctimas.

Artículo 48. Jurisdicción de los juzgados.

Se modifica el apartado 1 del artículo 4 de la Ley 38/1988, de 28 de diciembre, de Demarcación y Planta Judicial, que queda redactado de la siguiente forma:

«1. Los Juzgados de Primera Instancia e Instrucción y los Juzgados de Violencia sobre la Mujer tienen jurisdicción en el ámbito territorial de su respectivo partido.

No obstante lo anterior, y atendidas las circunstancias geográficas, de ubicación y población, podrán crearse Juzgados de Violencia sobre la Mujer que atiendan a más de un partido judicial».

Artículo 49. Sede de los juzgados.

Se modifica el artículo 9 de la Ley 38/1988, de 28 de diciembre, de Demarcación y Planta Judicial, que queda redactado de la siguiente forma:

«Los Juzgados de Primera Instancia e Instrucción y los Juzgados de Violencia sobre la Mujer tienen su sede en la capital del partido».

Artículo 50. Planta de los juzgados de violencia sobre la mujer.

Se adiciona un artículo 15 bis en la Ley 38/1988, de 28 de diciembre, de Demarcación y Planta Judicial, con la siguiente redacción:

«1. La planta inicial de los Juzgados de Violencia sobre la Mujer será la establecida en el anexo XIII de esta Ley.

2. La concreción de la planta inicial y la que sea objeto de desarrollo posterior, será realizada mediante Real Decreto de conformidad con lo establecido en el artículo 20 de la presente Ley y se ajustará a los siguientes criterios:

a) Podrán crearse Juzgados de Violencia sobre la Mujer en aquellos partidos judiciales en los que la carga de trabajo así lo aconseje.

b) En aquellos partidos judiciales en los que, en atención al volumen de asuntos, no se considere necesario el desarrollo de la planta judicial, se podrán transformar algunos de los Juzgados de Instrucción y de Primera Instancia e Instrucción en funcionamiento en Juzgados de Violencia sobre la Mujer.

c) Asimismo cuando se considere, en función de la carga de trabajo, que no es precisa la creación de un órgano judicial específico, se determinará, de existir varios, qué Juzgados de Instrucción o de Primera Instancia e Instrucción, asumirán el conocimiento de las materias de violencia sobre la mujer en los términos del artículo 1 de la Ley Orgánica de Medidas de Protección

Integral contra la Violencia de Género con carácter exclusivo junto con el resto de las correspondientes a la jurisdicción penal o civil, según la naturaleza del órgano en cuestión.

3. Serán servidos por Magistrados los Juzgados de Violencia sobre la Mujer que tengan su sede en la capital de la provincia y los demás Juzgados que así se establecen en el anexo XIII de esta Ley».

Artículo 51. Plazas servidas por magistrados.

El apartado 2 del artículo 21 de la Ley 38/1988, de 28 de diciembre, de Demarcación y Planta Judicial tendrá la siguiente redacción:

«2. El Ministro de Justicia podrá establecer que los Juzgados de Primera Instancia y de Instrucción o de Primera Instancia e Instrucción y los Juzgados de Violencia sobre la Mujer, sean servidos por Magistrados, siempre que estén radicados en un partido judicial superior a 150.000 habitantes de derecho o experimenten aumentos de población de hecho que superen dicha cifra, y el volumen de cargas competenciales así lo exija».

Artículo 52. Constitución de los juzgados.

Se incluye un nuevo artículo 46 ter en la Ley 38/1988, de 28 de diciembre, de Demarcación y Planta Judicial, con la siguiente redacción:

«1. El Gobierno, dentro del marco de la Ley de Presupuestos Generales del Estado, oído el Consejo General del Poder Judicial y, en su caso, la Comunidad Autónoma afectada, procederá de forma escalonada y mediante Real Decreto a la constitución, compatibilización y transformación de Juzgados de Instrucción y de Primera Instancia e Instrucción para la plena efectividad de la planta de los Juzgados de Violencia sobre la Mujer.

2. En tanto las Comunidades Autónomas no fijen la sede de los Juzgados de Violencia sobre la Mujer, ésta se entenderá situada en aquellas poblaciones que se establezcan en el anexo XIII de la presente Ley».

Artículo 53. Notificación de las sentencias dictadas por tribunales.

Se adiciona un nuevo párrafo en el artículo 160 de la Ley de Enjuiciamiento Criminal, con el contenido siguiente:

«Cuando la instrucción de la causa hubiera correspondido a un Juzgado de Violencia sobre la Mujer la sentencia será remitida al mismo por testimonio de forma inmediata, con indicación de si la misma es o no firme».

Artículo 54. Especialidades en el supuesto de juicios rápidos.

Se adiciona un nuevo artículo 797 bis en la Ley de Enjuiciamiento Criminal con el contenido siguiente:

«1. En el supuesto de que la competencia corresponda al Juzgado de Violencia sobre la Mujer, las diligencias y resoluciones señaladas en los artículos anteriores deberán ser practicadas y adoptadas durante las horas de audiencia.

2. La Policía Judicial habrá de realizar las citaciones a que se refiere el artículo 796, ante el Juzgado de Violencia sobre la Mujer, en el día hábil más próximo, entre aquéllos que se fijen reglamentariamente.

No obstante el detenido, si lo hubiere, habrá de ser puesto a disposición del Juzgado de Instrucción de Guardia, a los solos efectos de regularizar su situación personal, cuando no sea posible la presentación ante el Juzgado de Violencia sobre la Mujer que resulte competente.

3. Para la realización de las citaciones antes referidas, la Policía Judicial fijará el día y la hora de la comparecencia coordinadamente con el Juzgado de Violencia sobre la Mujer. A estos efectos el Consejo General del Poder Judicial, de acuerdo con lo establecido en el artículo 110 de la Ley Orgánica del Poder Judicial, dictará los Reglamentos oportunos para asegurar esta coordinación».

Artículo 55. Notificación de las sentencias dictadas por juzgado de lo penal.

Se adiciona un apartado 5 en el artículo 789 de la Ley de Enjuiciamiento Criminal, con el contenido siguiente:

«5. Cuando la instrucción de la causa hubiera correspondido a un Juzgado de Violencia sobre la Mujer la sentencia será remitida al mismo por testimonio de forma inmediata. Igualmente se le remitirá la declaración de firmeza y la sentencia de segunda instancia cuando la misma fuera revocatoria, en todo o en parte, de la sentencia previamente dictada».

Artículo 56. Especialidades en el supuesto de juicios rápidos en materia de faltas.

Se adiciona un nuevo apartado 5 al artículo 962 de la Ley de Enjuiciamiento Criminal, con el contenido siguiente:

«5. En el supuesto de que la competencia para conocer corresponda al Juzgado de Violencia sobre la Mujer, la Policía Judicial habrá de realizar las citaciones a que se refiere este artículo ante dicho Juzgado en el día hábil más próximo. Para la realización de las citaciones antes referidas, la Policía Judicial fijará el día y la hora de la comparecencia coordinadamente con el Juzgado de Violencia sobre la Mujer.

A estos efectos el Consejo General del Poder Judicial, de acuerdo con lo establecido en el artículo 110 de la Ley Orgánica del Poder Judicial, dictará los Reglamentos oportunos para asegurar esta coordinación».

CAPÍTULO II. NORMAS PROCESALES CIVILES

Artículo 57. Pérdida de la competencia objetiva cuando se produzcan actos de violencia sobre la mujer.

Se adiciona un nuevo artículo 49 bis en la Ley 1/2000, de 7 de enero, de Enjuiciamiento Civil, cuya redacción es la siguiente:

«Artículo 49 bis. Pérdida de la competencia cuando se produzcan actos de violencia sobre la mujer.

1. Cuando un Juez, que esté conociendo en primera instancia de un procedimiento civil, tuviese noticia de la comisión de un acto de violencia de los definidos en el artículo 1 de la Ley Orgánica de Medidas de Protección Integral contra la Violencia de Género, que haya dado lugar a la iniciación de un proceso penal o a una orden de protección, tras verificar la concurrencia de los requisitos previstos en el párrafo tercero del artículo 87 ter de la Ley Orgánica del Poder Judicial, deberá inhibirse, remitiendo los autos en el estado en que se hallen al Juez de Violencia sobre la Mujer que resulte competente, salvo que se haya iniciado la fase del juicio oral.

2. Cuando un Juez que esté conociendo de un procedimiento civil, tuviese noticia de la posible comisión de un acto de violencia de género, que no haya dado lugar a la iniciación de un proceso penal, ni a dictar una orden de protección, tras verificar que concurren los requisitos del apartado tercero del artículo 87 ter de la Ley Orgánica del Poder Judicial, deberá inmediatamente citar a las partes a una comparecencia con el Ministerio Fiscal que se celebrará en las siguientes 24 horas a fin de que éste tome conocimiento de cuantos datos sean relevantes sobre los hechos acaecidos. Tras ella, el Fiscal, de manera inmediata, habrá de decidir si procede, en las 24 horas siguientes, a denunciar los actos de violencia de género o a solicitar orden de protección ante el Juzgado de Violencia sobre la Mujer que resulte competente. En el supuesto de que se interponga denuncia o se solicite la orden de protección, el Fiscal habrá

de entregar copia de la denuncia o solicitud en el Tribunal, el cual continuará conociendo del asunto hasta que sea, en su caso, requerido de inhibición por el Juez de Violencia sobre la Mujer competente.

3. Cuando un Juez de Violencia sobre la Mujer que esté conociendo de una causa penal por violencia de género tenga conocimiento de la existencia de un proceso civil, y verifique la concurrencia de los requisitos del párrafo tercero del artículo 87 ter de la Ley Orgánica del Poder Judicial, requerirá de inhibición al Tribunal Civil, el cual deberá acordar de inmediato su inhibición y la remisión de los autos al órgano requirente.

A los efectos del párrafo anterior, el requerimiento de inhibición se acompañará de testimonio de la incoación de diligencias previas o de juicio de faltas, del auto de admisión de la querella, o de la orden de protección adoptada.

4. En los casos previstos en los apartados 1 y 2 de este artículo, el Tribunal Civil remitirá los autos al Juzgado de Violencia sobre la Mujer sin que sea de aplicación lo previsto en el artículo 48.3 de la Ley de Enjuiciamiento Civil, debiendo las partes desde ese momento comparecer ante dicho órgano.

En estos supuestos no serán de aplicación las restantes normas de esta sección, ni se admitirá declinatoria, debiendo las partes que quieran hacer valer la competencia del Juzgado de Violencia sobre la Mujer presentar testimonio de alguna de las resoluciones dictadas por dicho Juzgado a las que se refiere el párrafo final del número anterior.

5. Los Juzgados de Violencia sobre la Mujer ejercerán sus competencias en materia civil de forma exclusiva y excluyente, y en todo caso de conformidad con los procedimientos y recursos previstos en la Ley de Enjuiciamiento Civil».

CAPÍTULO III. NORMAS PROCESALES PENALES

Artículo 58. Competencias en el orden penal.

Se modifica el artículo 14 de la Ley de Enjuiciamiento Criminal, que queda redactado de la siguiente forma:

«Fuera de los casos que expresa y limitadamente atribuyen la Constitución y las leyes a Jueces y Tribunales determinados, serán competentes:

1. Para el conocimiento y fallo de los juicios de faltas, el Juez de Instrucción, salvo que la competencia corresponda al Juez de Violencia sobre la Mujer de conformidad con el número quinto de este artículo. Sin embargo, conocerá de los juicios por faltas tipificadas en los artículos 626, 630, 632 y 633 del

Código Penal, el Juez de Paz del lugar en que se hubieran cometido. También conocerán los Jueces de Paz de los juicios por faltas tipificadas en el artículo 620.1.º y 2.º, del Código Penal, excepto cuando el ofendido fuere alguna de las personas a que se refiere el artículo 173.2 del mismo Código.

2. Para la instrucción de las causas, el Juez de Instrucción del partido en que el delito se hubiere cometido, o el Juez de Violencia sobre la Mujer, o el Juez Central de Instrucción respecto de los delitos que la Ley determine.

3. Para el conocimiento y fallo de las causas por delitos a los que la Ley señale pena privativa de libertad de duración no superior a cinco años o pena de multa cualquiera que sea su cuantía, o cualesquiera otras de distinta naturaleza, bien sean únicas, conjuntas o alternativas, siempre que la duración de éstas no exceda de diez años, así como por faltas, sean o no incidentales, imputables a los autores de estos delitos o a otras personas, cuando la comisión de la falta o su prueba estuviesen relacionadas con aquéllos, el Juez de lo Penal de la circunscripción donde el delito fue cometido, o el Juez de lo Penal correspondiente a la circunscripción del Juzgado de Violencia sobre la Mujer en su caso, o el Juez Central de lo Penal en el ámbito que le es propio, sin perjuicio de la competencia del Juez de Instrucción de Guardia del lugar de comisión del delito para dictar sentencia de conformidad, o del Juez de Violencia sobre la Mujer competente en su caso, en los términos establecidos en el artículo 801.

No obstante, en los supuestos de competencia del Juez de lo Penal, si el delito fuere de los atribuidos al Tribunal del Jurado, el conocimiento y fallo corresponderá a éste.

4. Para el conocimiento y fallo de las causas en los demás casos la Audiencia Provincial de la circunscripción donde el delito se haya cometido, o la Audiencia Provincial correspondiente a la circunscripción del Juzgado de Violencia sobre la Mujer en su caso, o la Sala de lo Penal de la Audiencia Nacional.

No obstante, en los supuestos de competencia de la Audiencia Provincial, si el delito fuere de los atribuidos al Tribunal de Jurado, el conocimiento y fallo corresponderá a éste.

5. Los Juzgados de Violencia sobre la Mujer serán competentes en las siguientes materias, en todo caso de conformidad con los procedimientos y recursos previstos en esta Ley:

a) De la instrucción de los procesos para exigir responsabilidad penal por los delitos recogidos en los títulos del Código Penal relativos a homicidio, aborto, lesiones, lesiones al feto, delitos contra la libertad, delitos contra la integridad moral, contra la libertad e indemnidad sexuales o cualquier otro delito cometido con violencia o intimidación, siempre que se hubiesen cometido contra quien sea o haya sido su esposa, o mujer que esté o haya estado ligada al autor por análoga relación de afectividad, aun sin convivencia, así como de los cometidos sobre los descendientes, propios o de la esposa o conviviente, o sobre los menores o incapaces que con él convivan o que se hallen sujetos a la potestad, tutela, curatela, acogimiento o guarda de hecho de la esposa o conviviente, cuando también se haya producido un acto de violencia de género.

b) De la instrucción de los procesos para exigir responsabilidad penal por cualquier delito contra los derechos y deberes familiares, cuando la víctima sea alguna de las personas señaladas como tales en la letra anterior.

c) De la adopción de las correspondientes órdenes de protección a las víctimas, sin perjuicio de las competencias atribuidas al Juez de Guardia.

d) Del conocimiento y fallo de las faltas contenidas en los títulos I y II del libro III del Código Penal, cuando la víctima sea alguna de las personas señaladas como tales en la letra a) de este apartado».

Artículo 59. Competencia territorial.

Se adiciona un nuevo artículo 15 bis en la Ley de Enjuiciamiento Criminal, cuya redacción es la siguiente:

«En el caso de que se trate de algunos de los delitos o faltas cuya instrucción o conocimiento corresponda al Juez de Violencia sobre la Mujer, la competencia territorial vendrá determinada por el lugar del domicilio de la víctima, sin perjuicio de la adopción de la orden de protección, o de medidas urgentes del artículo 13 de la presente Ley que pudiera adoptar el Juez del lugar de comisión de los hechos».

Artículo 60. Competencia por conexión.

Se adiciona un nuevo artículo 17 bis en la Ley de Enjuiciamiento Criminal, cuya redacción es la siguiente:

«La competencia de los Juzgados de Violencia sobre la Mujer se extenderá a la instrucción y conocimiento de los delitos y faltas conexas siempre que la conexión tenga su origen en alguno de los supuestos previstos en los números 3.º y 4.º del artículo 17 de la presente Ley».

CAPÍTULO IV. MEDIDAS JUDICIALES DE PROTECCIÓN Y DE SEGURIDAD DE LAS VÍCTIMAS

Artículo 61. Disposiciones generales.

1. Las medidas de protección y seguridad previstas en el presente capítulo serán compatibles con cualesquiera de las medidas cautelares y de aseguramiento que se pueden adoptar en los procesos civiles y penales.

2. En todos los procedimientos relacionados con la violencia de género, el Juez competente deberá pronunciarse en todo caso, de oficio o a instancia de las víctimas, de los hijos, de las personas que convivan con ellas o se hallen sujetas a su guarda o custodia, del Ministerio Fiscal o de la Administración de la que dependan los servicios de atención a las víctimas o su acogida, sobre la pertinencia de la adopción de las medidas cautelares y de aseguramiento contempladas en este capítulo, especialmente sobre las recogidas en los artículos 64, 65 y 66, determinando su plazo y su régimen de cumplimiento y, si procediera, las medidas complementarias a ellas que fueran precisas.

Artículo 62. De la orden de protección.

Recibida la solicitud de adopción de una orden de protección, el Juez de Violencia sobre la Mujer y, en su caso, el Juez de Guardia, actuarán de conformidad con lo dispuesto en el artículo 544 ter de la Ley de Enjuiciamiento Criminal.

Artículo 63. De la protección de datos y las limitaciones a la publicidad.

1. En las actuaciones y procedimientos relacionados con la violencia de género se protegerá la intimidad de las víctimas; en especial, sus datos personales, los de sus descendientes y los de cualquier otra persona que esté bajo su guarda o custodia.

2. Los Jueces competentes podrán acordar, de oficio o a instancia de parte, que las vistas se desarrollen a puerta cerrada y que las actuaciones sean reservadas.

Artículo 64. De las medidas de salida del domicilio, alejamiento o suspensión de las comunicaciones.

1. El Juez podrá ordenar la salida obligatoria del inculpado por violencia de género del domicilio en el que hubiera estado conviviendo o tenga su residencia la unidad familiar, así como la prohibición de volver al mismo.

2. El Juez, con carácter excepcional, podrá autorizar que la persona protegida concierte, con una agencia o sociedad pública allí donde la hubiere y que incluya entre sus actividades la del arrendamiento de viviendas, la permuta del uso atribuido de la vivienda familiar de la que sean copropietarios, por el uso de otra vivienda, durante el tiempo y en las condiciones que se determinen.

3. El Juez podrá prohibir al inculpado que se aproxime a la persona protegida, lo que le impide acercarse a la misma en cualquier lugar donde se encuentre, así como acercarse a su domicilio, a su lugar de trabajo o a cualquier otro que sea frecuentado por ella.

Podrá acordarse la utilización de instrumentos con la tecnología adecuada para verificar de inmediato su incumplimiento.

El Juez fijará una distancia mínima entre el inculpado y la persona protegida que no se podrá rebasar, bajo apercibimiento de incurrir en responsabilidad penal.

4. La medida de alejamiento podrá acordarse con independencia de que la persona afectada, o aquéllas a quienes se pretenda proteger, hubieran abandonado previamente el lugar.

5. El Juez podrá prohibir al inculpado toda clase de comunicación con la persona o personas que se indique, bajo apercibimiento de incurrir en responsabilidad penal.

6. Las medidas a que se refieren los apartados anteriores podrán acordarse acumulada o separadamente.

Artículo 65. De las medidas de suspensión de la patria potestad o la custodia de menores.

El Juez podrá suspender para el inculpado por violencia de género el ejercicio de la patria potestad, guarda y custodia, acogimiento, tutela, curatela o guarda de hecho, respecto de los menores que dependan de él.

Si no acordara la suspensión, el Juez deberá pronunciarse en todo caso sobre la forma en la que se ejercerá la patria potestad y, en su caso, la guarda y custodia, el acogimiento, la tutela, la curatela o la guarda de hecho de lo menores. Asimismo, adoptará las medidas necesarias para garantizar la seguridad, integridad y recuperación de los menores y de la mujer, y realizará un seguimiento periódico de su evolución.

Artículo 66. De la medida de suspensión del régimen de visitas.

El Juez podrá ordenar la suspensión del régimen de visitas, estancia, relación o comunicación del inculpado por violencia de género respecto de los menores que dependan de él.

Si no acordara la suspensión, el Juez deberá pronunciarse en todo caso sobre la forma en que se ejercerá el régimen de estancia, relación o comunicación del inculpado por violencia de género respecto de los menores que dependan del mismo. Asimismo, adoptará las medidas necesarias para garantizar la seguridad, integridad y recuperación de los menores y de la mujer, y realizará un seguimiento periódico de su evolución.

Artículo 67. De la medida de suspensión del derecho a la tenencia, porte y uso de armas.

El Juez podrá acordar, respecto de los inculpados en delitos relacionados con la violencia a que se refiere esta Ley, la suspensión del derecho a la tenencia, porte y uso de armas, con la obligación de depositarlas en los términos establecidos por la normativa vigente.

Artículo 68. Garantías para la adopción de las medidas.

Las medidas restrictivas de derechos contenidas en este capítulo deberán adoptarse mediante auto motivado en el que se aprecie su proporcionalidad y necesidad, y, en todo caso, con intervención del Ministerio Fiscal y respeto de los principios de contradicción, audiencia y defensa.

Artículo 69. Mantenimiento de las medidas de protección y seguridad.

Las medidas de este capítulo podrán mantenerse tras la sentencia definitiva y durante la tramitación de los eventuales recursos que correspondiesen. En este caso, deberá hacerse constar en la sentencia el mantenimiento de tales medidas.

CAPÍTULO V. DEL FISCAL CONTRA LA VIOLENCIA SOBRE LA MUJER

Artículo 70. Funciones del fiscal contra la violencia sobre la mujer.

Se añade un artículo 18 quáter en la Ley 50/1981, de 30 de diciembre, reguladora del Estatuto Orgánico del Ministerio Fiscal, con la siguiente redacción:

«1. El Fiscal General del Estado nombrará, oído el Consejo Fiscal, como delegado, un Fiscal contra la Violencia sobre la Mujer, con categoría de Fiscal de Sala, que ejercerá las siguientes funciones:

a) Practicar las diligencias a que se refiere el artículo 5 del Estatuto Orgánico del Ministerio Fiscal, e intervenir directamente en aquellos procesos penales de especial trascendencia apreciada por el Fiscal General del Estado, referentes a los delitos por actos de violencia de género comprendidos en el artículo 87 ter.1 de la Ley Orgánica del Poder Judicial.

b) Intervenir, por delegación del Fiscal General del Estado, en los procesos civiles comprendidos en el artículo 87 ter.2 de la Ley Orgánica del Poder Judicial.

c) Supervisar y coordinar la actuación de las Secciones contra la Violencia sobre la Mujer, y recabar informes de las mismas, dando conocimiento al Fiscal Jefe de las Fiscalías en que se integren.

d) Coordinar los criterios de actuación de las diversas Fiscalías en materias de violencia de género, para lo cual podrá proponer al Fiscal General del Estado la emisión de las correspondientes instrucciones.

e) Elaborar semestralmente, y presentar al Fiscal General del Estado, para su remisión a la Junta de Fiscales de Sala del Tribunal Supremo, y al Consejo Fiscal, un informe sobre los procedimientos seguidos y actuaciones practicadas por el Ministerio Fiscal en materia de violencia de género.

2. Para su adecuada actuación se le adscribirán los profesionales y expertos que sean necesarios para auxiliarlo de manera permanente u ocasional».

Artículo 71. Secciones contra la violencia sobre la mujer.

Se sustituyen los párrafos segundo y tercero del apartado 1 del artículo 18 de la Ley 50/1981, de 30 de diciembre, reguladora del Estatuto Orgánico del Ministerio Fiscal, por el siguiente texto:

«En la Fiscalía de la Audiencia Nacional y en cada Fiscalía de los Tribunales Superiores de Justicia y de las Audiencias Provinciales, existirá una Sección de Menores a la que se encomendarán las funciones y facultades que al Ministerio Fiscal atribuye la Ley Orgánica Reguladora de la Responsabilidad Penal de los Menores y otra Sección Contra la Violencia sobre la Mujer en cada Fiscalía de los Tribunales Superiores de Justicia y de las Audiencias Provinciales. A estas Secciones serán adscritos Fiscales que pertenezcan a sus respectivas plantillas, teniendo preferencia aquellos que por razón de las anteriores funciones desempeñadas, cursos impartidos o superados o por cualquier otra circunstancia análoga, se hayan especializado en la materia. No obstante, cuando las necesidades del servicio así lo aconsejen podrán actuar también en otros ámbitos o materias.

En las Fiscalías de los Tribunales Superiores de Justicia y en las Audiencias Provinciales podrán existir las adscripciones permanentes que se determinen reglamentariamente.

A la Sección Contra la Violencia sobre la Mujer se atribuyen las siguientes funciones:

a) Intervenir en los procedimientos penales por los hechos constitutivos de delitos o faltas cuya competencia esté atribuida a los Juzgados de Violencia sobre la Mujer.

b) Intervenir directamente en los procesos civiles cuya competencia esté atribuida a los Juzgados de Violencia sobre la Mujer.

En la Sección Contra la Violencia sobre la Mujer deberá llevarse un registro de los procedimientos que se sigan relacionados con estos hechos que permitirá la consulta de los Fiscales cuando conozcan de un procedimiento de los que tienen atribuida la competencia, al efecto en cada caso procedente».

Artículo 72. Delegados de la jefatura de la fiscalía.

Se da una nueva redacción al apartado 5 del artículo 22 de la Ley 50/1981, de 30 de diciembre, reguladora del Estatuto Orgánico del Ministerio Fiscal, que queda redactado de la siguiente forma:

«5. En aquellas Fiscalías en las que el número de asuntos de que conociera así lo aconsejara y siempre que resultara conveniente para la organización del servicio, previo informe del Consejo Fiscal, podrán designarse delegados de la Jefatura con el fin de asumir las funciones de dirección y coordinación que le fueran específicamente encomendadas. La plantilla orgánica determinará el número máximo de delegados de la Jefatura que se puedan designar en cada Fiscalía. En todo caso, en cada Fiscalía habrá un delegado de Jefatura que asumirá las funciones de dirección y coordinación, en los términos previstos en este apartado, en materia de infracciones relacionadas con la violencia de género, delitos contra el medio ambiente, y vigilancia penitenciaria, con carácter exclusivo o compartido con otras materias.

Tales delegados serán nombrados y, en su caso, relevados mediante resolución dictada por el Fiscal General del Estado, a propuesta motivada del

Fiscal Jefe respectivo, oída la Junta de Fiscalía. Cuando la resolución del Fiscal General del Estado sea discrepante con la propuesta del Fiscal Jefe respectivo, deberá ser motivada.

Para la cobertura de estas plazas será preciso, con carácter previo a la propuesta del Fiscal Jefe correspondiente, realizar una convocatoria entre los Fiscales de la plantilla. A la propuesta se acompañará relación del resto de los Fiscales que hayan solicitado el puesto con aportación de los méritos alegados».

Disposición adicional primera. Pensiones y ayudas.

1. Quien fuera condenado, por sentencia firme, por la comisión de un delito doloso de homicidio en cualquiera de sus formas o de lesiones, perderá la condición de beneficiario de la pensión de viudedad que le corresponda dentro del sistema público de pensiones cuando la víctima de dichos delitos fuera la causante de la pensión, salvo que, en su caso, medie reconciliación entre ellos.

En tales casos, la pensión de viudedad que hubiera debido reconocerse incrementará las pensiones de orfandad, si las hubiese, siempre que tal incremento esté establecido en la legislación reguladora del régimen de Seguridad Social de que se trate.

2. A quien fuera condenado, por sentencia firme, por la comisión de un delito doloso de homicidio en cualquiera de sus formas o de lesiones cuando la ofendida por el delito fuera su cónyuge o excónyuge, o estuviera o hubiera estado ligada a él por una análoga relación de afectividad, aun sin convivencia, no le será abonable, en ningún caso, la pensión por orfandad de la que pudieran ser beneficiarios sus hijos dentro del Sistema Público de Pensiones, salvo que, en su caso, hubiera mediado reconciliación entre aquellos.

3. No tendrá la consideración de beneficiario, a título de víctima indirecta, de las ayudas previstas en la Ley 35/1995, de 11 de diciembre, de Ayudas y Asistencia a las Víctimas de Delitos Violentos y contra la Libertad Sexual, quien fuera condenado por delito doloso de homicidio en cualquiera de sus formas, cuando la ofendida fuera su cónyuge o excónyuge o persona con la que estuviera o hubiera estado ligado de forma estable por análoga relación de afectividad, con independencia de su orientación sexual, durante, al menos, los dos años anteriores al momento del fallecimiento, salvo que hubieran tenido descendencia en común, en cuyo caso bastará la mera convivencia.

Disposición adicional segunda. Protocolos de actuación.

El Gobierno y las Comunidades Autónomas, que hayan asumido competencias en materia de justicia, organizarán en el ámbito que a cada una le es propio los servicios forenses de modo que cuenten con unidades de valoración forense integral encargadas de diseñar protocolos de actuación global e integral en casos de violencia de género.

Disposición adicional tercera. Modificación de la ley orgánica reguladora del derecho a la educación.

Uno. Las letras b) y g) del artículo 2 de la Ley Orgánica 8/1985, de 3 de julio, reguladora del Derecho a la Educación, quedarán redactadas de la forma siguiente:

«b) La formación en el respeto de los derechos y libertades fundamentales, de la igualdad entre hombres y mujeres y en el ejercicio de la tolerancia y de la libertad dentro de los principios democráticos de convivencia.

g) La formación para la paz, la cooperación y la solidaridad entre los pueblos y para la prevención de conflictos y para la resolución pacífica de los mismos y no violencia en todos los ámbitos de la vida personal, familiar y social».

Dos. Se incorporan tres nuevas letras en el apartado 1 del artículo 31 de la Ley Orgánica 8/1985, de 3 de julio, reguladora del Derecho a la Educación, que quedarán redactadas de la forma siguiente:

«k) Las organizaciones de mujeres con implantación en todo el territorio del Estado.

l) El Instituto de la Mujer.

m) Personalidades de reconocido prestigio en la lucha para la erradicación de la violencia de género».

Tres. La letra e) del apartado 1 del artículo 32 de la Ley Orgánica 8/1985, de 3 de julio, reguladora del Derecho a la Educación, quedará redactada de la forma siguiente:

«e) Las disposiciones que se refieran al desarrollo de la igualdad de derechos y oportunidades y al fomento de la igualdad real y efectiva entre hombres y mujeres en la enseñanza».

Cuatro. El apartado 1 del artículo 33 de la Ley Orgánica 8/1985, de 3 de julio, reguladora del Derecho a la Educación, quedará redactado de la forma siguiente:

«1. El Consejo Escolar del Estado elaborará y hará público anualmente un informe sobre el sistema educativo, donde deberán recogerse y valorarse los diversos aspectos del mismo, incluyendo la posible situación de violencia ejercida en la comunidad educativa. Asimismo se informará de las medidas que en relación con la prevención de violencia y fomento de la igualdad entre hombres y mujeres establezcan las Administraciones educativas».

Cinco. Se incluye un nuevo séptimo guion en el apartado 1 del artículo 56 de la Ley Orgánica 8/1985, de 3 de julio, reguladora del Derecho a la Educación, con la siguiente redacción:

«-Una persona, elegida por los miembros del Consejo Escolar del Centro, que impulse medidas educativas que fomenten la igualdad real y efectiva entre hombres y mujeres».

Seis. Se adiciona una nueva letra m) en el artículo 57 de la Ley Orgánica 8/1985, de 3 de julio, reguladora del Derecho a la Educación, con la siguiente redacción:

«m) Proponer medidas e iniciativas que favorezcan la convivencia en el centro, la igualdad entre hombres y mujeres y la resolución pacífica de conflictos en todos los ámbitos de la vida personal, familiar y social».

Disposición adicional cuarta. Modificación de la ley orgánica de ordenación general del sistema educativo.

Uno. Se modifica la letra b) del apartado 1 del artículo 1 de la Ley Orgánica 1/1990, de 3 de octubre, de Ordenación General del Sistema Educativo, que quedará redactado de la siguiente forma:

«b) La formación en el respeto de los derechos y libertades fundamentales, de la igualdad entre hombres y mujeres y en el ejercicio de la tolerancia y de la libertad dentro de los principios democráticos de convivencia».

Dos. Se modifica la letra e) y se añade la letra l) en el apartado 3 del artículo 2 de la Ley Orgánica 1/1990, de 3 de octubre, de Ordenación General del Sistema Educativo, que quedarán redactadas de la siguiente forma:

«e) El fomento de los hábitos de comportamiento democrático y las habilidades y técnica en la prevención de conflictos y en la resolución pacífica de los mismos.

l) La formación para la prevención de conflictos y para la resolución pacífica de los mismos en todos los ámbitos de la vida personal, familiar y social».

Tres. Se modifica el apartado 3 del artículo 34 de la Ley Orgánica 1/1990, de 3 de octubre, de Ordenación General del Sistema Educativo, que quedará redactada de la siguiente forma:

«3. La metodología didáctica de la formación profesional específica promoverá la integración de contenidos científicos, tecnológicos y organizativos. Asimismo, favorecerá en el alumno la capacidad para aprender por sí mismo y para trabajar en equipo, así como la formación en la prevención de conflictos y para la resolución pacífica de los mismos en todos los ámbitos de la vida personal, familiar y social».

Disposición adicional quinta. Modificación de la ley orgánica de calidad de la educación.

Uno. Se adiciona una nueva letra b), con el consiguiente desplazamiento de las actuales, y tres nuevas letras n), ñ) y o) en el artículo 1 de la Ley Orgánica 10/2002, de 23 de diciembre, de Calidad de la Educación, con el siguiente contenido:

«b) La eliminación de los obstáculos que dificultan la plena igualdad entre hombres y mujeres.

n) La formación en el respeto de los derechos y libertades fundamentales, de la igualdad entre hombres y mujeres y en el ejercicio de la tolerancia y de la libertad dentro de los principios democráticos de convivencia.

ñ) La formación para la prevención de conflictos y para la resolución pacífica de los mismos y no violencia en todos los ámbitos de la vida personal familiar y social.

o) El desarrollo de las capacidades afectivas».

Dos. Se adicionan dos nuevas letras e) y f), con el consiguiente desplazamiento de las actuales, en el apartado 2 del artículo 12 de la Ley Orgánica 10/2002, de 23 de diciembre, de Calidad de la Educación, con el siguiente contenido:

«e) Ejercitarse en la prevención de los conflictos y en la resolución pacífica de los mismos.

f) Desarrollar sus capacidades afectivas».

Tres. Se adicionan tres nuevas letras b), c) y d), con el consiguiente desplazamiento de las actuales, en el apartado 2 del artículo 15 de la Ley Orgánica 10/2002, de 23 de diciembre, de Calidad de la Educación, con el siguiente contenido:

«b) Adquirir habilidades en la prevención de conflictos y en la resolución pacífica de los mismos que permitan desenvolverse con autonomía en el ámbito familiar y doméstico, así como en los grupos sociales en los que se relacionan.

c) Comprender y respetar la igualdad entre sexos.

d) Desarrollar sus capacidades afectivas».

Cuatro. Se adicionan tres nuevas letras b), c) y d), con el consiguiente desplazamiento de las actuales, en el apartado 2 del artículo 22 de la Ley Orgánica 10/2002, de 23 de diciembre, de Calidad de la Educación, con el siguiente contenido:

«b) Conocer, valorar y respetar la igualdad de oportunidades de hombres y mujeres.

c) Relacionarse con los demás sin violencia, resolviendo pacíficamente los conflictos.

d) Desarrollar sus capacidades afectivas».

Cinco. Se modifica la letra f) del apartado 1 y se añade un nuevo apartado 5 en el artículo 23 de la Ley Orgánica 10/2002, de 23 de diciembre, de Calidad de la Educación, que queda redactado de la forma siguiente:

«1. f) Ética e igualdad entre hombres y mujeres».

«5. La asignatura de Ética incluirá contenidos específicos sobre la igualdad entre hombres y mujeres».

Seis. Se adicionan dos nuevas letras b) y c), con el consiguiente desplazamiento de las actuales, en el apartado 2 del artículo 34 de la Ley Orgánica 10/2002, de 23 de diciembre, de Calidad de la Educación, con el siguiente contenido:

«b) Consolidar una madurez personal, social y moral, que les permita actuar de forma responsable, autónoma y prever y resolver pacíficamente los conflictos personales, familiares y sociales.

c) Fomentar la igualdad real y efectiva entre hombres y mujeres y analizar y valorar críticamente las desigualdades entre ellos».

Siete. Se adiciona un nuevo apartado 3 en el artículo 40 de la Ley Orgánica 10/2002, de 23 de diciembre, de Calidad de la Educación, con el siguiente contenido:

«3. Con el fin de promover la efectiva igualdad entre hombres y mujeres, las Administraciones educativas velarán para que todos los currículos y los materiales educativos reconozcan el igual valor de hombres y mujeres y se elaboren a partir de presupuestos no discriminatorios para las mujeres. Asimismo, deberán fomentar el respeto en la igualdad de derechos y obligaciones».

Ocho. Se adicionan dos nuevas letras e) y f) en el apartado 2 del artículo 52 de la Ley Orgánica 10/2002, de 23 de diciembre, de Calidad de la Educación, con el siguiente contenido:

«e) Desarrollar habilidades en la resolución pacífica de los conflictos en las relaciones personales, familiares y sociales.

f) Fomentar el respeto a la dignidad de las personas y a la igualdad entre hombres y mujeres».

Nueve. Se modifica la letra d) del artículo 56 de la Ley Orgánica 10/2002, de 23 de diciembre, de Calidad de la Educación, que queda redactada de la forma siguiente:

«d) La tutoría del alumnado para dirigir su aprendizaje, transmitirles valores y ayudarlos, en colaboración con los padres, a superar sus dificultades y resolver pacíficamente sus conflictos».

Diez. Se adiciona una nueva letra g), con el consiguiente desplazamiento de la letra g) actual que pasará a ser una nueva letra h), en el apartado 2 del artículo 81 de la Ley Orgánica 10/2002, de 23 de diciembre, de Calidad de la Educación, con el contenido siguiente:

«g) Una persona que impulse medidas educativas que fomenten la igualdad real y efectiva entre hombres y mujeres, residente en la ciudad donde se halle emplazado el centro y elegida por el Consejo Escolar del centro».

Once. Se modifica la letra k) en el apartado 1 del artículo 82 de la Ley Orgánica 10/2002, de 23 de diciembre, de Calidad de la Educación, que queda redactado de la forma siguiente:

«k) Proponer medidas e iniciativas que favorezcan la convivencia en el centro, la igualdad entre hombres y mujeres y la resolución pacífica de conflictos en todos los ámbitos de la vida personal, familiar y social».

Doce. Se añade una nueva letra g) al apartado 1 del artículo 105 de la Ley Orgánica 10/2002, de 23 de diciembre, de Calidad de la Educación, que queda redactada de la forma siguiente:

«g) Velar por el cumplimiento y aplicación de las medidas e iniciativas educativas destinadas a fomentar la igualdad real entre mujeres y hombres».

Disposición adicional sexta. Modificación de la ley general de publicidad.

Uno. Se modifica el artículo 3, letra a), de la Ley 34/1988, de 11 de noviembre, General de Publicidad, que quedará redactado de la siguiente forma:

«Es ilícita:

a) La publicidad que atente contra la dignidad de la persona o vulnere los valores y derechos reconocidos en la Constitución, especialmente a los que se refieren sus artículos 18 y 20, apartado 4. Se entenderán incluidos en la previsión anterior los anuncios que presenten a las mujeres de forma vejatoria, bien utilizando particular y directamente su cuerpo o partes del mismo como mero objeto desvinculado del producto que se pretende promocionar, bien su imagen asociada a comportamientos estereotipados que vulneren los fundamentos de nuestro ordenamiento coadyuvando a generar la violencia a que se refiere la Ley Orgánica de medidas de protección integral contra la violencia de género».

Dos. Se adiciona un nuevo apartado 1 bis en el artículo 25 de la Ley 34/1988, de 11 de noviembre, General de Publicidad, con el contenido siguiente:

«1 bis. Cuando una publicidad sea considerada ilícita por afectar a la utilización vejatoria o discriminatoria de la imagen de la mujer, podrán solicitar del anunciante su cesación y rectificación:

a) La Delegación Especial del Gobierno contra la Violencia sobre la Mujer.

b) El Instituto de la Mujer o su equivalente en el ámbito autonómico.

c) Las asociaciones legalmente constituidas que tengan como objetivo único la defensa de los intereses de la mujer y no incluyan como asociados a personas jurídicas con ánimo de lucro.

d) Los titulares de un derecho o interés legítimo».

Tres. Se adiciona una disposición adicional a la Ley 34/1988, de 11 de noviembre, General de Publicidad, con el contenido siguiente:

«La acción de cesación cuando una publicidad sea considerada ilícita por afectar a la utilización vejatoria o discriminatoria de la imagen de la mujer, se ejercitará en la forma y en los términos previstos en los artículos 26 y 29, excepto en materia de legitimación que la tendrán, además del Ministerio Fiscal, las personas y las Instituciones a que se refiere el artículo 25.1 bis de la presente Ley».

Disposición adicional séptima. Modificación de la ley del estatuto de los trabajadores.

Uno. Se introduce un nuevo apartado 7 en el artículo 37 de la Ley del Estatuto de los Trabajadores, texto refundido aprobado por Real Decreto Legislativo 1/1995, de 24 de marzo, con el siguiente contenido:

«7. La trabajadora víctima de violencia de género tendrá derecho, para hacer efectiva su protección o su derecho a la asistencia social integral, a la reducción de la jornada de trabajo con disminución proporcional del salario o a la reordenación del tiempo de trabajo, a través de la adaptación del horario, de la aplicación del horario flexible o de otras formas de ordenación del tiempo de trabajo que se utilicen en la empresa.

Estos derechos se podrán ejercitar en los términos que para estos supuestos concretos se establezcan en los convenios colectivos o en los acuerdos entre la empresa y los representantes de los trabajadores, o conforme al acuerdo entre la empresa y la trabajadora afectada. En su defecto, la concreción de estos derechos corresponderá a la trabajadora, siendo de aplicación las reglas establecidas en el apartado anterior, incluidas las relativas a la resolución de discrepancias».

Dos. Se introduce un nuevo apartado 3 bis) en el artículo 40 de la Ley del Estatuto de los Trabajadores, texto refundido aprobado por Real Decreto Legislativo 1/1995, de 24 de marzo, con el siguiente contenido:

«3 bis) La trabajadora víctima de violencia de género que se vea obligada a abandonar el puesto de trabajo en la localidad donde venía prestando sus servicios, para hacer efectiva su protección o su derecho a la asistencia social integral, tendrá derecho preferente a ocupar otro puesto de trabajo, del mismo grupo profesional o categoría equivalente, que la empresa tenga vacante en cualquier otro de sus centros de trabajo.

En tales supuestos, la empresa estará obligada a comunicar a la trabajadora las vacantes existentes en dicho momento o las que se pudieran producir en el futuro.

El traslado o el cambio de centro de trabajo tendrán una duración inicial de seis meses, durante los cuales la empresa tendrá la obligación de reservar el puesto de trabajo que anteriormente ocupaba la trabajadora.

Terminado este período, la trabajadora podrá optar entre el regreso a su puesto de trabajo anterior o la continuidad en el nuevo. En este último caso, decaerá la mencionada obligación de reserva».

Tres. Se introduce una nueva letra n) en el artículo 45, apartado 1, de la Ley del Estatuto de los Trabajadores, texto refundido aprobado por Real Decreto Legislativo 1/1995, de 24 de marzo, con el contenido siguiente:

«n) Por decisión de la trabajadora que se vea obligada a abandonar su puesto de trabajo como consecuencia de ser víctima de violencia de género».

Cuatro. Se introduce un nuevo apartado 6, en el artículo 48 de la Ley del Estatuto de los Trabajadores, texto refundido aprobado por Real Decreto Legislativo 1/1995, de 24 de marzo, con el siguiente contenido:

«6. En el supuesto previsto en la letra n) del apartado 1 del artículo 45, el período de suspensión tendrá una duración inicial que no podrá exceder de seis meses, salvo que de las actuaciones de tutela judicial resultase que la efectividad del derecho de protección de la víctima requiriese la continuidad de la suspensión, En este caso, el juez podrá prorrogar la suspensión por períodos de tres meses, con un máximo de dieciocho meses».

Cinco. Se introduce una nueva letra m) en el artículo 49, apartado 1, de la Ley del Estatuto de los Trabajadores, texto refundido aprobado por Real Decreto Legislativo 1/1995, de 24 de marzo, con el contenido siguiente:

«m) Por decisión de la trabajadora que se vea obligada a abandonar definitivamente su puesto de trabajo como consecuencia de ser víctima de violencia de género».

Seis. Se modifica el párrafo segundo de la letra d) del artículo 52 de la Ley del Estatuto de los Trabajadores, texto refundido aprobado por Real Decreto Legislativo 1/1995, de 24 de marzo, con el siguiente contenido:

«No se computarán como faltas de asistencia, a los efectos del párrafo anterior, las ausencias debidas a huelga legal por el tiempo de duración de la misma, el ejercicio de actividades de representación legal de los trabajadores, accidente de trabajo, maternidad, riesgo durante el embarazo, enfermedades causadas por embarazo, parto o lactancia, licencias y vacaciones, enfermedad o accidente no laboral, cuando la baja haya sido acordada por los servicios sanitarios oficiales y tenga una duración de más de veinte días consecutivos, ni las motivadas por la situación física o psicológica derivada de violencia de género, acreditada por los servicios sociales de atención o servicios de salud, según proceda».

Siete. Se modifica la letra b) del apartado 5 del artículo 55, de la Ley del Estatuto de los Trabajadores, texto refundido aprobado por Real Decreto Legislativo 1/1995, de 24 de marzo, con el siguiente contenido:

«b) El de las trabajadoras embarazadas, desde la fecha de inicio del embarazo hasta la del comienzo del período de suspensión a que se refiere la letra a); la de los trabajadores que hayan solicitado uno de los permisos a los que se refieren los apartados 4 y 5 del artículo 37 de esta Ley, o estén disfrutando de ellos, o hayan solicitado la excedencia prevista en el apartado 3 del artículo 46 de la misma; y la de las trabajadoras víctimas de violencia de género por el ejercicio de los derechos de reducción o reordenación de su tiempo de trabajo, de movilidad geográfica, de cambio de centro de trabajo o de suspensión de la relación laboral, en los términos y condiciones reconocidos en esta Ley».

Disposición adicional octava. Modificación de la ley general de la seguridad social.

Uno. Se añade un apartado 5 en el artículo 124 de la Ley General de la Seguridad Social, texto refundido aprobado por Real Decreto Legislativo 1/1994, de 20 de junio, con el siguiente contenido:

«5. El período de suspensión con reserva del puesto de trabajo, contemplado en el artículo 48.6 del Estatuto de los Trabajadores, tendrá la consideración de período de cotización efectiva a efectos de las correspondientes prestaciones de la Seguridad Social por jubilación, incapacidad permanente, muerte o supervivencia, maternidad y desempleo».

Dos. Se modifica la letra e) del apartado 1.1, así como el apartado 1.2 del artículo 208 de la Ley General de la Seguridad Social, texto refundido aprobado por Real Decreto Legislativo 1/1994, de 20 de junio, con el siguiente contenido:

«1.1.e) Por resolución voluntaria por parte del trabajador, en los supuestos previstos en los artículos 40, 41.3, 49.1.m) y 50 del Estatuto de los Trabajadores.

1.2 Cuando se suspenda su relación laboral en virtud de expediente de regulación de empleo, o de resolución judicial adoptada en el seno de un procedimiento concursal, o en el supuesto contemplado en la letra n), del apartado 1 del artículo 45 del Estatuto de los Trabajadores».

Tres. Se modifica el apartado 2 del artículo 210 de la Ley General de la Seguridad Social, texto refundido aprobado por Real Decreto Legislativo 1/1994, de 20 de junio, con el siguiente contenido:

«2. A efectos de determinación del período de ocupación cotizada a que se refiere el apartado anterior se tendrán en cuenta todas las cotizaciones que no hayan sido computadas para el reconocimiento de un derecho anterior, tanto de nivel contributivo como asistencial. No obstante, no se considerará como derecho anterior el que se reconozca en virtud de la suspensión de la relación laboral prevista en el artículo 45.1.n) del Estatuto de los Trabajadores.

No se computarán las cotizaciones correspondientes al tiempo de abono de la prestación que efectúe la entidad gestora o, en su caso, la empresa, excepto cuando la prestación se perciba en virtud de la suspensión de la relación laboral prevista en el artículo 45.1.n) del Estatuto de los Trabajadores, tal como establece el artículo 124.5 de esta Ley».

Cuatro. Se modifica el apartado 2 del artículo 231 de la Ley General de la Seguridad Social, texto refundido aprobado por Real Decreto Legislativo 1/1994, de 20 de junio, con el siguiente contenido:

«2. A los efectos previstos en este título, se entenderá por compromiso de actividad el que adquiera el solicitante o beneficiario de las prestaciones de buscar activamente empleo, aceptar una colocación adecuada y participar en acciones específicas de motivación, información, orientación, formación, reconversión o inserción profesional para incrementar su ocupabilidad, así como de cumplir las restantes obligaciones previstas en este artículo.

Para la aplicación de lo establecido en el párrafo anterior el Servicio Público de Empleo competente tendrá en cuenta la condición de víctima de violencia de género, a efectos de atemperar, en caso necesario, el cumplimiento de las obligaciones que se deriven del compromiso suscrito».

Cinco. Se introduce una nueva disposición adicional en la Ley General de la Seguridad Social, texto refundido aprobado por Real Decreto Legislativo 1/1994, de 20 de junio, con el siguiente contenido:

«Disposición adicional cuadragésima segunda. Acreditación de situaciones legales de desempleo.

La situación legal de desempleo prevista en los artículos 208.1.1e) y 208.1.2 de la presente Ley, cuando se refieren, respectivamente, a los artículos 49.1 m) y 45.1 n) de la Ley del Estatuto de los Trabajadores, se acreditará por comunicación escrita del empresario sobre la extinción o suspensión temporal de la relación laboral, junto con la orden de protección a favor de la víctima o, en su defecto, junto con el informe del Ministerio Fiscal que indique la existencia de indicios sobre la condición de víctima de violencia de género».

Disposición adicional novena. Modificación de la ley de medidas para la reforma de la función pública.

Uno. El apartado 3 del artículo 1 de la Ley 30/1984, de 2 de agosto, de Medidas para la Reforma de la Función Pública, tendrá la siguiente redacción:

«3. Se consideran bases del régimen estatutario de los funcionarios públicos, dictadas al amparo del artículo 149.1.18.ª de la Constitución, y en consecuencia aplicables al personal de todas las Administraciones Públicas, los siguientes preceptos: artículos: 3.2.e) y f); 6; 7; 8; 11; 12; 13.2, 3 y 4; 14.4 y 5; 16; 17; 18.1 a 5; 19.1 y 3; 20.1.a), b), párrafo primero, c), e), g) en sus párrafos primero a cuarto, e i); 2 y 3; 21; 22.1, a excepción de los dos últimos párrafos; 23; 24; 25; 26; 29, a excepción del último párrafo de sus apartados 5, 6 y 7; 30.5; 31; 32; 33; disposiciones adicionales tercera, 2 y 3, cuarta, duodécima y decimoquinta; disposiciones transitoria segunda, octava y novena».

Dos. Se añade un nuevo apartado 3 al artículo 17 de la Ley 30/1984, de 2 de agosto, de Medidas para la Reforma de la Función Pública.

«3. En el marco de los Acuerdos que las Administraciones Públicas suscriban con la finalidad de facilitar la movilidad entre los funcionarios de las mismas, tendrán especial consideración los casos de movilidad geográfica de las funcionarias víctimas de violencia de género».

Tres. Se añade una letra i) al apartado 1 del artículo 20 de la Ley 30/1984, de 2 de agosto, de Medidas para la Reforma de la Función Pública, con el siguiente contenido:

«i) La funcionaria víctima de violencia sobre la mujer que se vea obligada a abandonar el puesto de trabajo en la localidad donde venía prestando sus servicios, para hacer efectiva su protección o su derecho a la asistencia social integral, tendrá derecho preferente a ocupar otro puesto de trabajo propio de su Cuerpo o Escala y de análogas características que se encuentre vacante y sea de necesaria provisión. En tales supuestos la Administración Pública competente en cada caso estará obligada a comunicarle las vacantes de necesaria provisión ubicadas en la misma localidad o en las localidades que la interesada expresamente solicite».

Cuatro. Se añade un nuevo apartado 8 en el artículo 29 de la Ley 30/1984, de 2 de agosto, de Medidas para la Reforma de la Función Pública, con el siguiente contenido:

«8. Excedencia por razón de violencia sobre la mujer funcionaria.

Las funcionarias públicas víctimas de violencia de género, para hacer efectiva su protección o su derecho a la asistencia social integral, tendrán derecho a solicitar la situación de excedencia sin necesidad de haber prestado un tiempo mínimo de servicios previos y sin que resulte de aplicación ningún plazo de permanencia en la misma. Durante los seis primeros meses tendrán derecho a la reserva del puesto de trabajo que desempeñaran, siendo computable dicho período a efectos de ascensos, trienios y derechos pasivos.

Esto no obstante, cuando de las actuaciones de tutela judicial resultase que la efectividad del derecho de protección de la víctima lo exigiere, se podrá prorrogar por períodos de tres meses, con un máximo de dieciocho, el período en el que, de acuerdo con el párrafo anterior, se tendrá derecho a la reserva del puesto de trabajo, con idénticos efectos a los señalados en dicho párrafo».

Cinco. Se añade un nuevo apartado 5 al artículo 30 de la Ley 30/1984, de 2 de agosto, de Medidas para la Reforma de la Función Pública con el siguiente contenido:

«5. En los casos en los que las funcionarias víctimas de violencia de género tuvieran que ausentarse por ello de su puesto de trabajo, estas faltas de asistencia, totales o parciales, tendrán la consideración de justificadas por el tiempo y en las condiciones en que así lo determinen los servicios sociales de atención o salud, según proceda.

Las funcionarias víctimas de violencia sobre la mujer, para hacer efectiva su protección o su derecho a la asistencia social integral, tendrán derecho a la reducción de la jornada con disminución proporcional de la retribución, o a la reordenación del tiempo de trabajo, a través de la adaptación del horario, de la aplicación del horario flexible o de otras formas de ordenación del tiempo de trabajo que sean aplicables, en los términos que para estos supuestos establezca la Administración Pública competente en cada caso».

Disposición adicional décima. Modificación de la ley orgánica del poder judicial.

Uno. Se modifica el apartado segundo del artículo 26 de la Ley Orgánica 6/1985, de 1 de julio, del Poder Judicial, que queda redactado de la siguiente forma:

«Artículo 26.

Juzgados de Primera Instancia e Instrucción, de lo Mercantil, de Violencia sobre la Mujer, de lo Penal, de lo Contencioso-Administrativo, de lo Social, de Menores y de Vigilancia Penitenciaria».

Dos. Se modifica la rúbrica del capítulo V del título IV del libro I de la Ley Orgánica 6/1985, de 1 de julio, del Poder Judicial, que queda redactada de la siguiente forma:

«Capítulo V. De los Juzgados de Primera Instancia e Instrucción, de lo Mercantil, de lo Penal, de Violencia sobre la Mujer, de lo Contencioso-Administrativo, de lo Social, de Vigilancia Penitenciaria y de Menores».

Tres. Se modifica el apartado 1 del artículo 87 de la Ley Orgánica 6/1985, de 1 de julio, del Poder Judicial, que queda redactado de la siguiente forma:

«Artículo 87.

1. Los Juzgados de Instrucción conocerán, en el orden penal:

a) De la instrucción de las causas por delito cuyo enjuiciamiento corresponda a las Audiencias Provinciales y a los Juzgados de lo Penal, excepto de aquellas causas que sean competencia de los Juzgados de Violencia sobre la Mujer.

b) Les corresponde asimismo dictar sentencia de conformidad con la acusación en los casos establecidos por la Ley.

c) Del conocimiento y fallo de los juicios de faltas, salvo los que sean competencia de los Jueces de Paz, o de los Juzgados de Violencia sobre la Mujer.

d) De los procedimientos de "habeas corpus".

e) De los recursos que establezca la ley contra las resoluciones dictadas por los Juzgados de Paz del partido y de las cuestiones de competencia entre éstos.

f) De la adopción de la orden de protección a las víctimas de violencia sobre la mujer cuando esté desarrollando funciones de guardia, siempre que no pueda ser adoptada por el Juzgado de Violencia sobre la Mujer».

Tres bis. Se adiciona un nuevo párrafo en el apartado 2, del artículo 89 bis de la Ley Orgánica del Poder Judicial, con el contenido siguiente:

«A fin de facilitar el conocimiento de los asuntos instruidos por los Juzgados de Violencia sobre la Mujer, y atendiendo al número de asuntos existentes, deberán especializarse uno o varios Juzgados en cada provincia, de conformidad con lo previsto en el artículo 98 de la presente Ley».

Cuatro. Se modifica el apartado 1 del artículo 210 de la Ley Orgánica 6/1985, de 1 de julio, del Poder Judicial, que queda redactado de la siguiente forma:

«1. Los Jueces de Primera Instancia y de Instrucción, de lo Mercantil, de lo Penal, de Violencia sobre la Mujer, de lo Contencioso-Administrativo, de Menores y de lo Social se sustituirán entre sí en las poblaciones donde existan varios del mismo orden jurisdiccional, en la forma que acuerde la Sala de Gobierno del Tribunal Superior de Justicia, a propuesta de la Junta de Jueces».

Cinco. Se adiciona un nuevo párrafo en el apartado 3 en el artículo 211 de la Ley Orgánica 6/1985, de 1 de julio, del Poder Judicial, que queda redactado de la siguiente forma:

«Los Jueces de Violencia sobre la Mujer serán sustituidos por los Jueces de Instrucción o de Primera Instancia e Instrucción, según el orden que establezca la Sala de Gobierno del Tribunal Superior de Justicia respectivo».

Disposición adicional undécima. Evaluación de la aplicación de la ley.

El Gobierno, en colaboración con las Comunidades Autónomas, a los tres años de la entrada en vigor de esta Ley Orgánica elaborará y remitirá al Congreso de los Diputados un informe en el que se hará una evaluación de los efectos de su aplicación en la lucha contra la violencia de género.

Disposición adicional duodécima. Modificaciones de la ley de enjuiciamiento criminal.

Se añade una disposición adicional cuarta a la Ley de Enjuiciamiento Criminal con el contenido siguiente:

«1. Las referencias que se hacen al Juez de Instrucción y al Juez de Primera Instancia en los apartados 1 y 7 del artículo 544 ter de esta Ley, en la redacción dada por la Ley 27/2003, de 31 de julio, reguladora de la Orden de Protección de las Víctimas de la Violencia Doméstica se entenderán hechas, en su caso, al Juez de Violencia sobre la Mujer.

2. Las referencias que se hacen al Juez de Guardia en el título III del libro IV, y en los artículos 962 a 971 de esta Ley, se entenderán hechas, en su caso, al Juez de Violencia sobre la Mujer».

Disposición adicional decimotercera. Dotación del fondo.

Con el fin de coadyuvar a la puesta en funcionamiento de los servicios establecidos en el artículo 19 de esta Ley, y garantizar la equidad interterritorial en su implantación, durante los dos años siguientes a la entrada en vigor de esta Ley se dotará un Fondo al que podrán acceder las Comunidades Autónomas, de acuerdo con los criterios objetivos que se determinen en la respectiva Conferencia Sectorial. Ello, no obstante, la Comunidad Autónoma del País Vasco y la Comunidad Foral de Navarra se regirán, en estos aspectos financieros, por sus regímenes especiales de Concierto Económico y de Convenio.

Las Comunidades Autónomas, en uso de sus competencias, durante el año siguiente a la aprobación de esta Ley, realizarán un diagnóstico conjuntamente con las Administraciones Locales, sobre el impacto de la violencia de género en su Comunidad, así como una valoración de necesidades, recursos y servicios necesarios, para implementar el artículo 19 de esta Ley.

La dotación del Fondo se hará de conformidad con lo que dispongan las respectivas Leyes de Presupuestos Generales del Estado.

Disposición adicional decimocuarta. Informe sobre financiación.

Sin perjuicio de la responsabilidad financiera de las Comunidades Autónomas, conforme a lo establecido en la Ley 21/2001, de 27 de diciembre, por la que se regulan las medidas fiscales y administrativas del nuevo sistema de financiación de las Comunidades Autónomas de régimen común y Ciudades con Estatuto de Autonomía, y de acuerdo con el principio de lealtad institucional en los términos del artículo 2.1.e) de la Ley Orgánica 8/1980, de 22 de septiembre, de Financiación de las Comunidades Autónomas, los Ministerios competentes, a propuesta de los órganos interterritoriales correspondientes, elaborarán informes sobre las repercusiones económicas de la aplicación de esta Ley. Dichos informes serán presentados al Ministerio de Economía y Hacienda que los trasladará al Consejo de Política Fiscal y Financiera.

Disposición adicional decimoquinta. Convenios en materia de vivienda.

Mediante convenios con las Administraciones competentes, el Gobierno podrá promover procesos específicos de adjudicación de viviendas protegidas a las víctimas de violencia de género.

Disposición adicional decimosexta. Coordinación de los servicios públicos de empleo.

En el desarrollo de la Ley 56/2003, de 16 de diciembre, de Empleo, se tendrá en cuenta la necesaria coordinación de los Servicios Públicos de Empleo, para facilitar el acceso al mercado de trabajo de las víctimas de violencia de género cuando, debido al ejercicio del derecho de movilidad geográfica, se vean obligadas a trasladar su domicilio y el mismo implique cambio de Comunidad Autónoma.

Disposición adicional decimoséptima. Escolarización.

Las Administraciones educativas adoptarán las medidas necesarias para garantizar la escolarización inmediata de los hijos en el supuesto de cambio de residencia motivados por violencia sobre la mujer.

Disposición adicional decimoctava. Planta de los juzgados de violencia sobre la mujer.

Se añade un anexo XIII a la Ley 38/1988, de 28 de diciembre, de Demarcación y Planta Judicial, cuyo texto se incluye como anexo a la presente Ley Orgánica.

Disposición adicional decimonovena. Fondo de garantía de pensiones.

El Estado garantizará el pago de alimentos reconocidos e impagados a favor de los hijos e hijas menores de edad en convenio judicialmente aprobado o en resolución judicial, a través de una legislación específica que concretará el sistema de cobertura en dichos supuestos y que, en todo caso, tendrá en cuenta las circunstancias de las víctimas de violencia de género.

Disposición adicional vigésima. Cambio de apellidos.

El artículo 58 de la Ley del Registro Civil, de 8 de junio de 1957, queda redactado de la siguiente forma:

«2. Cuando se den circunstancias excepcionales, y a pesar de faltar los requisitos que señala dicho artículo, podrá accederse al cambio por Real Decreto a propuesta del Ministerio de Justicia, con audiencia del Consejo de Estado. En caso de que el solicitante de la autorización del cambio de sus apellidos sea objeto de violencia de género y en cualquier otro supuesto en que la urgencia de la situación así lo requiriera podrá accederse al cambio por Orden del Ministerio de Justicia, en los términos fijados por el Reglamento».

Disposición transitoria primera. Aplicación de medidas.

Los procesos civiles o penales relacionados con la violencia de género que se encuentren en tramitación a la entrada en vigor de la presente Ley continuarán siendo competencia de los órganos que vinieran conociendo de los mismos hasta su conclusión por sentencia firme.

Disposición transitoria segunda. Derecho transitorio.

En los procesos sobre hechos contemplados en la presente Ley que se encuentren en tramitación a su entrada en vigor, los Juzgados o Tribunales que los estén conociendo podrán adoptar las medidas previstas en el capítulo IV del título V.

Disposición derogatoria única.

Quedan derogadas cuantas normas, de igual o inferior rango, se opongan a lo establecido en la presente Ley.

Disposición final primera. Referencias normativas.

Todas las referencias y menciones contenidas en las leyes procesales penales a los Jueces de Instrucción deben también entenderse referidas a los Jueces de Violencia sobre la Mujer en las materias propias de su competencia.

Disposición final segunda. Habilitación competencial.

La presente Ley se dicta al amparo de lo previsto en el artículo 149.1, 1.ª, 5.ª, 6.ª, 7.ª, 8.ª, 17.ª, 18.ª y 30.ª de la Constitución Española.

Disposición final tercera. Naturaleza de la presente ley.

La presente Ley tiene el carácter de Ley Orgánica, a excepción de los siguientes preceptos: título I, título II, título III, artículos 42, 43, 44, 45, 46, 47, 70, 71, 72, así como las disposiciones adicionales primera, segunda, sexta, séptima, octava, novena, undécima, decimotercera, decimoquinta, decimosexta, decimoséptima, decimoctava, decimonovena y vigésima, la disposición transitoria segunda y las disposiciones finales cuarta, quinta y sexta.

Disposición final cuarta. Habilitación normativa.

1. Se habilita al Gobierno para que dicte, en el plazo de seis meses a partir de la publicación de esta Ley en el «Boletín Oficial del Estado», las disposiciones que fueran necesarias para su aplicación.

A través del Ministerio de Justicia se adoptarán en el referido plazo las medidas necesarias para la implantación de los Juzgados de Violencia sobre la Mujer, así como para la adecuación de la estructura del Ministerio Fiscal a las previsiones de la presente Ley.

2. En el plazo de seis meses desde la entrada en vigor de la presente Ley Orgánica el Consejo General del Poder Judicial dictará los reglamentos necesarios para la ordenación de los señalamientos, adecuación de los servicios de guardia a la existencia de los nuevos Juzgados de Violencia sobre la Mujer, y coordinación de la Policía Judicial con los referidos Juzgados.

Disposición final quinta. Modificaciones reglamentarias.

El Gobierno, en el plazo de seis meses desde la aprobación de esta Ley, procederá a la modificación del artículo 116.4 del Real Decreto 190/1996, de 9 de febrero, por el que se aprueba el Reglamento Penitenciario, estableciendo la obligatoriedad para la Administración Penitenciaria de realizar los programas específicos de tratamiento para internos a que se refiere la presente Ley. En el mismo plazo procederá a modificar el Real Decreto 738/1997, de 23 de mayo, por el que se aprueba el Reglamento de ayudas a las víctimas de delitos violentos y contra la libertad sexual, y el Real Decreto 996/2003, de 25 de julio, por el que se aprueba el Reglamento de asistencia jurídica gratuita.

En el plazo mencionado en el apartado anterior, el Estado y las Comunidades Autónomas, en el ámbito de sus respectivas competencias, adaptarán su normativa a las previsiones contenidas en la presente Ley.

Disposición final sexta. Modificación de la ley 1/1996, de 10 de enero, de asistencia jurídica gratuita.

Se modifica el apartado 5 del artículo 3 de la Ley 1/1996, de 10 de enero, de Asistencia Gratuita, que quedará redactado como sigue:

«5. Tampoco será necesario que las víctimas de violencia de género acrediten previamente carecer de recursos cuando soliciten defensa jurídica gratuita especializada, que se les prestará de inmediato, sin perjuicio de que si no se le reconoce con posterioridad el derecho a la misma, éstas deban abonar al abogado los honorarios devengados por su intervención».

Disposición final séptima. Entrada en vigor.

La presente Ley Orgánica entrará en vigor a los treinta días de su publicación en el «Boletín Oficial del Estado», salvo lo dispuesto en los títulos IV y V, que lo hará a los seis meses.

Por tanto,

Mando a todos los españoles, particulares y autoridades, que guarden y hagan guardar esta ley orgánica.

Madrid, 28 de diciembre de 2004.

JUAN CARLOS R.

Ley Orgánica 3/2007, de 22 de marzo, para la igualdad efectiva de mujeres y hombres

EXPOSICIÓN DE MOTIVOS

I

El artículo 14 de la Constitución española proclama el derecho a la igualdad y a la no discriminación por razón de sexo. Por su parte, el artículo 9.2 consagra la obligación de los poderes públicos de promover las condiciones para que la igualdad del individuo y de los grupos en que se integra sean reales y efectivas.

La igualdad entre mujeres y hombres es un principio jurídico universal reconocido en diversos textos internacionales sobre derechos humanos, entre los que destaca la Convención sobre la eliminación de todas las formas de discriminación contra la mujer, aprobada por la Asamblea General de Naciones Unidas en diciembre de 1979 y ratificada por España en 1983. En este mismo ámbito procede evocar los avances introducidos por conferencias mundiales monográficas, como la de Nairobi de 1985 y Beijing de 1995.

La igualdad es, asimismo, un principio fundamental en la Unión Europea. Desde entrada en vigor del Tratado de Ámsterdam, el 1 de mayo de 1999, la igualdad entre mujeres y hombres y la eliminación de las desigualdades entre unas y otros son un objetivo que debe integrarse en todas las políticas y acciones de la Unión y de sus miembros.

Con amparo en el antiguo artículo 111 del Tratado de Roma, se ha desarrollado un acervo comunitario sobre igualdad de sexos de gran amplitud e importante calado, a cuya adecuada transposición se dirige, en buena medida, la presente Ley. En particular, esta Ley incorpora al ordenamiento español dos directivas en materia de igualdad de trato, la 2002/73/CE, de reforma de la Directiva 76/207/CEE, relativa a la aplicación del principio de igualdad de trato entre hombres y mujeres en lo que se refiere al acceso al empleo, a la formación y a la promoción profesionales, y a las condiciones de trabajo; y la Directiva 2004/113/CE, sobre aplicación del principio de igualdad de trato entre hombres y mujeres en el acceso a bienes y servicios y su suministro.

II

El pleno reconocimiento de la igualdad formal ante la ley, aun habiendo comportado, sin duda, un paso decisivo, ha resultado ser insuficiente. La violencia de género, la discriminación salarial, la discriminación en las pensiones de viudedad, el mayor desempleo femenino, la todavía escasa presencia de las mujeres en puestos de responsabilidad política, social, cultural y económica, o los problemas de conciliación entre la vida personal, laboral y familiar muestran cómo la igualdad plena, efectiva, entre mujeres y hombres, aquella «perfecta igualdad que no admitiera poder ni privilegio para unos ni incapacidad para otros», en palabras escritas por John Stuart Mill hace casi 140 años, es todavía hoy una tarea pendiente que precisa de nuevos instrumentos jurídicos.

Resulta necesaria, en efecto, una acción normativa dirigida a combatir todas las manifestaciones aún subsistentes de discriminación, directa o indirecta, por razón de sexo y a promover la igualdad real entre mujeres y hombres, con remoción de los obstáculos y estereotipos sociales que impiden alcanzarla. Esta exigencia se deriva de nuestro ordenamiento constitucional e integra un genuino derecho de las mujeres, pero es a la vez un elemento de enriquecimiento de la propia sociedad española, que contribuirá al desarrollo económico y al aumento del empleo.

Se contempla, asimismo, una especial consideración con los supuestos de doble discriminación y las singulares dificultades en que se encuentran las mujeres que presentan especial vulnerabilidad, como son las que pertenecen a minorías, las mujeres migrantes y las mujeres con discapacidad.

III

La mayor novedad de esta Ley radica, con todo, en la prevención de esas conductas discriminatorias y en la previsión de políticas activas para hacer efectivo el principio de igualdad. Tal opción implica necesariamente una proyección del principio de igualdad sobre los diversos ámbitos del ordenamiento de la realidad social, cultural y artística en que pueda generarse o perpetuarse la desigualdad. De ahí la consideración de la dimensión transversal de la igualdad, seña de identidad del moderno derecho antidiscriminatorio, como principio fundamental del presente texto.

La Ley se refiere a la generalidad de las políticas públicas en España, tanto estatales como autonómicas y locales. Y lo hace al amparo de la atribución constitucional al Estado de la competencia para la regulación de las condiciones básicas que garanticen la igualdad de todos los españoles y las españolas en el ejercicio de los derechos constitucionales, aunque contiene una regulación más detallada en aquellos ámbitos de competencia, básica o legislativa plena, del Estado.

La complejidad que deriva del alcance horizontal del principio de igualdad se expresa también en la estructura de la Ley. Ésta se ocupa en su articulado de la proyección general del principio en los diferentes ámbitos normativos, y concreta en sus disposiciones adicionales la correspondiente modificación de las muy diversas leyes que resultan afectadas. De este modo, la Ley nace con la vocación de erigirse en la ley-código de la igualdad entre mujeres y hombres.

La ordenación general de las políticas públicas, bajo la óptica del principio de igualdad y la perspectiva de género, se plasma en el establecimiento de criterios de actuación de todos los poderes públicos en los que se integra activamente, de un modo expreso y operativo, dicho principio; y con carácter específico o sectorial, se incorporan también pautas favorecedoras de la igualdad en políticas como la educativa, la sanitaria, la artística y cultural, de la sociedad de la información, de desarrollo rural o de vivienda, deporte, cultura, ordenación del territorio o de cooperación internacional para el desarrollo.

Instrumentos básicos serán, en este sentido, y en el ámbito de la Administración General del Estado, un Plan Estratégico de Igualdad de Oportunidades, la creación de una Comisión Interministerial de Igualdad con responsabilidades de coordinación, los informes de impacto de género, cuya obligatoriedad se amplía desde las normas legales a los planes de especial relevancia económica y social, y los informes o evaluaciones periódicos sobre la efectividad del principio de igualdad.

Merece, asimismo, destacarse que la Ley prevea, con el fin de alcanzar esa igualdad real efectiva entre mujeres y hombres, un marco general para la adopción de las llamadas acciones positivas. Se dirige, en este sentido, a todos los poderes públicos un mandato de remoción de situaciones de constatable desigualdad fáctica, no corregibles por la sola formulación del principio de igualdad jurídica o formal. Y en cuanto estas acciones puedan entrañar la formulación de un derecho desigual en favor de las mujeres, se establecen cautelas y condicionamientos para asegurar su licitud constitucional.

El logro de la igualdad real y efectiva en nuestra sociedad requiere no sólo del compromiso de los sujetos públicos, sino también de su promoción decidida en la órbita de las relaciones entre particulares. La regulación del acceso a bienes y servicios es objeto de atención por la Ley, conjugando los principios de libertad y autonomía contractual con el fomento de la igualdad entre mujeres y hombres. También se ha estimado conveniente establecer determinadas medidas de promoción de la igualdad efectiva en las empresas privadas, como las que se recogen en materia de contratación o de subvenciones públicas o en referencia a los consejos de administración.

Especial atención presta la Ley a la corrección de la desigualdad en el ámbito específico de las relaciones laborales. Mediante una serie de previsiones, se reconoce el derecho a la conciliación de la vida personal, familiar y laboral y se fomenta una mayor corresponsabilidad entre mujeres y hombres en la asunción de obligaciones familiares, criterios inspiradores de toda la norma que encuentran aquí su concreción más significativa.

La Ley pretende promover la adopción de medidas concretas en favor de la igualdad en las empresas, situándolas en el marco de la negociación colectiva, para que sean las partes, libre y responsablemente, las que acuerden su contenido.

Dentro del mismo ámbito del empleo, pero con características propias, se consignan en la Ley medidas específicas sobre los procesos de selección y para la provisión de puestos de trabajo en el seno de la Administración General del Estado. Y la proyección de la igualdad se extiende a las Fuerzas y Cuerpos de Seguridad y a las Fuerzas Armadas.

De la preocupación por el alcance de la igualdad efectiva en nuestra sociedad no podía quedar fuera el ámbito de la participación política, tanto en su nivel estatal como en los niveles autonómico y local, así como en su proyección de política internacional de cooperación para el desarrollo. El llamado en la Ley principio de presencia o composición equilibrada, con el que se trata de asegurar una representación suficientemente significativa de ambos sexos en órganos y cargos de responsabilidad, se lleva así también a la normativa reguladora del régimen electoral general, optando por una fórmula con la flexibilidad adecuada para conciliar las exigencias derivadas de los artículos 9.2 y 14 de la Constitución con las propias del derecho de sufragio pasivo incluido en el artículo 23 del mismo texto constitucional. Se asumen así los recientes textos internacionales en la materia y se avanza en el camino de garantizar

una presencia equilibrada de mujeres y hombres en el ámbito de la representación política, con el objetivo fundamental de mejorar la calidad de esa
representación y con ella de nuestra propia democracia.

IV

La Ley se estructura en un Título preliminar, ocho Títulos, treinta y una
disposiciones adicionales, once disposiciones transitorias, una disposición derogatoria y ocho disposiciones finales.

El Título Preliminar establece el objeto y el ámbito de aplicación de la Ley.

El Título Primero define, siguiendo las indicaciones de las Directivas de
referencia, los conceptos y categorías jurídicas básicas relativas a la igualdad,
como las de discriminación directa e indirecta, acoso sexual y acoso por razón
de sexo, y acciones positivas. Asimismo, determina las consecuencias jurídicas
de las conductas discriminatorias e incorpora garantías de carácter procesal
para reforzar la protección judicial del derecho de igualdad.

En el Título Segundo, Capítulo Primero, se establecen las pautas generales
de actuación de los poderes públicos en relación con la igualdad, se define el
principio de transversalidad y los instrumentos para su integración en la elaboración, ejecución y aplicación de las normas. También se consagra el principio
de presencia equilibrada de mujeres y hombres en las listas electorales y en los
nombramientos realizados por los poderes públicos, con las consiguientes modificaciones en las Disposiciones adicionales de la Ley Electoral, regulándose,
asimismo, los informes de impacto de género y la planificación pública de las
acciones en favor de la igualdad, que en la Administración General del Estado
se plasmarán en un Plan Estratégico de Igualdad de Oportunidades.

En el Capítulo II de este Título se establecen los criterios de orientación
de las políticas públicas en materia de educación, cultura y sanidad. También
se contempla la promoción de la incorporación de las mujeres a la sociedad
de la información, la inclusión de medidas de efectividad de la igualdad en las
políticas de acceso a la vivienda, y en las de desarrollo del medio rural.

El Título III contiene medidas de fomento de la igualdad en los medios
de comunicación social, con reglas específicas para los de titularidad pública,
así como instrumentos de control de los supuestos de publicidad de contenido
discriminatorio.

El Título IV se ocupa del derecho al trabajo en igualdad de oportunidades, incorporando medidas para garantizar la igualdad entre mujeres y hombres en el acceso al empleo, en la formación y en la promoción profesionales, y en las condiciones de trabajo. Se incluye además, entre los derechos laborales de los trabajadores y las trabajadoras, la protección frente al acoso sexual y al acoso por razón de sexo.

Además del deber general de las empresas de respetar el principio de igualdad en el ámbito laboral, se contempla, específicamente, el deber de negociar planes de igualdad en las empresas de más de doscientos cincuenta trabajadores o trabajadoras. La relevancia del instrumento de los planes de igualdad explica también la previsión del fomento de su implantación voluntaria en las pequeñas y medianas empresas.

Para favorecer la incorporación de las mujeres al mercado de trabajo, se establece un objetivo de mejora del acceso y la permanencia en el empleo de las mujeres, potenciando su nivel formativo y su adaptabilidad a los requerimientos del mercado de trabajo mediante su posible consideración como grupo de población prioritario de las políticas activas de empleo. Igualmente, la ley recoge una serie de medidas sociales y laborales concretas, que quedan reguladas en las distintas disposiciones adicionales de la Ley.

La medida más innovadora para favorecer la conciliación de la vida personal, familiar y laboral es el permiso de paternidad de trece días de duración, ampliable en caso de parto múltiple en dos días más por cada hijo o hija a partir del segundo. Se trata de un derecho individual y exclusivo del padre, que se reconoce tanto en los supuestos de paternidad biológica como en los de adopción y acogimiento. También se introducen mejoras en el actual permiso de maternidad, ampliándolo en dos semanas para los supuestos de hijo o hija con discapacidad, pudiendo hacer uso de esta ampliación indistintamente ambos progenitores.

Estas mismas mejoras se introducen igualmente para los trabajadores y trabajadoras autónomos y de otros regímenes especiales de la Seguridad Social.

En relación con la reducción de jornada por guarda legal se amplía, por una parte, la edad máxima del menor que da derecho a la reducción, que pasa de seis a ocho años, y se reduce, por otra, a un octavo de la jornada el límite mínimo de dicha reducción. También se reduce a cuatro meses la duración mínima de la excedencia voluntaria y se amplía de uno a dos años la duración máxima de la excedencia para el cuidado de familiares. Se reconoce la posibilidad de que tanto la excedencia por cuidado de hijo o hija como la de por cuidado de familiares puedan disfrutarse de forma fraccionada.

Asimismo, se adaptan las infracciones y sanciones y los mecanismos de control de los incumplimientos en materia de no discriminación, y se refuerza el papel de la Inspección de Trabajo y Seguridad Social. Es particularmente novedosa, en este ámbito, la posibilidad de conmutar sanciones accesorias por el establecimiento de Planes de Igualdad.

Las modificaciones en materia laboral comportan la introducción de algunas novedades en el ámbito de Seguridad Social, recogidas en las Disposiciones adicionales de la Ley. Entre ellas deben destacarse especialmente la flexibilización de los requisitos de cotización previa para el acceso a la prestación de maternidad, el reconocimiento de un nuevo subsidio por la misma causa para trabajadoras que no acrediten dichos requisitos o la creación de la prestación económica por paternidad.

El Título V, en su Capítulo I regula el principio de igualdad en el empleo público, estableciéndose los criterios generales de actuación a favor de la igualdad para el conjunto de las Administraciones públicas y, en su Capítulo II, la presencia equilibrada de mujeres y hombres en los nombramientos de órganos directivos de la Administración General del Estado, que se aplica también a los órganos de selección y valoración del personal y en las designaciones de miembros de órganos colegiados, comités y consejos de administración de empresas en cuya capital participe dicha Administración. El Capítulo III de este Título se dedica a las medidas de igualdad en el empleo en el ámbito de la Administración General del Estado, en sentido análogo a lo previsto para las relaciones de trabajo en el sector privado, y con la previsión específica del mandato de aprobación de un protocolo de actuación frente al acoso sexual y por razón de sexo.

Los Capítulos IV y V regulan, de forma específica, el respeto del principio de igualdad en las Fuerzas Armadas y en las Fuerzas y Cuerpos de Seguridad del Estado.

El Título VI de la Ley está dedicado a la igualdad de trato en el acceso a bienes y servicios, con especial referencia a los seguros.

El Título VII contempla la realización voluntaria de acciones de responsabilidad social por las empresas en materia de igualdad, que pueden ser también objeto de concierto con la representación de los trabajadores y trabajadoras, las organizaciones de consumidores, las asociaciones de defensa de la igualdad o los organismos de igualdad. Específicamente, se regula el uso de estas acciones con fines publicitarios.

En este Título, y en el marco de la responsabilidad social corporativa, se ha incluido el fomento de la presencia equilibrada de mujeres y hombres en los consejos de administración de las sociedades mercantiles, concediendo para ello un plazo razonable. Es finalidad de esta medida que el criterio prevalente en la incorporación de consejeros sea el talento y el rendimiento profesional, ya que, para que el proceso esté presidido por el criterio de imparcialidad, el sexo no debe constituir un obstáculo como factor de elección.

El Título VIII de la Ley establece una serie de disposiciones organizativas, con la creación de una Comisión Interministerial de Igualdad entre mujeres y hombres y de las Unidades de Igualdad en cada Ministerio. Junto a lo anterior, la Ley constituye un Consejo de participación de la mujer, como órgano colegiado que ha de servir de cauce para la participación institucional en estas materias.

Como se expuso anteriormente, las disposiciones adicionales recogen las diversas modificaciones de preceptos de Leyes vigentes necesarias para su acomodación a las exigencias y previsiones derivadas de la presente Ley. Junto a estas modificaciones del ordenamiento, se incluyen también regulaciones específicas para definir el principio de composición o presencia equilibrada, crear un fondo en materia de sociedad de la información, nuevos supuestos de nulidad de determinadas extinciones de la relación laboral, designar al Instituto de la Mujer a efectos de las Directivas objeto de incorporación.

Las disposiciones transitorias establecen el régimen aplicable temporalmente a determinados aspectos de la Ley, como los relativos a nombramientos y procedimientos, medidas preventivas del acoso en la Administración General del Estado, el distintivo empresarial en materia de igualdad, las tablas de mortalidad y supervivencia, los nuevos derechos de maternidad y paternidad, la composición equilibrada de las listas electorales, así como a la negociación de nuevos convenios colectivos.

Las disposiciones finales se refieren a la naturaleza de la Ley, a su fundamento constitucional y a su relación con el ordenamiento comunitario, habilitan para el desarrollo reglamentario, establecen las fechas de su entrada en vigor y un mandato de evaluación de los resultados de la negociación colectiva en materia de igualdad.

TÍTULO PRELIMINAR. OBJETO Y ÁMBITO DE LA LEY

Artículo 1. Objeto de la ley.

1. Las mujeres y los hombres son iguales en dignidad humana, e iguales en derechos y deberes. Esta Ley tiene por objeto hacer efectivo el derecho de igualdad de trato y de oportunidades entre mujeres y hombres, en particular mediante la eliminación de la discriminación de la mujer, sea cual fuere su circunstancia o condición, en cualesquiera de los ámbitos de la vida y, singularmente, en las esferas política, civil, laboral, económica, social y cultural para, en el desarrollo de los artículos 9.2 y 14 de la Constitución, alcanzar una sociedad más democrática, más justa y más solidaria.

2. A estos efectos, la Ley establece principios de actuación de los Poderes Públicos, regula derechos y deberes de las personas físicas y jurídicas, tanto públicas como privadas, y prevé medidas destinadas a eliminar y corregir en los sectores público y privado, toda forma de discriminación por razón de sexo.

Artículo 2. Ámbito de aplicación.

1. Todas las personas gozarán de los derechos derivados del principio de igualdad de trato y de la prohibición de discriminación por razón de sexo.

2. Las obligaciones establecidas en esta Ley serán de aplicación a toda persona, física o jurídica, que se encuentre o actúe en territorio español, cualquiera que fuese su nacionalidad, domicilio o residencia.

TÍTULO I. EL PRINCIPIO DE IGUALDAD Y LA TUTELA CONTRA LA DISCRIMINACIÓN

Artículo 3. El principio de igualdad de trato entre mujeres y hombres.

El principio de igualdad de trato entre mujeres y hombres supone la ausencia de toda discriminación, directa o indirecta, por razón de sexo, y, especialmente, las derivadas de la maternidad, la asunción de obligaciones familiares y el estado civil.

Artículo 4. Integración del principio de igualdad en la interpretación y aplicación de las normas.

La igualdad de trato y de oportunidades entre mujeres y hombres es un principio informador del ordenamiento jurídico y, como tal, se integrará y observará en la interpretación y aplicación de las normas jurídicas.

Artículo 5. Igualdad de trato y de oportunidades en el acceso al empleo, en la formación y en la promoción profesionales, y en las condiciones de trabajo.

El principio de igualdad de trato y de oportunidades entre mujeres y hombres, aplicable en el ámbito del empleo privado y en el del empleo público, se garantizará, en los términos previstos en la normativa aplicable, en el acceso al empleo, incluso al trabajo por cuenta propia, en la formación profesional, en la promoción profesional, en las condiciones de trabajo, incluidas las retributivas y las de despido, y en la afiliación y participación en las organizaciones sindicales y empresariales, o en cualquier organización cuyos miembros ejerzan una profesión concreta, incluidas las prestaciones concedidas por las mismas.

No constituirá discriminación en el acceso al empleo, incluida la formación necesaria, una diferencia de trato basada en una característica relacionada con el sexo cuando, debido a la naturaleza de las actividades profesionales concretas o al contexto en el que se lleven a cabo, dicha característica constituya un requisito profesional esencial y determinante, siempre y cuando el objetivo sea legítimo y el requisito proporcionado.

Artículo 6. Discriminación directa e indirecta.

1. Se considera discriminación directa por razón de sexo la situación en que se encuentra una persona que sea, haya sido o pudiera ser tratada, en atención a su sexo, de manera menos favorable que otra en situación comparable.

2. Se considera discriminación indirecta por razón de sexo la situación en que una disposición, criterio o práctica aparentemente neutros pone a personas de un sexo en desventaja particular con respecto a personas del otro, salvo que dicha disposición, criterio o práctica puedan justificarse objetivamente en atención a una finalidad legítima y que los medios para alcanzar dicha finalidad sean necesarios y adecuados.

3. En cualquier caso, se considera discriminatoria toda orden de discriminar, directa o indirectamente, por razón de sexo.

Artículo 7. Acoso sexual y acoso por razón de sexo.

1. Sin perjuicio de lo establecido en el Código Penal, a los efectos de esta Ley constituye acoso sexual cualquier comportamiento, verbal o físico, de naturaleza sexual que tenga el propósito o produzca el efecto de atentar

contra la dignidad de una persona, en particular cuando se crea un entorno intimidatorio, degradante u ofensivo.

2. Constituye acoso por razón de sexo cualquier comportamiento realizado en función del sexo de una persona, con el propósito o el efecto de atentar contra su dignidad y de crear un entorno intimidatorio, degradante u ofensivo.

3. Se considerarán en todo caso discriminatorios el acoso sexual y el acoso por razón de sexo.

4. El condicionamiento de un derecho o de una expectativa de derecho a la aceptación de una situación constitutiva de acoso sexual o de acoso por razón de sexo se considerará también acto de discriminación por razón de sexo.

Artículo 8. Discriminación por embarazo o maternidad.

Constituye discriminación directa por razón de sexo todo trato desfavorable a las mujeres relacionado con el embarazo o la maternidad.

Artículo 9. Indemnidad frente a represalias.

También se considerará discriminación por razón de sexo cualquier trato adverso o efecto negativo que se produzca en una persona como consecuencia de la presentación por su parte de queja, reclamación, denuncia, demanda o recurso, de cualquier tipo, destinados a impedir su discriminación y a exigir el cumplimiento efectivo del principio de igualdad de trato entre mujeres y hombres.

Artículo 10. Consecuencias jurídicas de las conductas discriminatorias.

Los actos y las cláusulas de los negocios jurídicos que constituyan o causen discriminación por razón de sexo se considerarán nulos y sin efecto, y darán lugar a responsabilidad a través de un sistema de reparaciones o indemnizaciones que sean reales, efectivas y proporcionadas al perjuicio sufrido, así como, en su caso, a través de un sistema eficaz y disuasorio de sanciones que prevenga la realización de conductas discriminatorias.

Artículo 11. Acciones positivas.

1. Con el fin de hacer efectivo el derecho constitucional de la igualdad, los Poderes Públicos adoptarán medidas específicas en favor de las mujeres para corregir situaciones patentes de desigualdad de hecho respecto de los hombres. Tales medidas, que serán aplicables en tanto subsistan dichas situa-

ciones, habrán de ser razonables y proporcionadas en relación con el objetivo perseguido en cada caso.

2. También las personas físicas y jurídicas privadas podrán adoptar este tipo de medidas en los términos establecidos en la presente Ley.

Artículo 12. Tutela judicial efectiva.

1. Cualquier persona podrá recabar de los tribunales la tutela del derecho a la igualdad entre mujeres y hombres, de acuerdo con lo establecido en el artículo 53.2 de la Constitución, incluso tras la terminación de la relación en la que supuestamente se ha producido la discriminación.

2. La capacidad y legitimación para intervenir en los procesos civiles, sociales y contencioso-administrativos que versen sobre la defensa de este derecho corresponden a las personas físicas y jurídicas con interés legítimo, determinadas en las Leyes reguladoras de estos procesos.

3. La persona acosada será la única legitimada en los litigios sobre acoso sexual y acoso por razón de sexo.

Artículo 13. Prueba.

1. De acuerdo con las Leyes procesales, en aquellos procedimientos en los que las alegaciones de la parte actora se fundamenten en actuaciones discriminatorias, por razón de sexo, corresponderá a la persona demandada probar la ausencia de discriminación en las medidas adoptadas y su proporcionalidad.

A los efectos de lo dispuesto en el párrafo anterior, el órgano judicial, a instancia de parte, podrá recabar, si lo estimase útil y pertinente, informe o dictamen de los organismos públicos competentes.

2. Lo establecido en el apartado anterior no será de aplicación a los procesos penales.

TÍTULO II. POLÍTICAS PÚBLICAS PARA LA IGUALDAD

CAPÍTULO I. PRINCIPIOS GENERALES

Artículo 14. Criterios generales de actuación de los poderes públicos.

A los fines de esta Ley, serán criterios generales de actuación de los Poderes Públicos:

1. El compromiso con la efectividad del derecho constitucional de igualdad entre mujeres y hombres.

2. La integración del principio de igualdad de trato y de oportunidades en el conjunto de las políticas económica, laboral, social, cultural y artística, con el fin de evitar la segregación laboral y eliminar las diferencias retributivas, así como potenciar el crecimiento del empresariado femenino en todos los ámbitos que abarque el conjunto de políticas y el valor del trabajo de las mujeres, incluido el doméstico.

3. La colaboración y cooperación entre las distintas Administraciones públicas en la aplicación del principio de igualdad de trato y de oportunidades.

4. La participación equilibrada de mujeres y hombres en las candidaturas electorales y en la toma de decisiones.

5. La adopción de las medidas necesarias para la erradicación de la violencia de género, la violencia familiar y todas las formas de acoso sexual y acoso por razón de sexo.

6. La consideración de las singulares dificultades en que se encuentran las mujeres de colectivos de especial vulnerabilidad como son las que pertenecen a minorías, las mujeres migrantes, las niñas, las mujeres con discapacidad, las mujeres mayores, las mujeres viudas y las mujeres víctimas de violencia de género, para las cuales los poderes públicos podrán adoptar, igualmente, medidas de acción positiva.

7. La protección de la maternidad, con especial atención a la asunción por la sociedad de los efectos derivados del embarazo, parto y lactancia.

8. El establecimiento de medidas que aseguren la conciliación del trabajo y de la vida personal y familiar de las mujeres y los hombres, así como el fomento de la corresponsabilidad en las labores domésticas y en la atención a la familia.

9. El fomento de instrumentos de colaboración entre las distintas Administraciones públicas y los agentes sociales, las asociaciones de mujeres y otras entidades privadas.

10. El fomento de la efectividad del principio de igualdad entre mujeres y hombres en las relaciones entre particulares.

11. La implantación de un lenguaje no sexista en el ámbito administrativo y su fomento en la totalidad de las relaciones sociales, culturales y artísticas.

12. Todos los puntos considerados en este artículo se promoverán e integrarán de igual manera en la política española de cooperación internacional para el desarrollo.

Artículo 15. Transversalidad del principio de igualdad de trato entre mujeres y hombres.

El principio de igualdad de trato y oportunidades entre mujeres y hombres informará, con carácter transversal, la actuación de todos los Poderes Públicos. Las Administraciones públicas lo integrarán, de forma activa, en la adopción y ejecución de sus disposiciones normativas, en la definición y presupuestación de políticas públicas en todos los ámbitos y en el desarrollo del conjunto de todas sus actividades.

Artículo 16. Nombramientos realizados por los poderes públicos.

Los Poderes Públicos procurarán atender al principio de presencia equilibrada de mujeres y hombres en los nombramientos y designaciones de los cargos de responsabilidad que les correspondan.

Artículo 17. Plan estratégico de igualdad de oportunidades.

El Gobierno, en las materias que sean de la competencia del Estado, aprobará periódicamente un Plan Estratégico de Igualdad de Oportunidades, que incluirá medidas para alcanzar el objetivo de igualdad entre mujeres y hombres y eliminar la discriminación por razón de sexo.

Artículo 18. Informe periódico.

En los términos que reglamentariamente se determinen, el Gobierno elaborará un informe periódico sobre el conjunto de sus actuaciones en relación con la efectividad del principio de igualdad entre mujeres y hombres. De este informe se dará cuenta a las Cortes Generales.

Artículo 19. Informes de impacto de género.

Los proyectos de disposiciones de carácter general y los planes de especial relevancia económica, social, cultural y artística que se sometan a la aprobación del Consejo de Ministros deberán incorporar un informe sobre su impacto por razón de género.

Artículo 20. Adecuación de las estadísticas y estudios.

Al objeto de hacer efectivas las disposiciones contenidas en esta Ley y que se garantice la integración de modo efectivo de la perspectiva de género en su actividad ordinaria, los poderes públicos, en la elaboración de sus estudios y estadísticas, deberán:

a) Incluir sistemáticamente la variable de sexo en las estadísticas, encuestas y recogida de datos que lleven a cabo.

b) Establecer e incluir en las operaciones estadísticas nuevos indicadores que posibiliten un mejor conocimiento de las diferencias en los valores, roles, situaciones, condiciones, aspiraciones y necesidades de mujeres y hombres, su manifestación e interacción en la realidad que se vaya a analizar.

c) Diseñar e introducir los indicadores y mecanismos necesarios que permitan el conocimiento de la incidencia de otras variables cuya concurrencia resulta generadora de situaciones de discriminación múltiple en los diferentes ámbitos de intervención.

d) Realizar muestras lo suficientemente amplias como para que las diversas variables incluidas puedan ser explotadas y analizadas en función de la variable de sexo.

e) Explotar los datos de que disponen de modo que se puedan conocer las diferentes situaciones, condiciones, aspiraciones y necesidades de mujeres y hombres en los diferentes ámbitos de intervención.

f) Revisar y, en su caso, adecuar las definiciones estadísticas existentes con objeto de contribuir al reconocimiento y valoración del trabajo de las mujeres y evitar la estereotipación negativa de determinados colectivos de mujeres.

Sólo excepcionalmente, y mediante informe motivado y aprobado por el órgano competente, podrá justificarse el incumplimiento de alguna de las obligaciones anteriormente especificadas.

Artículo 21. Colaboración entre las administraciones públicas.

1. La Administración General del Estado y las Administraciones de las Comunidades Autónomas cooperarán para integrar el derecho de igualdad entre mujeres y hombres en el ejercicio de sus respectivas competencias y, en especial, en sus actuaciones de planificación. En el seno de la Conferencia Sectorial de la Mujer podrán adoptarse planes y programas conjuntos de actuación con esta finalidad.

2. Las Entidades Locales integrarán el derecho de igualdad en el ejercicio de sus competencias y colaborarán, a tal efecto, con el resto de las Administraciones públicas.

Artículo 22. Acciones de planificación equitativa de los tiempos.

Con el fin de avanzar hacia un reparto equitativo de los tiempos entre mujeres y hombres, las corporaciones locales podrán establecer Planes Municipales de organización del tiempo de la ciudad. Sin perjuicio de las competencias de las Comunidades Autónomas, el Estado podrá prestar asistencia técnica para la elaboración de estos planes.

CAPÍTULO II. ACCIÓN ADMINISTRATIVA PARA LA IGUALDAD

Artículo 23. La educación para la igualdad de mujeres y hombres.

El sistema educativo incluirá entre sus fines la educación en el respeto de los derechos y libertades fundamentales y en la igualdad de derechos y oportunidades entre mujeres y hombres.

Asimismo, el sistema educativo incluirá, dentro de sus principios de calidad, la eliminación de los obstáculos que dificultan la igualdad efectiva entre mujeres y hombres y el fomento de la igualdad plena entre unas y otros.

Artículo 24. Integración del principio de igualdad en la política de educación.

1. Las Administraciones educativas garantizarán un igual derecho a la educación de mujeres y hombres a través de la integración activa, en los objetivos y en las actuaciones educativas, del principio de igualdad de trato, evitando que, por comportamientos sexistas o por los estereotipos sociales asociados, se produzcan desigualdades entre mujeres y hombres.

2. Las Administraciones educativas, en el ámbito de sus respectivas competencias, desarrollarán, con tal finalidad, las siguientes actuaciones:

a) La atención especial en los currículos y en todas las etapas educativas al principio de igualdad entre mujeres y hombres.

b) La eliminación y el rechazo de los comportamientos y contenidos sexistas y estereotipos que supongan discriminación entre mujeres y hombres, con especial consideración a ello en los libros de texto y materiales educativos.

c) La integración del estudio y aplicación del principio de igualdad en los cursos y programas para la formación inicial y permanente del profesorado.

d) La promoción de la presencia equilibrada de mujeres y hombres en los órganos de control y de gobierno de los centros docentes.

e) La cooperación con el resto de las Administraciones educativas para el desarrollo de proyectos y programas dirigidos a fomentar el conocimiento y la difusión, entre las personas de la comunidad educativa, de los principios de coeducación y de igualdad efectiva entre mujeres y hombres.

f) El establecimiento de medidas educativas destinadas al reconocimiento y enseñanza del papel de las mujeres en la Historia.

Artículo 25. La igualdad en el ámbito de la educación superior.

1. En el ámbito de la educación superior, las Administraciones públicas en el ejercicio de sus respectivas competencias fomentarán la enseñanza y la investigación sobre el significado y alcance de la igualdad entre mujeres y hombres.

2. En particular, y con tal finalidad, las Administraciones públicas promoverán:

a) La inclusión, en los planes de estudio en que proceda, de enseñanzas en materia de igualdad entre mujeres y hombres.

b) La creación de postgrados específicos.

c) La realización de estudios e investigaciones especializadas en la materia.

Artículo 26. La igualdad en el ámbito de la creación y producción artística e intelectual.

1. Las autoridades públicas, en el ámbito de sus competencias, velarán por hacer efectivo el principio de igualdad de trato y de oportunidades entre mujeres y hombres en todo lo concerniente a la creación y producción artística e intelectual y a la difusión de la misma.

2. Los distintos organismos, agencias, entes y demás estructuras de las administraciones públicas que de modo directo o indirecto configuren el sistema de gestión cultural, desarrollarán las siguientes actuaciones:

a) Adoptar iniciativas destinadas a favorecer la promoción específica de las mujeres en la cultura y a combatir su discriminación estructural y/o difusa.

b) Políticas activas de ayuda a la creación y producción artística e intelectual de autoría femenina, traducidas en incentivos de naturaleza económica, con el objeto de crear las condiciones para que se produzca una efectiva igualdad de oportunidades.

c) Promover la presencia equilibrada de mujeres y hombres en la oferta artística y cultural pública.

d) Que se respete y se garantice la representación equilibrada en los distintos órganos consultivos, científicos y de decisión existentes en el organigrama artístico y cultural.

e) Adoptar medidas de acción positiva a la creación y producción artística e intelectual de las mujeres, propiciando el intercambio cultural, intelectual y artístico, tanto nacional como internacional, y la suscripción de convenios con los organismos competentes.

f) En general y al amparo del artículo 11 de la presente Ley, todas las acciones positivas necesarias para corregir las situaciones de desigualdad en la producción y creación intelectual artística y cultural de las mujeres.

Artículo 27. Integración del principio de igualdad en la política de salud.

1. Las políticas, estrategias y programas de salud integrarán, en su formulación, desarrollo y evaluación, las distintas necesidades de mujeres y hombres y las medidas necesarias para abordarlas adecuadamente.

2. Las Administraciones públicas garantizarán un igual derecho a la salud de las mujeres y hombres, a través de la integración activa, en los objetivos y en las actuaciones de la política de salud, del principio de igualdad de trato, evitando que por sus diferencias biológicas o por los estereotipos sociales asociados, se produzcan discriminaciones entre unas y otros.

3. Las Administraciones públicas, a través de sus Servicios de Salud y de los órganos competentes en cada caso, desarrollarán, de acuerdo con el principio de igualdad de oportunidades, las siguientes actuaciones:

a) La adopción sistemática, dentro de las acciones de educación sanitaria, de iniciativas destinadas a favorecer la promoción específica de la salud de las mujeres, así como a prevenir su discriminación.

b) El fomento de la investigación científica que atienda las diferencias entre mujeres y hombres en relación con la protección de su salud, especialmente en lo referido a la accesibilidad y el esfuerzo diagnóstico y terapéutico, tanto en sus aspectos de ensayos clínicos como asistenciales.

c) La consideración, dentro de la protección, promoción y mejora de la salud laboral, del acoso sexual y el acoso por razón de sexo.

d) La integración del principio de igualdad en la formación del personal al servicio de las organizaciones sanitarias, garantizando en especial su capacidad para detectar y atender las situaciones de violencia de género.

e) La presencia equilibrada de mujeres y hombres en los puestos directivos y de responsabilidad profesional del conjunto del Sistema Nacional de Salud.

f) La obtención y el tratamiento desagregados por sexo, siempre que sea posible, de los datos contenidos en registros, encuestas, estadísticas u otros sistemas de información médica y sanitaria.

Artículo 28. Sociedad de la información.

1. Todos los programas públicos de desarrollo de la Sociedad de la Información incorporarán la efectiva consideración del principio de igualdad de oportunidades entre mujeres y hombres en su diseño y ejecución.

2. El Gobierno promoverá la plena incorporación de las mujeres en la Sociedad de la Información mediante el desarrollo de programas específicos, en especial, en materia de acceso y formación en tecnologías de la información y de las comunicaciones, contemplando las de colectivos de riesgo de exclusión y del ámbito rural.

3. El Gobierno promoverá los contenidos creados por mujeres en el ámbito de la Sociedad de la Información.

4. En los proyectos del ámbito de las tecnologías de la información y la comunicación sufragados total o parcialmente con dinero público, se garantizará que su lenguaje y contenidos sean no sexistas.

Artículo 29. Deportes.

1. Todos los programas públicos de desarrollo del deporte incorporarán la efectiva consideración del principio de igualdad real y efectiva entre mujeres y hombres en su diseño y ejecución.

2. El Gobierno promoverá el deporte femenino y favorecerá la efectiva apertura de las disciplinas deportivas a las mujeres, mediante el desarrollo de programas específicos en todas las etapas de la vida y en todos los niveles, incluidos los de responsabilidad y decisión.

Artículo 30. Desarrollo rural.

1. A fin de hacer efectiva la igualdad entre mujeres y hombres en el sector agrario, el Ministerio de Agricultura, Pesca y Alimentación y el Ministerio de

Trabajo y Asuntos Sociales desarrollarán la figura jurídica de la titularidad compartida, para que se reconozcan plenamente los derechos de las mujeres en el sector agrario, la correspondiente protección de la Seguridad Social, así como el reconocimiento de su trabajo.

2. En las actuaciones encaminadas al desarrollo del medio rural, se incluirán acciones dirigidas a mejorar el nivel educativo y de formación de las mujeres, y especialmente las que favorezcan su incorporación al mercado de trabajo y a los órganos de dirección de empresas y asociaciones.

3. Las Administraciones públicas promoverán nuevas actividades laborales que favorezcan el trabajo de las mujeres en el mundo rural.

4. Las Administraciones públicas promoverán el desarrollo de una red de servicios sociales para atender a menores, mayores y dependientes como medida de conciliación de la vida laboral, familiar y personal de hombres y mujeres en mundo rural.

5. Los poderes públicos fomentarán la igualdad de oportunidades en el acceso a las tecnologías de la información y la comunicación mediante el uso de políticas y actividades dirigidas a la mujer rural, y la aplicación de soluciones alternativas tecnológicas allá donde la extensión de estas tecnologías no sea posible.

Artículo 31. Políticas urbanas, de ordenación territorial y vivienda.

1. Las políticas y planes de las Administraciones públicas en materia de acceso a la vivienda incluirán medidas destinadas a hacer efectivo el principio de igualdad entre mujeres y hombres.

Del mismo modo, las políticas urbanas y de ordenación del territorio tomarán en consideración las necesidades de los distintos grupos sociales y de los diversos tipos de estructuras familiares, y favorecerán el acceso en condiciones de igualdad a los distintos servicios e infraestructuras urbanas.

2. El Gobierno, en el ámbito de sus competencias, fomentará el acceso a la vivienda de las mujeres en situación de necesidad o en riesgo de exclusión, y de las que hayan sido víctimas de la violencia de género, en especial cuando, en ambos casos, tengan hijos menores exclusivamente a su cargo.

3. Las Administraciones públicas tendrán en cuenta en el diseño de la ciudad, en las políticas urbanas, en la definición y ejecución del planeamiento urbanístico, la perspectiva de género, utilizando para ello, especialmente, me-

canismos e instrumentos que fomenten y favorezcan la participación ciudadana y la transparencia.

Artículo 32. Política española de cooperación para el desarrollo.

1. Todas las políticas, planes, documentos de planificación estratégica, tanto sectorial como geográfica, y herramientas de programación operativa de la cooperación española para el desarrollo, incluirán el principio de igualdad entre mujeres y hombres como un elemento sustancial en su agenda de prioridades, y recibirán un tratamiento de prioridad transversal y específica en sus contenidos, contemplando medidas concretas para el seguimiento y la evaluación de logros para la igualdad efectiva en la cooperación española al desarrollo.

2. Además, se elaborará una Estrategia Sectorial de Igualdad entre mujeres y hombres para la cooperación española, que se actualizará periódicamente a partir de los logros y lecciones aprendidas en los procesos anteriores.

3. La Administración española planteará un proceso progresivo, a medio plazo, de integración efectiva del principio de igualdad y del enfoque de género en desarrollo (GED), en todos los niveles de su gestión, que haga posible y efectiva la aplicación de la Estrategia Sectorial de Igualdad entre mujeres y hombres, que contemple actuaciones específicas para alcanzar la transversalidad en las actuaciones de la cooperación española, y la promoción de medidas de acción positiva que favorezcan cambios significativos en la implantación del principio de igualdad, tanto dentro de la Administración como en el mandato de desarrollo de la propia cooperación española.

Artículo 33. Contratos de las administraciones públicas.

Las Administraciones públicas, en el ámbito de sus respectivas competencias, a través de sus órganos de contratación y, en relación con la ejecución de los contratos que celebren, podrán establecer condiciones especiales con el fin de promover la igualdad entre mujeres y hombres en el mercado de trabajo, de acuerdo con lo establecido en la legislación de contratos del sector público.

Artículo 34. Contratos de la administración general del estado.

1. Anualmente, el Consejo de Ministros, a la vista de la evolución e impacto de las políticas de igualdad en el mercado laboral, determinará los contratos de la Administración General del Estado y de sus organismos públicos que obligato-

riamente deberán incluir entre sus condiciones de ejecución medidas tendentes a promover la igualdad efectiva entre mujeres y hombres en el mercado de trabajo, conforme a lo previsto en la legislación de contratos del sector público.

En el Acuerdo a que se refiere el párrafo anterior podrán establecerse, en su caso, las características de las condiciones que deban incluirse en los pliegos atendiendo a la naturaleza de los contratos y al sector de actividad donde se generen las prestaciones.

2. Los órganos de contratación podrán establecer en los pliegos de cláusulas administrativas particulares la preferencia en la adjudicación de los contratos de las proposiciones presentadas por aquellas empresas que, en el momento de acreditar su solvencia técnica o profesional, cumplan con las directrices del apartado anterior, siempre que estas proposiciones igualen en sus términos a las más ventajosas desde el punto de vista de los criterios objetivos que sirvan de base a la adjudicación y respetando, en todo caso, la prelación establecida en el apartado primero de la disposición adicional octava del Texto Refundido de la Ley de Contratos de las Administraciones Públicas, aprobado por Real Decreto Legislativo 2/2000, de 16 de junio.

Artículo 35. Subvenciones públicas.

Las Administraciones públicas, en los planes estratégicos de subvenciones que adopten en el ejercicio de sus competencias, determinarán los ámbitos en que, por razón de la existencia de una situación de desigualdad de oportunidades entre mujeres y hombres, las bases reguladoras de las correspondientes subvenciones puedan incluir la valoración de actuaciones de efectiva consecución de la igualdad por parte de las entidades solicitantes.

A estos efectos podrán valorarse, entre otras, las medidas de conciliación de la vida personal, laboral y familiar, de responsabilidad social de la empresa, o la obtención del distintivo empresarial en materia de igualdad regulado en el Capítulo IV del Título IV de la presente Ley.

TÍTULO III. IGUALDAD Y MEDIOS DE COMUNICACIÓN

Artículo 36. La igualdad en los medios de comunicación social de titularidad pública.

Los medios de comunicación social de titularidad pública velarán por la transmisión de una imagen igualitaria, plural y no estereotipada de mujeres y hombres en la sociedad, y promoverán el conocimiento y la difusión del principio de igualdad entre mujeres y hombres.

Artículo 37. Corporación RTVE.

1. La Corporación RTVE, en el ejercicio de su función de servicio público, perseguirá en su programación los siguientes objetivos:

a) Reflejar adecuadamente la presencia de las mujeres en los diversos ámbitos de la vida social.

b) Utilizar el lenguaje en forma no sexista.

c) Adoptar, mediante la autorregulación, códigos de conducta tendentes a transmitir el contenido del principio de igualdad.

d) Colaborar con las campañas institucionales dirigidas a fomentar la igualdad entre mujeres y hombres y a erradicar la violencia de género.

2. La Corporación RTVE promoverá la incorporación de las mujeres a puestos de responsabilidad directiva y profesional. Asimismo, fomentará la relación con asociaciones y grupos de mujeres para identificar sus necesidades e intereses en el ámbito de la comunicación.

Artículo 38. Agencia EFE.

1. En el ejercicio de sus actividades, la Agencia EFE velará por el respeto del principio de igualdad entre mujeres y hombres y, en especial, por la utilización no sexista del lenguaje, y perseguirá en su actuación los siguientes objetivos:

a) Reflejar adecuadamente la presencia de la mujer en los diversos ámbitos de la vida social.

b) Utilizar el lenguaje en forma no sexista.

c) Adoptar, mediante la autorregulación, códigos de conducta tendentes a transmitir el contenido del principio de igualdad.

d) Colaborar con las campañas institucionales dirigidas a fomentar la igualdad entre mujeres y hombres y a erradicar la violencia de género.

2. La Agencia EFE promoverá la incorporación de las mujeres a puestos de responsabilidad directiva y profesional. Asimismo, fomentará la relación con asociaciones y grupos de mujeres para identificar sus necesidades e intereses en el ámbito de la comunicación.

Artículo 39. La igualdad en los medios de comunicación social de titularidad privada.

1. Todos los medios de comunicación respetarán la igualdad entre mujeres y hombres, evitando cualquier forma de discriminación.

2. Las Administraciones públicas promoverán la adopción por parte de los medios de comunicación de acuerdos de autorregulación que contribuyan al cumplimiento de la legislación en materia de igualdad entre mujeres y hombres, incluyendo las actividades de venta y publicidad que en aquellos se desarrollen.

Artículo 40. Autoridad audiovisual.

Las Autoridades a las que corresponda velar por que los medios audiovisuales cumplan sus obligaciones adoptarán las medidas que procedan, de acuerdo con su regulación, para asegurar un tratamiento de las mujeres conforme con los principios y valores constitucionales.

Artículo 41. Igualdad y publicidad.

La publicidad que comporte una conducta discriminatoria de acuerdo con esta Ley se considerará publicidad ilícita, de conformidad con lo previsto en la legislación general de publicidad y de publicidad y comunicación institucional.

TÍTULO IV. EL DERECHO AL TRABAJO EN IGUALDAD DE OPORTUNIDADES

CAPÍTULO I. IGUALDAD DE TRATO Y DE OPORTUNIDADES EN EL ÁMBITO LABORAL

Artículo 42. Programas de mejora de la empleabilidad de las mujeres.

1. Las políticas de empleo tendrán como uno de sus objetivos prioritarios aumentar la participación de las mujeres en el mercado de trabajo y avanzar en la igualdad efectiva entre mujeres y hombres. Para ello, se mejorará la empleabilidad y la permanencia en el empleo de las mujeres, potenciando su nivel formativo y su adaptabilidad a los requerimientos del mercado de trabajo.

2. Los Programas de inserción laboral activa comprenderán todos los niveles educativos y edad de las mujeres, incluyendo los de Formación Profesional, Escuelas Taller y Casas de Oficios, dirigidos a personas en desempleo, se podrán destinar prioritariamente a colectivos específicos de mujeres o contemplar una determinada proporción de mujeres.

Artículo 43. Promoción de la igualdad en la negociación colectiva.

De acuerdo con lo establecido legalmente, mediante la negociación colectiva se podrán establecer medidas de acción positiva para favorecer el acceso de las mujeres al empleo y la aplicación efectiva del principio de igualdad de trato y no discriminación en las condiciones de trabajo entre mujeres y hombres.

CAPÍTULO II. IGUALDAD Y CONCILIACIÓN

Artículo 44. Los derechos de conciliación de la vida personal, familiar y laboral.

1. Los derechos de conciliación de la vida personal, familiar y laboral se reconocerán a los trabajadores y las trabajadoras en forma que fomenten la asunción equilibrada de las responsabilidades familiares, evitando toda discriminación basada en su ejercicio.

2. El permiso y la prestación por maternidad se concederán en los términos previstos en la normativa laboral y de Seguridad Social.

3. Para contribuir a un reparto más equilibrado de las responsabilidades familiares, se reconoce a los padres el derecho a un permiso y una prestación por paternidad, en los términos previstos en la normativa laboral y de Seguridad Social.

CAPÍTULO III. LOS PLANES DE IGUALDAD DE LAS EMPRESAS Y OTRAS MEDIDAS DE PROMOCIÓN DE LA IGUALDAD

Artículo 45. Elaboración y aplicación de los planes de igualdad.

1. Las empresas están obligadas a respetar la igualdad de trato y de oportunidades en el ámbito laboral y, con esta finalidad, deberán adoptar medidas dirigidas a evitar cualquier tipo de discriminación laboral entre mujeres y hombres, medidas que deberán negociar, y en su caso acordar, con los representantes legales de los trabajadores en la forma que se determine en la legislación laboral.

2. En el caso de las empresas de cincuenta o más trabajadores, las medidas de igualdad a que se refiere el apartado anterior deberán dirigirse a la elaboración y aplicación de un plan de igualdad, con el alcance y contenido establecidos en este capítulo, que deberá ser asimismo objeto de negociación en la forma que se determine en la legislación laboral.

3. Sin perjuicio de lo dispuesto en el apartado anterior, las empresas deberán elaborar y aplicar un plan de igualdad cuando así se establezca en el convenio colectivo que sea aplicable, en los términos previstos en el mismo.

4. Las empresas también elaborarán y aplicarán un plan de igualdad, previa negociación o consulta, en su caso, con la representación legal de los trabajadores y trabajadoras, cuando la autoridad laboral hubiera acordado en un procedimiento sancionador la sustitución de las sanciones accesorias por la elaboración y aplicación de dicho plan, en los términos que se fijen en el indicado acuerdo.

5. La elaboración e implantación de planes de igualdad será voluntaria para las demás empresas, previa consulta a la representación legal de los trabajadores y trabajadoras.

Artículo 46. Concepto y contenido de los planes de igualdad de las empresas.

1. Los planes de igualdad de las empresas son un conjunto ordenado de medidas, adoptadas después de realizar un diagnóstico de situación, tendentes a alcanzar en la empresa la igualdad de trato y de oportunidades entre mujeres y hombres y a eliminar la discriminación por razón de sexo.

Los planes de igualdad fijarán los concretos objetivos de igualdad a alcanzar, las estrategias y prácticas a adoptar para su consecución, así como el establecimiento de sistemas eficaces de seguimiento y evaluación de los objetivos fijados.

2. Los planes de igualdad contendrán un conjunto ordenado de medidas evaluables dirigidas a remover los obstáculos que impiden o dificultan la igualdad efectiva de mujeres y hombres. Con carácter previo se elaborará un diagnóstico negociado, en su caso, con la representación legal de las personas trabajadoras, que contendrá al menos las siguientes materias:

a) Proceso de selección y contratación.

b) Clasificación profesional.

c) Formación.

d) Promoción profesional.

e) Condiciones de trabajo, incluida la auditoría salarial entre mujeres y hombres.

f) Ejercicio corresponsable de los derechos de la vida personal, familiar y laboral.

g) Infrarrepresentación femenina.

h) Retribuciones.

i) Prevención del acoso sexual y por razón de sexo.

La elaboración del diagnóstico se realizará en el seno de la Comisión Negociadora del Plan de Igualdad, para lo cual, la dirección de la empresa facilitará todos los datos e información necesaria para elaborar el mismo en relación con las materias enumeradas en este apartado, así como los datos del Registro regulados en el artículo 28, apartado 2 del Estatuto de los Trabajadores.

3. Los planes de igualdad incluirán la totalidad de una empresa, sin perjuicio del establecimiento de acciones especiales adecuadas respecto a determinados centros de trabajo.

4. Se crea un Registro de Planes de Igualdad de las Empresas, como parte de los Registros de convenios y acuerdos colectivos de trabajo dependientes de la Dirección General de Trabajo del Ministerio de Trabajo, Migraciones y Seguridad Social y de las Autoridades Laborales de las Comunidades Autónomas.

5. Las empresas están obligadas a inscribir sus planes de igualdad en el citado registro.

6. Reglamentariamente se desarrollará el diagnóstico, los contenidos, las materias, las auditorías salariales, los sistemas de seguimiento y evaluación de los planes de igualdad; así como el Registro de Planes de Igualdad, en lo relativo a su constitución, características y condiciones para la inscripción y acceso.

Artículo 47. Transparencia en la implantación del plan de igualdad.

Se garantiza el acceso de la representación legal de los trabajadores y trabajadoras o, en su defecto, de los propios trabajadores y trabajadoras, a la información sobre el contenido de los Planes de igualdad y la consecución de sus objetivos.

Lo previsto en el párrafo anterior se entenderá sin perjuicio del seguimiento de la evolución de los acuerdos sobre planes de igualdad por parte de las comisiones paritarias de los convenios colectivos a las que éstos atribuyan estas competencias.

Artículo 48. Medidas específicas para prevenir el acoso sexual y el acoso por razón de sexo en el trabajo.

1. Las empresas deberán promover condiciones de trabajo que eviten el acoso sexual y el acoso por razón de sexo y arbitrar procedimientos específicos

para su prevención y para dar cauce a las denuncias o reclamaciones que puedan formular quienes hayan sido objeto del mismo.

Con esta finalidad se podrán establecer medidas que deberán negociarse con los representantes de los trabajadores, tales como la elaboración y difusión de códigos de buenas prácticas, la realización de campañas informativas o acciones de formación.

2. Los representantes de los trabajadores deberán contribuir a prevenir el acoso sexual y el acoso por razón de sexo en el trabajo mediante la sensibilización de los trabajadores y trabajadoras frente al mismo y la información a la dirección de la empresa de las conductas o comportamientos de que tuvieran conocimiento y que pudieran propiciarlo.

Artículo 49. Apoyo para la implantación voluntaria de planes de igualdad.

Para impulsar la adopción voluntaria de planes de igualdad, el Gobierno establecerá medidas de fomento, especialmente dirigidas a las pequeñas y las medianas empresas, que incluirán el apoyo técnico necesario.

CAPÍTULO IV. DISTINTIVO EMPRESARIAL EN MATERIA DE IGUALDAD

Artículo 50. Distintivo para las empresas en materia de igualdad.

1. El Ministerio de Trabajo y Asuntos Sociales creará un distintivo para reconocer a aquellas empresas que destaquen por la aplicación de políticas de igualdad de trato y de oportunidades con sus trabajadores y trabajadoras, que podrá ser utilizado en el tráfico comercial de la empresa y con fines publicitarios.

2. Con el fin de obtener este distintivo, cualquier empresa, sea de capital público o privado, podrá presentar al Ministerio de Trabajo y Asuntos Sociales un balance sobre los parámetros de igualdad implantados respecto de las relaciones de trabajo y la publicidad de los productos y servicios prestados.

3. Reglamentariamente, se determinarán la denominación de este distintivo, el procedimiento y las condiciones para su concesión, las facultades derivadas de su obtención y las condiciones de difusión institucional de las empresas que lo obtengan y de las políticas de igualdad aplicadas por ellas.

4. Para la concesión de este distintivo se tendrán en cuenta, entre otros criterios, la presencia equilibrada de mujeres y hombres en los órganos de dirección y en los distintos grupos y categorías profesionales de la empresa,

la adopción de planes de igualdad u otras medidas innovadoras de fomento de la igualdad, así como la publicidad no sexista de los productos o servicios de la empresa.

5. El Ministerio de Trabajo y Asuntos Sociales controlará que las empresas que obtengan el distintivo mantengan permanentemente la aplicación de políticas de igualdad de trato y de oportunidades con sus trabajadores y trabajadoras y, en caso de incumplirlas, les retirará el distintivo.

TÍTULO V. EL PRINCIPIO DE IGUALDAD EN EL EMPLEO PÚBLICO

CAPÍTULO I. CRITERIOS DE ACTUACIÓN DE LAS ADMINISTRACIONES PÚBLICAS

Artículo 51. Criterios de actuación de las administraciones públicas.

Las Administraciones públicas, en el ámbito de sus respectivas competencias y en aplicación del principio de igualdad entre mujeres y hombres, deberán:

a) Remover los obstáculos que impliquen la pervivencia de cualquier tipo de discriminación con el fin de ofrecer condiciones de igualdad efectiva entre mujeres y hombres en el acceso al empleo público y en el desarrollo de la carrera profesional.

b) Facilitar la conciliación de la vida personal, familiar y laboral, sin menoscabo de la promoción profesional.

c) Fomentar la formación en igualdad, tanto en el acceso al empleo público como a lo largo de la carrera profesional.

d) Promover la presencia equilibrada de mujeres y hombres en los órganos de selección y valoración.

e) Establecer medidas efectivas de protección frente al acoso sexual y al acoso por razón de sexo.

f) Establecer medidas efectivas para eliminar cualquier discriminación retributiva, directa o indirecta, por razón de sexo.

g) Evaluar periódicamente la efectividad del principio de igualdad en sus respectivos ámbitos de actuación.

CAPÍTULO II. EL PRINCIPIO DE PRESENCIA EQUILIBRADA EN LA ADMINISTRACIÓN GENERAL DEL ESTADO Y EN LOS ORGANISMOS PÚBLICOS VINCULADOS O DEPENDIENTES DE ELLA

Artículo 52. Titulares de órganos directivos.

El Gobierno atenderá al principio de presencia equilibrada de mujeres y hombres en el nombramiento de las personas titulares de los órganos directivos de la Administración General del Estado y de los organismos públicos vinculados o dependientes de ella, considerados en su conjunto, cuya designación le corresponda.

Artículo 53. Órganos de selección y comisiones de valoración.

Todos los tribunales y órganos de selección del personal de la Administración General del Estado y de los organismos públicos vinculados o dependientes de ella responderán al principio de presencia equilibrada de mujeres y hombres, salvo por razones fundadas y objetivas, debidamente motivadas.

Asimismo, la representación de la Administración General del Estado y de los organismos públicos vinculados o dependientes de ella en las comisiones de valoración de méritos para la provisión de puestos de trabajo se ajustará al principio de composición equilibrada de ambos sexos.

Artículo 54. Designación de representantes de la administración general del estado.

La Administración General del Estado y los organismos públicos vinculados o dependientes de ella designarán a sus representantes en órganos colegiados, comités de personas expertas o comités consultivos, nacionales o internacionales, de acuerdo con el principio de presencia equilibrada de mujeres y hombres, salvo por razones fundadas y objetivas, debidamente motivadas.

Asimismo, la Administración General del Estado y los organismos públicos vinculados o dependientes de ella observarán el principio de presencia equilibrada en los nombramientos que le corresponda efectuar en los consejos de administración de las empresas en cuyo capital participe.

CAPÍTULO III. MEDIDAS DE IGUALDAD EN EL EMPLEO PARA LA ADMINISTRACIÓN GENERAL DEL ESTADO Y PARA LOS ORGANISMOS PÚBLICOS VINCULADOS O DEPENDIENTES DE ELLA

Artículo 55. Informe de impacto de género en las pruebas de acceso al empleo público.

La aprobación de convocatorias de pruebas selectivas para el acceso al empleo público deberá acompañarse de un informe de impacto de género, salvo en casos de urgencia y siempre sin perjuicio de la prohibición de discriminación por razón de sexo.

Artículo 56. Permisos y beneficios de protección a la maternidad y la conciliación de la vida personal, familiar y laboral.

Sin perjuicio de las mejoras que pudieran derivarse de acuerdos suscritos entre la Administración General del Estado o los organismos públicos vinculados o dependientes de ella con los representantes del personal al servicio de la Administración Pública, la normativa aplicable a los mismos establecerá un régimen de excedencias, reducciones de jornada, permisos u otros beneficios con el fin de proteger la maternidad y facilitar la conciliación de la vida personal, familiar y laboral. Con la misma finalidad se reconocerá un permiso de paternidad, en los términos que disponga dicha normativa.

Artículo 57. Conciliación y provisión de puestos de trabajo.

En las bases de los concursos para la provisión de puestos de trabajo se computará, a los efectos de valoración del trabajo desarrollado y de los correspondientes méritos, el tiempo que las personas candidatas hayan permanecido en las situaciones a que se refiere el artículo anterior.

Artículo 58. Licencia por riesgo durante el embarazo y lactancia.

Cuando las condiciones del puesto de trabajo de una funcionaria incluida en el ámbito de aplicación del mutualismo administrativo pudieran influir negativamente en la salud de la mujer, del hijo e hija, podrá concederse licencia por riesgo durante el embarazo, en los mismos términos y condiciones previstas en la normativa aplicable. En estos casos, se garantizará la plenitud de los derechos económicos de la funcionaria durante toda la duración de la licencia, de acuerdo con lo establecido en la legislación específica.

Lo dispuesto en el párrafo anterior será también de aplicación durante el período de lactancia natural.

Artículo 59. Vacaciones.

Sin perjuicio de las mejoras que pudieran derivarse de acuerdos suscritos entre la Administración General del Estado o los organismos públicos vinculados o dependientes de ella con la representación de los empleados y empleadas al servicio de la Administración Pública, cuando el periodo de vacaciones coincida con una incapacidad temporal derivada del embarazo, parto o lactancia natural, o con el permiso de maternidad, o con su ampliación por lactancia, la empleada pública tendrá derecho a disfrutar las vacaciones en fecha distinta, aunque haya terminado el año natural al que correspondan.

Gozarán de este mismo derecho quienes estén disfrutando de permiso de paternidad.

Artículo 60. Acciones positivas en las actividades de formación.

1. Con el objeto de actualizar los conocimientos de los empleados y empleadas públicas, se otorgará preferencia, durante un año, en la adjudicación de plazas para participar en los cursos de formación a quienes se hayan incorporado al servicio activo procedentes del permiso de maternidad o paternidad, o hayan reingresado desde la situación de excedencia por razones de guarda legal y atención a personas mayores dependientes o personas con discapacidad.

2. Con el fin de facilitar la promoción profesional de las empleadas públicas y su acceso a puestos directivos en la Administración General del Estado y en los organismos públicos vinculados o dependientes de ella, en las convocatorias de los correspondientes cursos de formación se reservará al menos un 40% de las plazas para su adjudicación a aquéllas que reúnan los requisitos establecidos.

Artículo 61. Formación para la igualdad.

1. Todas las pruebas de acceso al empleo público de la Administración General del Estado y de los organismos públicos vinculados o dependientes de ella contemplarán el estudio y la aplicación del principio de igualdad entre mujeres y hombres en los diversos ámbitos de la función pública.

2. La Administración General del Estado y los organismos públicos vinculados o dependientes de ella impartirán cursos de formación sobre la igualdad

de trato y oportunidades entre mujeres y hombres y sobre prevención de la violencia de género, que se dirigirán a todo su personal.

Artículo 62. Protocolo de actuación frente al acoso sexual y al acoso por razón de sexo.

Para la prevención del acoso sexual y del acoso por razón de sexo, las Administraciones públicas negociarán con la representación legal de las trabajadoras y trabajadores, un protocolo de actuación que comprenderá, al menos, los siguientes principios:

a) El compromiso de la Administración General del Estado y de los organismos públicos vinculados o dependientes de ella de prevenir y no tolerar el acoso sexual y el acoso por razón de sexo.

b) La instrucción a todo el personal de su deber de respetar la dignidad de las personas y su derecho a la intimidad, así como la igualdad de trato entre mujeres y hombres.

c) El tratamiento reservado de las denuncias de hechos que pudieran ser constitutivos de acoso sexual o de acoso por razón de sexo, sin perjuicio de lo establecido en la normativa de régimen disciplinario.

d) La identificación de las personas responsables de atender a quienes formulen una queja o denuncia.

Artículo 63. Evaluación sobre la igualdad en el empleo público.

Todos los Departamentos Ministeriales y Organismos Públicos remitirán, al menos anualmente, a los Ministerios de Trabajo y Asuntos Sociales y de Administraciones Públicas, información relativa a la aplicación efectiva en cada uno de ellos del principio de igualdad entre mujeres y hombres, con especificación, mediante la desagregación por sexo de los datos, de la distribución de su plantilla, grupo de titulación, nivel de complemento de destino y retribuciones promediadas de su personal.

Artículo 64. Plan de igualdad en la administración general del estado y en los organismos públicos vinculados o dependientes de ella.

El Gobierno aprobará, al inicio de cada legislatura, un Plan para la Igualdad entre mujeres y hombres en la Administración General del Estado y en los organismos públicos vinculados o dependientes de ella. El Plan establecerá los objetivos a alcanzar en materia de promoción de la igualdad de trato y oportunidades en el empleo público, así como las estrategias o medidas a adoptar para su consecución. El Plan será objeto de negociación, y en su caso acuerdo, con la representación legal de los empleados públicos en la forma que se determine en la legislación sobre negociación colectiva en la Administración Pública y su cumplimiento será evaluado anualmente por el Consejo de Ministros.

CAPÍTULO IV. FUERZAS ARMADAS

Artículo 65. Respeto del principio de igualdad.

Las normas sobre personal de las Fuerzas Armadas procurarán la efectividad del principio de igualdad entre mujeres y hombres, en especial en lo que se refiere al régimen de acceso, formación, ascensos, destinos y situaciones administrativas.

Artículo 66. Aplicación de las normas referidas al personal de las administraciones públicas.

Las normas referidas al personal al servicio de las Administraciones públicas en materia de igualdad, prevención de la violencia de género y conciliación de la vida personal, familiar y profesional serán de aplicación en las Fuerzas Armadas, con las adaptaciones que resulten necesarias y en los términos establecidos en su normativa específica.

CAPÍTULO V. FUERZAS Y CUERPOS DE SEGURIDAD DEL ESTADO

Artículo 67. Respeto del principio de igualdad.

Las normas reguladoras de las Fuerzas y Cuerpos de Seguridad del Estado promoverán la igualdad efectiva entre mujeres y hombres, impidiendo cualquier situación de discriminación profesional, especialmente, en el sistema de acceso, formación, ascensos, destinos y situaciones administrativas.

Artículo 68. Aplicación de las normas referidas al personal de las administraciones públicas.

Las normas referidas al personal al servicio de las Administraciones públicas en materia de igualdad, prevención de la violencia de género y conciliación de la vida personal, familiar y profesional serán de aplicación en las Fuerzas y Cuerpos de Seguridad del Estado, adaptándose, en su caso, a las peculiaridades de las funciones que tienen encomendadas, en los términos establecidos por su normativa específica.

TÍTULO VI. IGUALDAD DE TRATO EN EL ACCESO A BIENES Y SERVICIOS Y SU SUMINISTRO

Artículo 69. Igualdad de trato en el acceso a bienes y servicios.

1. Todas las personas físicas o jurídicas que, en el sector público o en el privado, suministren bienes o servicios disponibles para el público, ofrecidos fuera del ámbito de la vida privada y familiar, estarán obligadas, en sus actividades y en las transacciones consiguientes, al cumplimiento del principio de igualdad de trato entre mujeres y hombres, evitando discriminaciones, directas o indirectas, por razón de sexo.

2. Lo previsto en el apartado anterior no afecta a la libertad de contratación, incluida la libertad de la persona de elegir a la otra parte contratante, siempre y cuando dicha elección no venga determinada por su sexo.

3. No obstante lo dispuesto en los apartados anteriores, serán admisibles las diferencias de trato en el acceso a bienes y servicios cuando estén justificadas por un propósito legítimo y los medios para lograrlo sean adecuados y necesarios.

Artículo 70. Protección en situación de embarazo.

En el acceso a bienes y servicios, ningún contratante podrá indagar sobre la situación de embarazo de una mujer demandante de los mismos, salvo por razones de protección de su salud.

Artículo 71. Factores actuariales.

1. Se prohíbe la celebración de contratos de seguros o de servicios financieros afines en los que, al considerar el sexo como factor de cálculo de primas y prestaciones, se generen diferencias en las primas y prestaciones de las personas aseguradas.

2. Los costes relacionados con el embarazo y el parto no justificarán diferencias en las primas y prestaciones de las personas consideradas individualmente, sin que puedan autorizarse diferencias al respecto.

Artículo 72. Consecuencias del incumplimiento de las prohibiciones.

1. Sin perjuicio de otras acciones y derechos contemplados en la legislación civil y mercantil, la persona que, en el ámbito de aplicación del artículo 69, sufra una conducta discriminatoria, tendrá derecho a indemnización por los daños y perjuicios sufridos.

2. En el ámbito de los contratos de seguros o de servicios financieros afines, y sin perjuicio de lo previsto en el artículo 10 de esta Ley, el incumplimiento de la prohibición contenida en el artículo 71 otorgará al contratante perjudicado el derecho a reclamar la asimilación de sus primas y prestaciones a las del sexo más beneficiado, manteniéndose en los restantes extremos la validez y eficacia del contrato.

TÍTULO VII. LA IGUALDAD EN LA RESPONSABILIDAD SOCIAL DE LAS EMPRESAS

Artículo 73. Acciones de responsabilidad social de las empresas en materia de igualdad.

Las empresas podrán asumir la realización voluntaria de acciones de responsabilidad social, consistentes en medidas económicas, comerciales, laborales, asistenciales o de otra naturaleza, destinadas a promover condiciones de igualdad entre las mujeres y los hombres en el seno de la empresa o en su entorno social.

La realización de estas acciones podrá ser concertada con la representación de los trabajadores y las trabajadoras, las organizaciones de consumidores y consumidoras y usuarios y usuarias, las asociaciones cuyo fin primordial sea la defensa de la igualdad de trato entre mujeres y hombres y los Organismos de Igualdad.

Se informará a los representantes de los trabajadores de las acciones que no se concierten con los mismos.

A las decisiones empresariales y acuerdos colectivos relativos a medidas laborales les será de aplicación la normativa laboral.

Artículo 74. Publicidad de las acciones de responsabilidad social en materia de igualdad.

Las empresas podrán hacer uso publicitario de sus acciones de responsabilidad en materia de igualdad, de acuerdo con las condiciones establecidas en la legislación general de publicidad.

El Instituto de la Mujer, u órganos equivalentes de las Comunidades Autónomas, estarán legitimados para ejercer la acción de cesación cuando consideren que pudiera haberse incurrido en supuestos de publicidad engañosa.

Artículo 75. Participación de las mujeres en los consejos de administración de las sociedades mercantiles.

Las sociedades obligadas a presentar cuenta de pérdidas y ganancias no abreviada procurarán incluir en su Consejo de administración un número de mujeres que permita alcanzar una presencia equilibrada de mujeres y hombres en un plazo de ocho años a partir de la entrada en vigor de esta Ley.

Lo previsto en el párrafo anterior se tendrá en cuenta para los nombramientos que se realicen a medida que venza el mandato de los consejeros designados antes de la entrada en vigor de esta Ley.

TÍTULO VIII. DISPOSICIONES ORGANIZATIVAS

Artículo 76. Comisión interministerial de igualdad entre mujeres y hombres.

La Comisión Interministerial de Igualdad entre mujeres y hombres es el órgano colegiado responsable de la coordinación de las políticas y medidas adoptadas por los departamentos ministeriales con la finalidad de garantizar el derecho a la igualdad entre mujeres y hombres y promover su efectividad.

Su composición y funcionamiento se determinarán reglamentariamente.

Artículo 77. Las unidades de igualdad.

En todos los Ministerios se encomendará a uno de sus órganos directivos el desarrollo de las funciones relacionadas con el principio de igualdad entre mujeres y hombres en el ámbito de las materias de su competencia y, en particular, las siguientes:

a) Recabar la información estadística elaborada por los órganos del Ministerio y asesorar a los mismos en relación con su elaboración.

b) Elaborar estudios con la finalidad de promover la igualdad entre mujeres y hombres en las áreas de actividad del Departamento.

c) Asesorar a los órganos competentes del Departamento en la elaboración del informe sobre impacto por razón de género.

d) Fomentar el conocimiento por el personal del Departamento del alcance y significado del principio de igualdad mediante la formulación de propuestas de acciones formativas.

e) Velar por el cumplimiento de esta Ley y por la aplicación efectiva del principio de igualdad.

Artículo 78. Consejo de participación de la mujer.

1. Se crea el Consejo de Participación de la Mujer, como órgano colegiado de consulta y asesoramiento, con el fin esencial de servir de cauce para la participación de las mujeres en la consecución efectiva del principio de igualdad de trato y de oportunidades entre mujeres y hombres, y la lucha contra la discriminación por razón de sexo.

2. Reglamentariamente, se establecerán su régimen de funcionamiento, competencias y composición, garantizándose, en todo caso, la participación del conjunto de las Administraciones públicas y de las asociaciones y organizaciones de mujeres de ámbito estatal.

Disposición adicional primera. Presencia o composición equilibrada.

A los efectos de esta Ley, se entenderá por composición equilibrada la presencia de mujeres y hombres de forma que, en el conjunto a que se refiera, las personas de cada sexo no superen el sesenta por ciento ni sean menos del cuarenta por ciento.

Disposición adicional segunda. Modificación de la ley orgánica de régimen electoral general.

Se modifica la Ley Orgánica 5/1985, de 19 de junio, del Régimen Electoral General, en los siguientes términos:

Uno. Se añade un nuevo artículo 44 bis, redactado en los siguientes términos:

«Artículo 44 bis.

1. Las candidaturas que se presenten para las elecciones de diputados al Congreso, municipales y de miembros de los consejos insulares y de los cabildos insulares canarios en los términos previstos en esta Ley, diputados al Parlamento Europeo y miembros de las Asambleas Legislativas de las Comunidades Autónomas deberán tener una composición equilibrada de mujeres y hombres, de forma que en el conjunto de la lista los candidatos de cada uno de los sexos

supongan como mínimo el cuarenta por ciento. Cuando el número de puestos a cubrir sea inferior a cinco, la proporción de mujeres y hombres será lo más cercana posible al equilibrio numérico.

En las elecciones de miembros de las Asambleas Legislativas de las Comunidades Autónomas, las leyes reguladoras de sus respectivos regímenes electorales podrán establecer medidas que favorezcan una mayor presencia de mujeres en las candidaturas que se presenten a las Elecciones de las citadas Asambleas Legislativas.

2. También se mantendrá la proporción mínima del cuarenta por ciento en cada tramo de cinco puestos. Cuando el último tramo de la lista no alcance los cinco puestos, la referida proporción de mujeres y hombres en ese tramo será lo más cercana posible al equilibrio numérico, aunque deberá mantenerse en cualquier caso la proporción exigible respecto del conjunto de la lista.

3. A las listas de suplentes se aplicarán las reglas contenidas en los anteriores apartados.

4. Cuando las candidaturas para el Senado se agrupen en listas, de acuerdo con lo dispuesto en el artículo 171 de esta Ley, tales listas deberán tener igualmente una composición equilibrada de mujeres y hombres, de forma que la proporción de unas y otros sea lo más cercana posible al equilibrio numérico».

Dos. Se añade un nuevo párrafo al apartado 2 del artículo 187, redactado en los siguientes términos:

«Lo previsto en el artículo 44 bis de esta ley no será exigible en las candidaturas que se presenten en los municipios con un número de residentes igual o inferior a 3.000 habitantes».

Tres. Se añade un nuevo párrafo al apartado 3 del artículo 201, redactado en los siguientes términos:

«Lo previsto en el artículo 44 bis de esta ley no será exigible en las candidaturas que se presenten en las islas con un número de residentes igual o inferior a 5.000 habitantes».

Cuatro. Se modifica el apartado 2 de la disposición adicional primera, que queda redactado en los siguientes términos:

«2. En aplicación de las competencias que la Constitución reserva al Estado se aplican también a las elecciones a Asambleas Legislativas de Comunidades Autónomas convocadas por éstas, los siguientes artículos del título primero de esta Ley Orgánica:

1 al 42; 44; 44 bis; 45; 46.1, 2, 4, 5, 6 y 8; 47.4; 49; 51.2 y 3; 52; 53; 54; 58; 59; 60; 61; 62; 63; 65; 66; 68; 69; 70.1 y 3; 72; 73; 74; 75; 85; 86.1; 90; 91; 92; 93; 94; 95.3; 96; 103.2; 108.2 y 8; 109 a 119; 125 a 130; 131.2; 132; 135 a 152».

Cinco. Se añade una nueva disposición transitoria séptima, redactada en los siguientes términos:

«En las convocatorias a elecciones municipales que se produzcan antes de 2011, lo previsto en el artículo 44 bis solo será exigible en los municipios con un número de residentes superior a 5.000 habitantes, aplicándose a partir del 1 de enero de ese año la cifra de habitantes prevista en el segundo párrafo del apartado 2 del artículo 187 de la presente Ley».

Disposición adicional tercera. Modificaciones de la ley orgánica del poder judicial.

Se modifica la Ley Orgánica 6/1985, de 1 de julio, del Poder Judicial, en los siguientes términos:

Uno. Se añade un último inciso en el apartado 1 del artículo 109, que queda en los siguientes términos:

«1. El Consejo General del Poder Judicial elevará anualmente a las Cortes Generales una Memoria sobre el estado, funcionamiento y actividades del propio Consejo y de los Juzgados y Tribunales de Justicia. Asimismo, incluirá las necesidades que, a su juicio, existan en materia de personal, instalaciones y de recursos, en general, para el correcto desempeño de las funciones que la Constitución y las leyes asignan al Poder Judicial. Incluirá también un capítulo sobre el impacto de género en el ámbito judicial».

Dos. Se añade un nuevo párrafo, intercalado entre el primero y el segundo, al apartado 3 del artículo 110, con la siguiente redacción:

«En todo caso, se elaborará un informe previo de impacto de género».

Tres. Se añade, en el artículo 122.1, después de «Comisión de Calificación», la expresión «Comisión de Igualdad».

Cuatro. Se añade un artículo 136 bis que integrará la nueva Sección 7.ª del Capítulo IV, Título II, Libro II, rubricada como «De la Comisión de Igualdad», con la siguiente redacción:

«Artículo 136 bis.

1. El Pleno del Consejo General del Poder Judicial elegirá anualmente, de entre sus Vocales, por mayoría de tres quintos y atendiendo al principio de pre-

sencia equilibrada entre mujeres y hombres, a los componentes de la Comisión de Igualdad, que estará integrada por cinco miembros.

2. La Comisión de Igualdad deberá actuar con la asistencia de todos sus componentes y bajo la presidencia del miembro de la misma que sea elegido por mayoría. En caso de transitoria imposibilidad o ausencia justificada de alguno de los miembros, se procederá a su sustitución por otro Vocal del Consejo, preferentemente del mismo sexo, que será designado por la Comisión Permanente.

3. Corresponderá a la Comisión de Igualdad asesorar al Pleno sobre las medidas necesarias o convenientes para integrar activamente el principio de igualdad entre mujeres y hombres en el ejercicio de las atribuciones del Consejo General del Poder Judicial y, en particular, le corresponderá elaborar los informes previos sobre impacto de género de los reglamentos y mejorar los parámetros de igualdad en la Carrera Judicial».

Cinco. Se modifica el artículo 310, que tendrá la siguiente redacción:

«Todas las pruebas selectivas para el ingreso y la promoción en las Carreras Judicial y Fiscal contemplarán el estudio del principio de igualdad entre mujeres y hombres, incluyendo las medidas contra la violencia de género, y su aplicación con carácter transversal en el ámbito de la función jurisdiccional».

Seis. Se modifica el primer párrafo del apartado e) del artículo 356, que queda redactado como sigue:

«e) También tendrán derecho a un período de excedencia, de duración no superior a tres años, para atender al cuidado de un familiar que se encuentre a su cargo, hasta el segundo grado inclusive de consanguinidad o afinidad que, por razones de edad, accidente o enfermedad, no pueda valerse por sí mismo y no desempeñe actividad retribuida».

Siete. Se añade una nueva letra e) en el artículo 348, en los siguientes términos:

«e) Excedencia por razón de violencia sobre la mujer».

Ocho. Se modifica el artículo 357, que pasa a tener la siguiente redacción:

«Artículo 357.

Cuando un magistrado del Tribunal Supremo solicitara la excedencia voluntaria y le fuere concedida, perderá su condición de tal, salvo en el supuesto previsto en las letras d) y e) del artículo anterior y en el artículo 360 bis. En los demás casos quedará integrado en situación de excedencia voluntaria, dentro de la categoría de Magistrado».

Nueve. Se modifica el artículo 358.2 en los siguientes términos:

«2. Se exceptúan de lo previsto en el apartado anterior las excedencias voluntarias para el cuidado de hijos y para atender al cuidado de un familiar a que se refieren los apartados d) y e) del artículo 356, en las que el periodo de permanencia en dichas situaciones será computable a efectos de trienios y derechos pasivos. Durante los dos primeros años se tendrá derecho a la reserva de la plaza en la que se ejerciesen sus funciones y al cómputo de la antigüedad. Transcurrido este periodo, dicha reserva lo será a un puesto en la misma provincia y de igual categoría, debiendo solicitar, en el mes anterior a la finalización del periodo máximo de permanencia en la misma, el reingreso al servicio activo; de no hacerlo, será declarado de oficio en la situación de excedencia voluntaria por interés particular».

Diez. Se añade un nuevo artículo 360 bis con la siguiente redacción:

«Artículo 360 bis.

1. Las juezas y magistradas víctimas de violencia de género tendrán derecho a solicitar la situación de excedencia por razón de violencia sobre la mujer sin necesidad de haber prestado un tiempo mínimo de servicios previos. En esta situación administrativa se podrá permanecer un plazo máximo de tres años.

2. Durante los seis primeros meses tendrán derecho a la reserva del puesto de trabajo que desempeñaran, siendo computable dicho periodo a efectos de ascensos, trienios y derechos pasivos.

Esto no obstante, cuando de las actuaciones de tutela judicial resultase que la efectividad del derecho de protección de la víctima lo exigiere, se podrá prorrogar por periodos de tres meses, con un máximo de dieciocho, el periodo en el que, de acuerdo con el párrafo anterior, se tendrá derecho a la reserva del puesto de trabajo, con idénticos efectos a los señalados en dicho párrafo.

3. Las juezas y magistradas en situación de excedencia por razón de violencia sobre la mujer percibirán, durante los dos primeros meses de esta excedencia, las retribuciones íntegras y, en su caso, las prestaciones familiares por hijo a cargo.

4. El reingreso en el servicio activo de las juezas y magistradas en situación administrativa de excedencia por razón de violencia sobre la mujer de duración no superior a seis meses se producirá en el mismo órgano jurisdiccional respecto del que tenga reserva del puesto de trabajo que desempeñaran con anterioridad; si el periodo de duración de la excedencia es superior a 6 meses el

reingreso exigirá que las juezas y magistradas participen en todos los concursos que se anuncien para cubrir plazas de su categoría hasta obtener destino. De no hacerlo así, se les declarará en situación de excedencia voluntaria por interés particular».

Once. Se suprime el artículo 370.

Doce. Se modifica el apartado 5 del artículo 373, con la siguiente redacción:

«5. Por el fallecimiento, accidente o enfermedad graves del cónyuge, de persona a la que estuviese unido por análoga relación de afectividad o de un familiar dentro del primer grado de consanguinidad o afinidad, los jueces o magistrados podrán disponer de un permiso de tres días hábiles, que podrá ser de hasta cinco días hábiles cuando a tal efecto sea preciso un desplazamiento a otra localidad, en cuyo caso será de cinco días hábiles.

Estos permisos quedarán reducidos a dos y cuatro días hábiles, respectivamente, cuando el fallecimiento y las otras circunstancias señaladas afecten a familiares en segundo grado de afinidad o consanguinidad».

Trece. Se añade un nuevo apartado 6 al artículo 373, con la siguiente redacción:

«6. Por el nacimiento, acogimiento o adopción de un hijo, el juez o magistrado tendrá derecho a disfrutar de un permiso de paternidad de quince días, a partir de la fecha del nacimiento, de la decisión administrativa o judicial de acogimiento o de la resolución judicial por la que se constituya la adopción».

Catorce. Se añade un nuevo apartado 7 al artículo 373, con la siguiente redacción:

«7. Los jueces y magistrados tendrán derecho a permisos y licencias para la conciliación de la vida personal, familiar y laboral, y por razón de violencia de género. El Consejo General del Poder Judicial, mediante reglamento, adaptará a las particularidades de la carrera judicial la normativa de la Administración General del Estado vigente en la materia».

Quince. Se añade un apartado 5 al artículo 433 bis, con la siguiente redacción:

«5. El Plan de Formación Continuada de la Carrera Judicial contemplará la formación de los Jueces y Magistrados en el principio de igualdad entre mujeres y hombres y la perspectiva de género.

La Escuela Judicial impartirá anualmente cursos de formación sobre la tutela jurisdiccional del principio de igualdad entre mujeres y hombres y la violencia de género».

Dieciséis. Se añade un segundo párrafo al apartado 2 del artículo 434, con la siguiente redacción:

«El Centro de Estudios Jurídicos impartirá anualmente cursos de formación sobre el principio de igualdad entre mujeres y hombres y su aplicación con carácter transversal por los miembros de la Carrera Fiscal, el Cuerpo de Secretarios y demás personal al servicio de la Administración de Justicia, así como sobre la detección y el tratamiento de situaciones de violencia de género».

Disposición adicional cuarta. Modificación del estatuto orgánico del ministerio fiscal.

Se modifica la Ley 50/1981, de 30 de diciembre, por la que se aprueba el Estatuto Orgánico del Ministerio Fiscal en los siguientes términos:

Se añade un último párrafo en el apartado 1 del artículo 14, que tendrá la siguiente redacción:

«Habrá de integrarse en el seno del Consejo Fiscal una Comisión de Igualdad para el estudio de la mejora de los parámetros de igualdad en la Carrera Fiscal, cuya composición quedará determinada en la normativa que rige la constitución y funcionamiento del Consejo Fiscal».

Disposición adicional quinta. Modificaciones de la ley de enjuiciamiento civil.

Uno. Se introduce un nuevo artículo 11 bis a la Ley 1/2000, de 7 de enero, de Enjuiciamiento Civil, en los siguientes términos:

«Artículo 11 bis. Legitimación para la defensa del derecho a la igualdad de trato entre mujeres y hombres.

1. Para la defensa del derecho de igualdad de trato entre mujeres y hombres, además de los afectados y siempre con su autorización, estarán también legitimados los sindicatos y las asociaciones legalmente constituidas cuyo fin primordial sea la defensa de la igualdad de trato entre mujeres y hombres, respecto de sus afiliados y asociados, respectivamente.

2. Cuando los afectados sean una pluralidad de personas indeterminada o de difícil determinación, la legitimación para demandar en juicio la defensa de estos intereses difusos corresponderá exclusivamente a los organismos pú-

blicos con competencia en la materia, a los sindicatos más representativos y a las asociaciones de ámbito estatal cuyo fin primordial sea la igualdad entre mujeres y hombres, sin perjuicio, si los afectados estuvieran determinados, de su propia legitimación procesal.

3. La persona acosada será la única legitimada en los litigios sobre acoso sexual y acoso por razón de sexo».

Dos. Se modifica el supuesto 5.º del apartado 1 del artículo 188 de la Ley 1/2000, de 7 de enero, de Enjuiciamiento Civil, que quedará redactado del siguiente modo:

«5. Por muerte, enfermedad o imposibilidad absoluta o baja por maternidad o paternidad del abogado de la parte que pidiere la suspensión, justificadas suficientemente, a juicio del Tribunal, siempre que tales hechos se hubiesen producido cuando ya no fuera posible solicitar nuevo señalamiento conforme a lo dispuesto en el artículo 183, siempre que se garantice el derecho a la tutela judicial efectiva y no se cause indefensión.

Igualmente, serán equiparables a los supuestos anteriores y con los mismos requisitos, otras situaciones análogas previstas en otros sistemas de previsión social y por el mismo tiempo por el que se otorgue la baja y la prestación de los permisos previstos en la legislación de la Seguridad Social».

Tres. Se añade un nuevo apartado 5 al artículo 217 de la Ley 1/2000, de 7 de enero, de Enjuiciamiento Civil, pasando sus actuales apartados 5 y 6 a ser los números 6 y 7, respectivamente, con la siguiente redacción:

«5. De acuerdo con las leyes procesales, en aquellos procedimientos en los que las alegaciones de la parte actora se fundamenten en actuaciones discriminatorias por razón del sexo, corresponderá al demandado probar la ausencia de discriminación en las medidas adoptadas y de su proporcionalidad.

A los efectos de lo dispuesto en el párrafo anterior, el órgano judicial, a instancia de parte, podrá recabar, si lo estimase útil y pertinente, informe o dictamen de los organismos públicos competentes».

Disposición adicional sexta. Modificaciones de la ley reguladora de la jurisdicción contencioso administrativa.

Se modifica la Ley 29/1998, de 13 de julio, reguladora de la Jurisdicción Contencioso-Administrativa en los siguientes términos:

Uno. Se añade una letra i) al apartado 1 del artículo 19, con la siguiente redacción:

«i) Para la defensa del derecho de igualdad de trato entre mujeres y hombres, además de los afectados y siempre con su autorización, estarán también legitimados los sindicatos y las asociaciones legalmente constituidas cuyo fin primordial sea la defensa de la igualdad de trato entre mujeres y hombres, respecto de sus afiliados y asociados, respectivamente.

Cuando los afectados sean una pluralidad de personas indeterminada o de difícil determinación, la legitimación para demandar en juicio la defensa de estos intereses difusos corresponderá exclusivamente a los organismos públicos con competencia en la materia, a los sindicatos más representativos y a las asociaciones de ámbito estatal cuyo fin primordial sea la igualdad entre mujeres y hombres, sin perjuicio, si los afectados estuvieran determinados, de su propia legitimación procesal.

La persona acosada será la única legitimada en los litigios sobre acoso sexual y acoso por razón de sexo».

Dos. Se añade un nuevo apartado 7 al artículo 60, con la siguiente redacción:

«7. De acuerdo con las leyes procesales, en aquellos procedimientos en los que las alegaciones de la parte actora se fundamenten en actuaciones discriminatorias por razón del sexo, corresponderá al demandado probar la ausencia de discriminación en las medidas adoptadas y su proporcionalidad.

A los efectos de lo dispuesto en el párrafo anterior, el órgano judicial, a instancia de parte, podrá recabar, si lo estimase útil y pertinente, informe o dictamen de los organismos públicos competentes».

Disposición adicional séptima. Modificaciones de la ley por la que se incorpora al ordenamiento jurídico español la directiva 89/552/CEE.

Se añade una nueva letra e) en el apartado 1 del artículo 16 de la Ley 25/1994, de 12 de julio, por la que se incorpora al ordenamiento jurídico español la Directiva 89/552/CEE, sobre la coordinación de disposiciones legales, reglamentarias y administrativas de los Estados miembros relativas al ejercicio de la radiodifusión televisiva, en los siguientes términos:

«e) La publicidad o la tele venta dirigidas a menores deberá transmitir una imagen igualitaria, plural y no estereotipada de mujeres y hombres».

Disposición adicional octava. Modificaciones de la ley general de sanidad.

Uno. Se añade un nuevo apartado 4 al artículo 3 de la Ley 14/1986, de 25 de abril, General de Sanidad, que queda redactado en los siguientes términos:

«4. Las políticas, estrategias y programas de salud integrarán activamente en sus objetivos y actuaciones el principio de igualdad entre mujeres y hombres, evitando que, por sus diferencias físicas o por los estereotipos sociales asociados, se produzcan discriminaciones entre ellos en los objetivos y actuaciones sanitarias».

Dos. Se añade un nuevo apartado 2 al artículo 6 de la Ley 14/1986, de 25 de abril, General de Sanidad, pasando su actual contenido a ser el apartado 1, en los siguientes términos:

«2. En la ejecución de lo previsto en el apartado anterior, las Administraciones públicas sanitarias asegurarán la integración del principio de igualdad entre mujeres y hombres, garantizando su igual derecho a la salud».

Tres. Se modifican los apartados 1, 4, 9, 14 y 15 del artículo 18 de la Ley 14/1986, de 25 de abril, General de Sanidad, y se añade un nuevo apartado 17, que quedan redactados respectivamente en los siguientes términos:

«1. Adopción sistemática de acciones para la educación sanitaria como elemento primordial para la mejora de la salud individual y comunitaria, comprendiendo la educación diferenciada sobre los riesgos, características y necesidades de mujeres y hombres, y la formación contra la discriminación de las mujeres».

«4. La prestación de los productos terapéuticos precisos, atendiendo a las necesidades diferenciadas de mujeres y hombres».

«9. La protección, promoción y mejora de la salud laboral, con especial atención al acoso sexual y al acoso por razón de sexo».

«14. La mejora y adecuación de las necesidades de formación del personal al servicio de la organización sanitaria, incluyendo actuaciones formativas dirigidas a garantizar su capacidad para detectar, prevenir y tratar la violencia de género».

«15. El fomento de la investigación científica en el campo específico de los problemas de salud, atendiendo a las diferencias entre mujeres y hombres».

«17. El tratamiento de los datos contenidos en registros, encuestas, estadísticas u otros sistemas de información médica para permitir el análisis de género, incluyendo, siempre que sea posible, su desagregación por sexo».

Cuatro. Se da nueva redacción al inciso inicial del apartado 1 del artículo 21 de la Ley 14/1986, de 25 de abril, General de Sanidad, que queda redactado en los siguientes términos:

«1. La actuación sanitaria en el ámbito de la salud laboral, que integrará en todo caso la perspectiva de género, comprenderá los siguientes aspectos».

Disposición adicional novena. Modificaciones de la ley de cohesión y calidad del sistema nacional de salud.

Uno. Se modifica la letra a) del artículo 2 de la Ley 16/2003, de 28 de mayo, de Cohesión y Calidad del Sistema Nacional de Salud, que queda redactada en los siguientes términos:

«a) La prestación de los servicios a los usuarios del Sistema Nacional de Salud en condiciones de igualdad efectiva y calidad, evitando especialmente toda discriminación entre mujeres y hombres en las actuaciones sanitarias».

Dos. Se modifica la letra g) del apartado 2 del artículo 11, que queda redactada en los siguientes términos:

«g) La promoción y protección de la salud laboral, con especial consideración a los riesgos y necesidades específicos de las trabajadoras».

Tres. Se modifica la letra f) del apartado 2 del artículo 12, que queda redactada en los siguientes términos:

«f) Las atenciones y servicios específicos relativos a las mujeres, que específicamente incluirán la detección y tratamiento de las situaciones de violencia de género; la infancia; la adolescencia; los adultos; la tercera edad; los grupos de riesgo y los enfermos crónicos».

Cuatro. Se incluye un nuevo apartado e) en el artículo 34, con la siguiente redacción:

«e) La inclusión de la perspectiva de género en las actuaciones formativas».

Cinco. Se incluye un nuevo apartado f) en el artículo 44, con la siguiente redacción:

«f) Promover que la investigación en salud atienda las especificidades de mujeres y hombres».

Seis. Se modifican los apartados 2 y 3 del artículo 53, que quedan redactados en los siguientes términos:

«2. El sistema de información sanitaria contendrá información sobre las prestaciones y la cartera de servicios en atención sanitaria pública y privada, e incorporará, como datos básicos, los relativos a población protegida, recursos humanos y materiales, actividad desarrollada, farmacia y productos sanitarios, financiación y resultados obtenidos, así como las expectativas y opinión de los ciudadanos, todo ello desde un enfoque de atención integral a la salud, desagregando por sexo todos los datos susceptibles de ello».

«3. Con el fin de lograr la máxima fiabilidad de la información que se produzca, el Ministerio de Sanidad y Consumo, previo acuerdo del Consejo Interterritorial del Sistema Nacional de Salud, establecerá la definición y normalización de datos y flujos, la selección de indicadores y los requerimientos técnicos necesarios para la integración de la información y para su análisis desde la perspectiva del principio de igualdad entre mujeres y hombres».

Siete. Se añade, al final del artículo 63, la siguiente frase:

«Este informe contendrá análisis específicos de la salud de mujeres y hombres».

Disposición adicional décima. Fondo en materia de sociedad de la información.

A los efectos previstos en el artículo 28 de la presente Ley, se constituirá un fondo especial que se dotará con 3 millones de euros en cada uno de los ejercicios presupuestarios de 2007, 2008 y 2009.

Disposición adicional décimo primera. Modificaciones del texto refundido de la ley del estatuto de los trabajadores.

El texto refundido de la Ley del Estatuto de los Trabajadores, aprobado por Real Decreto Legislativo 1/1995, de 24 de marzo, queda modificado como sigue:

Uno. Se modifica el párrafo e) del apartado 2 del artículo 4, que queda redactado en los términos siguientes:

«e) Al respeto de su intimidad y a la consideración debida a su dignidad, comprendida la protección frente al acoso por razón de origen racial o étnico, religión o convicciones, discapacidad, edad u orientación sexual, y frente al acoso sexual y al acoso por razón de sexo».

Dos. Se modifica el párrafo segundo del apartado 1 y se añaden dos nuevos apartados 4 y 5 al artículo 17, en los siguientes términos:

«Serán igualmente nulas las órdenes de discriminar y las decisiones del empresario que supongan un trato desfavorable de los trabajadores como reacción ante una reclamación efectuada en la empresa o ante una acción administrativa o judicial destinada a exigir el cumplimiento del principio de igualdad de trato y no discriminación».

«4. Sin perjuicio de lo dispuesto en los apartados anteriores, la negociación colectiva podrá establecer medidas de acción positiva para favorecer el acceso de las mujeres a todas las profesiones. A tal efecto podrá establecer reservas y preferencias en las condiciones de contratación de modo que, en igualdad de condiciones de idoneidad, tengan preferencia para ser contratadas las personas del sexo menos representado en el grupo o categoría profesional de que se trate.

Asimismo, la negociación colectiva podrá establecer este tipo de medidas en las condiciones de clasificación profesional, promoción y formación, de modo que, en igualdad de condiciones de idoneidad, tengan preferencia las personas del sexo menos representado para favorecer su acceso en el grupo, categoría profesional o puesto de trabajo de que se trate».

«5. El establecimiento de planes de igualdad en las empresas se ajustará a lo dispuesto en esta ley y en la Ley Orgánica para la igualdad efectiva de mujeres y hombres».

Tres. Se introduce un apartado 8 en el artículo 34, con la siguiente redacción:

«8. El trabajador tendrá derecho a adaptar la duración y distribución de la jornada de trabajo para hacer efectivo su derecho a la conciliación de la vida personal, familiar y laboral en los términos que se establezcan en la negociación colectiva o en el acuerdo a que llegue con el empresario respetando, en su caso, lo previsto en aquélla».

Cuatro. Se modifica la letra b) del apartado 3 del artículo 37, que queda redactado del modo siguiente:

«b) Dos días por el nacimiento de hijo y por el fallecimiento, accidente o enfermedad graves, hospitalización o intervención quirúrgica sin hospitalización que precise reposo domiciliario, de parientes hasta el segundo grado de consanguinidad o afinidad. Cuando con tal motivo el trabajador necesite hacer un desplazamiento al efecto, el plazo será de cuatro días».

Cinco. Se modifican el apartado 4 y el párrafo primero del apartado 5 del artículo 37, quedando redactados en los siguientes términos:

«4. Las trabajadoras, por lactancia de un hijo menor de nueve meses, tendrán derecho a una hora de ausencia del trabajo, que podrán dividir en dos fracciones. La duración del permiso se incrementará proporcionalmente en los casos de parto múltiple.

La mujer, por su voluntad, podrá sustituir este derecho por una reducción de su jornada en media hora con la misma finalidad o acumularlo en jornadas completas en los términos previstos en la negociación colectiva o en el acuerdo a que llegue con el empresario respetando, en su caso, lo establecido en aquélla.

Este permiso podrá ser disfrutado indistintamente por la madre o el padre en caso de que ambos trabajen».

«5. Quien por razones de guarda legal tenga a su cuidado directo algún menor de ocho años o una persona con discapacidad física, psíquica o sensorial, que no desempeñe una actividad retribuida, tendrá derecho a una reducción de la jornada de trabajo, con la disminución proporcional del salario entre, al menos, un octavo y un máximo de la mitad de la duración de aquélla».

Seis. Se añade un párrafo segundo al apartado 3 del artículo 38, en los siguientes términos:

«Cuando el período de vacaciones fijado en el calendario de vacaciones de la empresa al que se refiere el párrafo anterior coincida en el tiempo con una incapacidad temporal derivada del embarazo, el parto o la lactancia natural o con el período de suspensión del contrato de trabajo previsto en el artículo 48.4 de esta Ley, se tendrá derecho a disfrutar las vacaciones en fecha distinta a la de la incapacidad temporal o a la del disfrute del permiso que por aplicación de dicho precepto le correspondiera, al finalizar el período de suspensión, aunque haya terminado el año natural a que correspondan».

Siete. Se modifica la letra d) del apartado 1 del artículo 45, quedando redactada en los siguientes términos:

«d) Maternidad, paternidad, riesgo durante el embarazo, riesgo durante la lactancia natural de un menor de nueve meses y adopción o acogimiento, tanto preadoptivo como permanente o simple, de conformidad con el Código Civil o las leyes civiles de las Comunidades Autónomas que lo regulen, siempre que su duración no sea inferior a un año, aunque éstos sean provisionales, de menores de seis años o de menores de edad que sean mayores de seis años cuando se trate de menores discapacitados o que por sus circunstancias y experiencias personales o por provenir del extranjero, tengan especiales dificultades de inserción social y familiar debidamente acreditadas por los servicios sociales competentes».

Ocho. Se modifica el apartado 2 del artículo 46, que queda redactado del modo siguiente:

«2. El trabajador con al menos una antigüedad en la empresa de un año tiene derecho a que se le reconozca la posibilidad de situarse en excedencia voluntaria por un plazo no menor a cuatro meses y no mayor a cinco años. Este derecho sólo podrá ser ejercitado otra vez por el mismo trabajador si han transcurrido cuatro años desde el final de la anterior excedencia».

Nueve. Se modifican los párrafos primero, segundo y tercero del apartado 3 del artículo 46, que quedan redactados del modo siguiente:

«Los trabajadores tendrán derecho a un período de excedencia de duración no superior a tres años para atender al cuidado de cada hijo, tanto cuando lo sea por naturaleza, como por adopción, o en los supuestos de acogimiento, tanto permanente como preadoptivo, aunque éstos sean provisionales, a contar desde la fecha de nacimiento o, en su caso, de la resolución judicial o administrativa.

También tendrán derecho a un período de excedencia, de duración no superior a dos años, salvo que se establezca una duración mayor por negociación colectiva, los trabajadores para atender al cuidado de un familiar hasta el segundo grado de consanguinidad o afinidad, que por razones de edad, accidente, enfermedad o discapacidad no pueda valerse por sí mismo, y no desempeñe actividad retribuida.

La excedencia contemplada en el presente apartado, cuyo periodo de duración podrá disfrutarse de forma fraccionada, constituye un derecho individual de los trabajadores, hombres o mujeres. No obstante, si dos o más trabajadores de la misma empresa generasen este derecho por el mismo sujeto causante, el empresario podrá limitar su ejercicio simultáneo por razones justificadas de funcionamiento de la empresa».

Diez. Se modifican los apartados 4 y 5 del artículo 48, quedando redactados en los siguientes términos:

«4. En el supuesto de parto, la suspensión tendrá una duración de dieciséis semanas ininterrumpidas, ampliables en el supuesto de parto múltiple en dos semanas más por cada hijo a partir del segundo. El período de suspensión se distribuirá a opción de la interesada siempre que seis semanas sean inmediatamente posteriores al parto. En caso de fallecimiento de la madre, con independencia de que ésta realizara o no algún trabajo, el otro progenitor podrá hacer uso de la totalidad o, en su caso, de la parte que reste del período de suspensión, computado desde la fecha del parto, y sin que se descuente del mismo la parte que la madre hubiera podido disfrutar con anterioridad al parto. En el supuesto de fallecimiento del hijo, el período de suspensión no se verá reducido, salvo que, una vez finalizadas las seis semanas de descanso obligatorio, la madre solicitara reincorporarse a su puesto de trabajo.

No obstante lo anterior, y sin perjuicio de las seis semanas inmediatamente posteriores al parto de descanso obligatorio para la madre, en el caso de que ambos progenitores trabajen, la madre, al iniciarse el período de descanso por maternidad, podrá optar por que el otro progenitor disfrute de una parte determinada e ininterrumpida del período de descanso posterior al parto bien de forma simultánea o sucesiva con el de la madre. El otro progenitor podrá seguir haciendo uso del período de suspensión por maternidad inicialmente cedido, aunque en el momento previsto para la reincorporación de la madre al trabajo ésta se encuentre en situación de incapacidad temporal.

En el caso de que la madre no tuviese derecho a suspender su actividad profesional con derecho a prestaciones de acuerdo con las normas que regulen dicha actividad, el otro progenitor tendrá derecho a suspender su contrato de trabajo por el periodo que hubiera correspondido a la madre, lo que será compatible con el ejercicio del derecho reconocido en el artículo siguiente.

En los casos de parto prematuro y en aquéllos en que, por cualquier otra causa, el neonato deba permanecer hospitalizado a continuación del parto, el período de suspensión podrá computarse, a instancia de la madre, o en su defecto, del otro progenitor, a partir de la fecha del alta hospitalaria. Se excluyen de dicho cómputo las seis semanas posteriores al parto, de suspensión obligatoria del contrato de la madre.

En los casos de partos prematuros con falta de peso y aquellos otros en que el neonato precise, por alguna condición clínica, hospitalización a continuación del parto, por un período superior a siete días, el período de suspensión se ampliará en tantos días como el nacido se encuentre hospitalizado, con un máximo de trece semanas adicionales, y en los términos en que reglamentariamente se desarrolle.

En los supuestos de adopción y de acogimiento, de acuerdo con el artículo 45.1.d) de esta Ley, la suspensión tendrá una duración de dieciséis semanas ininterrumpidas, ampliable en el supuesto de adopción o acogimiento múltiples en dos semanas por cada menor a partir del segundo. Dicha suspensión producirá sus efectos, a elección del trabajador, bien a partir de la resolución judicial por la que se constituye la adopción, bien a partir de la decisión administrativa o judicial de acogimiento, provisional o definitivo, sin que en ningún caso un mismo menor pueda dar derecho a varios períodos de suspensión.

En caso de que ambos progenitores trabajen, el período de suspensión se distribuirá a opción de los interesados, que podrán disfrutarlo de forma simultánea o sucesiva, siempre con períodos ininterrumpidos y con los límites señalados.

En los casos de disfrute simultáneo de períodos de descanso, la suma de los mismos no podrá exceder de las dieciséis semanas previstas en los párrafos anteriores o de las que correspondan en caso de parto, adopción o acogimiento múltiples.

En el supuesto de discapacidad del hijo o del menor adoptado o acogido, la suspensión del contrato a que se refiere este apartado tendrá una duración adicional de dos semanas. En caso de que ambos progenitores trabajen, este período adicional se distribuirá a opción de los interesados, que podrán disfrutarlo de forma simultánea o sucesiva y siempre de forma ininterrumpida.

Los períodos a los que se refiere el presente apartado podrán disfrutarse en régimen de jornada completa o a tiempo parcial, previo acuerdo entre los empresarios y los trabajadores afectados, en los términos que reglamentariamente se determinen.

En los supuestos de adopción internacional, cuando sea necesario el desplazamiento previo de los progenitores al país de origen del adoptado, el período de suspensión, previsto para cada caso en el presente apartado, podrá iniciarse hasta cuatro semanas antes de la resolución por la que se constituye la adopción.

Los trabajadores se beneficiarán de cualquier mejora en las condiciones de trabajo a la que hubieran podido tener derecho durante la suspensión del contrato en los supuestos a que se refiere este apartado, así como en los previstos en el siguiente apartado y en el artículo 48 bis».

«5. En el supuesto de riesgo durante el embarazo o de riesgo durante la lactancia natural, en los términos previstos en el artículo 26 de la Ley 31/1995, de 8 de noviembre, de Prevención de Riesgos Laborales, la suspensión del contrato finalizará el día en que se inicie la suspensión del contrato por maternidad biológica o el lactante cumpla nueve meses, respectivamente, o, en ambos casos, cuando desaparezca la imposibilidad de la trabajadora de reincorporarse a su puesto anterior o a otro compatible con su estado».

Once. Se incluye un nuevo artículo 48 bis, con la siguiente redacción:
«Artículo 48 bis. Suspensión del contrato de trabajo por paternidad.

En los supuestos de nacimiento de hijo, adopción o acogimiento de acuerdo con el artículo 45.1.d) de esta Ley, el trabajador tendrá derecho a la suspensión del contrato durante trece días ininterrumpidos, ampliables en el supuesto de parto, adopción o acogimiento múltiples en dos días más por cada hijo a partir del segundo. Esta suspensión es independiente del disfrute compartido de los periodos de descanso por maternidad regulados en el artículo 48.4.

En el supuesto de parto, la suspensión corresponde en exclusiva al otro progenitor. En los supuestos de adopción o acogimiento, este derecho corresponderá sólo a uno de los progenitores, a elección de los interesados; no obstante, cuando el período de descanso regulado en el artículo 48.4 sea disfrutado en su totalidad por uno de los progenitores, el derecho a la suspensión por paternidad únicamente podrá ser ejercido por el otro.

El trabajador que ejerza este derecho podrá hacerlo durante el periodo comprendido desde la finalización del permiso por nacimiento de hijo, previsto legal o convencionalmente, o desde la resolución judicial por la que se constituye la adopción o a partir de la decisión administrativa o judicial de acogimiento, hasta que finalice la suspensión del contrato regulada en el artículo 48.4 o inmediatamente después de la finalización de dicha suspensión.

La suspensión del contrato a que se refiere este artículo podrá disfrutarse en régimen de jornada completa o en régimen de jornada parcial de un mínimo del 50 por 100, previo acuerdo entre el empresario y el trabajador, y conforme se determine reglamentariamente.

El trabajador deberá comunicar al empresario, con la debida antelación, el ejercicio de este derecho en los términos establecidos, en su caso, en los convenios colectivos».

Doce. Se modifica el apartado 4 del artículo 53 que queda redactado en los siguientes términos:

«4. Cuando el empresario no cumpliese los requisitos establecidos en el apartado 1 de este artículo o la decisión extintiva del empresario tuviera como móvil algunas de las causas de discriminación prohibidas en la Constitución o en la Ley o bien se hubiera producido con violación de derechos fundamentales y libertades públicas del trabajador, la decisión extintiva será nula, debiendo la autoridad judicial hacer tal declaración de oficio. La no concesión del preaviso no anulará la extinción, si bien el empresario, con independencia de los demás efectos que procedan, estará obligado a abonar los salarios correspondientes a dicho periodo. La posterior observancia por el empresario de los requisitos incumplidos no constituirá, en ningún caso, subsanación del primitivo acto extintivo, sino un nuevo acuerdo de extinción con efectos desde su fecha.

Será también nula la decisión extintiva en los siguientes supuestos:

a) La de los trabajadores durante el período de suspensión del contrato de trabajo por maternidad, riesgo durante el embarazo, riesgo durante la lactancia natural, enfermedades causadas por embarazo, parto o lactancia natural, adopción o acogimiento o paternidad al que se refiere la letra d) del apartado 1 del artículo 45, o el notificado en una fecha tal que el plazo de preaviso concedido finalice dentro de dicho periodo.

b) La de las trabajadoras embarazadas, desde la fecha de inicio del embarazo hasta el comienzo del periodo de suspensión a que se refiere la letra a), y la de los trabajadores que hayan solicitado uno de los permisos a los que se refieren los apartados 4, 4 bis y 5 del artículo 37, o estén disfrutando de ellos, o hayan solicitado o estén disfrutando la excedencia prevista en el apartado 3 del artículo 46; y la de las trabajadoras víctimas de violencia de género por el ejercicio de los derechos de reducción o reordenación de su tiempo de trabajo, de movilidad geográfica, de cambio de centro de trabajo o de suspensión de la relación laboral en los términos y condiciones reconocidos en esta Ley.

c) La de los trabajadores después de haberse reintegrado al trabajo al finalizar los periodos de suspensión del contrato por maternidad, adopción o acogimiento o paternidad, siempre que no hubieran transcurrido más de nueve meses desde la fecha de nacimiento, adopción o acogimiento del hijo.

Lo establecido en las letras anteriores será de aplicación, salvo que, en esos casos, se declare la procedencia de la decisión extintiva por motivos no relacionados con el embarazo o con el ejercicio del derecho a los permisos y excedencia señalados».

Trece. Se modifica la letra g) del apartado 2 del artículo 54, quedando redactado en los siguientes términos:

«g) El acoso por razón de origen racial o étnico, religión o convicciones, discapacidad, edad u orientación sexual y el acoso sexual o por razón de sexo al empresario o a las personas que trabajan en la empresa».

Catorce. Se modifica el apartado 5 del artículo 55, que queda redactado del siguiente modo:

«Será nulo el despido que tenga por móvil alguna de las causas de discriminación prohibidas en la Constitución o en la Ley, o bien se produzca con violación de derechos fundamentales y libertades públicas del trabajador.

Será también nulo el despido en los siguientes supuestos:

a) El de los trabajadores durante el período de suspensión del contrato de trabajo por maternidad, riesgo durante el embarazo, riesgo durante la lactancia natural, enfermedades causadas por embarazo, parto o lactancia natural, adopción o acogimiento o paternidad al que se refiere la letra d) del apartado 1 del artículo 45, o el notificado en una fecha tal que el plazo de preaviso concedido finalice dentro de dicho período.

b) El de las trabajadoras embarazadas, desde la fecha de inicio del embarazo hasta el comienzo del período de suspensión a que se refiere la letra a), y el de los trabajadores que hayan solicitado uno de los permisos a los que se refieren los apartados 4, 4 bis y 5 del artículo 37, o estén disfrutando de ellos, o hayan solicitado o estén disfrutando la excedencia prevista en el apartado 3 del artículo 46; y el de las trabajadoras víctimas de violencia de género por el ejercicio de los derechos de reducción o reordenación de su tiempo de trabajo, de movilidad geográfica, de cambio de centro de trabajo o de suspensión de la relación laboral, en los términos y condiciones reconocidos en esta Ley.

c) El de los trabajadores después de haberse reintegrado al trabajo al finalizar los períodos de suspensión del contrato por maternidad, adopción o acogimiento o paternidad, siempre que no hubieran transcurrido más de nueve meses desde la fecha de nacimiento, adopción o acogimiento del hijo.

Lo establecido en las letras anteriores será de aplicación, salvo que, en esos casos, se declare la procedencia del despido por motivos no relacionados con el embarazo o con el ejercicio del derecho a los permisos y excedencia señalados».

Quince. Se añade un nuevo párrafo segundo al número 1 del apartado 1 del artículo 64, en los siguientes términos:

«También tendrá derecho a recibir información, al menos anualmente, relativa a la aplicación en la empresa del derecho de igualdad de trato y de oportunidades entre mujeres y hombres, entre la que se incluirán datos sobre la proporción de mujeres y hombres en los diferentes niveles profesionales, así como, en su caso, sobre las medidas que se hubieran adoptado para fomentar la igualdad entre mujeres y hombres en la empresa y, de haberse establecido un plan de igualdad, sobre la aplicación del mismo».

Dieciséis. Se añade una nueva letra c) en el número 9 del apartado 1 del artículo 64, así como un nuevo número 13 en el mismo apartado 1, en los siguientes términos:

«c) De vigilancia del respeto y aplicación del principio de igualdad de trato y de oportunidades entre mujeres y hombres».

«13. Colaborar con la dirección de la empresa en el establecimiento y puesta en marcha de medidas de conciliación».

Diecisiete. Se añade un nuevo párrafo en el apartado 1 del artículo 85, con la redacción siguiente:

«Sin perjuicio de la libertad de las partes para determinar el contenido de los convenios colectivos, en la negociación de los mismos existirá, en todo caso, el deber de negociar medidas dirigidas a promover la igualdad de trato y de oportunidades entre mujeres y hombres en el ámbito laboral o, en su caso, planes de igualdad con el alcance y contenido previsto en el capítulo III del Título IV de la Ley Orgánica para la igualdad efectiva de mujeres y hombres».

Dieciocho. Se añade un nuevo párrafo en el apartado 2 del artículo 85, con la redacción siguiente:

«Asimismo, sin perjuicio de la libertad de contratación que se reconoce a las partes, a través de la negociación colectiva se articulará el deber de negociar planes de igualdad en las empresas de más de doscientos cincuenta trabajadores de la siguiente forma:

a) En los convenios colectivos de ámbito empresarial, el deber de negociar se formalizará en el marco de la negociación de dichos convenios.

b) En los convenios colectivos de ámbito superior a la empresa, el deber de negociar se formalizará a través de la negociación colectiva que se desarrolle en la empresa en los términos y condiciones que se hubieran establecido en los indicados convenios para cumplimentar dicho deber de negociar a través de las oportunas reglas de complementariedad».

Diecinueve. Se añade un nuevo apartado 6 al artículo 90, quedando redactado, en los siguientes términos:

«6. Sin perjuicio de lo establecido en el apartado anterior, la autoridad laboral velará por el respeto al principio de igualdad en los convenios colectivos que pudieran contener discriminaciones, directas o indirectas, por razón de sexo.

A tales efectos, podrá recabar el asesoramiento del Instituto de la Mujer o de los Organismos de Igualdad de las Comunidades Autónomas, según proceda por su ámbito territorial. Cuando la autoridad laboral se haya dirigido a la jurisdicción competente por entender que el convenio colectivo pudiera contener cláusulas discriminatorias, lo pondrá en conocimiento del Instituto de la Mujer o de los Organismos de Igualdad de las Comunidades Autónomas, según su ámbito territorial, sin perjuicio de lo establecido en el apartado 3 del artículo 95 de la Ley de Procedimiento Laboral».

Veinte. Se añade una nueva disposición adicional decimoséptima, en los siguientes términos:

«Disposición adicional decimoséptima. Discrepancias en materia de conciliación.

Las discrepancias que surjan entre empresarios y trabajadores en relación con el ejercicio de los derechos de conciliación de la vida personal, familiar y laboral reconocidos legal o convencionalmente se resolverán por la jurisdicción competente a través del procedimiento establecido en el artículo 138 bis de la Ley de Procedimiento Laboral».

Veintiuno. Se añade una nueva disposición adicional decimoctava, en los siguientes términos:

«Disposición adicional decimoctava. Cálculo de indemnizaciones en determinados supuestos de jornada reducida.

1. En los supuestos de reducción de jornada contemplados en el artículo 37, apartados 4 bis, 5 y 7 el salario a tener en cuenta a efectos del cálculo de las indemnizaciones previstas en esta Ley, será el que hubiera correspondido al trabajador sin considerar la reducción de jornada efectuada, siempre y cuando no hubiera transcurrido el plazo máximo legalmente establecido para dicha reducción.

2. Igualmente, será de aplicación lo dispuesto en el párrafo anterior en los supuestos de ejercicio a tiempo parcial de los derechos establecidos en el párrafo décimo del artículo 48.4 y en el artículo 48 bis».

Disposición adicional duodécima. Modificaciones de la ley de prevención de riesgos laborales.

La Ley 31/1995, de 8 de noviembre, de Prevención de Riesgos Laborales queda modificada como sigue:

Uno. Se introduce un nuevo apartado 4 en el artículo 5, que quedará redactado como sigue:

«4. Las Administraciones públicas promoverán la efectividad del principio de igualdad entre mujeres y hombres, considerando las variables relacionadas con el sexo tanto en los sistemas de recogida y tratamiento de datos como en el estudio e investigación generales en materia de prevención de riesgos laborales, con el objetivo de detectar y prevenir posibles situaciones en las que los daños derivados del trabajo puedan aparecer vinculados con el sexo de los trabajadores».

Dos. Se modifica el párrafo primero del apartado 2 y el apartado 4 del artículo 26, que quedan redactados en los siguientes términos:

«2. Cuando la adaptación de las condiciones o del tiempo de trabajo no resultase posible o, a pesar de tal adaptación, las condiciones de un puesto de trabajo pudieran influir negativamente en la salud de la trabajadora embarazada o del feto, y así lo certifiquen los Servicios Médicos del Instituto Nacional de la Seguridad Social o de las Mutuas, en función de la Entidad con la que la empresa tenga concertada la cobertura de los riesgos profesionales, con el informe del médico del Servicio Nacional de Salud que asista facultativamente a la trabajadora, ésta deberá desempeñar un puesto de trabajo o función diferente y compatible con su estado. El empresario deberá determinar, previa consulta con los representantes de los trabajadores, la relación de los puestos de trabajo exentos de riesgos a estos efectos».

«4. Lo dispuesto en los números 1 y 2 de este artículo será también de aplicación durante el período de lactancia natural, si las condiciones de trabajo pudieran influir negativamente en la salud de la mujer o del hijo y así lo certifiquen los Servicios Médicos del Instituto Nacional de la Seguridad Social o de las Mutuas, en función de la Entidad con la que la empresa tenga concertada la cobertura de los riesgos profesionales, con el informe del médico del Servicio Nacional de Salud que asista facultativamente a la trabajadora o a su hijo. Podrá, asimismo, declararse el pase de la trabajadora afectada a la situación de suspensión del contrato por riesgo durante la lactancia natural de hijos menores de nueve meses contemplada en el artículo 45.1.d) del Estatuto de los Trabajadores, si se dan las circunstancias previstas en el número 3 de este artículo».

Disposición adicional decimotercera. Modificaciones de la ley de procedimiento laboral.

El texto refundido de la Ley de Procedimiento Laboral, aprobado por Real Decreto Legislativo 2/1995, de 7 de abril, queda modificado como sigue:

Uno. Se añade un nuevo párrafo segundo en el apartado 2 del artículo 27 en los siguientes términos:

«Lo anterior se entiende sin perjuicio de la posibilidad de reclamar, en los anteriores juicios, la indemnización derivada de discriminación o lesión de derechos fundamentales conforme a los artículos 180 y 181 de esta Ley».

Dos. El apartado 2 del artículo 108 queda redactado del siguiente modo:

«2. Será nulo el despido que tenga como móvil alguna de las causas de discriminación prevista en la Constitución y en la Ley, o se produzca con violación de derechos fundamentales y libertades públicas del trabajador.

Será también nulo el despido en los siguientes supuestos:

a) El de los trabajadores durante el período de suspensión del contrato de trabajo por maternidad, riesgo durante el embarazo, riesgo durante la lactancia natural, enfermedades causadas por embarazo, parto o lactancia natural, adopción o acogimiento o paternidad al que se refiere la letra d) del apartado 1 del artículo 45 del texto refundido de la Ley del Estatuto de los Trabajadores, o el notificado en una fecha tal que el plazo de preaviso concedido finalice dentro de dicho período.

b) El de las trabajadoras embarazadas, desde la fecha de inicio del embarazo hasta el comienzo del período de suspensión a que se refiere la letra a), y el de los trabajadores que hayan solicitado uno de los permisos a los que se refieren los apartados 4, 4 bis y 5 del artículo 37 del Estatuto de los Trabajadores, o estén disfrutando de ellos, o hayan solicitado o estén disfrutando la excedencia prevista en el apartado 3 del artículo 46 del Estatuto de los Trabajadores; y el de las trabajadoras víctimas de violencia de género por el ejercicio de los derechos de reducción o reordenación de su tiempo de trabajo, de movilidad geográfica, de cambio de centro de trabajo o de suspensión de la relación laboral en los términos y condiciones reconocidos en el Estatuto de los Trabajadores.

c) El de los trabajadores después de haberse reintegrado al trabajo al finalizar los períodos de suspensión del contrato por maternidad, adopción o acogimiento o paternidad, siempre que no hubieran transcurrido más de nueve meses desde la fecha de nacimiento, adopción o acogimiento del hijo.

Lo establecido en las letras anteriores será de aplicación, salvo que, en esos casos, se declare la procedencia del despido por motivos no relacionados con el embarazo o con el ejercicio del derecho a los permisos y excedencias señalados».

Tres. Se modifica el apartado 2 del artículo 122, con el siguiente tenor:

«2. La decisión extintiva será nula cuando:

a) No se hubieren cumplido las formalidades legales de la comunicación escrita, con mención de causa.

b) No se hubiese puesto a disposición del trabajador la indemnización correspondiente, salvo en aquellos supuestos en los que tal requisito no viniera legalmente exigido.

c) Resulte discriminatoria o contraria a los derechos fundamentales y libertades públicas del trabajador.

d) Se haya efectuado en fraude de ley eludiendo las normas establecidas por los despidos colectivos, en los casos a que se refiere el último párrafo del artículo 51.1 del texto refundido de la Ley del Estatuto de los Trabajadores.

Será también nula la decisión extintiva en los siguientes supuestos:

a) La de los trabajadores durante el período de suspensión del contrato de trabajo por maternidad, riesgo durante el embarazo, riesgo durante la lactancia natural, enfermedades causadas por embarazo, parto o lactancia natural, adopción o acogimiento o paternidad al que se refiere la letra d) del apartado 1 de artículo 45 del texto refundido de la Ley del Estatuto de los Trabajadores, o el notificado en una fecha tal que el plazo de preaviso concedido finalice dentro de dicho período.

b) La de las trabajadoras embarazadas, desde la fecha de inicio del embarazo hasta el comienzo del período de suspensión a que se refiere la letra a), y la de los trabajadores que hayan solicitado uno de los permisos a los que se refieren los apartados 4, 4 bis y 5 del artículo 37 del Estatuto de los Trabajadores, o estén disfrutando de ellos, o hayan solicitado o estén disfrutando la excedencia prevista en el apartado 3 del artículo 46 del Estatuto de los Trabajadores; y la de las trabajadoras víctimas de violencia de género por el ejercicio de los derechos de reducción o reordenación de su tiempo de trabajo, de movilidad geográfica, de cambio de centro de trabajo o de suspensión de la relación laboral, en los términos y condiciones reconocidos en el Estatuto de los Trabajadores.

c) La de los trabajadores después de haberse reintegrado al trabajo al finalizar los períodos de suspensión del contrato por maternidad, adopción o acogimiento o paternidad, siempre que no hubieran transcurrido más de nueve meses desde la fecha de nacimiento, adopción o acogimiento del hijo.

Lo establecido en las letras anteriores será de aplicación, salvo que, en esos casos, se declare la procedencia de la decisión extintiva por motivos no relacionados con el embarazo o con el ejercicio del derecho a los permisos y excedencias señalados».

Cuatro. Se añade una nueva letra d) al artículo 146, en los siguientes términos:

«d) De las comunicaciones de la Inspección de Trabajo y Seguridad Social acerca de la constatación de una discriminación por razón de sexo y en las que se recojan las bases de los perjuicios estimados para el trabajador, a los efectos de la determinación de la indemnización correspondiente.

En este caso, la Jefatura de Inspección correspondiente habrá de informar sobre tal circunstancia a la autoridad laboral competente para conocimiento de ésta, con el fin de que por la misma se dé traslado al órgano jurisdiccional competente a efectos de la acumulación de acciones si se iniciara con posterioridad el procedimiento de oficio a que se refiere el apartado 2 del artículo 149 de esta Ley».

Cinco. Se modifica el apartado 2 del artículo 149, quedando redactado en los siguientes términos:

«2. Asimismo, en el caso de que las actas de infracción versen sobre alguna de las materias contempladas en los apartados 2, 6 y 10 del artículo 7 y 2, 11 y 12 del artículo 8 del Texto Refundido de la Ley sobre Infracciones y Sanciones del Orden Social, aprobado por Real Decreto Legislativo 5/2000, de 4 de agosto, y el sujeto responsable las haya impugnado con base en alegaciones y pruebas de las que se deduzca que el conocimiento del fondo de la cuestión está atribuido al orden social de la jurisdicción según el artículo 9.5 de la Ley Orgánica del Poder Judicial».

Seis. Se modifica el apartado 1 del artículo 180, que queda con la siguiente redacción:

«1. La sentencia declarará la existencia o no de la vulneración denunciada. En caso afirmativo y previa la declaración de nulidad radical de la conducta del empleador, asociación patronal, Administración pública o cualquier otra persona, entidad o corporación pública o privada, ordenará el cese inmediato del comportamiento antisindical y la reposición de la situación al momento anterior a producirse el mismo, así como la reparación de las consecuencias derivadas del acto, incluida la indemnización que procediera, que será compatible, en su caso, con la que pudiera corresponder al trabajador por la modificación o extinción del contrato de trabajo de acuerdo con lo establecido en el Estatuto de los Trabajadores».

Siete. Se modifica el artículo 181, quedando redactado en los siguientes términos:

«Las demandas de tutela de los demás derechos fundamentales y libertades públicas, incluida la prohibición de tratamiento discriminatorio y del acoso, que se susciten en el ámbito de las relaciones jurídicas atribuidas al conocimiento del orden jurisdiccional social, se tramitarán conforme a las disposiciones establecidas en este capítulo. En dichas demandas se expresarán el derecho o derechos fundamentales que se estimen infringidos.

Cuando la sentencia declare la existencia de vulneración, el Juez deberá pronunciarse sobre la cuantía de la indemnización que, en su caso, le correspondiera al trabajador por haber sufrido discriminación, si hubiera discrepancia entre las partes. Esta indemnización será compatible, en su caso, con la que pudiera corresponder al trabajador por la modificación o extinción del contrato de trabajo de acuerdo con lo establecido en el Estatuto de los Trabajadores».

Disposición adicional decimocuarta. Modificaciones de la ley de infracciones y sanciones del orden social.

El texto refundido de la Ley sobre Infracciones y Sanciones en el Orden Social, aprobado por Real Decreto Legislativo 5/2000, de 4 de agosto, queda modificado como sigue:

Uno. Se añade un nuevo apartado, el 13, al artículo 7, con la siguiente redacción:

«13. No cumplir las obligaciones que en materia de planes de igualdad establecen el Estatuto de los Trabajadores o el convenio colectivo que sea de aplicación».

Dos. Se modifican los apartados 12 y 13 bis del artículo 8 y se añade un nuevo apartado 17, quedando redactados en los siguientes términos:

«12. Las decisiones unilaterales de la empresa que impliquen discriminaciones directas o indirectas desfavorables por razón de edad o discapacidad o favorables o adversas en materia de retribuciones, jornadas, formación, promoción y demás condiciones de trabajo, por circunstancias de sexo, origen, incluido el racial o étnico, estado civil, condición social, religión o convicciones, ideas políticas, orientación sexual, adhesión o no a sindicatos y a sus acuerdos, vínculos de parentesco con otros trabajadores en la empresa o lengua dentro del Estado español, así como las decisiones del empresario que supongan un trato desfavorable de los trabajadores como reacción ante una reclamación efectuada en la empresa o ante una acción administrativa o judicial destinada a exigir el cumplimiento del principio de igualdad de trato y no discriminación».

«13 bis. El acoso por razón de origen racial o étnico, religión o convicciones, discapacidad, edad y orientación sexual y el acoso por razón de sexo, cuando se produzcan dentro del ámbito a que alcanzan las facultades de dirección empresarial, cualquiera que sea el sujeto activo del mismo, siempre que, conocido por el empresario, éste no hubiera adoptado las medidas necesarias para impedirlo».

«17. No elaborar o no aplicar el plan de igualdad, o hacerlo incumpliendo manifiestamente los términos previstos, cuando la obligación de realizar dicho plan responda a lo establecido en el apartado 2 del artículo 46 bis de esta Ley».

Tres. Se modifica el párrafo primero del artículo 46, quedando redactado en los siguientes términos:

«Sin perjuicio de las sanciones a que se refiere el artículo 40.1 y salvo lo establecido en el artículo 46 bis) de esta Ley, los empresarios que hayan cometido infracciones muy graves tipificadas en los artículos 16 y 23 de esta Ley en materia de empleo y de protección por desempleo».

Cuatro. Se añade una nueva Subsección 3.ª bis en la Sección 2.ª del Capítulo VI, comprensiva de un nuevo artículo 46 bis, en los siguientes términos:

«Subsección tercera bis. Responsabilidades en materia de igualdad

Artículo 46 bis. Responsabilidades empresariales específicas.

1. Los empresarios que hayan cometido las infracciones muy graves tipificadas en los apartados 12, 13 y 13 bis) del artículo 8 y en el apartado 2 del artículo 16 de esta Ley serán sancionados, sin perjuicio de lo establecido en el apartado 1 del artículo 40, con las siguientes sanciones accesorias:

a) Pérdida automática de las ayudas, bonificaciones y, en general, de los beneficios derivados de la aplicación de los programas de empleo, con efectos desde la fecha en que se cometió la infracción, y

b) Exclusión automática del acceso a tales beneficios durante seis meses.

2. No obstante lo anterior, en el caso de las infracciones muy graves tipificadas en el apartado 12 del artículo 8 y en el apartado 2 del artículo 16 de esta Ley referidas a los supuestos de discriminación directa o indirecta por

razón de sexo, las sanciones accesorias a las que se refiere el apartado anterior podrán ser sustituidas por la elaboración y aplicación de un plan de igualdad en la empresa, si así se determina por la autoridad laboral competente previa solicitud de la empresa e informe preceptivo de la Inspección de Trabajo y Seguridad Social, en los términos que se establezcan reglamentariamente, suspendiéndose el plazo de prescripción de dichas sanciones accesorias.

En el supuesto de que no se elabore o no se aplique el plan de igualdad o se haga incumpliendo manifiestamente los términos establecidos en la resolución de la autoridad laboral, ésta, a propuesta de la Inspección de Trabajo y Seguridad Social, sin perjuicio de la imposición de la sanción que corresponda por la comisión de la infracción tipificada en el apartado 17 del artículo 8, dejará sin efecto la sustitución de las sanciones accesorias, que se aplicarán de la siguiente forma:

a) La pérdida automática de las ayudas, bonificaciones y beneficios a la que se refiere la letra a) del apartado anterior se aplicará con efectos desde la fecha en que se cometió la infracción;

b) La exclusión del acceso a tales beneficios será durante seis meses a contar desde la fecha de la resolución de la autoridad laboral por la que se acuerda dejar sin efecto la suspensión y aplicar las sanciones accesorias».

Disposición adicional decimoquinta. Modificación del real decreto ley por el que se regulan las bonificaciones de cuotas a la seguridad social de los contratos de interinidad que se celebren con personas desempleadas para sustituir a trabajadores durante los períodos de descanso por maternidad, adopción o acogimiento.

Se modifica el artículo 1 del Real Decreto Ley 11/1998, de 4 septiembre, por el que se regulan las bonificaciones de cuotas a la Seguridad Social de los contratos de interinidad que se celebren con personas desempleadas para sustituir a trabajadores durante los períodos de descanso por maternidad, adopción o acogimiento, que queda redactado en los siguientes términos:

«Darán derecho a una bonificación del 100 por 100 en las cuotas empresariales de la Seguridad Social, incluidas las de accidentes de trabajo y enfermedades profesionales, y en las aportaciones empresariales de las cuotas de recaudación conjunta:

a) Los contratos de interinidad que se celebren con personas desempleadas para sustituir a trabajadoras que tengan suspendido su contrato de trabajo por riesgo durante el embarazo o por riesgo durante la lactancia natural y hasta tanto se inicie la correspondiente suspensión del contrato por maternidad biológica o el lactante cumpla nueve meses, respectivamente, o, en ambos casos, cuando desaparezca la imposibilidad de la trabajadora de reincorporarse a su puesto anterior o a otro compatible con su estado.

b) Los contratos de interinidad que se celebren con personas desempleadas para sustituir a trabajadores y trabajadoras que tengan suspendido su contrato de trabajo durante los períodos de descanso por maternidad, adopción y acogimiento preadoptivo o permanente o que disfruten de la suspensión por paternidad en los términos establecidos en los artículos 48.4 y 48 bis del Estatuto de los Trabajadores.

La duración máxima de las bonificaciones prevista en este apartado b) coincidirá con la de las respectivas suspensiones de los contratos a que se refieren los artículos citados en el párrafo anterior.

En el caso de que el trabajador no agote el período de descanso o permiso a que tuviese derecho, los beneficios se extinguirán en el momento de su incorporación a la empresa.

c) Los contratos de interinidad que se celebren con personas desempleadas para sustituir a trabajadores autónomos, socios trabajadores o socios de trabajo de las sociedades cooperativas, en los supuestos de riesgo durante el embarazo o riesgo durante la lactancia natural, períodos de descanso por maternidad, adopción y acogimiento o suspensión por paternidad, en los términos establecidos en los párrafos anteriores».

Disposición adicional decimosexta. Modificaciones de la ley de medidas urgentes de reforma del mercado de trabajo para el incremento del empleo y la mejora de su calidad.

Se modifica la disposición adicional segunda de la Ley 12/2001, de 9 de julio, de Medidas Urgentes de Reforma del Mercado de Trabajo para el incremento del empleo y la mejora de su calidad, que queda redactada en los siguientes términos:

«Disposición adicional segunda. Bonificaciones de cuotas de Seguridad Social para los trabajadores en período de descanso por maternidad, adopción, acogimiento, riesgo durante el embarazo, riesgo durante la lactancia natural o suspensión por paternidad.

A la cotización de los trabajadores o de los socios trabajadores o socios de trabajo de las sociedades cooperativas, o trabajadores por cuenta propia o autónomos, sustituidos durante los períodos de descanso por maternidad, adopción, acogimiento, paternidad, riesgo durante el embarazo o riesgo durante la lactancia natural, mediante los contratos de interinidad bonificados, celebrados con desempleados a que se refiere el Real Decreto-Ley 11/1998, de 4 de septiembre, les será de aplicación:

a) Una bonificación del 100 por 100 en las cuotas empresariales de la Seguridad Social, incluidas las de accidentes de trabajo y enfermedades profesionales y en las aportaciones empresariales de las cuotas de recaudación conjunta para el caso de los trabajadores encuadrados en un régimen de Seguridad Social propio de trabajadores por cuenta ajena.

b) Una bonificación del 100 por 100 de la cuota que resulte de aplicar sobre la base mínima o fija que corresponda el tipo de cotización establecido como obligatorio para trabajadores incluidos en un régimen de Seguridad Social propio de trabajadores autónomos.

Sólo será de aplicación esta bonificación mientras coincidan en el tiempo la suspensión de actividad por dichas causas y el contrato de interinidad del sustituto y, en todo caso, con el límite máximo del periodo de suspensión».

Disposición adicional decimoséptima. Modificaciones de la ley de empleo.

Se añade un nuevo artículo 22 bis a la Ley 56/2003, de 16 de diciembre, de Empleo, en los siguientes términos:

«Artículo 22 bis. Discriminación en el acceso al empleo.

1. Los servicios públicos de empleo, sus entidades colaboradoras y las agencias de colocación sin fines lucrativos, en la gestión de la intermediación laboral deberán velar específicamente para evitar la discriminación en el acceso al empleo.

Los gestores de la intermediación laboral cuando, en las ofertas de colocación, apreciasen carácter discriminatorio, lo comunicarán a quienes hubiesen formulado la oferta.

2. En particular, se considerarán discriminatorias las ofertas referidas a uno de los sexos, salvo que se trate de un requisito profesional esencial y determinante de la actividad a desarrollar.

En todo caso se considerará discriminatoria la oferta referida a uno solo de los sexos basada en exigencias del puesto de trabajo relacionadas con el esfuerzo físico».

Disposición adicional decimoctava. Modificaciones de la ley general de la seguridad social.

El texto refundido de la Ley General de la Seguridad Social, aprobado por Real Decreto Legislativo 1/1994, de 20 de junio, queda modificado como sigue:

Uno. Se modifica el párrafo primero de la letra c) del apartado 1 del artículo 38, que queda redactado en los siguientes términos:

«c) Prestaciones económicas en las situaciones de incapacidad temporal; maternidad; paternidad; riesgo durante el embarazo; riesgo durante la lactancia natural; invalidez, en sus modalidades contributiva y no contributiva; jubilación, en sus modalidades contributiva y no contributiva; desempleo, en sus niveles contributivo y asistencial; muerte y supervivencia; así como las que se otorguen en las contingencias y situaciones especiales que reglamentariamente se determinen por Real Decreto, a propuesta del Ministro de Trabajo y Asuntos Sociales».

Dos. Se modifica el apartado 4 del artículo 106, que queda redactado en los siguientes términos:

«4. La obligación de cotizar continuará en la situación de incapacidad temporal, cualquiera que sea su causa, en la de maternidad, en la de paternidad, en la de riesgo durante el embarazo y en la de riesgo durante la lactancia natural, así como en las demás situaciones previstas en el artículo 125 en que así se establezca reglamentariamente».

Tres. Se modifica el apartado 3 del artículo 124, que queda redactado en los siguientes términos:

«3. Las cuotas correspondientes a la situación de incapacidad temporal, de maternidad, de paternidad, de riesgo durante el embarazo o de riesgo durante la lactancia natural serán computables a efectos de los distintos períodos previos de cotización exigidos para el derecho a las prestaciones».

Cuatro. Se añade un nuevo apartado 6 al artículo 124, con el siguiente contenido:

«6. El período por maternidad o paternidad que subsista a la fecha de extinción del contrato de trabajo, o que se inicie durante la percepción de la prestación por desempleo, será considerado como período de cotización efectiva a efectos de las correspondientes prestaciones de la Seguridad Social por jubilación, incapacidad permanente, muerte y supervivencia, maternidad y paternidad».

Cinco. Se modifica el apartado 1 del artículo 125, que queda redactado en los siguientes términos:

«1. La situación legal de desempleo total durante la que el trabajador perciba prestación por dicha contingencia será asimilada a la de alta. Asimismo, tendrá la consideración de situación asimilada a la de alta, con cotización, salvo en lo que respecta a los subsidios por riesgo durante el embarazo y por riesgo durante la lactancia natural, la situación del trabajador durante el período correspondiente a vacaciones anuales retribuidas que no hayan sido disfrutadas por el mismo con anterioridad a la finalización del contrato».

Seis. Se modifica el Capítulo IV bis del Título II, que queda redactado en los siguientes términos:

«Capítulo IV bis

Maternidad

Sección primera. Supuesto general

Artículo 133 bis. Situaciones protegidas.

A efectos de la prestación por maternidad prevista en esta Sección, se consideran situaciones protegidas la maternidad, la adopción y el acogimiento, tanto preadoptivo como permanente o simple de conformidad con el Código Civil o las leyes civiles de las Comunidades Autónomas que lo regulen, siempre que, en este último caso, su duración no sea inferior a un año, y aunque dichos acogimientos sean provisionales, durante los períodos de descanso que por tales situaciones se disfruten, de acuerdo con lo previsto en el artículo 48.4 del Texto Refundido del Estatuto de los Trabajadores, aprobado por el Real Decreto Legislativo 1/1995, de 24 de marzo, y en el artículo 30.3 de la Ley 30/1984, de 2 de agosto, de Medidas para la reforma de la función pública.

Artículo 133 ter. Beneficiarios.

1. Serán beneficiarios del subsidio por maternidad los trabajadores por cuenta ajena, cualquiera que sea su sexo, que disfruten de los descansos referidos en el artículo anterior, siempre que, reuniendo la condición general exigida en el artículo 124.1 y las demás que reglamentariamente se establezcan, acrediten los siguientes períodos mínimos de cotización:

a) Si el trabajador tiene menos de 21 años de edad en la fecha del parto o en la fecha de la decisión administrativa o judicial de acogimiento o de la resolución judicial por la que se constituye la adopción, no se exigirá período mínimo de cotización.

b) Si el trabajador tiene cumplidos entre 21 y 26 años de edad en la fecha del parto o en la fecha de la decisión administrativa o judicial de acogimiento o de la resolución judicial por la que se constituye la adopción, el período mínimo de cotización exigido será de 90 días cotizados dentro de los siete años inmediatamente anteriores al momento de inicio del descanso. Se considerará cumplido el mencionado requisito si, alternativamente, el trabajador acredita 180 días cotizados a lo largo de su vida laboral, con anterioridad a esta última fecha.

c) Si el trabajador es mayor de 26 años de edad en la fecha del parto o en la fecha de la decisión administrativa o judicial de acogimiento o de la resolución judicial por la que se constituye la adopción, el período mínimo de cotización exigido será de 180 días dentro de los siete años inmediatamente anteriores al momento de inicio del descanso. Se considerará cumplido el mencionado requisito si, alternativamente, el trabajador acredita 360 días cotizados a lo largo de su vida laboral, con anterioridad a esta última fecha.

2. En el supuesto de parto, y con aplicación exclusiva a la madre biológica, la edad señalada en el apartado anterior será la que tenga cumplida la interesada en el momento de inicio del descanso, tomándose como referente el momento del parto a efectos de verificar la acreditación del período mínimo de cotización que, en su caso, corresponda.

3. En los supuestos previstos en el penúltimo párrafo del artículo 48.4 del texto refundido de la Ley del Estatuto de los Trabajadores, aprobado por Real Decreto Legislativo 1/1995, de 24 de marzo, y en el párrafo octavo del artículo 30.3 de la Ley 30/1984, de 2 de agosto, de medidas para la reforma de la Función Pública, la edad señalada en el apartado 1 será la que tengan cumplida los interesados en el momento de inicio del descanso, tomándose como referente el momento de la resolución a efectos de verificar la acreditación del período mínimo de cotización que, en su caso, corresponda.

Artículo 133 quáter. Prestación económica.

La prestación económica por maternidad consistirá en un subsidio equivalente al 100 por 100 de la base reguladora correspondiente. A tales efectos, la base reguladora será equivalente a la que esté establecida para la prestación de incapacidad temporal, derivada de contingencias comunes.

Artículo 133 quinquies. Pérdida o suspensión del derecho al subsidio por maternidad.

El derecho al subsidio por maternidad podrá ser denegado, anulado o suspendido, cuando el beneficiario hubiera actuado fraudulentamente para obtener o conservar dicha prestación, así como cuando trabajara por cuenta propia o ajena durante los correspondientes períodos de descanso.

Sección segunda. Supuesto especial

Artículo 133 sexies. Beneficiarias.

Serán beneficiarias del subsidio por maternidad previsto en esta Sección las trabajadoras por cuenta ajena que, en caso de parto, reúnan todos los requisitos establecidos para acceder a la prestación por maternidad regulada en la Sección anterior, salvo el período mínimo de cotización establecido en el artículo 133 ter.

Artículo 133 septies. Prestación económica.

La cuantía de la prestación será igual al 100 por 100 del indicador público de renta de efectos múltiples (IPREM) vigente en cada momento, salvo que la base reguladora calculada conforme al artículo 133 quater o a la disposición adicional séptima fuese de cuantía inferior, en cuyo caso se estará a ésta.

La duración de la prestación, que tendrá la consideración de no contributiva a los efectos del artículo 86, será de 42 días naturales a contar desde el parto, pudiendo denegarse, anularse o suspenderse el derecho por las mismas causas establecidas en el artículo 133 quinquies».

Siete. El actual Capítulo IV ter del Título II, pasa a ser el Capítulo IV quater, introduciéndose en dicho Título un nuevo Capítulo IV ter, con la siguiente redacción:

«Capítulo IV ter

Paternidad

Artículo 133 octies. Situación protegida.

A efectos de la prestación por paternidad, se considerarán situaciones protegidas el nacimiento de hijo, la adopción y el acogimiento, tanto preadoptivo como permanente o simple, de conformidad con el Código Civil o las leyes civiles de las Comunidades Autónomas que lo regulen, siempre que, en este último caso, su duración no sea inferior a un año, y aunque dichos acogimientos sean provisionales, durante el período de suspensión que, por tales situaciones, se disfrute de acuerdo con lo previsto en el artículo 48. bis del texto refundido de la Ley del Estatuto de los Trabajadores, aprobado por Real

Decreto Legislativo 1/1995, de 24 de marzo, o durante el período de permiso que se disfrute, en los mismos supuestos, de acuerdo con lo dispuesto en la letra a) del artículo 30.1 de la Ley 30/1984, de 2 de agosto, de Medidas para la reforma de la Función Pública.

Artículo 133 nonies. Beneficiarios.

Serán beneficiarios del subsidio por paternidad los trabajadores por cuenta ajena que disfruten de la suspensión referida en el artículo anterior, siempre que, reuniendo la condición general exigida en el artículo 124.1, acrediten un período mínimo de cotización de 180 días, dentro de los siete años inmediatamente anteriores a la fecha de inicio de dicha suspensión, o, alternativamente, 360 días a lo largo de su vida laboral con anterioridad a la mencionada fecha, y reúnan las demás condiciones que reglamentariamente se determinen.

Artículo 133 decies. Prestación económica.

La prestación económica por paternidad consistirá en un subsidio que se determinará en la forma establecida por el artículo 133 quater para la prestación por maternidad, y podrá ser denegada, anulada o suspendida por las mismas causas establecidas para esta última».

Ocho. Se modifica el artículo 134 del texto refundido de la Ley General de la Seguridad Social, aprobado por Real Decreto-Legislativo 1/1994, de 20 de junio, en los términos siguientes:

«Artículo 134. Situación protegida.

A los efectos de la prestación económica por riesgo durante el embarazo, se considera situación protegida el periodo de suspensión del contrato de trabajo en los supuestos en que, debiendo la mujer trabajadora cambiar de puesto de trabajo por otro compatible con su estado, en los términos previstos en el artículo 26, apartado 3, de la Ley 31/1995, de 8 de noviembre, de Prevención de Riesgos Laborales, dicho cambio de puesto no resulte técnica u objetivamente posible, o no pueda razonablemente exigirse por motivos justificados.

La prestación correspondiente a la situación de riesgo durante el embarazo tendrá la naturaleza de prestación derivada de contingencias profesionales».

Nueve. Se modifica el artículo 135 del texto refundido de la Ley General de la Seguridad Social, aprobado por Real Decreto Legislativo 1/1994, de 20 de junio, que queda redactado en los siguientes términos:

Artículo 135. Prestación económica.

«1. La prestación económica por riesgo durante el embarazo se concederá a la mujer trabajadora en los términos y condiciones previstos en esta Ley para la prestación económica de incapacidad temporal derivada de contingencias profesionales, con las particularidades establecidas en los apartados siguientes.

2. La prestación económica nacerá el día en que se inicie la suspensión del contrato de trabajo y finalizará el día anterior a aquél en que se inicie la suspensión del contrato de trabajo por maternidad o el de reincorporación de la mujer trabajadora a su puesto de trabajo anterior o a otro compatible con su estado.

3. La prestación económica consistirá en subsidio equivalente al 100 por 100 de la base reguladora correspondiente. A tales efectos, la base reguladora será equivalente a la que esté establecida para la prestación de incapacidad temporal, derivada de contingencias profesionales.

4. La gestión y el pago de la prestación económica por riesgo durante el embarazo corresponderá a la Entidad Gestora o a la Mutua de Accidentes de Trabajo y Enfermedades Profesionales de la Seguridad Social en función de la entidad con la que la empresa tenga concertada la cobertura de los riesgos profesionales».

Diez. Se añade un nuevo Capítulo IV quinquies en el Título II, con la siguiente redacción:

«Capítulo IV quinquies

Riesgo durante la lactancia natural

Artículo 135 bis. Situación protegida.

A los efectos de la prestación económica por riesgo durante la lactancia natural, se considera situación protegida el período de suspensión del contrato de trabajo en los supuestos en que, debiendo la mujer trabajadora cambiar de puesto de trabajo por otro compatible con su situación, en los términos previstos en el artículo 26.4 de la Ley 31/1995, de 8 de noviembre, de prevención de riesgos laborales, dicho cambio de puesto no resulte técnica u objetivamente posible, o no pueda razonablemente exigirse por motivos justificados.

Artículo 135 ter. Prestación económica.

La prestación económica por riesgo durante la lactancia natural se concederá a la mujer trabajadora en los términos y condiciones previstos en esta ley para la prestación económica por riesgo durante el embarazo, y se extinguirá en el momento en que el hijo cumpla nueve meses, salvo que la beneficiaria se haya reincorporado con anterioridad a su puesto de trabajo anterior o a otro compatible con su situación».

Once. Se modifica la letra b) del apartado 1 del artículo 172, que queda redactada en los siguientes términos:

«b) Los perceptores de los subsidios de incapacidad temporal, riesgo durante el embarazo, maternidad, paternidad o riesgo durante la lactancia natural, que cumplan el período de cotización que, en su caso, esté establecido».

Doce. Se modifica el artículo 180, que queda redactado en los términos siguientes:

«Artículo 180. Prestaciones.

1. Los dos primeros años del período de excedencia que los trabajadores, de acuerdo con el artículo 46.3 de la Ley del Estatuto de los Trabajadores, disfruten en razón del cuidado de cada hijo o menor acogido, en los supuestos de acogimiento familiar permanente o preadoptivo, aunque éstos sean provisionales, tendrán la consideración de período de cotización efectiva a efectos de las correspondientes prestaciones de la Seguridad Social por jubilación, incapacidad permanente, muerte y supervivencia, maternidad y paternidad.

El período de cotización efectiva a que se refiere el párrafo anterior tendrá una duración de 30 meses si la unidad familiar de la que forma parte el menor en razón de cuyo cuidado se solicita la excedencia, tiene la consideración de familia numerosa de categoría general, o de 36 meses, si tiene la de categoría especial.

2. De igual modo, se considerará efectivamente cotizado a los efectos de las prestaciones indicadas en el apartado anterior, el primer año del período de excedencia que los trabajadores disfruten, de acuerdo con el artículo 46.3 de la Ley del Estatuto de los Trabajadores, en razón del cuidado de otros familiares, hasta el segundo grado de consanguinidad o afinidad, que, por razones de edad, accidente, enfermedad o discapacidad, no puedan valerse por sí mismos, y no desempeñen una actividad retribuida.

3. Las cotizaciones realizadas durante los dos primeros años del período de reducción de jornada por cuidado de menor previsto en el artículo 37.5 de la Ley del Estatuto de los Trabajadores, se computarán incrementadas hasta el 100 por 100 de la cuantía que hubiera correspondido si se hubiera mantenido sin dicha reducción la jornada de trabajo, a efectos de las prestaciones señaladas en el apartado 1. Dicho incremento vendrá exclusivamente referido al primer año en el resto de supuestos de reducción de jornada contemplados en el mencionado artículo.

4. Cuando las situaciones de excedencia señaladas en los apartados 1 y 2 hubieran estado precedidas por una reducción de jornada en los términos previstos en el artículo 37.5 de la Ley del Estatuto de los Trabajadores, a efectos de la consideración como cotizados de los períodos de excedencia que correspondan, las cotizaciones realizadas durante la reducción de jornada se computarán incrementadas hasta el 100 por 100 de la cuantía que hubiera correspondido si se hubiera mantenido sin dicha reducción la jornada de trabajo».

Trece. Se añade un nuevo apartado 5 al artículo 211, en los siguientes términos:

«5. En los supuestos de reducción de jornada previstos en los apartados 4 bis, 5 y 7 del artículo 37 de la Ley del Estatuto de los Trabajadores, para el cálculo de la base reguladora, las bases de cotización se computarán incrementadas hasta el cien por cien de la cuantía que hubiera correspondido si se hubiera mantenido, sin reducción, el trabajo a tiempo completo o parcial.

Si la situación legal de desempleo se produce estando el trabajador en las situaciones de reducción de jornada citadas, las cuantías máxima y mínima a que se refieren los apartados anteriores se determinarán teniendo en cuenta el indicador público de rentas de efectos múltiples en función de las horas trabajadas antes de la reducción de la jornada».

Catorce. Se modifica el apartado 1 del artículo 217, quedando redactado en los siguientes términos:

«1. La cuantía del subsidio será igual al 80 por 100 del indicador público de rentas de efectos múltiples mensual, vigente en cada momento.

En el caso de desempleo por pérdida de un trabajo a tiempo parcial también se percibirá la cuantía antes indicada».

Quince. Se modifica el apartado 2 del artículo 222, que queda redactado en los siguientes términos:

«2. Cuando el trabajador se encuentre en situación de maternidad o de paternidad y durante las mismas se extinga su contrato por alguna de las causas previstas en el apartado 1 del artículo 208, seguirá percibiendo la prestación por maternidad o por paternidad hasta que se extingan dichas situaciones, pasando entonces a la situación legal de desempleo y a percibir, si reúne los requisitos necesarios, la correspondiente prestación. En este caso no se descontará del período de percepción de la prestación por desempleo de nivel contributivo el tiempo que hubiera permanecido en situación de maternidad o de paternidad».

Dieciséis. Se modifican los párrafos tercero y cuarto del apartado 3 del artículo 222, que quedan redactados en los siguientes términos:

«Cuando el trabajador esté percibiendo la prestación por desempleo total y pase a la situación de maternidad o de paternidad, percibirá la prestación por estas últimas contingencias en la cuantía que corresponda.

El período de percepción de la prestación por desempleo no se ampliará por la circunstancia de que el trabajador pase a la situación de incapacidad temporal. Durante dicha situación, la Entidad Gestora de las prestaciones por desempleo continuará satisfaciendo las cotizaciones a la Seguridad Social conforme a lo previsto en el párrafo b) del apartado 1 del artículo 206».

Diecisiete. Se añade un nuevo párrafo quinto al apartado 3 del artículo 222, en los siguientes términos:

«Si el trabajador pasa a la situación de maternidad o de paternidad, se le suspenderá la prestación por desempleo y la cotización a la Seguridad Social antes indicada y pasará a percibir la prestación por maternidad o por paternidad, gestionada directamente por su Entidad Gestora. Una vez extinguida la prestación por maternidad o por paternidad, se reanudará la prestación por desempleo, en los términos recogidos en el artículo 212.3.b), por la duración que restaba por percibir y la cuantía que correspondía en el momento de la suspensión».

Dieciocho. Se modifica la disposición adicional sexta, que queda redactada en los siguientes términos:

«Disposición adicional sexta. Protección de los trabajadores contratados para la formación.

La acción protectora de la Seguridad Social del trabajador contratado para la formación comprenderá, como contingencias, situaciones protegibles y prestaciones, las derivadas de accidentes de trabajo y enfermedades profesionales, la asistencia sanitaria en los casos de enfermedad común, accidente no laboral y maternidad, las prestaciones económicas por incapacidad temporal derivadas de riesgos comunes, por maternidad y paternidad, por riesgo durante el embarazo y riesgo durante la lactancia natural y las pensiones».

Diecinueve. Se modifica la disposición adicional séptima en los siguientes términos:

1. Se modifica la letra a) de la regla segunda del apartado 1 de la disposición adicional séptima, que queda redactada en los siguientes términos:

«a) Para acreditar los períodos de cotización necesarios para causar derecho a las prestaciones de jubilación, incapacidad permanente, muerte y supervivencia, incapacidad temporal, maternidad y paternidad, se computarán exclusivamente las cotizaciones efectuadas en función de las horas trabajadas, tanto ordinarias como complementarias, calculando su equivalencia en días teóricos de cotización. A tal fin, el número de horas efectivamente trabajadas se dividirá por cinco, equivalente diario del cómputo de mil ochocientas veintiséis horas anuales».

2. Se modifica la letra a) de la regla tercera del apartado 1 de la disposición adicional séptima, que queda redactada en los siguientes términos:

«a) La base reguladora de las prestaciones de jubilación e incapacidad permanente se calculará conforme a la regla general. Para las prestaciones por maternidad y por paternidad, la base reguladora diaria será el resultado de dividir la suma de las bases de cotización acreditadas en la empresa durante el año anterior a la fecha del hecho causante entre 365».

Veinte. Se modifica el apartado 4 de la disposición adicional octava, que queda redactado en los términos siguientes:

«4. Lo previsto en los artículos 134, 135, 135 bis, 135 ter y 166 será aplicable, en su caso, a los trabajadores por cuenta ajena de los regímenes especiales. Lo previsto en los artículos 112 bis y 162.6 será igualmente de aplicación a los trabajadores por cuenta ajena de los regímenes especiales con excepción de los incluidos en los regímenes especiales agrario y de empleados de hogar. Asimismo, lo dispuesto en los artículos 134, 135, 135 bis, 135 ter y 166 resultará de aplicación a los trabajadores por cuenta propia incluidos en los regímenes especiales de trabajadores del mar, agrario y de trabajadores autónomos, en los términos y condiciones que se establezcan reglamentariamente».

Veintiuno. Se modifica la disposición adicional undécima bis, que queda redactada en los siguientes términos:

«Disposición adicional undécima bis. Prestaciones por maternidad y por paternidad en los Regímenes Especiales.

1. Los trabajadores por cuenta ajena y por cuenta propia incluidos en los distintos Regímenes Especiales del sistema tendrán derecho a las prestaciones establecidas en el Capítulo IV bis y en el Capítulo IV ter del Título II de la presente Ley, con la misma extensión y en los mismos términos y condiciones allí previstos para los trabajadores del Régimen General.

2. En el supuesto de trabajadores por cuenta propia, los periodos durante los que se tendrá derecho a percibir los subsidios por maternidad y por paternidad serán coincidentes, en lo relativo tanto a su duración como a su distribución, con los períodos de descanso laboral establecido para los trabajadores por cuenta ajena, pudiendo dar comienzo el abono del subsidio por paternidad a partir del momento del nacimiento del hijo. Los trabajadores por cuenta propia podrán, igualmente, percibir el subsidio por maternidad y por paternidad en régimen de jornada parcial, en los términos y condiciones que se establezcan reglamentariamente.

3. Tanto para los trabajadores por cuenta propia incluidos en los distintos Regímenes Especiales como para los trabajadores pertenecientes al Régimen Especial de Empleados de Hogar que sean responsables de la obligación de cotizar, será requisito imprescindible para el reconocimiento y abono de la prestación que los interesados se hallen al corriente en el pago de las cuotas a la Seguridad Social».

Veintidós. Se da nueva redacción a la disposición adicional undécima ter, que queda redactada en los siguientes términos:

«Disposición adicional undécima ter. Gestión de las prestaciones económicas por maternidad y por paternidad.

La gestión de las prestaciones económicas de maternidad y de paternidad reguladas en la presente ley corresponderá directa y exclusivamente a la entidad gestora correspondiente».

Veintitrés. Se introduce una nueva disposición adicional cuadragésima cuarta, en los siguientes términos:

«Disposición adicional cuadragésima cuarta. Períodos de cotización asimilados por parto.

A efectos de las pensiones contributivas de jubilación y de incapacidad permanente de cualquier régimen de la Seguridad Social, se computarán, a favor de la trabajadora solicitante de la pensión, un total de 112 días completos de cotización por cada parto de un solo hijo y de 14 días más por cada hijo a partir del segundo, éste incluido, si el parto fuera múltiple, salvo si, por ser trabajadora o funcionaria en el momento del parto, se hubiera cotizado durante la totalidad de las dieciséis semanas o, si el parto fuese múltiple, durante el tiempo que corresponda».

Disposición adicional decimonovena. Modificaciones a la ley de medidas para la reforma de la función pública.

Se modifican los siguientes preceptos de la Ley 30/1984, de 2 de agosto, de Medidas para la Reforma de la Función Pública:

Uno. Se modifica el párrafo segundo del artículo 29.4, que queda redactado de la siguiente manera:

«También tendrán derecho a un periodo de excedencia de duración no superior a tres años, los funcionarios para atender al cuidado de un familiar que se encuentre a su cargo, hasta el segundo grado inclusive de consanguinidad o afinidad, que por razones de edad, accidente, enfermedad o discapacidad no pueda valerse por sí mismo y no desempeñe actividad retribuida».

Dos. Se modifica el párrafo quinto del artículo 29.4, que queda redactado de la siguiente manera:

«El periodo de permanencia en esta situación será computable a efectos de trienios, consolidación de grado personal y derechos pasivos.

Los funcionarios podrán participar en los cursos de formación que convoque la Administración. Durante los dos primeros años, tendrán derecho a la reserva del puesto de trabajo que desempeñaban. Transcurrido este periodo, dicha reserva lo será al puesto en la misma localidad y de igual nivel y retribución».

Tres. Se suprime el actual párrafo sexto del artículo 29.4.

Cuatro. Se modifica la denominación del artículo 29.8 que queda redactado de la siguiente manera:

«Excedencia por razón de violencia de género sobre la mujer funcionaria».

Cinco. Se añade un párrafo, a continuación del primer párrafo del artículo 29.8, con la siguiente redacción:

«Igualmente, durante los dos primeros meses de esta excedencia la funcionaria tendrá derecho a percibir las retribuciones íntegras y, en su caso, las prestaciones familiares por hijo a cargo».

Seis. Se modifica la letra a) del artículo 30.1, con la siguiente redacción:

«1. Se concederán permisos por las siguientes causas justificadas:

a) Por el nacimiento, acogimiento, o adopción de un hijo, quince días a disfrutar por el padre a partir de la fecha del nacimiento, de la decisión administrativa o judicial de acogimiento o de la resolución judicial por la que se constituya la adopción».

Siete. Se crea una nueva letra a bis), en el artículo 30.1, con la siguiente redacción:

«a bis) Por el fallecimiento, accidente o enfermedad graves de un familiar dentro del primer grado de consanguinidad o afinidad, tres días hábiles cuando el suceso se produzca en la misma localidad, y cinco días hábiles cuando sea en distinta localidad.

Cuando se trate del fallecimiento, accidente o enfermedad graves de un familiar dentro del segundo grado de consanguinidad o afinidad, el permiso será de dos días hábiles cuando el suceso se produzca en la misma localidad y cuatro días hábiles cuando sea en distinta localidad».

Ocho. Se modifica la letra f) del artículo 30.1 y se añaden dos párrafos a dicha letra, quedando la redacción de la siguiente manera:

«La funcionaria, por lactancia de un hijo menor de doce meses, tendrá derecho a una hora diaria de ausencia del trabajo, que podrá dividir en dos fracciones. Este derecho podrá sustituirse por una reducción de la jornada normal en media hora al inicio y al final de la jornada, o en una hora al inicio o al final de la jornada, con la misma finalidad. Este derecho podrá ser ejercido indistintamente por uno u otro de los progenitores, en el caso de que ambos trabajen.

Igualmente, la funcionaria podrá solicitar la sustitución del tiempo de lactancia por un permiso retribuido que acumule en jornadas completas el tiempo correspondiente.

Este permiso se incrementará proporcionalmente en los casos de parto múltiple».

Nueve. Se modifica el primer párrafo de la letra f bis) del artículo 30.1 que queda redactada de la siguiente manera:

«f bis) En los casos de nacimientos de hijos prematuros o que por cualquier causa deban permanecer hospitalizados a continuación del parto, la funcionaria o el funcionario tendrán derecho a ausentarse del trabajo durante un máximo de dos horas percibiendo las retribuciones íntegras. Asimismo, tendrán derecho a reducir su jornada de trabajo hasta un máximo de dos horas, con la disminución proporcional de sus retribuciones».

Diez. Se modifica el primer párrafo de la letra g) del artículo 30.1, que queda redactado de la siguiente manera:

«g) El funcionario que, por razones de guarda legal, tenga a su cuidado directo algún menor de doce años, persona mayor que requiera especial dedicación o a una persona con discapacidad, que no desempeñe actividad retribuida, tendrá derecho a la disminución de su jornada de trabajo».

Once. Se añade una letra g bis) al artículo 30.1 con la siguiente redacción:

«g bis) El funcionario que precise atender al cuidado de un familiar en primer grado, tendrá derecho a solicitar una reducción de hasta el cincuenta por ciento de la jornada laboral, con carácter retribuido, por razones de enfermedad muy grave y por el plazo máximo de un mes. Si hubiera más de un titular de este derecho por el mismo hecho causante, el tiempo de disfrute de esta reducción se podrá prorratear entre los mismos, respetando, en todo caso, el plazo máximo de un mes».

Doce. Se añade al final del artículo 30.2 lo siguiente:

«... y por deberes derivados de la conciliación de la vida familiar y laboral».

Trece. Se modifica el artículo 30.3, que queda redactado de la siguiente manera:

«En el supuesto de parto, la duración del permiso será de dieciséis semanas ininterrumpidas ampliables en el caso de parto múltiple en dos semanas más por cada hijo a partir del segundo. El permiso se distribuirá a opción de la funcionaria siempre que seis semanas sean inmediatamente posteriores al parto. En caso de fallecimiento de la madre, el otro progenitor podrá hacer uso de la totalidad o, en su caso, de la parte que reste del permiso.

No obstante lo anterior, y sin perjuicio de las seis semanas inmediatas posteriores al parto de descanso obligatorio para la madre, en el caso de que ambos progenitores trabajen, la madre, al iniciarse el período de descanso por maternidad, podrá optar por que el otro progenitor disfrute de una parte determinada e ininterrumpida del período de descanso posterior al parto, bien de forma simultánea o sucesiva con el de la madre. El otro progenitor podrá seguir disfrutando del permiso de maternidad inicialmente cedido, aunque en el momento previsto para la reincorporación de la madre al trabajo ésta se encuentre en situación de incapacidad temporal.

En los casos de parto prematuro y en aquéllos en que, por cualquier otra causa, el neonato deba permanecer hospitalizado a continuación del parto, el período de suspensión se ampliará en tantos días como el neonato se encuentre hospitalizado, con un máximo de trece semanas adicionales.

En los supuestos de adopción o de acogimiento, tanto preadoptivo como permanente o simple, de conformidad con el Código Civil o las leyes civiles de las Comunidades Autónomas que lo regulen, siempre que el acogimiento simple sea de duración no inferior a un año, y con independencia de la edad que tenga el menor, el permiso tendrá una duración de dieciséis semanas ininterrumpidas, ampliables en el supuesto de adopción o acogimiento múltiple en dos semanas más por cada hijo a partir del segundo, contadas a la elección del funcionario, bien a partir de la decisión administrativa o judicial de acogimiento bien a partir de la resolución judicial por la que se constituya la adopción, sin que en ningún caso un mismo menor pueda dar derecho a varios períodos de disfrute de este permiso. En el caso de que ambos progenitores trabajen, el permiso se distribuirá a opción de los interesados, que podrán disfrutarlo de forma simultánea o sucesiva, siempre con períodos ininterrumpidos.

En el supuesto de discapacidad del hijo o del menor adoptado o acogido, el permiso a que se refiere este apartado tendrá una duración adicional de dos semanas. En caso de que ambos progenitores trabajen, este período adicional se distribuirá a opción de los interesados, que podrán disfrutarlo de forma simultánea o sucesiva y siempre de forma ininterrumpida.

En los casos de disfrute simultáneo de períodos de descanso, la suma de los mismos no podrá exceder de las dieciséis semanas previstas en los apartados anteriores o de las que correspondan en caso de parto, adopción o acogimiento múltiple y de discapacidad del hijo o menor adoptado o acogido.

Los permisos a que se refiere el presente apartado podrán disfrutarse en régimen de jornada completa o a tiempo parcial, a solicitud de los funcionarios y si lo permiten las necesidades del servicio, en los términos que reglamentariamente se determinen.

En los supuestos de adopción internacional, cuando sea necesario el desplazamiento previo de los progenitores al país de origen del adoptado, el funcionario tendrá derecho a disfrutar de un permiso de hasta dos meses de duración percibiendo durante este periodo exclusivamente las retribuciones básicas.

Con independencia del permiso previsto en el párrafo anterior, y para el supuesto contemplado en el mismo, el permiso por adopción y acogimiento, tanto preadoptivo como permanente o simple, de conformidad con el Código Civil o las leyes civiles de las Comunidades Autónomas que lo regulen, siempre que el acogimiento simple sea de duración no inferior a un año, podrá iniciarse hasta cuatro semanas antes de la resolución por la que se constituye la adopción.

Durante el disfrute de los permisos regulados en este apartado se podrá participar en los cursos de formación que convoque la Administración.

En los casos previstos en este apartado, el tiempo transcurrido en la situación de permiso por parto o maternidad se computará como de servicio efectivo a todos los efectos, garantizándose la plenitud de derechos económicos de la funcionaria y, en su caso, del otro progenitor funcionario, durante todo el período de duración del permiso, y, en su caso, durante los períodos posteriores al disfrute de éste, si de acuerdo con la normativa aplicable, el derecho a percibir algún concepto retributivo se determina en función del período de disfrute del permiso.

Los funcionarios que hayan hecho uso del permiso por parto o maternidad, tendrán derecho, una vez finalizado el período de permiso a reintegrarse a su puesto de trabajo en términos y condiciones que no le resulten menos favorables al disfrute del permiso, así como a beneficiarse de cualquier mejora en las condiciones de trabajo a las que hubiera podido tener derecho durante su ausencia».

Disposición adicional vigésima. Modificaciones de la ley de régimen del personal de las fuerzas armadas.

La Ley 17/1999, de 18 de mayo, de Régimen del Personal de las Fuerzas Armadas, queda modificada como sigue:

Uno. Se da nueva redacción al artículo 108.2:

«2. Reglamentariamente se determinará la composición, incompatibilidades y normas de funcionamiento de los órganos de evaluación, adecuándose en lo posible al principio de composición equilibrada en los términos definidos en la Ley Orgánica para la igualdad efectiva de mujeres y hombres. En todo caso, estarán constituidos por personal militar de mayor empleo que los evaluados».

Dos. Se incluye un nuevo apartado cuarto en el artículo 112, con la siguiente redacción:

«4. A la mujer se le dará especial protección en situaciones de embarazo, parto y posparto para cumplir las condiciones para el ascenso a todos los empleos de militar profesional».

Tres. Se da nueva redacción al artículo 132, en los términos siguientes:

«Durante el período de embarazo y previo informe facultativo, podrá asignarse a la mujer militar profesional a un puesto orgánico o cometido distinto al que estuviera ocupando, que resulte adecuado a las circunstancias de su estado.

En los supuestos de parto o adopción se tendrá derecho a los correspondientes permisos de la madre y del padre, de conformidad con la legislación vigente para el personal al servicio de las Administraciones públicas.

La aplicación de estos supuestos no supondrá pérdida del destino».

Cuatro. Se da nueva redacción al artículo 141.1.e), que queda redactado de la siguiente forma:

«e) Lo soliciten para atender al cuidado de los hijos o en caso de acogimiento tanto preadoptivo como permanente o simple, de conformidad con el Código Civil o las leyes civiles de las Comunidades Autónomas que lo regulen, siempre que su duración no sea inferior a un año, aunque éstos sean provisionales, de menores de hasta seis años, o de menores de edad que sean mayores de seis años cuando se trate de menores discapacitados o que por sus circunstancias y experiencias personales o por provenir del extranjero, tengan especiales dificultades de inserción social y familiar debidamente acreditados por los servicios sociales competentes.

También tendrán derecho a un período de excedencia de duración no superior a un año los que lo soliciten para encargarse del cuidado directo de un familiar, hasta el segundo grado de consanguinidad o afinidad, que por razones de edad, accidente o enfermedad no pueda valerse por sí mismo y no desempeñe actividad retribuida.

No podrá concederse la situación de excedencia voluntaria por estas causas cuando al cónyuge o persona con análoga relación de afectividad o a otro familiar del militar se le hubieran reconocido los derechos derivados de esta situación administrativa y en relación al mismo causante.

A la situación de excedencia voluntaria también se pasará por agrupación familiar cuando el cónyuge resida en otro municipio por haber obtenido un puesto de trabajo de carácter definitivo en cualquiera de las Administraciones públicas o un destino de los contemplados en el artículo 126».

Cinco. Se incluye un nuevo apartado 6 en el artículo 148, con la siguiente redacción:

«6. Los militares de complemento y los militares profesionales de tropa y marinería que, en el momento de finalizar su relación de servicios con las Fuerzas Armadas, se encontrasen en situación de incapacidad temporal por accidente o enfermedad derivada del servicio, o en situación de embarazo, parto o posparto, no causarán baja en las Fuerzas Armadas y se prorrogará su compromiso hasta finalizar esas situaciones».

Disposición adicional vigésima primera. Modificaciones de la ley de funcionarios civiles del estado.

El apartado 3 del artículo 69 del texto articulado de la Ley de Funcionarios Civiles del Estado, aprobado por Decreto 315/1964, de 7 de febrero, queda redactado como sigue:

«3. Cuando las circunstancias a que se refieren los números 3 y 4 del artículo 26 de la Ley 31/1995, de 8 de noviembre, de Prevención de Riesgos Laborales, afectasen a una funcionaria incluida en el ámbito de aplicación del mutualismo administrativo, podrá concederse licencia por riesgo durante el embarazo o licencia por riesgo durante la lactancia en los mismos términos y condiciones que las previstas en los números anteriores».

Disposición adicional vigésima segunda. Modificación de la ley 55/2003, del estatuto marco del personal estatutario de los servicios de salud.

Uno. Se modifica el apartado 3 del artículo 59 de la ley 55/2003, del estatuto marco del personal estatutario de los servicios de salud, con el siguiente texto:

«3. Las medidas especiales previstas en este artículo no podrán afectar al personal que se encuentre en situación de permiso por maternidad o licencia por riesgo durante el embarazo o por riesgo durante la lactancia natural».

Dos. Se modifica el apartado 2 del artículo 61 de la ley 55/2003, del estatuto marco del personal estatutario de los servicios de salud con el siguiente texto:

«2. El personal estatutario tendrá derecho a disfrutar del régimen de permisos y licencias, incluida la licencia por riesgo durante el embarazo, establecido para los funcionarios públicos por la Ley 39/1999, de 5 de noviembre, sobre conciliación de la vida familiar y laboral de las personas trabajadoras y por la ley orgánica para la igualdad efectiva de mujeres y hombres».

Disposición adicional vigésima tercera.

Se modifican los artículos 22 y 12.b) de la Ley sobre Seguridad Social de los Funcionarios Civiles del Estado, aprobada por Real Decreto Legislativo 4/2000, de 23 de junio, que en adelante tendrá la siguiente redacción:

«Artículo 22. Situación de riesgo durante el embarazo o riesgo durante la lactancia.

Tendrá la misma consideración y efectos que la situación de incapacidad temporal la situación de la mujer funcionaria que haya obtenido licencia por riesgo durante el embarazo o riesgo durante la lactancia natural de hijos menores de nueve meses, en los términos previstos en el artículo 69 del Texto Articulado de la Ley de Funcionarios Civiles del Estado».

«Artículo 12. Prestaciones.

b) Subsidios por incapacidad temporal, riesgo durante el embarazo o riesgo durante la lactancia natural».

Disposición adicional vigésima cuarta. Modificaciones de la ley de régimen del personal del cuerpo de la guardia civil.

La Ley 42/1999, de 25 de noviembre, de Régimen del Personal del Cuerpo de la Guardia Civil, queda modificada como sigue:

Uno. Se da nueva redacción al artículo 56.2:

«2. Reglamentariamente se determinará la composición, incompatibilidades y normas de funcionamiento de los órganos de evaluación, adecuándose siempre que sea posible al principio de composición equilibrada en los términos definidos en la Ley Orgánica para la igualdad efectiva de mujeres y hombres. En todo caso estarán constituidos por personal del Cuerpo de la Guardia Civil de mayor empleo o antigüedad que los evaluados».

Dos. Se incluye un nuevo apartado sexto en el artículo 60, con la siguiente redacción:

«6. A las mujeres se le dará especial protección en situaciones de embarazo, parto y posparto para cumplir las condiciones para el ascenso a todos los empleos del Cuerpo de la Guardia Civil».

Tres. Se da nueva redacción al artículo 75:

«Durante el período de embarazo y previo informe facultativo, a la mujer guardia civil se le podrá asignar un puesto orgánico o cometido distinto del que estuviera ocupando, adecuado a las circunstancias de su estado. En los supuestos de parto o adopción, se tendrá derecho a los correspondientes permisos de maternidad y paternidad, conforme a la legislación vigente para el personal al servicio de las Administraciones públicas. La aplicación de estos supuestos no supondrá pérdida del destino».

Cuatro. Se da nueva redacción al artículo 83.1 e), que queda redactado de la siguiente forma:

«e) Lo soliciten para atender al cuidado de los hijos o en caso de acogimiento tanto preadoptivo como permanente o simple, de conformidad con el Código Civil o las leyes civiles de las Comunidades Autónomas que lo regulen, siempre que su duración no sea inferior a un año, aunque éstos sean provisionales, de menores de hasta seis años, o de menores de edad que sean mayores de seis años cuando se trate de menores discapacitados o que por sus circunstancias y experiencias personales o por provenir del extranjero, tengan especiales dificultades de inserción social y familiar debidamente acreditados por los servicios sociales competentes.

También tendrán derecho a un período de excedencia de duración no superior a un año los que lo soliciten para encargarse del cuidado directo de un familiar, hasta el segundo grado de consanguinidad o afinidad que, por razones de edad, accidente o enfermedad, no pueda valerse por sí mismo, y que no desempeñe actividad retribuida.

Estos derechos no podrán ser ejercidos simultáneamente por dos o más guardias civiles en relación con el mismo causante».

Disposición adicional vigésima quinta. Modificación de la ley general para la defensa de consumidores y usuarios.

Se da nueva redacción al apartado 10 del artículo 34 de la Ley 26/1984, de 19 de julio, General para la Defensa de Consumidores y Usuarios, pasando su actual contenido a constituir un nuevo apartado 11:

«10. Las conductas discriminatorias en el acceso a los bienes y la prestación de los servicios, y en especial las previstas como tales en la Ley Orgánica para la igualdad efectiva de mujeres y hombres».

Disposición adicional vigésima sexta. Modificación de la ley de sociedades anónimas.

Se modifica la indicación novena del artículo 200 de la Ley de Sociedades Anónimas, texto refundido aprobado por Real Decreto Legislativo 1564/1989, de 22 de diciembre, que queda redactada en los siguientes términos:

«El número medio de personas empleadas en el curso del ejercicio, expresado por categorías, así como los gastos de personal que se refieran al ejercicio, distribuidos como prevé el artículo 189, apartado A.3, cuando no estén así consignados en la cuenta de pérdidas y ganancias.

La distribución por sexos al término del ejercicio del personal de la sociedad, desglosado en un número suficiente de categorías y niveles, entre los que figurarán el de altos directivos y el de consejeros».

Disposición adicional vigésima séptima. Modificaciones de la ley de creación del instituto de la mujer.

Se añade un nuevo artículo 2 bis a la Ley 16/1983, de 24 de octubre, de creación del Instituto de la Mujer, en los siguientes términos:

«Artículo 2 bis. Además de las atribuidas en el artículo anterior y demás normas vigentes, el Instituto de la Mujer ejercerá, con independencia, las siguientes funciones:

a) la prestación de asistencia a las víctimas de discriminación para que tramiten sus reclamaciones por discriminación;

b) la realización de estudios sobre la discriminación;

c) la publicación de informes y la formulación de recomendaciones sobre cualquier cuestión relacionada con la discriminación».

Disposición adicional vigésima octava. Designación del instituto de la mujer.

El Instituto de la Mujer será el organismo competente en el Reino de España a efectos de lo dispuesto en el artículo 8 bis de la Directiva 76/207, de 9 de febrero de 1976, modificada por la Directiva 2002/73, del Parlamento Europeo y del Consejo, de 23 de septiembre de 2002, relativa a la aplicación del principio de igualdad de trato entre hombres y mujeres en lo que se refiere al acceso al empleo, a la formación y a la promoción profesionales, y a las condiciones de trabajo y en el artículo 12 de la Directiva 2004/113, del Consejo, de 13 de diciembre de 2004, sobre aplicación del principio de igualdad de trato entre hombres y mujeres en el acceso a bienes y servicios y su suministro.

Disposición adicional vigésima novena.

Se añade una nueva disposición adicional tercera a la Ley 5/1984, de 26 de marzo, reguladora del derecho de asilo y de la condición de refugiado, en los siguientes términos:

«Disposición adicional tercera.

Lo dispuesto en el apartado 1 del artículo 3 será de aplicación a las mujeres extranjeras que huyan de sus países de origen debido a un temor fundado a sufrir persecución por motivos de género».

Disposición adicional trigésima. Modificaciones de la ley de ordenación de los cuerpos especiales penitenciarios y de creación del cuerpo de ayudantes de instituciones penitenciarias.

La Ley 36/1977, de 23 de mayo, de Ordenación de los Cuerpos Especiales Penitenciarios y de Creación del Cuerpo de Ayudantes de Instituciones Penitenciarias, queda modificada como sigue:

Uno. Se da nueva redacción al artículo 1:

«El Cuerpo de Ayudantes de Instituciones Penitenciarias estará integrado por personal funcionario, garantizando el acceso al mismo en los términos definidos en la Ley Orgánica para la igualdad efectiva de mujeres y hombres».

Dos. Se da nueva redacción a la Disposición transitoria primera:

«Quedan extinguidas las actuales escalas masculina y femenina del Cuerpo de Ayudantes de Instituciones Penitenciarias y sus funcionarios se integran en su totalidad en el Cuerpo de Ayudantes de Instituciones Penitenciarias».

Disposición adicional trigésima primera. Ampliación a otros colectivos.

Se adoptarán las disposiciones necesarias para aplicar lo dispuesto en la disposición adicional décimo primera. Diez, en lo relativo a partos prematuros, a los colectivos no incluídos en el ámbito de aplicación del Estatuto de los Trabajadores.

Disposición transitoria primera. Régimen transitorio de nombramientos.

Las normas sobre composición y representación equilibrada contenidas en la presente Ley serán de aplicación a los nombramientos que se produzcan con posterioridad a su entrada en vigor, sin afectar a los ya realizados.

Disposición transitoria segunda. Regulación reglamentaria de transitoriedad en relación con el distintivo empresarial en materia de igualdad.

Reglamentariamente, se determinarán, a los efectos de obtener el distintivo empresarial en materia de igualdad regulado en el capítulo IV del título IV de esta Ley, las condiciones de convalidación de las calificaciones atribuidas a las empresas conforme a la normativa anterior.

Disposición transitoria tercera. Régimen transitorio de procedimientos.

A los procedimientos administrativos y judiciales ya iniciados con anterioridad a la entrada en vigor de esta Ley no les será de aplicación la misma, rigiéndose por la normativa anterior.

Disposición transitoria cuarta. Régimen de aplicación del deber de negociar en materia de igualdad.

Lo dispuesto en el artículo 85 del Estatuto de los Trabajadores en materia de igualdad, según la redacción dada por esta Ley, será de aplicación en la negociación subsiguiente a la primera denuncia del convenio que se produzca a partir de la entrada en vigor de la misma.

Disposición transitoria quinta. Tablas de mortalidad y supervivencia.

Derogado

En tanto no se aprueben las disposiciones reglamentarias a las que se refiere el párrafo segundo del artículo 71.1 de la presente Ley, las entidades aseguradoras podrán continuar aplicando las tablas de mortalidad y supervivencia y los demás elementos de las bases técnicas, actualmente utilizados, en los que el sexo constituye un factor determinante de la evaluación del riesgo a partir de datos actuariales y estadísticos pertinentes y exactos.

Disposición transitoria sexta. Retroactividad de efectos para medidas de conciliación.

Los preceptos de la Ley 30/1984, de 2 de agosto, de Medidas para la reforma de la Función Pública modificados por esta Ley tendrán carácter retroactivo respecto de los hechos causantes originados y vigentes a 1 de enero de 2006 en el ámbito de la Administración General del Estado.

Disposición transitoria séptima. Régimen transitorio de los nuevos derechos en materia de maternidad, paternidad, riesgo durante el embarazo y consideración como cotizados a efectos de seguridad social de determinados períodos.

1. La regulación introducida por esta Ley en materia de suspensión por maternidad y paternidad será de aplicación a los nacimientos, adopciones o acogimientos que se produzcan o constituyan a partir de su entrada en vigor.

2. Las modificaciones introducidas por esta Ley en materia de riesgo durante el embarazo serán de aplicación a las suspensiones que por dicha causa se produzcan a partir de su entrada en vigor.

3. La consideración como cotizados de los períodos a que se refieren el apartado 6 del artículo 124 y la disposición adicional cuadragésimo cuarta del texto refundido de la Ley General de la Seguridad Social, aprobado por Real Decreto Legislativo 1/1994, de 20 de junio, será de aplicación para las prestaciones que se causen a partir de la entrada en vigor de la presente Ley. Iguales efectos se aplicarán a la ampliación del período que se considera como cotizado en el apartado 1 del artículo 180 de la misma norma y a la consideración como cotizados al 100 por 100 de los períodos a que se refieren los apartados 3 y 4 del citado artículo.

Disposición transitoria octava. Régimen transitorio del subsidio por desempleo.

La cuantía del subsidio por desempleo establecida en el segundo párrafo del apartado 1 del artículo 217 de la Ley General de la Seguridad Social, en la redacción dada por la presente Ley, se aplicará a los derechos al subsidio por desempleo que nazcan a partir de la entrada en vigor de esta Ley.

Disposición transitoria novena. Ampliación de la suspensión del contrato de trabajo.

Derogada

El Gobierno ampliará de forma progresiva y gradual, la duración de la suspensión del contrato de trabajo por paternidad regulado en la disposición adicional décimo primera, apartado Once, y en la disposición adicional décimonovena, apartado Seis, de la presente Ley, hasta alcanzar el objetivo de 4 semanas de este permiso de paternidad a los 6 años de la entrada en vigor de la presente Ley.

Disposición transitoria décima. Despliegue del impacto de género.

El Gobierno, en el presente año 2007, desarrollará reglamentariamente la Ley de Impacto de Género con la precisión de los indicadores que deben tenerse en cuenta para la elaboración de dicho informe.

Disposición transitoria décima primera.

El Gobierno, en el presente año 2007, regulará el Fondo de Garantía previsto en la disposición adicional única de la Ley 8/2005, de 8 de julio, que modifica el Código civil y la Ley de Enjuiciamiento Civil en materia de separación y divorcio, creado y dotado inicialmente en la disposición adicional quincuagésima tercera de la Ley 42/2006, de 28 de diciembre, de Presupuestos Generales del Estado para el año 2007.

Disposición transitoria décima segunda. Aplicación paulatina de los artículos 45 y 46 en la redacción por el Real Decreto-ley 6/2019, de 1 de marzo, de medidas urgentes para garantía de la igualdad de trato y de oportunidades entre mujeres y hombres en el empleo y la ocupación.

Para la aplicación de lo dispuesto en el apartado 2 del artículo 45 y en los apartados 2, 4, 5 y 6 del artículo 46 de esta ley orgánica, en la redacción dada a los mismos por el Real Decreto-ley 6/2019, de 1 de marzo, de medidas urgentes para garantía de la igualdad de trato y de oportunidades entre mujeres y hombres en el empleo y la ocupación:

Las empresas de más de ciento cincuenta personas trabajadoras y hasta doscientas cincuenta personas trabajadoras contarán con un periodo de un año para la aprobación de los planes de igualdad.

Las empresas de más de cien y hasta ciento cincuenta personas trabajadoras, dispondrán de un periodo de dos años para la aprobación de los planes de igualdad.

Las empresas de cincuenta a cien personas trabajadoras dispondrán de un periodo de tres años para la aprobación de los planes de igualdad.

Estos periodos de transitoriedad se computarán desde la publicación del Real Decreto-ley 6/2019, de 1 de marzo, en el «Boletín Oficial del Estado».

Disposición derogatoria única.

Quedan derogadas cuantas normas de igual o inferior rango se opongan o contradigan lo dispuesto en la presente Ley.

Disposición final primera. Fundamento constitucional.

1. Los preceptos contenidos en el Título Preliminar, el Título I, el Capítulo I del Título II, los artículos 28 a 31 y la disposición adicional primera de esta Ley constituyen regulación de las condiciones básicas que garantizan la igual-

dad de todos los españoles en el ejercicio de los derechos y el cumplimiento de los deberes constitucionales, de acuerdo con el artículo 149.1.1.ª de la Constitución.

2. Los artículos 23 a 25 de esta Ley tienen carácter básico, de acuerdo con el artículo 149.1.30.ª de la Constitución. El artículo 27 y las disposiciones adicionales octava y novena de esta Ley tienen carácter básico, de acuerdo con el artículo 149.1.16.ª de la Constitución. Los artículos 36, 39 y 40 de esta Ley tienen carácter básico, de acuerdo con el artículo 149.1.27.ª de la Constitución. Los artículos 33, 35 y 51, el apartado seis de la disposición adicional decimonovena y los párrafos cuarto, séptimo, octavo y noveno del texto introducido en el apartado trece de la misma disposición adicional décima novena de esta Ley tienen carácter básico, de acuerdo con el artículo 149.1.18.ª de la Constitución. Las disposiciones adicionales décima quinta, décima sexta y décima octava constituyen legislación básica en materia de Seguridad Social, de acuerdo con el artículo 149.1.17.ª de la Constitución.

3. Los preceptos contenidos en el Título IV y en las disposiciones adicionales décima primera, décima segunda, décima cuarta, y décima séptima constituyen legislación laboral de aplicación en todo el Estado, de acuerdo con el artículo 149.1.7.ª de la Constitución.

El artículo 41, los preceptos contenidos en los Títulos VI y VII y las disposiciones adicionales vigésima quinta y vigésima sexta de esta Ley constituyen legislación de aplicación directa en todo el Estado, de acuerdo con el artículo 149.1.6.ª y 8.ª de la Constitución.

Las disposiciones adicionales tercera a séptima y décima tercera se dictan en ejercicio de las competencias sobre legislación procesal, de acuerdo con el artículo 149.1.6.ª de la Constitución.

4. El resto de los preceptos de esta Ley son de aplicación a la Administración General del Estado.

Disposición final segunda. Naturaleza de la ley.

Las normas contenidas en las disposiciones adicionales primera, segunda y tercera de esta Ley tienen carácter orgánico. El resto de los preceptos contenidos en esta Ley no tienen tal carácter.

Disposición final tercera. Habilitaciones reglamentarias.

1. Se autoriza al Gobierno a dictar cuantas disposiciones sean necesarias para la aplicación y el desarrollo de la presente Ley en las materias que sean de la competencia del Estado.

2. Reglamentariamente, en el plazo de seis meses a partir de la entrada en vigor de esta Ley:

Se llevará a efecto la regulación del distintivo empresarial en materia de igualdad establecido en el Capítulo IV del Título IV de esta Ley.

Se integrará el contenido de los Anexos de la Directiva 92/85, del Consejo Europeo, de 19 de octubre de 1992, sobre aplicación de medidas para promover la mejora de la seguridad y salud en el trabajo de la trabajadora embarazada, que haya dado a luz o en período de lactancia. El Ministerio de Trabajo y Asuntos Sociales elaborará, en el plazo de seis meses desde la publicación del Real Decreto, unas directrices sobre evaluación del riesgo.

3. El Gobierno podrá fijar, antes del 21 de diciembre de 2007 y mediante Real Decreto, los supuestos a que se refiere el párrafo segundo del artículo 71.1 de la presente Ley.

Disposición final cuarta. Transposición de directivas.

Mediante la presente Ley se incorpora al ordenamiento jurídico la Directiva 2002/73, del Parlamento Europeo y del Consejo, de 23 de septiembre de 2002, de modificación de la Directiva 76/207, de 9 de febrero de 1976, relativa a la aplicación del principio de igualdad de trato entre hombres y mujeres en lo que se refiere al acceso al empleo, a la formación y a la promoción profesionales, y a las condiciones de trabajo y la Directiva 2004/113, del Consejo, de 13 de diciembre de 2004, sobre aplicación del principio de igualdad de trato entre hombres y mujeres en el acceso a bienes y servicios y su suministro.

Asimismo, mediante la presente Ley, se incorporan a la Ley 1/2000, de 7 de enero, de Enjuiciamiento Civil, y a la Ley 29/1998, de 13 de julio, reguladora de la Jurisdicción Contencioso-Administrativa, la Directiva 97/80/CE del Consejo, de 15 de diciembre de 1997, relativa a la carga de la prueba en los casos de discriminación por razón de sexo.

Disposición final quinta. Planes de igualdad y negociación colectiva.

Una vez transcurridos cuatro años desde la entrada en vigor de esta Ley, el Gobierno procederá a evaluar, junto a las organizaciones sindicales y asociaciones empresariales más representativas, el estado de la negociación colectiva en materia de igualdad, y a estudiar, en función de la evolución habida, las medidas que, en su caso, resulten pertinentes.

Disposición final sexta. Implantación de las medidas preventivas del acoso sexual y del acoso por razón de sexo en la administración general del estado.

La aplicación del protocolo de actuación sobre medidas relativas al acoso sexual o por razón de sexo regulado en el artículo 62 de esta Ley tendrá lugar en el plazo de seis meses desde la entrada en vigor del Real Decreto que lo apruebe.

Disposición final séptima. Medidas para posibilitar los permisos de maternidad y paternidad de las personas que ostentan un cargo electo.

A partir de la entrada en vigor de esta Ley, el Gobierno promoverá el acuerdo necesario para iniciar un proceso de modificación de la legislación vigente con el fin de posibilitar los permisos de maternidad y paternidad de las personas que ostenten un cargo electo.

Disposición final octava. Entrada en vigor.

La presente Ley entrará en vigor el día siguiente al de su publicación en el Boletín Oficial del Estado, con excepción de lo previsto en el artículo 71.2, que lo hará el 31 de diciembre de 2008

Ley 4/2015, de 27 de abril, del Estatuto de la Víctima del delito

PREÁMBULO

I

La finalidad de elaborar una ley constitutiva del estatuto jurídico de la víctima del delito es ofrecer desde los poderes públicos una respuesta lo más amplia posible, no sólo jurídica sino también social, a las víctimas, no sólo reparadora del daño en el marco de un proceso penal, sino también minimizadora de otros efectos traumáticos en lo moral que su condición puede generar, todo ello con independencia de su situación procesal.

Por ello, el presente Estatuto, en línea con la normativa europea en la materia y con las demandas que plantea nuestra sociedad, pretende, partiendo del reconocimiento de la dignidad de las víctimas, la defensa de sus bienes materiales y morales y, con ello, los del conjunto de la sociedad.

Con este Estatuto, España aglutinará en un solo texto legislativo el catálogo de derechos de la víctima, de un lado transponiendo las Directivas de la Unión Europea en la materia y, de otro, recogiendo la particular demanda de la sociedad española.

II

Los antecedentes y fundamentos remotos del presente Estatuto de la víctima del delito se encuentran en la Decisión Marco 2001/220/JAI del Consejo, de 15 de marzo de 2001, relativa al estatuto de la víctima en el proceso penal, que reconoce un conjunto de derechos de las víctimas en el ámbito del proceso penal, incluido el derecho de protección e indemnización, y que fue el primer proyecto profundo del legislador europeo para lograr un reconocimiento homogéneo de la víctima en el ámbito de la Unión Europea, germen de la normativa especial posterior.

El grado de cumplimiento de dicha Decisión Marco fue objeto del Informe de la Comisión Europea de abril de 2009, que puso de relieve que ningún Estado miembro había aprobado un texto legal único que recogiera, sistemáticamente, los derechos de la víctima y destacó la necesidad de un desarrollo general y efectivo de algunos aspectos del mencionado Estatuto.

Respecto de España, este Informe destaca la existencia de un marco normativo garante de los derechos de la víctima, aunque gran parte de esos derechos son exclusivamente procesales o se centran en algunos tipos muy concretos de víctimas de acuerdo con su normativa particular, esto es, la Ley 35/1995, de 11 de diciembre, de ayudas y asistencia a las víctimas de delitos violentos y contra la libertad sexual (desarrollada por el Real Decreto 738/1997, de 23 de mayo), la Ley Orgánica 1/1996, de 15 de enero, de Protección Jurídica del Menor, la Ley Orgánica 1/2004, de 28 de diciembre, de Medidas de Protección Integral contra la Violencia de Género, así como la Ley 29/2011, de 22 de septiembre, de Reconocimiento y Protección Integral a las Víctimas del Terrorismo.

La Comunicación de la Comisión al Parlamento Europeo, al Consejo, al Comité Económico y Social Europeo y al Comité de las Regiones de 18 de mayo de 2011, denominada «Refuerzo de los derechos de las víctimas en la Unión Europea», reitera el examen de los aspectos de la protección existente hasta la fecha que conviene reforzar y la necesidad de un marco europeo de protección, como el diseñado con la Directiva 2011/99/UE del Parlamento Europeo y del Consejo, de 13 de diciembre de 2011, sobre la orden europea de protección.

En este contexto, se ha producido la aprobación de la Directiva 2012/29/UE del Parlamento Europeo y del Consejo, de 25 de octubre de 2012, por la que se establecen normas mínimas sobre los derechos, el apoyo y la protección de las víctimas de delitos, y por la que se sustituye la Decisión Marco 2001/220/JAI del Consejo. Procede, por tanto, transponer al derecho interno, no sólo las cuestiones que traslucía el informe de la Comisión de 2009 respecto al grado de transposición de la Decisión Marco 2001/220/JAI, sino también las cuestiones pendientes de transponer con arreglo a las Directivas especiales y los nuevos derechos y exigencias que recoge la nueva Directiva de 2012.

Así pues, el presente texto legislativo no sólo responde a la exigencia de mínimos que fija el legislador europeo con el texto finalmente aprobado en la citada Directiva 2012/29/UE, sino que trata de ser más ambicioso, trasladando al mismo las demandas y necesidades de la sociedad española, en aras a completar el diseño del Estado de Derecho, centrado casi siempre en las garantías procesales y los derechos del imputado, acusado, procesado o condenado.

Efectivamente, con ese foco de atención se ha podido advertir, y así lo traslada nuestra sociedad con sus demandas, una cierta postración de los derechos y especiales necesidades de las víctimas del delito que, en atención al valor superior de justicia que informa nuestro orden constitucional, es necesario abordar, siendo oportuno hacerlo precisamente con motivo de dicha transposición.

El horizonte temporal marcado por dicha Directiva para proceder a su incorporación al derecho interno se extiende hasta el 16 de noviembre de 2015, pero como quiera que esta norma europea, de carácter general, está precedida de otras especiales que requieren una transposición en fechas más cercanas, se ha optado por abordar esta tarea en el presente texto y añadir al catálogo general de derechos de las víctimas otras normas de aplicación particular para algunas categorías de éstas.

Asimismo, se considera oportuno, dado que uno de los efectos de la presente Ley es la de ofrecer un concepto unitario de víctima de delito, más allá de su consideración procesal, incluir en el concepto de víctima indirecta algunos supuestos que no vienen impuestos por la norma europea, pero sí por otras normas internacionales, como la Convención de Naciones Unidas para la protección de todas las personas contra las desapariciones forzadas.

III

El presente Estatuto de la Víctima del Delito tiene la vocación de ser el catálogo general de los derechos, procesales y extraprocesales, de todas las víctimas de delitos, no obstante las remisiones a normativa especial en materia de víctimas con especiales necesidades o con especial vulnerabilidad. Es por ello una obligación que, cuando se trate de menores, el interés superior del menor actúe a modo de guía para cualquier medida y decisión que se tome en relación a un menor víctima de un delito durante el proceso penal. En este sentido, la adopción de las medidas de protección del Título III, y especialmente la no adopción de las mismas, deben estar fundamentadas en el interés superior del menor.

Se parte de un concepto amplio de víctima, por cualquier delito y cualquiera que sea la naturaleza del perjuicio físico, moral o material que se le haya irrogado. Comprende a la víctima directa, pero también a víctimas indirectas, como familiares o asimilados.

Por otro lado, la protección y el apoyo a la víctima no es sólo procesal, ni depende de su posición en un proceso, sino que cobra una dimensión extraprocesal. Se funda en un concepto amplio de reconocimiento, protección y apoyo, en aras a la salvaguarda integral de la víctima. Para ello, es fundamental ofrecer a la víctima las máximas facilidades para el ejercicio y tutela de sus derechos, con la minoración de trámites innecesarios que supongan la segunda victimización, otorgarle una información y orientación eficaz de los derechos y servicios que le corresponden, la derivación por la autoridad competente, un trato humano y la posibilidad de hacerse acompañar por la persona que designe en todos sus trámites, no obstante la representación procesal que proceda, entre otras medidas.

Las actuaciones han de estar siempre orientadas a la persona, lo que exige una evaluación y un trato individualizado de toda víctima, sin perjuicio del trato especializado que exigen ciertos tipos de víctimas.

Como ya se ha indicado, el reconocimiento, protección y apoyo a la víctima no se limita a los aspectos materiales y a la reparación económica, sino que también se extiende a su dimensión moral.

Por otra parte, el reconocimiento, protección y apoyo a la víctima se otorga atendiendo, a su vez, a las especialidades de las víctimas que no residen habitualmente en nuestro país.

La efectividad de estos derechos hace necesaria la máxima colaboración institucional e implica no sólo a las distintas Administraciones Públicas, al Poder Judicial y a colectivos de profesionales y víctimas, sino también a las personas concretas que, desde su puesto de trabajo, tienen contacto y se relacionan con las víctimas y, en último término, al conjunto de la sociedad. Por ello, es tan necesario dotar a las instituciones de protocolos de actuación y de procedimientos de coordinación y colaboración, como también el fomento de oficinas especializadas, de la formación técnica, inicial y continuada del personal, y de la sensibilización que el trato a la víctima comporta, sin olvidar la participación de asociaciones y colectivos.

No obstante la vocación unificadora del Estatuto y las remisiones a la normativa especial de ciertos colectivos de víctimas, que verían ampliada su asistencia y protección con el catálogo general de derechos de la víctima, ante la ausencia de una regulación específica para ciertos colectivos de víctimas con especial vulnerabilidad, se pretende otorgarles una protección especial en este texto mediante la transposición de otras dos Directivas recientes: la Directiva 2011/92/UE del Parlamento Europeo y del Consejo, de 13 de diciembre de 2011, relativa a la lucha contra los abusos sexuales y la explotación sexual de los menores y la pornografía infantil, así como la Directiva 2011/36/UE del

Parlamento Europeo y del Consejo, de 5 abril de 2011, relativa a la prevención y lucha contra la trata de seres humanos y a la protección de las víctimas y por la que se sustituye la Decisión Marco 2002/629/JAI del Consejo.

IV

En cuanto al contenido y estructura de la Ley, se inicia mediante un Título preliminar, dedicado a las disposiciones generales, que viene a establecer un concepto de víctima omnicomprensivo, por cuanto se extiende a toda persona que sufra un perjuicio físico, moral o económico como consecuencia de un delito.

También se reconoce la condición de víctima indirecta al cónyuge o persona vinculada a la víctima por una análoga relación de afectividad, sus hijos y progenitores, parientes directos y personas a cargo de la víctima directa por muerte o desaparición ocasionada por el delito, así como a los titulares de la patria potestad o tutela en relación a la desaparición forzada de las personas a su cargo, cuando ello determine un peligro relevante de victimización secundaria.

Los derechos que recoge la Ley serán de aplicación a todas las víctimas de delitos ocurridos en España o que puedan ser perseguidos en España, con independencia de la nacionalidad de la víctima o de si disfrutan o no de residencia legal.

Así, el Título preliminar recoge un catálogo general de derechos comunes a todas las víctimas, que se va desarrollando posteriormente a lo largo del articulado y que se refiere tanto a los servicios de apoyo como a los de justicia reparadora que se establezcan legalmente, y a las actuaciones a lo largo del proceso penal en todas sus fases —incluidas las primeras diligencias y la ejecución—, con independencia del resultado del proceso penal. En ese catálogo general, se recogen, entre otros, el derecho a la información, a la protección y al apoyo en todo caso, el derecho a participar activamente en el proceso penal, el derecho al reconocimiento como tal víctima y el derecho a un trato respetuoso, profesional, individualizado y no discriminatorio.

V

El Título I reconoce una serie de derechos extraprocesales, también comunes a todas las víctimas, con independencia de que sean parte en un proceso penal o hayan decidido o no ejercer algún tipo de acción, e incluso con anterioridad a la iniciación del proceso penal.

Resulta novedoso que toda víctima, en aras a facilitar que se encuentre arropada desde el punto de vista personal, pueda hacerse acompañar por la persona que designe, sin perjuicio de la intervención de abogado cuando proceda, en sus diligencias y trato con las autoridades.

En este Título se regula el derecho a obtener información de toda autoridad o funcionario al que se acuda, con lenguaje sencillo y accesible, desde el primer contacto. Esa información, que deberá ser detallada y sucesivamente actualizada, debe orientar e informar sobre los derechos que asisten a la víctima en cuestiones tales como: medidas de apoyo disponibles; modo de ejercicio de su derecho a denunciar; modo y condiciones de protección, del asesoramiento jurídico y de la defensa jurídica; indemnizaciones, interpretación y traducción; medidas de efectividad de sus intereses si residen en distinto país de la Unión Europea; procedimiento de denuncia por inactividad de la autoridad competente; datos de contacto para comunicaciones; servicios disponibles de justicia reparadora; y el modo de reembolso de gastos judiciales.

Se regula específicamente el derecho de la víctima como denunciante y, en particular, su derecho a obtener una copia de la denuncia, debidamente certificada, asistencia lingüística gratuita a la víctima que desee interponer denuncia y traducción gratuita de la copia de la denuncia presentada.

Asimismo, con independencia de personarse en el proceso penal, se reconoce el derecho de la víctima a recibir información sobre ciertos hitos de la causa penal.

Se desarrolla, de acuerdo con la normativa europea, el derecho a la traducción e interpretación, tanto en las entrevistas, incluidas las policiales, como en la participación activa en vistas, e incluye el derecho a la traducción escrita y gratuita de la información esencial, en particular la decisión de poner término a la causa y la designación de lugar y hora del juicio.

Se regula el acceso a los servicios de apoyo, que comprende la acogida inicial, orientación e información y medidas concretas de protección, sin perjuicio de apoyos específicos para cada víctima, según aconseje su evaluación individual y para ciertas categorías de víctimas de especial vulnerabilidad.

Igualmente se busca visibilizar como víctimas a los menores que se encuentran en un entorno de violencia de género o violencia doméstica, para garantizarles el acceso a los servicios de asistencia y apoyo, así como la adopción de medidas de protección, con el objetivo de facilitar su recuperación integral.

VI

El Título II sistematiza los derechos de la víctima en cuanto a su participación en el proceso penal, como algo independiente de las medidas de protección de la víctima en el proceso, que son objeto del Título III.

Se reconoce a la víctima el derecho a participar en el proceso, de acuerdo con lo dispuesto en la Ley de Enjuiciamiento Criminal, y se refuerza la efectividad material del mismo a través de diversas medidas: por un lado, la notificación de las resoluciones de sobreseimiento y archivo y el reconocimiento del derecho a impugnarlas dentro de un plazo de tiempo suficiente a partir de la comunicación, con independencia de que se haya constituido anteriormente o no como parte en el proceso; por otro lado, el reconocimiento del derecho a obtener el pago de las costas que se le hubieran causado, con preferencia al derecho del Estado a ser indemnizado por los gastos hechos en la causa, cuando el delito hubiera sido finalmente perseguido únicamente a su instancia o el sobreseimiento de la misma hubiera sido revocado por la estimación del recurso interpuesto por ella.

El Estado, como es propio de cualquier modelo liberal, conserva el monopolio absoluto sobre la ejecución de las penas, lo que no es incompatible con que se faciliten a la víctima ciertos cauces de participación que le permitan impugnar ante los Tribunales determinadas resoluciones que afecten al régimen de cumplimiento de condena de delitos de carácter especialmente grave, facilitar información que pueda ser relevante para que los Jueces y Tribunales resuelvan sobre la ejecución de la pena, responsabilidades civiles o comiso ya acordados, y solicitar la adopción de medidas de control con relación a liberados condicionales que hubieran sido condenados por hechos de los que pueda derivarse razonablemente una situación de peligro para la víctima.

La regulación de la intervención de la víctima en la fase de ejecución de la pena, cuando se trata del cumplimiento de condenas por delitos especialmente graves, garantiza la confianza y colaboración de las víctimas con la justicia penal, así como la observancia del principio de legalidad, dado que la decisión corresponde siempre a la autoridad judicial, por lo que no se ve afectada la reinserción del penado.

Asimismo, se facilita a la víctima el ejercicio de sus derechos, permitiendo la presentación de solicitudes de justicia gratuita ante la autoridad o funcionario encargado de informarle de sus derechos, evitándose de este modo el peregrinaje por diversas oficinas; y se regula el procedimiento aplicable en los casos de presentación en España de denuncia por hechos delictivos cometidos en otros países de la Unión Europea, así como la comunicación a la víctima de su remisión, en su caso, a las autoridades competentes.

El Estatuto reconoce también el derecho de la víctima a obtener la devolución inmediata de los efectos de su propiedad, salvo en los supuestos excepcionales en los que el efecto en cuestión, temporalmente o de forma definitiva, tuviera que permanecer bajo la custodia de las autoridades para garantizar el correcto desarrollo del proceso.

Finalmente, se incluye una referencia a la posible actuación de los servicios de justicia restaurativa. En este punto, el Estatuto supera las referencias tradicionales a la mediación entre víctima e infractor y subraya la desigualdad moral que existe entre ambos. Por ello, la actuación de estos servicios se concibe orientada a la reparación material y moral de la víctima, y tiene como presupuesto el consentimiento libre e informado de la víctima y el previo reconocimiento de los hechos esenciales por parte del autor. En todo caso, la posible actuación de los servicios de justicia restaurativa quedará excluida cuando ello pueda conllevar algún riesgo para la seguridad de la víctima o pueda ser causa de cualquier otro perjuicio.

VII

En el Título III se abordan cuestiones relativas a la protección y reconocimiento de las víctimas, así como las medidas de protección específicas para cierto tipo de víctimas.

Las medidas de protección buscan la efectividad frente a represalias, intimidación, victimización secundaria, daños psíquicos o agresiones a la dignidad durante los interrogatorios y declaraciones como testigo, e incluyen desde las medidas de protección física hasta otras, como el uso de salas separadas en los Tribunales, para evitar contacto de la víctima con el infractor y cualesquiera otras, bajo discrecionalidad judicial, que exijan las circunstancias.

Para evitar la victimización secundaria en particular, se trata de obtener la declaración de la víctima sin demora tras la denuncia, reducir el número de declaraciones y reconocimientos médicos al mínimo necesario, y garantizar a la víctima su derecho a hacerse acompañar, no ya solo del representante procesal, sino de otra persona de su elección, salvo resolución motivada.

La adopción de medidas y el acceso a ciertos servicios vienen precedidos de una evaluación individualizada de la víctima, para determinar sus necesidades de protección específica y de eventuales medidas especiales. Dichas medidas han de actualizarse con arreglo al transcurso del proceso y a las circunstancias sobrevenidas.

Las medidas de protección específica se adoptan atendiendo al carácter de la persona, al delito y sus circunstancias, a la entidad del daño y su gravedad o a la vulnerabilidad de la víctima. Así, junto a las remisiones a la vigente normativa especial en la materia, se incluyen aquellas medidas concretas de protección para colectivos que carecen de legislación especial y, particularmente, las de menores de edad víctimas de abuso, explotación o pornografía infantil, víctimas de trata de seres humanos, personas con discapacidad y otros colectivos, como los delitos con pluralidad de afectados y los de efecto catastrófico.

VIII

El Título IV, finalmente, recoge una serie de disposiciones comunes, como son las relativas a la organización y funcionamiento de las Oficinas de Asistencia a las Víctimas de delito, el fomento de la formación de operadores jurídicos y del personal al servicio de la Administración de Justicia en el trato a las víctimas, la sensibilización y concienciación mediante campañas de información, la investigación y educación en materia de apoyo, protección y solidaridad con las víctimas, la cooperación con la sociedad civil y en el ámbito internacional, así como el fomento de la autorregulación por los medios de comunicación del tratamiento de informaciones que afecten a la dignidad de las víctimas.

En este Título cabe destacar, asimismo, que se introducen distintas previsiones para reforzar la coordinación entre los distintos servicios que realizan funciones en materia de asistencia a las víctimas, así como la colaboración con redes públicas y privadas, en la línea de alcanzar una mayor eficacia en los servicios que se prestan a los ciudadanos, siguiendo así las directrices de la Comisión para la Reforma de las Administraciones Públicas (CORA).

Se regula por último la obligación de reembolso en el caso de las víctimas fraudulentas, condenadas por simulación de delito o denuncia falsa, que hayan ocasionado gastos a la Administración por su reconocimiento, información, protección y apoyo, así como por los servicios prestados, sin perjuicio de las demás responsabilidades, civiles o penales, que en su caso procedan.

IX

La Ley incorpora dos disposiciones adicionales. La disposición adicional primera, que prevé la creación y ulterior desarrollo reglamentario de un mecanismo de evaluación periódica global del sistema de apoyo y protección a las víctimas, con participación de los agentes y colectivos implicados, que sirva de base a futuras iniciativas y a la mejora paulatina del mismo; y la disposición adicional segunda relativa a los medios.

En cuanto a las disposiciones finales, destaca la disposición final primera, que modifica la vigente Ley de Enjuiciamiento Criminal. Estos ajustes en la norma procesal penal resultan necesarios para complementar la regulación sustantiva de derechos que se recoge en la presente Ley, que transpone la Directiva 2012/29/UE.

El resto de disposiciones finales se refieren a la introducción de una reforma muy puntual en el Código Penal, al título competencial, al desarrollo reglamentario, a la adaptación de los Estatutos Generales de la Abogacía y Procuraduría y a la entrada en vigor.

TÍTULO PRELIMINAR. DISPOSICIONES GENERALES

Artículo 1. Ámbito.

Las disposiciones de esta Ley serán aplicables, sin perjuicio de lo dispuesto en el artículo 17, a las víctimas de delitos cometidos en España o que puedan ser perseguidos en España, con independencia de su nacionalidad, de si son mayores o menores de edad o de si disfrutan o no de residencia legal.

Artículo 2. Ámbito subjetivo. Concepto general de víctima.

Las disposiciones de esta Ley serán aplicables:

a) Como víctima directa, a toda persona física que haya sufrido un daño o perjuicio sobre su propia persona o patrimonio, en especial lesiones físicas o psíquicas, daños emocionales o perjuicios económicos directamente causados por la comisión de un delito.

b) Como víctima indirecta, en los casos de muerte o desaparición de una persona que haya sido causada directamente por un delito, salvo que se tratare de los responsables de los hechos:

1.º A su cónyuge no separado legalmente o de hecho y a los hijos de la víctima o del cónyuge no separado legalmente o de hecho que en el momento de la muerte o desaparición de la víctima convivieran con ellos; a la persona que hasta el momento de la muerte o desaparición hubiera estado unida a ella por una análoga relación de afectividad y a los hijos de ésta que en el momento de la muerte o desaparición de la víctima convivieran con ella; a sus progenitores y parientes en línea recta o colateral dentro del tercer grado que se encontraren bajo su guarda y a las personas sujetas a su tutela o curatela o que se encontraren bajo su acogimiento familiar.

2.º En caso de no existir los anteriores, a los demás parientes en línea recta y a sus hermanos, con preferencia, entre ellos, del que ostentara la representación legal de la víctima.

Las disposiciones de esta Ley no serán aplicables a terceros que hubieran sufrido perjuicios derivados del delito.

Artículo 3. Derechos de las víctimas.

1. Toda víctima tiene derecho a la protección, información, apoyo, asistencia y atención, así como a la participación activa en el proceso penal y a recibir un trato respetuoso, profesional, individualizado y no discriminatorio desde su primer contacto con las autoridades o funcionarios, durante la actuación de los servicios de asistencia y apoyo a las víctimas y de justicia restaurativa, a lo largo de todo el proceso penal y por un período de tiempo adecuado después de su conclusión, con independencia de que se conozca o no la identidad del infractor y del resultado del proceso.

2. El ejercicio de estos derechos se regirá por lo dispuesto en la presente Ley y en las disposiciones reglamentarias que la desarrollen, así como por lo dispuesto en la legislación especial y en las normas procesales que resulten de aplicación.

TÍTULO I. DERECHOS BÁSICOS

Artículo 4. Derecho a entender y ser entendida.

Toda víctima tiene el derecho a entender y ser entendida en cualquier actuación que deba llevarse a cabo desde la interposición de una denuncia y durante el proceso penal, incluida la información previa a la interposición de una denuncia.

A tal fin:

a) Todas las comunicaciones con las víctimas, orales o escritas, se harán en un lenguaje claro, sencillo y accesible, de un modo que tenga en cuenta sus características personales y, especialmente, las necesidades de las personas con discapacidad sensorial, intelectual o mental o su minoría de edad. Si la víctima fuera menor o tuviera la capacidad judicialmente modificada, las comunicaciones se harán a su representante o a la persona que le asista.

b) Se facilitará a la víctima, desde su primer contacto con las autoridades o con las Oficinas de Asistencia a las Víctimas, la asistencia o apoyos necesarios para que pueda hacerse entender ante ellas, lo que incluirá la interpretación en las lenguas de signos reconocidas legalmente y los medios de apoyo a la comunicación oral de personas sordas, con discapacidad auditiva y sordociegas.

c) La víctima podrá estar acompañada de una persona de su elección desde el primer contacto con las autoridades y funcionarios.

Artículo 5. Derecho a la información desde el primer contacto con las autoridades competentes.

1. Toda víctima tiene derecho, desde el primer contacto con las autoridades y funcionarios, incluyendo el momento previo a la presentación de la denuncia, a recibir, sin retrasos innecesarios, información adaptada a sus circunstancias y condiciones personales y a la naturaleza del delito cometido y de los daños y perjuicios sufridos, sobre los siguientes extremos:

a) Medidas de asistencia y apoyo disponibles, sean médicas, psicológicas o materiales, y procedimiento para obtenerlas. Dentro de estas últimas se incluirá, cuando resulte oportuno, información sobre las posibilidades de obtener un alojamiento alternativo.

b) Derecho a denunciar y, en su caso, el procedimiento para interponer la denuncia y derecho a facilitar elementos de prueba a las autoridades encargadas de la investigación.

c) Procedimiento para obtener asesoramiento y defensa jurídica y, en su caso, condiciones en las que pueda obtenerse gratuitamente.

d) Posibilidad de solicitar medidas de protección y, en su caso, procedimiento para hacerlo.

e) Indemnizaciones a las que pueda tener derecho y, en su caso, procedimiento para reclamarlas.

f) Servicios de interpretación y traducción disponibles.

g) Ayudas y servicios auxiliares para la comunicación disponibles.

h) Procedimiento por medio del cual la víctima pueda ejercer sus derechos en el caso de que resida fuera de España.

i) Recursos que puede interponer contra las resoluciones que considere contrarias a sus derechos.

j) Datos de contacto de la autoridad encargada de la tramitación del procedimiento y cauces para comunicarse con ella.

k) Servicios de justicia restaurativa disponibles, en los casos en que sea legalmente posible.

l) Supuestos en los que pueda obtener el reembolso de los gastos judiciales y, en su caso, procedimiento para reclamarlo.

m) Derecho a efectuar una solicitud para ser notificada de las resoluciones a las que se refiere el artículo 7. A estos efectos, la víctima designará en su solicitud una dirección de correo electrónico y, en su defecto, una dirección postal o domicilio, al que serán remitidas las comunicaciones y notificaciones por la autoridad.

2. Esta información será actualizada en cada fase del procedimiento, para garantizar a la víctima la posibilidad de ejercer sus derechos.

Artículo 6. Derechos de la víctima como denunciante.

Toda víctima tiene, en el momento de presentar su denuncia, los siguientes derechos:

a) A obtener una copia de la denuncia, debidamente certificada.

b) A la asistencia lingüística gratuita y a la traducción escrita de la copia de la denuncia presentada, cuando no entienda o no hable ninguna de las lenguas que tengan carácter oficial en el lugar en el que se presenta la denuncia.

Artículo 7. Derecho a recibir información sobre la causa penal.

1. Toda víctima que haya realizado la solicitud a la que se refiere el apartado m) del artículo 5.1, será informada sin retrasos innecesarios de la fecha, hora y lugar del juicio, así como del contenido de la acusación dirigida contra el infractor, y se le notificarán las siguientes resoluciones:

a) La resolución por la que se acuerde no iniciar el procedimiento penal.

b) La sentencia que ponga fin al procedimiento.

c) Las resoluciones que acuerden la prisión o la posterior puesta en libertad del infractor, así como la posible fuga del mismo.

d) Las resoluciones que acuerden la adopción de medidas cautelares personales o que modifiquen las ya acordadas, cuando hubieran tenido por objeto garantizar la seguridad de la víctima.

e) Las resoluciones o decisiones de cualquier autoridad judicial o penitenciaria que afecten a sujetos condenados por delitos cometidos con violencia o intimidación y que supongan un riesgo para la seguridad de la víctima. En estos casos y a estos efectos, la Administración penitenciaria comunicará inmediatamente a la autoridad judicial la resolución adoptada para su notificación a la víctima afectada.

f) Las resoluciones a que se refiere el artículo 13.

Estas comunicaciones incluirán, al menos, la parte dispositiva de la resolución y un breve resumen del fundamento de la misma, y serán remitidas a su dirección de correo electrónico. Excepcionalmente, si la víctima no dispusiera de una dirección de correo electrónico, se remitirán por correo ordinario a la dirección que hubiera facilitado. En el caso de ciudadanos residentes fuera de la Unión Europea, si no se dispusiera de una dirección de correo electrónico o postal en la que realizar la comunicación, se remitirá a la oficina diplomática o consular española en el país de residencia para que la publique.

Si la víctima se hubiera personado formalmente en el procedimiento, las resoluciones serán notificadas a su procurador y serán comunicadas a la víctima en la dirección de correo electrónico que haya facilitado, sin perjuicio de lo dispuesto en el apartado siguiente.

2. Las víctimas podrán manifestar en cualquier momento su deseo de no ser informadas de las resoluciones a las que se refiere este artículo, quedando sin efecto la solicitud realizada.

3. Cuando se trate de víctimas de delitos de violencia de género, les serán notificadas las resoluciones a las que se refieren las letras c) y d) del apartado 1, sin necesidad de que la víctima lo solicite, salvo en aquellos casos en los que manifieste su deseo de no recibir dichas notificaciones.

4. Asimismo, se le facilitará, cuando lo solicite, información relativa a la situación en que se encuentra el procedimiento, salvo que ello pudiera perjudicar el correcto desarrollo de la causa.

Artículo 8. Período de reflexión en garantía de los derechos de la víctima.

1. Los Abogados y Procuradores no podrán dirigirse a las víctimas directas o indirectas de catástrofes, calamidades públicas u otros sucesos que hubieran

producido un número elevado de víctimas que cumplan los requisitos que se determinen reglamentariamente y que puedan constituir delito, para ofrecerles sus servicios profesionales hasta transcurridos 45 días desde el hecho.

Esta prohibición quedará sin efecto en el caso de que la prestación de estos servicios profesionales haya sido solicitada expresamente por la víctima.

2. El incumplimiento de esta prohibición dará lugar a responsabilidad disciplinaria por infracción muy grave, sin perjuicio de las demás responsabilidades que procedan.

Artículo 9. Derecho a la traducción e interpretación.

1. Toda víctima que no hable o no entienda el castellano o la lengua oficial que se utilice en la actuación de que se trate tendrá derecho:

a) A ser asistida gratuitamente por un intérprete que hable una lengua que comprenda cuando se le reciba declaración en la fase de investigación por el Juez, el Fiscal o funcionarios de policía, o cuando intervenga como testigo en el juicio o en cualquier otra vista oral.

Este derecho será también aplicable a las personas con limitaciones auditivas o de expresión oral.

b) A la traducción gratuita de las resoluciones a las que se refieren el apartado 1 del artículo 7 y el artículo 12. La traducción incluirá un breve resumen del fundamento de la resolución adoptada, cuando la víctima así lo haya solicitado.

c) A la traducción gratuita de aquella información que resulte esencial para el ejercicio de los derechos a que se refiere el Título II. Las víctimas podrán presentar una solicitud motivada para que se considere esencial un documento.

d) A ser informada, en una lengua que comprenda, de la fecha, hora y lugar de celebración del juicio.

2. La asistencia de intérprete se podrá prestar por medio de videoconferencia o cualquier medio de telecomunicación, salvo que el Juez o Tribunal, de oficio o a instancia de parte, acuerde la presencia física del intérprete para salvaguardar los derechos de la víctima.

3. Excepcionalmente, la traducción escrita de documentos podrá ser sustituida por un resumen oral de su contenido en una lengua que comprenda, cuando de este modo también se garantice suficientemente la equidad del proceso.

4. Cuando se trate de actuaciones policiales, la decisión de no facilitar interpretación o traducción a la víctima podrá ser recurrida ante el Juez de instrucción. Este recurso se entenderá interpuesto cuando la persona afectada por la decisión hubiera expresado su disconformidad en el momento de la denegación.

5. La decisión judicial de no facilitar interpretación o traducción a la víctima podrá ser recurrida en apelación.

Artículo 10. Derecho de acceso a los servicios de asistencia y apoyo.

Toda víctima tiene derecho a acceder, de forma gratuita y confidencial, en los términos que reglamentariamente se determine, a los servicios de asistencia y apoyo facilitados por las Administraciones públicas, así como a los que presten las Oficinas de Asistencia a las Víctimas. Este derecho podrá extenderse a los familiares de la víctima, en los términos que asimismo se establezcan reglamentariamente, cuando se trate de delitos que hayan causado perjuicios de especial gravedad.

Las autoridades o funcionarios que entren en contacto con las víctimas deberán derivarlas a las Oficinas de Asistencia a las Víctimas cuando resulte necesario en atención a la gravedad del delito o en aquellos casos en los que la víctima lo solicite.

Los hijos menores y los menores sujetos a tutela, guarda y custodia de las mujeres víctimas de violencia de género o de personas víctimas de violencia doméstica tendrán derecho a las medidas de asistencia y protección previstas en los Títulos I y III de esta Ley.

TÍTULO II. PARTICIPACIÓN DE LA VÍCTIMA EN EL PROCESO PENAL

Artículo 11. Participación activa en el proceso penal.

Toda víctima tiene derecho:

a) A ejercer la acción penal y la acción civil conforme a lo dispuesto en la Ley de Enjuiciamiento Criminal, sin perjuicio de las excepciones que puedan existir.

b) A comparecer ante las autoridades encargadas de la investigación para aportarles las fuentes de prueba y la información que estime relevante para el esclarecimiento de los hechos.

Artículo 12. Comunicación y revisión del sobreseimiento de la investigación a instancia de la víctima.

1. La resolución de sobreseimiento será comunicada, de conformidad con lo dispuesto en la Ley de Enjuiciamiento Criminal, a las víctimas directas del delito que hubieran denunciado los hechos, así como al resto de víctimas directas de cuya identidad y domicilio se tuviera conocimiento.

En los casos de muerte o desaparición de una persona que haya sido causada directamente por un delito, se comunicará, conforme a lo dispuesto en la Ley de Enjuiciamiento Criminal, a las personas a que se refiere el apartado b) del artículo 2. En estos supuestos, el Juez o Tribunal podrá acordar, motivadamente, prescindir de la comunicación a todos los familiares cuando ya se haya dirigido con éxito a varios de ellos o cuando hayan resultado infructuosas cuantas gestiones se hubieren practicado para su localización.

2. La víctima podrá recurrir la resolución de sobreseimiento conforme a lo dispuesto en la Ley de Enjuiciamiento Criminal, sin que sea necesario para ello que se haya personado anteriormente en el proceso.

Artículo 13. Participación de la víctima en la ejecución.

1. Las víctimas que hubieran solicitado, conforme a la letra m) del artículo 5.1, que les sean notificadas las resoluciones siguientes, podrán recurrirlas de acuerdo con lo establecido en la Ley de Enjuiciamiento Criminal, aunque no se hubieran mostrado parte en la causa:

a) El auto por el que el Juez de Vigilancia Penitenciaria autoriza, conforme a lo previsto en el párrafo tercero del artículo 36.2 del Código Penal, la posible clasificación del penado en tercer grado antes de que se extinga la mitad de la condena, cuando la víctima lo fuera de alguno de los siguientes delitos:

1.º Delitos de homicidio.

2.º Delitos de aborto del artículo 144 del Código Penal.

3.º Delitos de lesiones.

4.º Delitos contra la libertad.

5.º Delitos de tortura y contra la integridad moral.

6.º Delitos contra la libertad e indemnidad sexual.

7.º Delitos de robo cometidos con violencia o intimidación.

8.º Delitos de terrorismo.

9.º Delitos de trata de seres humanos.

b) El auto por el que el Juez de Vigilancia Penitenciaria acuerde, conforme a lo previsto en el artículo 78.3 del Código Penal, que los beneficios penitenciarios, los permisos de salida, la clasificación en tercer grado y el cómputo de tiempo para la libertad condicional se refieran al límite de cumplimiento de condena, y no a la suma de las penas impuestas, cuando la víctima lo fuera de alguno de los delitos a que se refiere la letra a) de este apartado o de un delito cometido en el seno de un grupo u organización criminal.

c) El auto por el que se conceda al penado la libertad condicional, cuando se trate de alguno de los delitos a que se refiere el párrafo segundo del artículo 36.2 del Código Penal o de alguno de los delitos a que se refiere la letra a) de este apartado, siempre que se hubiera impuesto una pena de más de cinco años de prisión.

La víctima deberá anunciar al Secretario judicial competente su voluntad de recurrir dentro del plazo máximo de cinco días contados a partir del momento en que se hubiera notificado conforme a lo dispuesto en los párrafos segundo y tercero del artículo 7.1, e interponer el recurso dentro del plazo de quince días desde dicha notificación.

Para el anuncio de la presentación del recurso no será necesaria la asistencia de abogado.

2. Las víctimas estarán también legitimadas para:

a) Interesar que se impongan al liberado condicional las medidas o reglas de conducta previstas por la ley que consideren necesarias para garantizar su seguridad, cuando aquél hubiera sido condenado por hechos de los que pueda derivarse razonablemente una situación de peligro para la víctima;

b) Facilitar al Juez o Tribunal cualquier información que resulte relevante para resolver sobre la ejecución de la pena impuesta, las responsabilidades civiles derivadas del delito o el comiso que hubiera sido acordado.

3. Antes de que el Juez de Vigilancia Penitenciaria tenga que dictar alguna de las resoluciones indicadas en el apartado 1 de este artículo, dará traslado a la víctima para que en el plazo de cinco días formule sus alegaciones, siempre que ésta hubiese efectuado la solicitud a que se refiere la letra m) del apartado 1 del artículo 5 de esta Ley.

Artículo 14. Reembolso de gastos.

La víctima que haya participado en el proceso tendrá derecho a obtener el reembolso de los gastos necesarios para el ejercicio de sus derechos y las costas procesales que se le hubieren causado con preferencia respecto del pago de los gastos que se hubieran causado al Estado, cuando se imponga en la sentencia de condena su pago y se hubiera condenado al acusado, a instancia de la víctima, por delitos por los que el Ministerio Fiscal no hubiera formulado acusación o tras haberse revocado la resolución de archivo por recurso interpuesto por la víctima.

Artículo 15. Servicios de justicia restaurativa.

1. Las víctimas podrán acceder a servicios de justicia restaurativa, en los términos que reglamentariamente se determinen, con la finalidad de obtener una adecuada reparación material y moral de los perjuicios derivados del delito, cuando se cumplan los siguientes requisitos:

a) el infractor haya reconocido los hechos esenciales de los que deriva su responsabilidad;

b) la víctima haya prestado su consentimiento, después de haber recibido información exhaustiva e imparcial sobre su contenido, sus posibles resultados y los procedimientos existentes para hacer efectivo su cumplimiento;

c) el infractor haya prestado su consentimiento;

d) el procedimiento de mediación no entrañe un riesgo para la seguridad de la víctima, ni exista el peligro de que su desarrollo pueda causar nuevos perjuicios materiales o morales para la víctima; y

e) no esté prohibida por la ley para el delito cometido.

2. Los debates desarrollados dentro del procedimiento de mediación serán confidenciales y no podrán ser difundidos sin el consentimiento de ambas partes. Los mediadores y otros profesionales que participen en el procedimiento de mediación, estarán sujetos a secreto profesional con relación a los hechos y manifestaciones de que hubieran tenido conocimiento en el ejercicio de su función.

3. La víctima y el infractor podrán revocar su consentimiento para participar en el procedimiento de mediación en cualquier momento.

Artículo 16. Justicia gratuita.

Las víctimas podrán presentar sus solicitudes de reconocimiento del derecho a la asistencia jurídica gratuita ante el funcionario o autoridad que les facilite la información a la que se refiere la letra c) del artículo 5.1, que la trasladará, junto con la documentación aportada, al Colegio de Abogados correspondiente.

La solicitud también podrá ser presentada ante las Oficinas de Asistencia a las Víctimas de la Administración de Justicia, que la remitirán al Colegio de Abogados que corresponda.

Artículo 17. Víctimas de delitos cometidos en otros Estados miembros de la Unión Europea.

Las víctimas residentes en España podrán presentar ante las autoridades españolas denuncias correspondientes a hechos delictivos que hubieran sido cometidos en el territorio de otros países de la Unión Europea.

En el caso de que las autoridades españolas resuelvan no dar curso a la investigación por falta de jurisdicción, remitirán inmediatamente la denuncia presentada a las autoridades competentes del Estado en cuyo territorio se hubieran cometido los hechos y se lo comunicarán al denunciante por el procedimiento que hubiera designado conforme a lo previsto en la letra m) del artículo 5.1 de la presente Ley.

Artículo 18. Devolución de bienes.

Las víctimas tendrán derecho a obtener, de conformidad con lo dispuesto en la Ley de Enjuiciamiento Criminal, la devolución sin demora de los bienes restituibles de su propiedad que hubieran sido incautados en el proceso.

La devolución podrá ser denegada cuando la conservación de los efectos por la autoridad resulte imprescindible para el correcto desarrollo del proceso penal y no sea suficiente con la imposición al propietario de una obligación de conservación de los efectos a disposición del Juez o Tribunal.

Asimismo, la devolución de dichos efectos podrá denegarse, conforme a lo previsto en la legislación que sea de aplicación, cuando su conservación sea necesaria en un procedimiento de investigación técnica de un accidente.

TÍTULO III. PROTECCIÓN DE LAS VÍCTIMAS

Artículo 19. Derecho de las víctimas a la protección.

Las autoridades y funcionarios encargados de la investigación, persecución y enjuiciamiento de los delitos adoptarán las medidas necesarias, de acuerdo con lo establecido en la Ley de Enjuiciamiento Criminal, para garantizar la vida de la víctima y de sus familiares, su integridad física y psíquica, libertad, seguridad, libertad e indemnidad sexuales, así como para proteger adecuadamente su intimidad y su dignidad, particularmente cuando se les reciba declaración o deban testificar en juicio, y para evitar el riesgo de su victimización secundaria o reiterada.

En el caso de las víctimas menores de edad, la Fiscalía velará especialmente por el cumplimiento de este derecho de protección, adoptando las medidas adecuadas a su interés superior cuando resulte necesario para impedir o reducir los perjuicios que para ellos puedan derivar del desarrollo del proceso.

Artículo 20. Derecho a que se evite el contacto entre víctima e infractor.

Las dependencias en las que se desarrollen los actos del procedimiento penal, incluida la fase de investigación, estarán dispuestas de modo que se evite el contacto directo entre las víctimas y sus familiares, de una parte, y el sospechoso de la infracción o acusado, de otra, con arreglo a la Ley de Enjuiciamiento Criminal y sin perjuicio de lo dispuesto en los artículos siguientes.

Artículo 21. Protección de la víctima durante la investigación penal.

Las autoridades y funcionarios encargados de la investigación penal velarán por que, en la medida que ello no perjudique la eficacia del proceso:

a) Se reciba declaración a las víctimas, cuando resulte necesario, sin dilaciones injustificadas.

b) Se reciba declaración a las víctimas el menor número de veces posible, y únicamente cuando resulte estrictamente necesario para los fines de la investigación penal.

c) Las víctimas puedan estar acompañadas, además de por su representante procesal y en su caso el representante legal, por una persona de su elección, durante la práctica de aquellas diligencias en las que deban intervenir, salvo que motivadamente se resuelva lo contrario por el funcionario o autoridad encargado de la práctica de la diligencia para garantizar el correcto desarrollo de la misma.

d) Los reconocimientos médicos de las víctimas solamente se lleven a cabo cuando resulten imprescindibles para los fines del proceso penal, y se reduzca al mínimo el número de los mismos.

Artículo 22. Derecho a la protección de la intimidad.

Los Jueces, Tribunales, Fiscales y las demás autoridades y funcionarios encargados de la investigación penal, así como todos aquellos que de cualquier modo intervengan o participen en el proceso, adoptarán, de acuerdo con lo dispuesto en la Ley, las medidas necesarias para proteger la intimidad de todas las víctimas y de sus familiares y, en particular, para impedir la difusión de cualquier información que pueda facilitar la identificación de las víctimas menores de edad o de víctimas con discapacidad necesitadas de especial protección.

Artículo 23. Evaluación individual de las víctimas a fin de determinar sus necesidades especiales de protección.

1. La determinación de qué medidas de protección, reguladas en los artículos siguientes, deben ser adoptadas para evitar a la víctima perjuicios relevantes que, de otro modo, pudieran derivar del proceso, se realizará tras una valoración de sus circunstancias particulares.

2. Esta valoración tendrá especialmente en consideración:

a) Las características personales de la víctima y en particular:

1.º Si se trata de una persona con discapacidad o si existe una relación de dependencia entre la víctima y el supuesto autor del delito.

2.º Si se trata de víctimas menores de edad o de víctimas necesitadas de especial protección o en las que concurran factores de especial vulnerabilidad.

b) La naturaleza del delito y la gravedad de los perjuicios causados a la víctima, así como el riesgo de reiteración del delito. A estos efectos, se valorarán especialmente las necesidades de protección de las víctimas de los siguientes delitos:

1.º Delitos de terrorismo.

2.º Delitos cometidos por una organización criminal.

3.º Delitos cometidos sobre el cónyuge o sobre persona que esté o haya estado ligada al autor por una análoga relación de afectividad, aun sin convivencia, o sobre los descendientes, ascendientes o hermanos por naturaleza, adopción o afinidad, propios o del cónyuge o conviviente.

4.º Delitos contra la libertad o indemnidad sexual.

5.º Delitos de trata de seres humanos.

6.º Delitos de desaparición forzada.

7.º Delitos cometidos por motivos racistas, antisemitas u otros referentes a la ideología, religión o creencias, situación familiar, la pertenencia de sus miembros a una etnia, raza o nación, su origen nacional, su sexo, orientación o identidad sexual, enfermedad o discapacidad.

c) Las circunstancias del delito, en particular si se trata de delitos violentos.

3. A lo largo del proceso penal, la adopción de medidas de protección para víctimas menores de edad tendrá en cuenta su situación personal, necesidades inmediatas, edad, género, discapacidad y nivel de madurez, y respetará plenamente su integridad física, mental y moral.

4. En el caso de menores de edad víctimas de algún delito contra la libertad o indemnidad sexual, se aplicarán en todo caso las medidas expresadas en las letras a), b) y c) del artículo 25.1.

Artículo 24. Competencia y procedimiento de evaluación.

1. La valoración de las necesidades de la víctima y la determinación de las medidas de protección corresponden:

a) Durante la fase de investigación del delito, al Juez de Instrucción o al de Violencia sobre la Mujer, sin perjuicio de la evaluación y resolución provisionales que deberán realizar y adoptar el Fiscal, en sus diligencias de investigación o en los procedimientos sometidos a la Ley Orgánica de Responsabilidad Penal de los Menores, o los funcionarios de policía que actúen en la fase inicial de las investigaciones.

b) Durante la fase de enjuiciamiento, al Juez o Tribunal a los que correspondiera el conocimiento de la causa.

La resolución que se adopte deberá ser motivada y reflejará cuáles son las circunstancias que han sido valoradas para su adopción.

Se determinará reglamentariamente la tramitación, la constancia documental y la gestión de la valoración y sus modificaciones.

2. La valoración de las necesidades de protección de la víctima incluirá siempre la de aquéllas que hayan sido manifestadas por ella con esa finalidad, así como la voluntad que hubiera expresado.

La víctima podrá renunciar a las medidas de protección que hubieran sido acordadas de conformidad con los artículos 25 y 26.

3. En el caso de las víctimas que sean menores de edad o personas con discapacidad necesitadas de especial protección, su evaluación tomará en consideración sus opiniones e intereses.

4. Los servicios de asistencia a la víctima solamente podrán facilitar a terceros la información que hubieran recibido de la víctima con el consentimiento previo e informado de la misma. Fuera de esos casos, la información solamente

podrá ser trasladada, en su caso, y con carácter reservado, a la autoridad que adopta la medida de protección.

5. Cualquier modificación relevante de las circunstancias en que se hubiera basado la evaluación individual de las necesidades de protección de la víctima, determinará una actualización de la misma y, en su caso, la modificación de las medidas de protección que hubieran sido acordadas.

Artículo 25. Medidas de protección.

1. Durante la fase de investigación podrán ser adoptadas las siguientes medidas para la protección de las víctimas:

a) Que se les reciba declaración en dependencias especialmente concebidas o adaptadas a tal fin.

b) Que se les reciba declaración por profesionales que hayan recibido una formación especial para reducir o limitar perjuicios a la víctima, o con su ayuda.

c) Que todas las tomas de declaración a una misma víctima le sean realizadas por la misma persona, salvo que ello pueda perjudicar de forma relevante el desarrollo del proceso o deba tomarse la declaración directamente por un Juez o un Fiscal.

d) Que la toma de declaración, cuando se trate de alguna de las víctimas a las que se refieren los números 3.º y 4.º de la letra b) del apartado 2 del artículo 23 y las víctimas de trata con fines de explotación sexual, se lleve a cabo por una persona del mismo sexo que la víctima cuando ésta así lo solicite, salvo que ello pueda perjudicar de forma relevante el desarrollo del proceso o deba tomarse la declaración directamente por un Juez o Fiscal.

2. Durante la fase de enjuiciamiento podrán ser adoptadas, conforme a lo dispuesto en la Ley de Enjuiciamiento Criminal, las siguientes medidas para la protección de las víctimas:

a) Medidas que eviten el contacto visual entre la víctima y el supuesto autor de los hechos, incluso durante la práctica de la prueba, para lo cual podrá hacerse uso de tecnologías de la comunicación.

b) Medidas para garantizar que la víctima pueda ser oída sin estar presente en la sala de vistas, mediante la utilización de tecnologías de la comunicación adecuadas.

c) Medidas para evitar que se formulen preguntas relativas a la vida privada de la víctima que no tengan relevancia con el hecho delictivo enjuiciado, salvo que el Juez o Tribunal consideren excepcionalmente que deben ser contestadas para valorar adecuadamente los hechos o la credibilidad de la declaración de la víctima.

d) Celebración de la vista oral sin presencia de público. En estos casos, el Juez o el Presidente del Tribunal podrán autorizar, sin embargo, la presencia de personas que acrediten un especial interés en la causa.

Las medidas a las que se refieren las letras a) y c) también podrán ser adoptadas durante la fase de investigación.

3. Asimismo, también podrá acordarse, para la protección de las víctimas, la adopción de alguna o algunas de las medidas de protección a que se refiere el artículo 2 de la Ley Orgánica 19/1994, de 23 de diciembre, de protección a testigos y peritos en causas criminales.

Artículo 26. Medidas de protección para menores y personas con discapacidad necesitadas de especial protección.

1. En el caso de las víctimas menores de edad y en el de víctimas con discapacidad necesitadas de especial protección, además de las medidas previstas en el artículo anterior se adoptarán, de acuerdo con lo dispuesto en la Ley de Enjuiciamiento Criminal, las medidas que resulten necesarias para evitar o limitar, en la medida de lo posible, que el desarrollo de la investigación o la celebración del juicio se conviertan en una nueva fuente de perjuicios para la víctima del delito. En particular, serán aplicables las siguientes:

a) Las declaraciones recibidas durante la fase de investigación serán grabadas por medios audiovisuales y podrán ser reproducidas en el juicio en los casos y condiciones determinadas por la Ley de Enjuiciamiento Criminal.

b) La declaración podrá recibirse por medio de expertos.

2. El Fiscal recabará del Juez o Tribunal la designación de un defensor judicial de la víctima, para que la represente en la investigación y en el proceso penal, en los siguientes casos:

a) Cuando valore que los representantes legales de la víctima menor de edad o con capacidad judicialmente modificada tienen con ella un conflicto de intereses, derivado o no del hecho investigado, que no permite confiar en una gestión adecuada de sus intereses en la investigación o en el proceso penal.

b) Cuando el conflicto de intereses a que se refiere la letra a) de este apartado exista con uno de los progenitores y el otro no se encuentre en condiciones de ejercer adecuadamente sus funciones de representación y asistencia de la víctima menor o con capacidad judicialmente modificada.

c) Cuando la víctima menor de edad o con capacidad judicialmente modificada no esté acompañada o se encuentre separada de quienes ejerzan la patria potestad o cargos tutelares.

3. Cuando existan dudas sobre la edad de la víctima y no pueda ser determinada con certeza, se presumirá que se trata de una persona menor de edad, a los efectos de lo dispuesto en esta Ley.

TÍTULO IV. DISPOSICIONES COMUNES

CAPÍTULO I. OFICINAS DE ASISTENCIA A LAS VÍCTIMAS

Artículo 27. Organización de las Oficinas de Asistencia a las Víctimas.

1. El Gobierno y las Comunidades Autónomas que hayan asumido competencias en materia de Justicia organizarán, en el ámbito que les es propio, Oficinas de Asistencia a las Víctimas.

2. El Ministerio de Justicia o las Comunidades Autónomas podrán celebrar convenios de colaboración con entidades públicas y privadas, sin ánimo de lucro, para prestar los servicios de asistencia y apoyo a que se refiere este Título.

Artículo 28. Funciones de las Oficinas de Asistencia a las Víctimas.

1. Las Oficinas de Asistencia a las Víctimas prestarán una asistencia que incluirá como mínimo:

a) Información general sobre sus derechos y, en particular, sobre la posibilidad de acceder a un sistema público de indemnización.

b) Información sobre los servicios especializados disponibles que puedan prestar asistencia a la víctima, a la vista de sus circunstancias personales y la naturaleza del delito de que pueda haber sido objeto.

c) Apoyo emocional a la víctima.

d) Asesoramiento sobre los derechos económicos relacionados con el proceso, en particular, el procedimiento para reclamar la indemnización de los daños y perjuicios sufridos y el derecho a acceder a la justicia gratuita.

e) Asesoramiento sobre el riesgo y la forma de prevenir la victimización secundaria o reiterada, o la intimidación o represalias.

f) Coordinación de los diferentes órganos, instituciones y entidades competentes para la prestación de servicios de apoyo a la víctima.

g) Coordinación con Jueces, Tribunales y Ministerio Fiscal para la prestación de los servicios de apoyo a las víctimas.

2. Las Oficinas de Asistencia a las Víctimas realizarán una valoración de sus circunstancias particulares, especialmente en lo relativo a las circunstancias a las que se refiere el apartado 2 del artículo 23, con la finalidad de determinar qué medidas de asistencia y apoyo deben ser prestadas a la víctima, entre las que se podrán incluir:

a) La prestación de apoyo o asistencia psicológica.

b) El acompañamiento a juicio.

c) La información sobre los recursos psicosociales y asistenciales disponibles y, si la víctima lo solicita, derivación a los mismos.

d) Las medidas especiales de apoyo que puedan resultar necesarias cuando se trate de una víctima con necesidades especiales de protección.

e) La derivación a servicios de apoyo especializados.

3. El acceso a los servicios de apoyo a las víctimas no se condicionará a la presentación previa de una denuncia.

4. Los familiares de la víctima podrán acceder a los servicios de apoyo a las víctimas conforme a lo que se disponga reglamentariamente, cuando se trate de delitos que hayan causado perjuicios de especial gravedad.

5. Las víctimas con discapacidad o con necesidades especiales de protección, así como en su caso sus familias, recibirán, directamente o mediante su derivación hacia servicios especializados, la asistencia y apoyo que resulten necesarios.

Artículo 29. Funciones de apoyo a actuaciones de justicia restaurativa y de solución extraprocesal.

Las Oficinas de Asistencia a las Víctimas prestarán, en los términos que reglamentariamente se determine, apoyo a los servicios de justicia restaurativa y demás procedimientos de solución extraprocesal que legalmente se establezcan.

CAPÍTULO II. FORMACIÓN

Artículo 30. Formación en los principios de protección de las víctimas.

1. El Ministerio de Justicia, el Consejo General del Poder Judicial, la Fiscalía General del Estado y las Comunidades Autónomas, en el ámbito de sus res-

pectivas competencias, asegurarán una formación general y específica, relativa a la protección de las víctimas en el proceso penal, en los cursos de formación de Jueces y Magistrados, Fiscales, Secretarios judiciales, Fuerzas y Cuerpos de Seguridad, médicos forenses, personal al servicio de la Administración de Justicia, personal de las Oficinas de Asistencia a las Víctimas y, en su caso, funcionarios de la Administración General del Estado o de las Comunidades Autónomas que desempeñen funciones en esta materia.

En estos cursos de formación se prestará particular atención a las víctimas necesitadas de especial protección, a aquellas en las que concurran factores de especial vulnerabilidad y a las víctimas menores o con discapacidad.

2. Los Colegios de Abogados y de Procuradores impulsarán la formación y sensibilización de sus colegiados en los principios de protección de las víctimas contenidos en esta Ley.

Artículo 31. Protocolos de actuación.

El Gobierno y las Comunidades Autónomas en el marco de sus competencias, con el fin de hacer más efectiva la protección de las víctimas y de sus derechos reconocidos por esta Ley, aprobarán los Protocolos que resulten necesarios para la protección de las víctimas.

Asimismo, los Colegios profesionales que integren a aquellos que, en su actividad profesional, se relacionan y prestan servicios a las víctimas de delitos, promoverán igualmente la elaboración de Protocolos de actuación que orienten su actividad hacia la protección de las víctimas.

CAPÍTULO III. COOPERACIÓN Y BUENAS PRÁCTICAS

Artículo 32. Cooperación con profesionales y evaluación de la atención a las víctimas.

Los poderes públicos fomentarán la cooperación con los colectivos profesionales especializados en el trato, atención y protección a las víctimas.

Se fomentará la participación de estos colectivos en los sistemas de evaluación del funcionamiento de las normas, medidas y demás instrumentos que se adopten para la protección y asistencia a las víctimas.

Artículo 33. Cooperación internacional.

Los poderes públicos promoverán la cooperación con otros Estados y especialmente con los Estados miembros de la Unión Europea en materia de derechos de las víctimas de delito, en particular mediante el intercambio de experiencias, fomento de información, remisión de información para facilitar la asistencia a las víctimas concretas por las autoridades de su lugar de residencia, concienciación, investigación y educación, cooperación con la sociedad civil, asistencia a redes sobre derecho de las víctimas y otras actividades relacionadas.

Artículo 34. Sensibilización.

Los poderes públicos fomentarán campañas de sensibilización social en favor de las víctimas, así como la autorregulación de los medios de comunicación social de titularidad pública y privada en orden a preservar la intimidad, la dignidad y los demás derechos de las víctimas. Estos derechos deberán ser respetados por los medios de comunicación social.

CAPÍTULO IV. OBLIGACIÓN DE REEMBOLSO

Artículo 35. Obligación de reembolso.

1. La persona que se hubiera beneficiado de subvenciones o ayudas percibidas por su condición de víctima y que hubiera sido objeto de alguna de las medidas de protección reguladas en esta Ley, vendrá obligada a reembolsar las cantidades recibidas en dicho concepto y al abono de los gastos causados a la Administración por sus actuaciones de reconocimiento, información, protección y apoyo, así como por los servicios prestados con un incremento del interés legal del dinero aumentado en un cincuenta por ciento, si fuera condenada por denuncia falsa o simulación de delito.

2. El procedimiento de liquidación de la anterior obligación de reembolso y la determinación de las cuantías que puedan corresponder a cada concepto se determinarán reglamentariamente.

3. Esta disposición se aplicará sin perjuicio de lo previsto en la Ley de Asistencia Jurídica Gratuita.

Disposición adicional primera. Evaluación periódica del sistema de atención a las víctimas del delito en España.

El funcionamiento de las instituciones, mecanismos y garantías de asistencia a las víctimas del delito será objeto de una evaluación anual, que se llevará a cabo por el Ministerio de Justicia conforme al procedimiento que se determine reglamentariamente.

Estas evaluaciones, cuyos resultados serán publicados en la página web, orientarán la mejora del sistema de protección y la adopción de nuevas medidas para garantizar su eficacia.

El Gobierno remitirá a las Cortes Generales un informe anual con la evaluación y las propuestas de mejora del sistema de protección de las víctimas y de las medidas que garanticen su eficacia.

Disposición adicional segunda. Medios.

Las medidas incluidas en esta Ley no podrán suponer incremento de dotaciones de personal, ni de retribuciones ni de otros gastos de personal.

Disposición transitoria única. Aplicación temporal.

Las disposiciones contenidas en esta Ley serán aplicables a las víctimas de delitos a partir de la fecha de su entrada en vigor, sin que ello suponga una retroacción de los trámites que ya se hubieran cumplido.

Disposición derogatoria única. Derogación normativa.

Quedan derogadas todas las normas de rango igual o inferior en cuanto contradigan lo dispuesto en la presente Ley.

Disposición final primera. Modificación de la Ley de Enjuiciamiento Criminal a efectos de la transposición de algunas de las disposiciones contenidas en la Directiva 2012/29/UE del Parlamento Europeo y del Consejo, de 25 de octubre de 2012, por la que se establecen normas mínimas sobre los derechos, el apoyo y la protección de las víctimas de delitos.

La Ley de Enjuiciamiento Criminal queda modificada como sigue:

Uno. Se modifica el artículo 109, que queda redactado como sigue:

«Artículo 109.

En el acto de recibirse declaración por el Juez al ofendido que tuviese la capacidad legal necesaria, el Secretario judicial le instruirá del derecho que le asiste para mostrarse parte en el proceso y renunciar o no a la restitución de la cosa, reparación del daño e indemnización del perjuicio causado por el hecho punible. Asimismo le informará de los derechos recogidos en la legislación vigente, pudiendo delegar esta función en personal especializado en la asistencia a víctimas.

Si fuera menor o tuviera la capacidad judicialmente modificada, se practicará igual diligencia con su representante legal o la persona que le asista.

Fuera de los casos previstos en los dos párrafos anteriores, no se hará a los interesados en las acciones civiles o penales notificación alguna que prolongue o detenga el curso de la causa, lo cual no obsta para que el Secretario judicial procure instruir de aquel derecho al ofendido ausente.

En cualquier caso, en los procesos que se sigan por delitos comprendidos en el artículo 57 del Código Penal, el Secretario judicial asegurará la comunicación a la víctima de los actos procesales que puedan afectar a su seguridad».

Dos. Se introduce un nuevo artículo 109 bis, con la siguiente redacción:

«Artículo 109 bis.

1. Las víctimas del delito que no hubieran renunciado a su derecho podrán ejercer la acción penal en cualquier momento antes del trámite de calificación del delito, si bien ello no permitirá retrotraer ni reiterar las actuaciones ya practicadas antes de su personación.

En el caso de muerte o desaparición de la víctima a consecuencia del delito, la acción penal podrá ser ejercida por su cónyuge no separado legalmente o de hecho y por los hijos de ésta o del cónyuge no separado legalmente o de hecho que en el momento de la muerte o desaparición de la víctima convivieran con ellos; por la persona que hasta el momento de la muerte o desaparición hubiera estado unida a ella por una análoga relación de afectividad y por los hijos de ésta que en el momento de la muerte o desaparición de la víctima convivieran con ella; por sus progenitores y parientes en línea recta o colateral dentro del tercer grado que se encontraren bajo su guarda, personas sujetas a su tutela o curatela o que se encontraren bajo su acogimiento familiar.

En caso de no existir los anteriores, podrá ser ejercida por los demás parientes en línea recta y por sus hermanos, con preferencia, entre ellos, del que ostentara la representación legal de la víctima.

2. El ejercicio de la acción penal por alguna de las personas legitimadas conforme a este artículo no impide su ejercicio posterior por cualquier otro de los legitimados. Cuando exista una pluralidad de víctimas, todas ellas podrán personarse independientemente con su propia representación. Sin embargo, en estos casos, cuando pueda verse afectado el buen orden del proceso o el derecho a un proceso sin dilaciones indebidas, el Juez o Tribunal, en resolución motivada y tras oír a todas las partes, podrá imponer que se agrupen en una o varias representaciones y que sean dirigidos por la misma o varias defensas, en razón de sus respectivos intereses.

3. La acción penal también podrá ser ejercitada por las asociaciones de víctimas y por las personas jurídicas a las que la ley reconoce legitimación para defender los derechos de las víctimas, siempre que ello fuera autorizado por la víctima del delito.

Cuando el delito o falta cometida tenga por finalidad impedir u obstaculizar a los miembros de las corporaciones locales el ejercicio de sus funciones públicas, podrá también personarse en la causa la Administración local en cuyo territorio se hubiere cometido el hecho punible».

Tres. Se modifica el artículo 110, que queda redactado como sigue:

«Artículo 110.

Los perjudicados por un delito o falta que no hubieren renunciado a su derecho podrán mostrarse parte en la causa si lo hicieran antes del trámite de calificación del delito y ejercitar las acciones civiles que procedan, según les conviniere, sin que por ello se retroceda en el curso de las actuaciones.

Aun cuando los perjudicados no se muestren parte en la causa, no por esto se entiende que renuncian al derecho de restitución, reparación o indemnización que a su favor puede acordarse en sentencia firme, siendo necesario que la renuncia de este derecho se haga en su caso de una manera clara y terminante».

Cuatro. Se modifica el artículo 261, que queda redactado como sigue:

«Artículo 261.

Tampoco estarán obligados a denunciar:

1.º El cónyuge del delincuente no separado legalmente o de hecho o la persona que conviva con él en análoga relación de afectividad.

2.º Los ascendientes y descendientes del delincuente y sus parientes colaterales hasta el segundo grado inclusive».

Cinco. Se modifica el artículo 281, que queda redactado como sigue:

«Artículo 281.

Quedan exentos de cumplir lo dispuesto en el artículo anterior:

1.º El ofendido y sus herederos o representantes legales.

2.º En los delitos de asesinato o de homicidio, el cónyuge del difunto o persona vinculada a él por una análoga relación de afectividad, los ascendientes y descendientes y sus parientes colaterales hasta el segundo grado inclusive, los herederos de la víctima y los padres, madres e hijos del delincuente.

3.º Las asociaciones de víctimas y las personas jurídicas a las que la ley reconoce legitimación para defender los derechos de las víctimas siempre que el ejercicio de la acción penal hubiera sido expresamente autorizado por la propia víctima.

La exención de fianza no es aplicable a los extranjeros si no les correspondiere en virtud de tratados internacionales o por el principio de reciprocidad».

Seis. Se modifica el párrafo primero del artículo 282, que queda redactado como sigue:

«La Policía Judicial tiene por objeto y será obligación de todos los que la componen, averiguar los delitos públicos que se cometieren en su territorio o demarcación; practicar, según sus atribuciones, las diligencias necesarias para comprobarlos y descubrir a los delincuentes, y recoger todos los efectos, instrumentos o pruebas del delito de cuya desaparición hubiere peligro, poniéndolos a disposición de la autoridad judicial. Cuando las víctimas entren en contacto con la Policía Judicial, cumplirá con los deberes de información que prevé la legislación vigente. Asimismo, llevarán a cabo una valoración de las circunstancias particulares de las víctimas para determinar provisionalmente qué medidas de protección deben ser adoptadas para garantizarles una protección adecuada, sin perjuicio de la decisión final que corresponderá adoptar al Juez o Tribunal».

Siete. Se modifica el artículo 284, que queda redactado como sigue:

«Artículo 284.

Inmediatamente que los funcionarios de Policía Judicial tuvieren conocimiento de un delito público o fueren requeridos para prevenir la instrucción de diligencias por razón de algún delito privado, lo participarán a la autoridad judicial o al representante del Ministerio Fiscal, si pudieren hacerlo sin cesar en la práctica de las diligencias de prevención. En otro caso, lo harán así que las hubieren terminado.

Si hubieran recogido armas, instrumentos o efectos de cualquier clase que pudieran tener relación con el delito y se hallen en el lugar en que éste se cometió o en sus inmediaciones, o en poder del reo o en otra parte conocida, extenderán diligencia expresiva del lugar, tiempo y ocasión en que se encontraren, que incluirá una descripción minuciosa para que se pueda formar idea cabal de los mismos y de las circunstancias de su hallazgo, que podrá ser sustituida por un reportaje gráfico. La diligencia será firmada por la persona en cuyo poder fueren hallados.

La incautación de efectos que pudieran pertenecer a una víctima del delito será comunicada a la misma.

La persona afectada por la incautación podrá recurrir en cualquier momento la medida ante el Juez de Instrucción de conformidad con lo dispuesto en el párrafo tercero del artículo 334».

Ocho. Se modifica el artículo 301, que queda redactado como sigue:

«Artículo 301.

Las diligencias del sumario serán reservadas y no tendrán carácter público hasta que se abra el juicio oral, con las excepciones determinadas en la presente Ley.

El abogado o procurador de cualquiera de las partes que revelare indebidamente el contenido del sumario, será corregido con multa de 500 a 10.000 euros.

En la misma multa incurrirá cualquier otra persona que no siendo funcionario público cometa la misma falta.

El funcionario público, en el caso de los párrafos anteriores, incurrirá en la responsabilidad que el Código Penal señale en su lugar respectivo».

Nueve. Se introduce un nuevo artículo 301 bis, con la siguiente redacción:

«Artículo 301 bis.

El Juez podrá acordar, de oficio o a instancia del Ministerio Fiscal o de la víctima, la adopción de cualquiera de las medidas a que se refiere el apartado 2 del artículo 681 cuando resulte necesario para proteger la intimidad de la víctima o el respeto debido a la misma o a su familia».

Diez. Se introducen dos nuevos párrafos tercero y cuarto al artículo 334, con la siguiente redacción:

«La persona afectada por la incautación podrá recurrir en cualquier momento la medida ante el Juez de Instrucción. Este recurso no requerirá de la intervención de abogado cuando sea presentado por terceras personas diferentes del imputado. El recurso se entenderá interpuesto cuando la persona afectada por la medida o un familiar suyo mayor de edad hubieran expresado su disconformidad en el momento de la misma.

Los efectos que pertenecieran a la víctima del delito serán restituidos inmediatamente a la misma, salvo que excepcionalmente debieran ser conservados como medio de prueba o para la práctica de otras diligencias, y sin perjuicio de su restitución tan pronto resulte posible. Los efectos serán también restituidos inmediatamente cuando deban ser conservados como medio de prueba o para la práctica de otras diligencias, pero su conservación pueda garantizarse imponiendo al propietario el deber de mantenerlos a disposición del Juez o Tribunal. La víctima podrá, en todo caso, recurrir esta decisión conforme a lo dispuesto en el párrafo anterior».

Once. Se modifica el artículo 433, que queda redactado como sigue:

«Artículo 433.

Al presentarse a declarar, los testigos entregarán al secretario la copia de la cédula de citación.

Los testigos mayores de edad penal prestarán juramento o promesa de decir todo lo que supieren respecto a lo que les fuere preguntado, estando el Juez obligado a informarles, en un lenguaje claro y comprensible, de la obligación que tienen de ser veraces y de la posibilidad de incurrir en un delito de falso testimonio en causa criminal.

Los testigos que, de acuerdo con lo dispuesto en el Estatuto de la Víctima del Delito, tengan la condición de víctimas del delito, podrán hacerse acompañar por su representante legal y por una persona de su elección durante la práctica de estas diligencias, salvo que en este último caso, motivadamente, se resuelva lo contrario por el Juez de Instrucción para garantizar el correcto desarrollo de la misma.

En el caso de los testigos menores de edad o personas con la capacidad judicialmente modificada, el Juez de Instrucción podrá acordar, cuando a la vista de la falta de madurez de la víctima resulte necesario para evitar causarles graves perjuicios, que se les tome declaración mediante la intervención de expertos y con intervención del Ministerio Fiscal. Con esta finalidad, podrá acordarse también que las preguntas se trasladen a la víctima directamente por los expertos o, incluso, excluir o limitar la presencia de las partes en el lugar de la exploración de la víctima. En estos casos, el Juez dispondrá lo necesario para facilitar a las partes la posibilidad de trasladar preguntas o de pedir aclaraciones a la víctima, siempre que ello resulte posible.

El Juez ordenará la grabación de la declaración por medios audiovisuales».

Doce. Se modifica el artículo 448, que queda redactado como sigue:

«Artículo 448.

Si el testigo manifestare, al hacerle la prevención referida en el artículo 446, la imposibilidad de concurrir por haber de ausentarse del territorio nacional, y también en el caso en que hubiere motivo racionalmente bastante para temer su muerte o incapacidad física o intelectual antes de la apertura del juicio oral, el Juez instructor mandará practicar inmediatamente la declaración, asegurando en todo caso la posibilidad de contradicción de las partes.

Para ello, el Secretario judicial hará saber al reo que nombre abogado en el término de veinticuatro horas, si aún no lo tuviere, o de lo contrario, que se le nombrará de oficio, para que le aconseje en el acto de recibir la declaración del testigo. Transcurrido dicho término, el Juez recibirá juramento y volverá a examinar a éste, a presencia del procesado y de su abogado defensor y a presencia, asimismo, del Fiscal y del querellante, si quisieren asistir al acto, permitiendo a éstos hacerle cuantas repreguntas tengan por conveniente, excepto las que el Juez desestime como manifiestamente impertinentes.

Por el Secretario judicial se consignarán las contestaciones a estas preguntas, y esta diligencia será firmada por todos los asistentes.

La declaración de los testigos menores de edad y de las personas con capacidad judicialmente modificada podrá llevarse a cabo evitando la confrontación visual de los mismos con el inculpado, utilizando para ello cualquier medio técnico que haga posible la práctica de esta prueba».

Trece. Se modifica el apartado 7 del artículo 544 ter, que queda redactado como sigue:

«7. Las medidas de naturaleza civil deberán ser solicitadas por la víctima o su representante legal, o bien por el Ministerio Fiscal cuando existan hijos menores o personas con la capacidad judicialmente modificada, determinando su régimen de cumplimiento y, si procediera, las medidas complementarias a ellas que fueran precisas, siempre que no hubieran sido previamente acordadas por un órgano del orden jurisdiccional civil, y sin perjuicio de las medidas previstas en el artículo 158 del Código Civil. Cuando existan menores o personas con capacidad judicialmente modificada que convivan con la víctima y dependan de ella, el Juez deberá pronunciarse en todo caso, incluso de oficio, sobre la pertinencia de la adopción de las referidas medidas.

Estas medidas podrán consistir en la atribución del uso y disfrute de la vivienda familiar, determinar el régimen de guarda y custodia, visitas, comunicación y estancia con los menores o personas con la capacidad judicialmente modificada, el régimen de prestación de alimentos, así como cualquier disposición que se considere oportuna a fin de apartarles de un peligro o de evitarles perjuicios.

Las medidas de carácter civil contenidas en la orden de protección tendrán una vigencia temporal de 30 días. Si dentro de este plazo fuese incoado a instancia de la víctima o de su representante legal un proceso de familia ante la jurisdicción civil, las medidas adoptadas permanecerán en vigor durante los treinta días siguientes a la presentación de la demanda. En este término las medidas deberán ser ratificadas, modificadas o dejadas sin efecto por el Juez de primera instancia que resulte competente».

Catorce. Se introduce un nuevo artículo 544 quinquies con la siguiente redacción:

«Artículo 544 quinquies.

1. En los casos en los que se investigue un delito de los mencionados en el artículo 57 del Código Penal, el Juez o Tribunal, cuando resulte necesario al fin de protección de la víctima menor de edad o con la capacidad judicialmente modificada, en su caso, adoptará motivadamente alguna de las siguientes medidas:

a) Suspender la patria potestad de alguno de los progenitores. En este caso podrá fijar un régimen de visitas o comunicación en interés del menor o persona con capacidad judicialmente modificada y, en su caso, las condiciones y garantías con que debe desarrollarse.

b) Suspender la tutela, curatela, guarda o acogimiento.

c) Establecer un régimen de supervisión del ejercicio de la patria potestad, tutela o de cualquier otra función tutelar o de protección o apoyo sobre el menor o persona con la capacidad judicialmente modificada, sin perjuicio de las competencias propias del Ministerio Fiscal y de las entidades públicas competentes.

d) Suspender o modificar el régimen de visitas o comunicación con el no conviviente o con otro familiar que se encontrara en vigor, cuando resulte necesario para garantizar la protección del menor o de la persona con capacidad judicialmente modificada.

2. Cuando en el desarrollo del proceso se ponga de manifiesto la existencia de una situación de riesgo o posible desamparo de un menor y, en todo caso, cuando fueran adoptadas algunas de las medidas de las letras a) o b) del apartado anterior, el Secretario judicial lo comunicará inmediatamente a la entidad pública competente que tenga legalmente encomendada la protección de los menores, así como al Ministerio Fiscal, a fin de que puedan adoptar las medidas de protección que resulten necesarias. A los mismos efectos se les notificará su alzamiento o cualquier otra modificación, así como la resolución a la que se refiere el apartado 3.

3. Una vez concluido el procedimiento, el Juez o Tribunal, valorando exclusivamente el interés de la persona afectada, ratificará o alzará las medidas

de protección que hubieran sido adoptadas. El Ministerio Fiscal y las partes afectadas por la medida podrán solicitar al Juez su modificación o alzamiento conforme al procedimiento previsto en el artículo 770 Ley de Enjuiciamiento Civil».

Quince. Se modifica el artículo 636, que queda redactado como sigue:

«Artículo 636.

Contra los autos de sobreseimiento sólo procederá, en su caso, el recurso de casación.

El auto de sobreseimiento se comunicará a las víctimas del delito, en la dirección de correo electrónico y, en su defecto, por correo ordinario a la dirección postal o domicilio que hubieran designado en la solicitud prevista en el artículo 5.1.m) de la Ley del Estatuto de la Víctima del delito.

En los casos de muerte o desaparición ocasionada por un delito, el auto de sobreseimiento será comunicado de igual forma a las personas a las que se refiere el párrafo segundo del apartado 1 del artículo 109 bis, de cuya identidad y dirección de correo electrónico o postal se tuviera conocimiento. En estos supuestos el Juez o Tribunal, podrá acordar, motivadamente, prescindir de la comunicación a todos los familiares cuando ya se haya dirigido con éxito a varios de ellos o cuando hayan resultado infructuosas cuantas gestiones se hubieren practicado para su localización.

Excepcionalmente, en el caso de ciudadanos residentes fuera de la Unión Europea, si no se dispusiera de una dirección de correo electrónico o postal en la que realizar la comunicación, se remitirá a la oficina diplomática o consular española en el país de residencia para que la publique.

Transcurridos cinco días desde la comunicación, se entenderá que ha sido efectuada válidamente y desplegará todos sus efectos, iniciándose el cómputo del plazo de interposición del recurso. Se exceptuarán de este régimen aquellos supuestos en los que la víctima acredite justa causa de la imposibilidad de acceso al contenido de la comunicación.

Las víctimas podrán recurrir el auto de sobreseimiento dentro del plazo de veinte días aunque no se hubieran mostrado como parte en la causa».

Dieciséis. Se modifica el artículo 680, que queda redactado como sigue:

«Artículo 680.

Los debates del juicio oral serán públicos, bajo pena de nulidad, sin perjuicio de lo dispuesto en el artículo siguiente».

Diecisiete. Se modifica el artículo 681, que queda redactado como sigue:

«Artículo 681.

1. El Juez o Tribunal podrá acordar, de oficio o a instancia de cualquiera de las partes, previa audiencia a las mismas, que todos o alguno de los actos o las sesiones del juicio se celebren a puerta cerrada, cuando así lo exijan razones de seguridad u orden público, o la adecuada protección de los derechos fundamentales de los intervinientes, en particular, el derecho a la intimidad de la víctima, el respeto debido a la misma o a su familia, o resulte necesario para evitar a las víctimas perjuicios relevantes que, de otro modo, podrían derivar del desarrollo ordinario del proceso. Sin embargo, el Juez o el Presidente del Tribunal podrán autorizar la presencia de personas que acrediten un especial interés en la causa. La anterior restricción, sin perjuicio de lo dispuesto en el artículo 707, no será aplicable al Ministerio Fiscal, a las personas lesionadas por el delito, a los procesados, al acusador privado, al actor civil y a los respectivos defensores.

2. Asimismo, podrá acordar la adopción de las siguientes medidas para la protección de la intimidad de la víctima y de sus familiares:

a) Prohibir la divulgación o publicación de información relativa a la identidad de la víctima, de datos que puedan facilitar su identificación de forma directa o indirecta, o de aquellas circunstancias personales que hubieran sido valoradas para resolver sobre sus necesidades de protección.

b) Prohibir la obtención, divulgación o publicación de imágenes de la víctima o de sus familiares.

3. Queda prohibida, en todo caso, la divulgación o publicación de información relativa a la identidad de víctimas menores de edad o víctimas con discapacidad necesitadas de especial protección, de datos que puedan facilitar su identificación de forma directa o indirecta, o de aquellas circunstancias personales que hubieran sido valoradas para resolver sobre sus necesidades de protección, así como la obtención, divulgación o publicación de imágenes suyas o de sus familiares».

Dieciocho. Se modifica el artículo 682, que queda redactado como sigue:

«Artículo 682.

El Juez o Tribunal, previa audiencia de las partes, podrá restringir la presencia de los medios de comunicación audiovisuales en las sesiones del juicio y prohibir que se graben todas o alguna de las audiencias cuando resulte imprescindible para preservar el orden de las sesiones y los derechos fundamentales de las partes y de los demás intervinientes, especialmente el derecho a la intimidad de las víctimas, el respeto debido a la misma o a su familia, o la necesidad de evitar a las víctimas perjuicios relevantes que, de otro modo, podrían derivar del desarrollo ordinario del proceso. A estos efectos, podrá:

a) Prohibir que se grabe el sonido o la imagen en la práctica de determinadas pruebas, o determinar qué diligencias o actuaciones pueden ser grabadas y difundidas.

b) Prohibir que se tomen y difundan imágenes de alguna o algunas de las personas que en él intervengan.

c) Prohibir que se facilite la identidad de las víctimas, de los testigos o peritos o de cualquier otra persona que intervenga en el juicio».

Diecinueve. Se modifica el artículo 707, que queda redactado como sigue:

«Artículo 707.

Todos los testigos están obligados a declarar lo que supieren sobre lo que les fuere preguntado, con excepción de las personas expresadas en los artículos 416, 417 y 418, en sus respectivos casos.

La declaración de los testigos menores de edad o con discapacidad necesitados de especial protección, se llevará a cabo, cuando resulte necesario para impedir o reducir los perjuicios que para ellos puedan derivar del desarrollo del proceso o de la práctica de la diligencia, evitando la confrontación visual de los mismos con el inculpado. Con este fin podrá ser utilizado cualquier medio técnico que haga posible la práctica de esta prueba, incluyéndose la posibilidad de que los testigos puedan ser oídos sin estar presentes en la sala mediante la utilización de tecnologías de la comunicación.

Estas medidas serán igualmente aplicables a las declaraciones de las víctimas cuando de su evaluación inicial o posterior derive la necesidad de estas medidas de protección».

Veinte. Se modifica el artículo 709, que queda redactado como sigue:

«Artículo 709.

El Presidente no permitirá que el testigo conteste a preguntas o repreguntas capciosas, sugestivas o impertinentes.

El Presidente podrá adoptar medidas para evitar que se formulen a la víctima preguntas innecesarias relativas a la vida privada que no tengan relevancia para el hecho delictivo enjuiciado, salvo que el Juez o Tribunal consideren excepcionalmente que deben ser contestadas para valorar adecuadamente los hechos o la credibilidad de la declaración de la víctima. Si esas preguntas fueran formuladas, el Presidente no permitirá que sean contestadas.

Contra la resolución que sobre este extremo adopte podrá interponerse en su día el recurso de casación, si se hiciere en el acto la correspondiente protesta.

En este caso, constará en el acta la pregunta o repregunta a que el Presidente haya prohibido contestar».

Veintiuno. Se modifica el artículo 730, que queda redactado como sigue:

«Artículo 730.

Podrán también leerse o reproducirse a instancia de cualquiera de las partes las diligencias practicadas en el sumario, que, por causas independientes de la voluntad de aquéllas, no puedan ser reproducidas en el juicio oral, y las declaraciones recibidas de conformidad con lo dispuesto en el artículo 448 durante la fase de investigación a las víctimas menores de edad y a las víctimas con discapacidad necesitadas de especial protección».

Veintidós. Se modifica el apartado 2 del artículo 773, que queda redactado como sigue:

«2. Cuando el Ministerio Fiscal tenga noticia de un hecho aparentemente delictivo, bien directamente o por serle presentada una denuncia o atestado, informará a la víctima de los derechos recogidos en la legislación vigente; efectuará la evaluación y resolución provisionales de las necesidades de la víctima de conformidad con lo dispuesto en la legislación vigente y practicará él mismo u ordenará a la Policía Judicial que practique las diligencias que estime pertinentes para la comprobación del hecho o de la responsabilidad de los partícipes en el mismo. El Fiscal decretará el archivo de las actuaciones cuando el hecho no revista los caracteres de delito, comunicándolo con expresión de esta circunstancia a quien hubiere alegado ser perjudicado u ofendido, a fin de que pueda reiterar su denuncia ante el Juez de Instrucción. En otro caso instará del Juez de Instrucción la incoación del procedimiento que corresponda con remisión de lo actuado, poniendo a su disposición al detenido, si lo hubiere, y los efectos del delito.

El Ministerio Fiscal podrá hacer comparecer ante sí a cualquier persona en los términos establecidos en la ley para la citación judicial, a fin de recibirle declaración, en la cual se observarán las mismas garantías señaladas en esta Ley para la prestada ante el Juez o Tribunal.

Cesará el Fiscal en sus diligencias tan pronto como tenga conocimiento de la existencia de un procedimiento judicial sobre los mismos hechos».

Veintitrés. Se modifica la regla 1.ª del apartado 1 del artículo 779, que queda redactada como sigue:

«1.ª Si estimare que el hecho no es constitutivo de infracción penal o que no aparece suficientemente justificada su perpetración, acordará el sobreseimiento que corresponda. Si, aun estimando que el hecho puede ser constitutivo de delito, no hubiere autor conocido, acordará el sobreseimiento provisional y ordenará el archivo.

El auto de sobreseimiento será comunicado a las víctimas del delito, en la dirección de correo electrónico y, en su defecto, dirección postal o domicilio que hubieran designado en la solicitud prevista en el artículo 5.1.m) de la Ley del Estatuto de la Víctima del delito.

En los casos de muerte o desaparición ocasionada por un delito, el auto de sobreseimiento será comunicado de igual forma, a las personas a las que se refiere el párrafo segundo del apartado 1 del artículo 109 bis, de cuya identidad y dirección de correo electrónico o postal se tuviera conocimiento. En estos supuestos el Juez o Tribunal, podrá acordar, motivadamente, prescindir de la comunicación a todos los familiares cuando ya se haya dirigido con éxito a varios de ellos o cuando hayan resultado infructuosas cuantas gestiones se hubieren practicado para su localización.

Excepcionalmente, en el caso de ciudadanos residentes fuera de la Unión Europea, si no se dispusiera de una dirección de correo electrónico o postal en la que realizar la comunicación, se remitirá a la oficina diplomática o consular española en el país de residencia para que la publique.

Transcurridos cinco días desde la comunicación, se entenderá que ha sido efectuada válidamente y desplegará todos sus efectos. Se exceptuarán de este régimen aquellos supuestos en los que la víctima acredite justa causa de la imposibilidad de acceso al contenido de la comunicación.

Las víctimas podrán recurrir el auto de sobreseimiento dentro del plazo de veinte días aunque no se hubieran mostrado como parte en la causa».

Veinticuatro. Se modifica el apartado 3 del artículo 785, que queda redactado como sigue:

«3. Cuando la víctima lo haya solicitado, aunque no sea parte en el proceso ni deba intervenir, el Secretario judicial deberá informarle, por escrito y sin retrasos innecesarios, de la fecha, hora y lugar del juicio, así como del contenido de la acusación dirigida contra el infractor».

Veinticinco. Se modifica el apartado 2 del artículo 791, que queda redactado como sigue:

«2. El Secretario judicial señalará la vista dentro de los quince días siguientes y a ella serán citadas todas las partes. Cuando la víctima lo haya solicitado, será informada por el Secretario judicial, aunque no se haya mostrado parte ni sea necesaria su intervención.

La vista se celebrará empezando, en su caso, por la práctica de la prueba y por la reproducción de las grabaciones si hay lugar a ella. A continuación, las partes resumirán oralmente el resultado de la misma y el fundamento de sus pretensiones».

Disposición final segunda. Modificación de la Ley Orgánica 10/1995, de 23 de noviembre, del Código Penal.

Se modifica el apartado 2 del artículo 126 de la Ley Orgánica 10/1995, de 23 de noviembre, del Código Penal, que queda redactado como sigue:

«2. Cuando el delito hubiere sido de los que sólo pueden perseguirse a instancia de parte, se satisfarán las costas del acusador privado con preferencia a la indemnización del Estado. Tendrá la misma preferencia el pago de las costas procesales causadas a la víctima en los supuestos a que se refiere el artículo 14 de la Ley del Estatuto de la Víctima del Delito».

Disposición final tercera. Título competencial.

Esta Ley se dicta al amparo de la competencia exclusiva en materia de legislación penal y procesal atribuida al Estado por el artículo 149.1.6.ª de la Constitución Española. Se exceptúa de lo anterior el Título IV, que se dicta al amparo de la competencia exclusiva en materia de Administración de Justicia atribuida al Estado por el artículo 149.1.5.ª de la Constitución Española, así como lo dispuesto en el Título I, que se dicta al amparo de la competencia exclusiva en materia de regulación de las condiciones básicas que garanticen la igualdad de todos los españoles en el ejercicio de los derechos y en el cumplimiento de los deberes constitucionales, atribuida al Estado por el artículo 149.1.1.ª de la Constitución Española.

Disposición final cuarta. Habilitación al Gobierno para el desarrollo reglamentario.

Se habilita al Gobierno para que apruebe las disposiciones reglamentarias precisas para el desarrollo de lo dispuesto en la presente Ley.

Disposición final quinta. Adaptación de los Estatutos Generales de la Abogacía y de la Procuraduría.

Los Colegios y Consejos Generales de Abogados y Procuradores adoptarán las medidas necesarias para adaptar sus respectivos Estatutos a lo establecido en el apartado 2 del artículo 8 de la presente Ley, en un plazo máximo de un año desde su entrada en vigor.

Disposición final sexta. Entrada en vigor.

La presente Ley entrará en vigor a los seis meses de su publicación en el «Boletín Oficial del Estado».

Real Decreto 1109/2015, de 11 de diciembre, por el que se desarrolla la Ley 4/2015, de 27 de abril, del Estatuto de la víctima del delito, y se regulan las Oficinas de Asistencia a las Víctimas del Delito

I

La aprobación de la Ley 4/2015, de 27 de abril, del Estatuto de la víctima del delito, mediante la que se transpone la Directiva 2012/29/UE del Parlamento Europeo y del Consejo de 25 de octubre de 2012, por la que se establecen normas mínimas sobre los derechos, el apoyo y la protección de las víctimas de delitos y por la que se sustituye la Decisión marco 2001/220/JAI del Consejo, requiere el desarrollo de algunas de las previsiones recogidas en el citado Estatuto, en aras a garantizar la efectividad de los derechos que en él se recogen, así como una regulación de las Oficinas de Asistencia a las Víctimas.

II

El presente real decreto desarrolla en primer lugar las previsiones del Estatuto de la víctima del delito para garantizar el reconocimiento y la protección por los poderes públicos de los derechos que las víctimas tienen reconocidos, con un alcance general. No se pretende, ni resulta oportuno, un desarrollo reglamentario de todos y cada uno de los derechos reconocidos en el Estatuto de la víctima del delito, ya que la gran mayoría se encuentran bien definidos y pueden ejercitarse sin necesidad de mayor regulación. Tan sólo se contienen algunas precisiones para garantizar la mejor aplicación de alguno de los derechos reconocidos a las víctimas.

A tal fin, se insta a las Administraciones Públicas a aprobar y fomentar el desarrollo de protocolos de actuación y de procedimientos de coordinación y colaboración, en los que también tendrán participación las asociaciones y colectivos de protección de las víctimas.

Se establece que la decisión policial de no facilitar interpretación o traducción de las actuaciones a la víctima será siempre motivada, debiendo quedar debida constancia de la misma y de su motivación en el atestado.

En relación con el derecho de información, se garantizará el cumplimiento de lo previsto en el artículo 5 del Estatuto de la víctima del delito mediante la posibilidad de elaborar documentos que faciliten la información necesaria a las víctimas, sin perjuicio de acomodar esa información a las circunstancias y condiciones personales de la víctima, así como a la naturaleza del delito cometido y de los daños y perjuicios sufridos.

Se reitera que el acceso por parte de las víctimas a los servicios de asistencia y apoyo facilitados por las Administraciones Públicas y por las Oficinas de Asistencia a las Víctimas será siempre gratuito y confidencial. Y se establece la posibilidad de que las Administraciones Públicas y las Oficinas de Asistencia a las Víctimas hagan extensivo el derecho de acceso a los servicios de asistencia y apoyo a los familiares, aunque no tengan la consideración de víctimas, cuando se trate de delitos que hayan causado perjuicios de especial gravedad.

También se recoge el derecho a un período de reflexión en caso de catástrofe o sucesos con víctimas múltiples. Todo protocolo que contenga normas de coordinación para la asistencia a las víctimas incluirá una previsión para hacer efectivo este periodo de reflexión.

Finalmente, se regula un procedimiento para hacer efectiva la obligación de reintegrar aquellas ayudas, subvenciones o gastos que haya realizado la Administración a favor de personas que han resultado condenadas por denuncia falsa o simulación de delito, para evitar el enriquecimiento de quienes se hayan aprovechado injustamente del sistema asistencial de protección a las víctimas.

III

Se crea el Consejo Asesor de Asistencia a las Víctimas, con carácter de órgano consultivo con amplia representación. Este Consejo Asesor tendrá distintas funciones para velar por el respeto de los derechos de las víctimas y el buen funcionamiento del sistema de asistencia. Con el asesoramiento de este Consejo, el Ministerio de Justicia podrá llevar a cabo la evaluación periódica del sistema de asistencia a las víctimas, y proponer, a través del Consejo de Ministros, las medidas y reformas que sean necesarias para la mejor protección de las víctimas.

IV

Como es sabido, la Ley 35/1995, de 11 de diciembre, de ayudas y asistencia a las víctimas de delitos violentos y contra la libertad sexual, reguló en su artículo 16 las Oficinas de Asistencia a las Víctimas, cuya actuación, hasta el momento, venía desarrollada a través de un mero Manual. Por ello, resulta esencial para la organización y funcionamiento de éstas el desarrollo reglamentario de sus actuaciones. En este real decreto se regula la actuación de las Oficinas de Asistencia a las Víctimas, en atención a los derechos recogidos en la normativa europea y en el Estatuto de la víctima del delito.

Las Oficinas de Asistencia a las Víctimas se constituyen como unidades dependientes del Ministerio de Justicia o, en su caso, de las comunidades autónomas con competencias asumidas sobre la materia, que analizan las necesidades asistenciales y de protección de las víctimas, y que estarán integradas por personal al servicio de la Administración de Justicia, psicólogos o cualquier técnico que se considere necesario para la prestación del servicio. Con ello se fija un marco asistencial mínimo para la prestación de un servicio público en condiciones de igualdad en todo el Estado, y para la garantía y protección de los derechos de las víctimas, sin perjuicio de las especialidades organizativas de las Oficinas según la normativa estatal o autonómica que les resulte de aplicación.

V

Entre los derechos por cuya efectividad han de velar las Oficinas de Asistencia a las Víctimas están los siguientes:

El derecho a entender y a ser entendida. La víctima tiene derecho, desde su primer contacto con la Oficina de Asistencia a las Víctimas, haya o no presentado denuncia, a contar con la asistencia o apoyos necesarios para que pueda hacerse entender ante ella.

El derecho a la información de las víctimas. Las Oficinas de Asistencia a las Víctimas, en atención a lo dispuesto en la Ley 4/2015, de 27 de abril, del Estatuto de la víctima del delito, prestan un servicio de información que resulta esencial para las víctimas. La información se prestará a las víctimas, incluyendo el momento previo a la presentación de la denuncia, sin retrasos innecesarios, de forma adaptada a sus circunstancias y condiciones personales y a la naturaleza del delito cometido y de los daños y perjuicios sufridos, de forma detallada y será actualizada a lo largo de todo el proceso.

El derecho a la protección de las víctimas. El Estatuto de la víctima del delito señala que las Oficinas de Asistencia a las Víctimas realizarán una valoración individual de las víctimas a fin de determinar sus necesidades especiales de protección, teniendo en cuenta las características personales, en especial de aquellas víctimas más vulnerables como son los menores o las personas con discapacidad necesitadas de especial protección, y la naturaleza y las circunstancias del delito. Y todo ello con la finalidad de determinar qué medidas de asistencia y protección deben ser prestadas a la víctima.

Toda víctima, directa o indirecta, tendrá derecho a acceder de forma gratuita y confidencial a los servicios de asistencia y apoyo prestados por las Oficinas de Asistencia a las Víctimas y por el resto de Administraciones Públicas. Un derecho que podrá extenderse a sus familiares cuando se trate de delitos que hayan causado perjuicios de especial gravedad.

VI

La asistencia de las Oficinas es una función que consiste en la acogida inicial de la víctima, su orientación e información y la propuesta de medidas concretas de protección, teniendo en cuenta las necesidades de apoyo específicas de cada víctima, según aconseje su evaluación individual y en especial, las situaciones en las que se pueden encontrar ciertas categorías de víctimas, como son los menores o las personas con discapacidad necesitadas de especial protección, con el objetivo de facilitar su recuperación integral.

La asistencia de las Oficinas se presta por personal especializado, sometido a formación continua y actualizada, que trabaja de forma interdisciplinar y coordinada. La Oficina reflejará los resultados de su evaluación, así como la valoración del caso en un informe, adoptando la decisión sobre las intervenciones extraprocesales a realizar.

Las Oficinas podrán elaborar planes de asistencia individualizados para el adecuado seguimiento de las víctimas. Y cuando se trate de víctimas vulnerables, deberán realizar planes de apoyo psicológico. Estos planes podrán ser supervisados por el Ministerio de Justicia o por las comunidades autónomas que hayan asumido competencias, con el fin de mejorar el sistema de asistencia y asegurar una atención individualizada en función de las circunstancias de cada víctima.

Las funciones de asistencia y protección de las víctimas hacen precisa la plena coordinación de las Oficinas con otros órganos o entidades que también ostenten funciones de protección y asistencia a las víctimas, para lo que se prevé la creación de toda una red de coordinación y la posibilidad de realizar convenios de colaboración y protocolos.

VII

Entre las funciones de las Oficinas se recogen también aquellas relativas a las medidas de justicia restaurativa, como parte de la necesaria asistencia a las víctimas. Cada víctima se enfrenta al delito de forma diferente, en función de sus circunstancias. La víctima puede necesitar liberar la emoción negativa para recuperar su equilibrio y éste puede alcanzarse gracias al reconocimiento de los hechos esenciales por el infractor o por la aclaración de lo sucedido.

Las Oficinas informarán a la víctima sobre la posibilidad de aplicar medidas de justicia restaurativa, propondrán al órgano judicial la aplicación de la mediación penal cuando lo considere beneficioso para la víctima, y realizarán actuaciones de apoyo a los servicios de mediación extrajudicial.

VIII

La Oficina de Información y Asistencia a las Víctimas del Terrorismo de la Audiencia Nacional prevista en el artículo 51 de la Ley 29/2011, de 22 de septiembre, de Reconocimiento y Protección Integral a las Víctimas del Terrorismo, es objeto de desarrollo reglamentario para potenciar sus funciones, y asegurar la necesaria coordinación entre todas las Instituciones implicadas en la asistencia y protección de las víctimas de delitos de terrorismo.

IX

Conforme a la Directiva 2004/80/CE del Consejo, de 29 de abril de 2004, sobre indemnización a las víctimas de delitos, en el supuesto de acceso a la indemnización en casos transfronterizos, cada Estado Miembro designará una autoridad de asistencia. En España esta autoridad corresponde a las Oficinas de Asistencia a las Víctimas, de conformidad con lo dispuesto en el Real Decreto

199/2006, de 17 de febrero, que atribuye a las oficinas determinados deberes de información, ayuda y asesoramiento para los delitos dolosos y violentos cometidos en otro Estado miembro.

Este real decreto ha sido informado por el Consejo General del Poder Judicial, la Fiscalía General del Estado, y se ha remitido a las comunidades autónomas afectadas.

En su virtud, a propuesta del Ministro de Justicia, con la aprobación previa del Ministro de Hacienda y Administraciones Públicas, de acuerdo con el Consejo de Estado y previa deliberación del Consejo de Ministros en su reunión del día 11 de diciembre de 2015,

DISPONGO:

TÍTULO I. DERECHOS DE LAS VÍCTIMAS

Artículo 1. Objeto y ámbito de aplicación.

1. Este real decreto desarrolla el Estatuto de la víctima del delito de conformidad con lo dispuesto en la Ley 4/2015, de 27 de abril, del Estatuto de la víctima del delito, y regula las Oficinas de Asistencia a las Víctimas.

2. Las disposiciones de este real decreto serán aplicables, sin perjuicio de lo dispuesto en el artículo 17 del Estatuto de la víctima del delito y en el artículo 24 de este real decreto, a las víctimas de delitos cometidos en España o que puedan ser perseguidos en España, con independencia de su nacionalidad, de si son mayores o menores de edad, o de si disfrutan o no de residencia legal.

Artículo 2. Derechos de las víctimas.

1. Los derechos reconocidos a las víctimas del delito se ejercitarán de conformidad con lo dispuesto en su Estatuto y en el presente real decreto, así como por lo dispuesto en la legislación especial y las normas que resulten de aplicación.

2. Todos los poderes públicos velarán por el reconocimiento y la protección de los derechos que las víctimas tienen reconocidos.

Artículo 3. Desarrollo de protocolos de actuación y colaboración.

Para la efectividad de los derechos contemplados en el Estatuto de la víctima del delito, y en el presente real decreto, las Administraciones Públicas implicadas aprobarán y fomentarán el desarrollo de protocolos de actuación y de procedimientos de coordinación y colaboración, en los que también tendrán participación las asociaciones y colectivos de protección de las víctimas.

Artículo 4. Período de reflexión en caso de catástrofe o sucesos con víctimas múltiples.

1. En caso de catástrofes, calamidades públicas u otros sucesos que hubieran producido un elevado número de víctimas y que puedan constituir delito, los Abogados y Procuradores no podrán dirigirse a las víctimas directas o indirectas de estos sucesos para ofrecerles sus servicios profesionales hasta transcurridos al menos 45 días desde el hecho.

Esta prohibición quedará sin efecto en el caso de que la prestación de estos servicios profesionales haya sido solicitada expresamente por la víctima.

2. Todo protocolo que contenga normas de coordinación para la asistencia a las víctimas incluirá una previsión para hacer efectivo este periodo de reflexión.

Artículo 5. Obligación de reembolso.

1. Si fuera condenada por denuncia falsa o simulación de delito, la persona que se hubiera beneficiado de subvenciones o ayudas percibidas por su condición de víctima y que hubiera sido objeto de alguna de las medidas de protección reguladas en el Estatuto de la víctima del delito o en el presente real decreto, vendrá obligada a reintegrar las cantidades recibidas en dicho concepto; y al abono de los gastos causados a la Administración por sus actuaciones de reconocimiento, protección y apoyo, así como por los servicios prestados, siempre que dichos gastos pudieran cuantificarse y estuvieran justificados.

2. El órgano concedente de la subvención o ayuda y la Administración que haya soportado el gasto serán los competentes para exigir del beneficiario el reintegro de las subvenciones o ayudas, y el abono de los gastos causados, mediante la resolución del procedimiento regulado en la Ley 38/2003, de 17 de noviembre, General de Subvenciones, y en el Real Decreto 887/2006, de 21 de julio, por el que se aprueba el Reglamento de la Ley General de Subvenciones, con las especialidades previstas en este real decreto.

3. Cuando la persona condenada haya recibido subvenciones o ayudas en su condición de víctima y haya sido objeto de alguna de las medidas de protección reguladas en el Estatuto de la víctima del delito o en el presente real decreto, o haya generado gastos a la Administración por actuaciones de reco-

nocimiento, información, protección y apoyo, así como por servicios prestados en su condición de víctima, el Ministerio de Justicia remitirá, si no fuera competente para exigir el reembolso, el testimonio de la sentencia condenatoria al órgano concedente o a la Administración que haya soportado el gasto, a fin de que éstos puedan iniciar el procedimiento de reintegro.

4. El interés de demora aplicable será el interés legal del dinero incrementado en un 50 por ciento, que se devengará desde que fuera concedida la subvención o ayuda, o desde que se hubiera producido el gasto.

5. Prescribirá a los cuatro años el derecho de la Administración a reconocer o liquidar el reintegro o el abono de los gastos causados, que se computará desde que adquirió firmeza la sentencia condenatoria por denuncia falsa o simulación de delito. El cómputo del plazo de prescripción se interrumpirá por las causas previstas en la Ley General de Subvenciones.

6. La Ley 38/2003, de 17 de noviembre, y su Reglamento, serán de aplicación supletoria a lo dispuesto en el presente artículo.

Artículo 6. Derecho a la traducción e interpretación.

La decisión policial de no facilitar interpretación o traducción de las actuaciones policiales a la víctima, a la que hace referencia el artículo 9.4 del Estatuto de la víctima del delito, será excepcional y motivada, debiendo quedar debida constancia de la misma y de su motivación en el atestado. El atestado policial deberá recoger la disconformidad que la persona afectada por la decisión denegatoria hubiere podido formular.

Artículo 7. Derecho a la información.

1. Sin perjuicio del deber de adaptar la información a la que hace referencia el artículo 5.1 del Estatuto de la víctima del delito, a las circunstancias y condiciones personales de la víctima, así como a la naturaleza del delito cometido y de los daños y perjuicios sufridos, las autoridades y funcionarios que entren en contacto con las víctimas deberán facilitarles información escrita o documentos comprensivos de los extremos señalados en el artículo 5.1 del Estatuto de la víctima del delito, cuando la víctima lo precise.

2. Los documentos a los que se refiere el apartado anterior podrán incluir con la debida separación, un modelo de solicitud para ser notificado de las resoluciones a las que refiere el artículo 7 del Estatuto de la víctima del delito, o para dejar sin efecto, en su caso, la mencionada solicitud.

3. Cuando la víctima solicite que se le notifiquen las resoluciones a las que se refiere el artículo 7.1 del Estatuto de la víctima del delito, también podrá interesar que estas resoluciones se comuniquen, además, a las Oficinas de Asistencia a las Víctimas o, en su caso, a la Oficina de Asistencia a las Víctimas de Terrorismo de la Audiencia Nacional.

4. Cuando se trate de víctimas de delitos de violencia de género, les serán notificadas las resoluciones que acuerden la prisión o la posterior puesta en libertad del infractor, así como la posible fuga del mismo, y las que acuerden la adopción de medidas cautelares personales o que modifiquen las ya acordadas, cuando hubieran tenido por objeto garantizar la seguridad de la víctima, sin necesidad de que la víctima lo solicite, salvo en aquellos casos en los que manifieste su deseo de no recibir dichas notificaciones.

Artículo 8. Derecho de acceso a los servicios de asistencia y apoyo.

1. El acceso por parte de las víctimas a los servicios de asistencia y apoyo facilitados por las Administraciones Públicas y por las Oficinas de Asistencia a las Víctimas será siempre gratuito y confidencial. Estos servicios deberán garantizarse antes, durante y por un período de tiempo adecuado después de la conclusión del proceso penal.

2. Cuando se trate de delitos que hayan causado perjuicios de especial gravedad, atendiendo a las necesidades y daños sufridos como consecuencia de la infracción penal cometida contra la víctima, las Administraciones Públicas y las Oficinas de Asistencia a las Víctimas podrán hacer extensivo a los familiares de las víctimas el derecho de acceso a los servicios de asistencia y apoyo. A tal efecto, se entenderá por familiares las personas unidas a la víctima en matrimonio o relación análoga de afectividad, y los parientes hasta el segundo grado de consanguinidad.

3. Los hijos menores y los menores sujetos a tutela, guarda y custodia de las mujeres víctimas de violencia de género o de personas víctimas de violencia doméstica tendrán derecho a las medidas de asistencia y protección previstas en los Títulos I y III del Estatuto de la víctima del delito.

4. Las Oficinas de Asistencia a las Víctimas prestarán los servicios de asistencia y apoyo en los términos señalados en el Estatuto de la víctima del delito y en el presente real decreto.

Artículo 9. Procedimiento de evaluación.

1. La evaluación de las necesidades de la víctima a la que hace referencia el artículo 23 del Estatuto de la víctima del delito, se realizará en el caso de los funcionarios de policía que actúen en la fase inicial de las investigaciones y en el caso de las Oficinas de Asistencia a las Víctimas, de acuerdo con lo dispuesto en el Estatuto de la víctima del delito y en el presente real decreto.

2. La evaluación que hayan de realizar los órganos jurisdiccionales competentes para la investigación o el enjuiciamiento, o el Ministerio Fiscal en su caso, se realizará de acuerdo con lo dispuesto en el Estatuto de la víctima del delito y en la Ley de Enjuiciamiento Criminal.

TÍTULO II. EL CONSEJO ASESOR DE ASISTENCIA A LAS VÍCTIMAS

Artículo 10. El Consejo Asesor de Asistencia a las Víctimas.

1. Adscrito a la Dirección General de Relaciones con la Administración de Justicia del Ministerio de Justicia existirá un Consejo Asesor de Asistencia a las Víctimas, con carácter de órgano consultivo.

2. El Consejo Asesor de Asistencia a las Víctimas estará integrado por los siguientes miembros:

a) Un presidente, cargo que recaerá sobre quien ostente la Dirección General de Relaciones con la Administración de Justicia y que podrá ser sustituido por la persona titular de la Subdirección General de Organización y Coordinación Territorial de la Administración de Justicia.

b) Con base en el convenio de colaboración celebrado al efecto, tres representantes de las comunidades autónomas que hayan recibido los traspasos de medios personales y materiales al servicio de la Administración de Justicia en régimen de rotación anual, que representarán al resto y que ejercerán, también rotatoriamente, la Vicepresidencia.

c) Un representante designado por el Ministro del Interior, con rango de subdirector general o asimilado.

d) Un representante designado por el Ministro de Sanidad, Servicios Sociales e Igualdad, con rango de subdirector general o asimilado.

e) Dos representantes designados por el Consejo General del Poder Judicial y la Fiscalía General del Estado, con base en el convenio de colaboración celebrado al efecto.

f) Un representante del Consejo General de Colegios de Psicólogos, designado por éste.

g) Dos representantes de las Asociaciones más representativas en la asistencia a las víctimas.

Actuará como secretario, con voz pero sin voto, un funcionario de la Dirección General de Relaciones con la Administración de Justicia.

3. Las funciones de este Consejo son:

a) Asesorar sobre el funcionamiento de las Oficinas de Asistencia a las Víctimas.

b) Examinar los datos estadísticos.

c) Apoyar los estudios técnicos sobre las actuaciones de las oficinas y sobre la red de coordinación.

d) Comparar los distintos planes de apoyo psicológicos aplicados en las Oficinas, con el fin de proponer mejoras en la asistencia.

e) Promover la elaboración de Protocolos de actuación, y su actualización con respecto a las normativas nacionales e internacionales

f) Asesorar al Ministerio de Justicia para la elaboración del informe anual de evaluación periódica del sistema de atención a las víctimas del delito.

g) Cualquier otra función que, en el ámbito de sus competencias, se le atribuya por alguna disposición legal o reglamentaria.

4. Por su carácter consultivo, el Consejo no tendrá competencias con respecto a los aspectos técnicos de actuaciones frente a víctimas individuales.

5. El funcionamiento de este Consejo se ajustará a lo dispuesto en materia de órganos colegiados por la legislación en materia de régimen jurídico del Sector Público.

Artículo 11. Evaluación periódica del sistema de atención a las víctimas del delito.

1. El funcionamiento de las instituciones, mecanismos y garantías de asistencia a las víctimas del delito será objeto de una evaluación periódica, que se llevará a cabo por el Ministerio de Justicia mediante la elaboración de un informe anual. Este informe anual se realizará en la Dirección General de Relaciones con la Administración de Justicia, con el asesoramiento del Consejo Asesor de Asistencia a las Víctimas.

2. El informe anual del Ministerio de Justicia estará orientado a la mejora del sistema de protección y a la adopción de nuevas medidas para garantizar su eficacia.

3. El informe anual se remitirá al Consejo de Ministros para su aprobación definitiva y para la remisión a las Cortes Generales de las propuestas que se estimen necesarias para la mejora del sistema de protección de las víctimas y de las medidas que garanticen su eficacia. Una vez aprobado por el Consejo de Ministros, se publicará en la página Web del Ministerio de Justicia.

TÍTULO III. LAS OFICINAS DE ASISTENCIA A LAS VÍCTIMAS

CAPÍTULO I. DISPOSICIONES GENERALES

Artículo 12. Objeto y ámbito de aplicación.

1. Las disposiciones de este título tienen por objeto la regulación de las Oficinas de Asistencia a las Víctimas, que se configuran como una unidad especializada y un servicio público cuya finalidad es prestar asistencia y/o atención coordinada para dar respuesta a las víctimas de delitos en los ámbitos jurídico, psicológico, y social, así como promover las medidas de justicia restaurativa que sean pertinentes.

2. Las disposiciones contenidas en este título serán de aplicación tanto a las Oficinas de Asistencia a las Víctimas dependientes del Ministerio de Justicia como a las dependientes de las comunidades autónomas con competencias asumidas sobre la materia, sin perjuicio de las especialidades organizativas de éstas últimas según su normativa autonómica.

3. En lo referente a las víctimas de delitos de terrorismo, se atenderá, con carácter general, a lo dispuesto en la Ley 29/2011, de 22 de septiembre, de Reconocimiento y Protección Integral a las Víctimas de Terrorismo y en el Reglamento aprobado por Real Decreto 671/2013, de 6 de septiembre, y a las competencias que la normativa vigente atribuye en esta materia al Ministerio del Interior, sin perjuicio de las actuaciones específicas de las Oficinas contempladas en este real decreto, especialmente relativas a la determinación de la vulnerabilidad de la víctima, para evitar la victimización primaria y secundaria.

En el marco del proceso penal, las Oficinas de Asistencia a las Víctimas se coordinarán con las oficinas del Ministerio del Interior para evitar sucesivas derivaciones de uno a otro servicio.

Artículo 13. Ámbito subjetivo.

1. Las disposiciones de este Título serán aplicables:

a) Como víctima directa, a toda persona física que haya sufrido un daño o perjuicio sobre su propia persona o patrimonio, en especial lesiones físicas o psíquicas, daños emocionales o perjuicios económicos directamente causados por la comisión de un delito.

b) Como víctima indirecta, en los casos de muerte o desaparición de una persona que haya sido causada directamente por un delito, salvo que se tratare de los responsables de los hechos:

1.º A su cónyuge no separado legalmente o de hecho y a los hijos de la víctima o del cónyuge no separado legalmente o de hecho que en el momento de la muerte o desaparición de la víctima convivieran con ellos; a la persona que hasta el momento de la muerte o desaparición hubiera estado unida a ella por una análoga relación de afectividad y a los hijos de ésta que en el momento de la muerte o desaparición de la víctima convivieran con ella; a sus progenitores y parientes en línea recta o colateral dentro del tercer grado que se encontraren bajo su guarda y a las personas sujetas a su tutela o curatela o que se encontraren bajo su acogimiento familiar.

2.º En caso de no existir los anteriores, a los demás parientes en línea recta y a sus hermanos, con preferencia, entre ellos, del que ostentara la representación legal de la víctima.

2. Las disposiciones de este Título no serán aplicables a terceros que hubieran sufrido perjuicios derivados del delito.

3. El acceso a los servicios de asistencia y apoyo a las víctimas no se condicionará a la presentación previa de una denuncia.

4. Los hijos menores y los menores sujetos a tutela, guarda y custodia de las mujeres víctimas de violencia de género o de personas víctimas de violencia doméstica tendrán derecho de acceso a los servicios de asistencia de las Oficinas de Asistencia a las Víctimas.

5. Cuando se trate de delitos que hayan causado perjuicios de especial gravedad, atendiendo a las necesidades y daños sufridos como consecuencia de la infracción penal cometida contra la víctima, las Oficinas de Asistencia a las Víctimas podrán hacer extensivo a los familiares de las víctimas el derecho de acceso a los servicios de asistencia y apoyo. A tal efecto, se entenderá por familiares las personas unidas a la víctima en matrimonio o relación análoga de afectividad, y los parientes hasta el segundo grado de consanguinidad.

Artículo 14. Derechos de las víctimas respecto a las Oficinas de Asistencia a las Víctimas.

1. Toda víctima tiene derecho de acceso a los servicios de asistencia y apoyo de las Oficinas de Asistencia a las Víctimas, de forma gratuita y confidencial.

2. Toda víctima tiene derecho, desde el primer contacto con la Oficina a recibir, sin retrasos innecesarios, información adaptada a sus circunstancias y condiciones personales y a la naturaleza del delito cometido y de los daños y perjuicios sufridos, y a recibir un trato respetuoso, profesional, individualizado y no discriminatorio. Estos derechos se extienden durante la actuación de los servicios de asistencia y apoyo a las víctimas y de justicia restaurativa, a lo largo de todo el proceso penal y por un periodo de tiempo adecuado después de su conclusión, con independencia de que se conozca o no la identidad del infractor y del resultado del proceso, incluyendo el momento previo a la presentación de la denuncia.

3. Toda víctima tiene derecho a ser derivada a las Oficinas de Asistencia a las Víctimas cuando resulte necesario en atención a la gravedad del delito o en aquellos casos en los que ella misma lo solicite.

4. Las víctimas de los delitos de terrorismo, las víctimas de violencia de género y los menores de edad tendrán además los derechos reconocidos en su normativa específica.

Artículo 15. Naturaleza Jurídica de las Oficinas de Asistencia a las Víctimas.

1. Las Oficinas de Asistencia a las Víctimas se configuran como un servicio multidisciplinar de atención a las necesidades de la víctima, de carácter público y gratuito.

2. El Ministerio de Justicia determinará la regulación, organización, dirección y control de las Oficinas de Asistencia a las Víctimas dependientes en su ámbito territorial, que se configurarán como unidades administrativas.

3. En aquellas comunidades autónomas que hayan asumido el traspaso de medios materiales y personales de la Administración de Justicia, la organización de las Oficinas de Asistencia a las Víctimas dependerá de la comunidad autónoma, si bien la misma deberá garantizar el cumplimiento de los derechos que se desarrollan en el Estatuto de la víctima del delito y en el presente real decreto.

Artículo 16. Creación y ámbito territorial de las Oficinas de Asistencia a las Víctimas.

1. Mediante Orden del Ministro de Justicia, que determinará su ámbito de actuación territorial, se crearán las Oficinas de Asistencia a las Víctimas dependientes del Ministerio de Justicia. Las restantes Oficinas se crearán por las comunidades autónomas con competencias asumidas en materia de Administración de Justicia.

2. El ámbito territorial se ajustará a los siguiente criterios:

a) Salvo regulación expresa, tendrá ámbito provincial.

b) Cuando dentro de una misma provincia se implante más de una oficina, su ámbito competencial se fijará en la Orden de creación.

3. Sin perjuicio del ámbito territorial establecido, las Oficinas de Asistencia a las Víctimas podrán asistir a las víctimas independientemente del lugar de comisión del delito.

4. La ubicación de las Oficinas se realizará teniendo en cuenta criterios que faciliten la atención a la víctima, entre los que estará la cercanía a las sedes de los juzgados, Palacios de Justicia o Fiscalía.

Artículo 17. Objetivos de las Oficinas.

Las Oficinas de Asistencia a las Víctimas tienen como objetivo general prestar una asistencia integral, coordinada y especializada a las víctimas como consecuencia del delito y dar respuesta a las necesidades específicas en el ámbito jurídico, psicológico y social.

Artículo 18. Personal de las Oficinas de Asistencia a las Víctimas.

1. Las Oficinas de Asistencia a las Víctimas estarán atendidas por profesionales especializados, entre los que podrán encontrarse, psicólogos, personal al servicio de la Administración de Justicia, juristas, trabajadores sociales y otros técnicos cuando la especificidad de la materia así lo aconseje.

2. Las Administraciones Públicas garantizarán la formación general y específica en asistencia y protección a las víctimas, especialmente de las víctimas vulnerables, a todos los profesionales de la Oficina de Asistencia a las Víctimas. Estos tendrán formación especializada en familia, menores, personas con discapacidad y violencia de género y doméstica. Su formación será orientada desde la perspectiva de la igualdad entre hombres y mujeres.

CAPÍTULO II. FUNCIONES DE LAS OFICINAS
DE ASISTENCIA A LAS VÍCTIMAS

Artículo 19. Funciones de las Oficinas de Asistencia a las Víctimas.

Las Oficinas de Asistencia a las Víctimas realizarán las siguientes funciones:

1. La elaboración, en su caso, de planes de asistencia individualizados para la atención a las víctimas.

2. La información a las víctimas, ofreciendo detalladamente, en un lenguaje asequible, cuáles son sus derechos y como ejercitarlos.

3. Información sobre el acceso a la justicia gratuita y asistencia para su solicitud.

4. Asesoramiento sobre los derechos económicos relacionados con el proceso, en particular, sobre las ayudas por los daños causados por el delito y el procedimiento para reclamarlas.

5. El apoyo emocional a las víctimas y la asistencia terapéutica de las víctimas que lo precisen, garantizando la asistencia psicológica adecuada para la superación de las consecuencias traumáticas del delito.

6. Evaluación y asesoramiento sobre las necesidades de la víctima y la forma de prevenir y evitar las consecuencias de la victimización primaria, reiterada y secundaria, la intimidación y las represalias.

7. La elaboración de un plan de apoyo psicológico para las victimas vulnerables y en los casos en que se aplica la orden de protección.

8. La información sobre los servicios especializados disponibles que puedan prestar asistencia a la víctima, a la vista de sus circunstancias personales y la naturaleza del delito de que pueda haber sido objeto.

9. El acompañamiento de la víctima, a lo largo del proceso, a juicio si lo precisara y/o a las distintas instancias penales.

10. La colaboración y la coordinación con los organismos, instituciones y servicios que pueden estar implicados en la asistencia a las víctimas: judicatura, fiscalía, Fuerzas y Cuerpos de Seguridad, servicios sociales, servicios de salud, asociaciones y organizaciones sin ánimo de lucro, sobre todo en los casos de víctimas vulnerables con alto riesgo de victimización.

11. Valoración de las víctimas que precisen especiales medidas de protección con la finalidad de determinar qué medidas de protección, asistencia y apoyo deben ser prestadas, entre las que se podrán incluir:

a) La prestación de apoyo o asistencia psicológica para afrontar los trastornos ocasionados por el delito, aplicando los métodos psicológicos más adecuados para la atención de cada víctima.

b) El acompañamiento a juicio.

c) La información sobre los recursos psicosociales y asistenciales disponibles y, si la víctima lo solicita, derivación a los mismos.

d) Las medidas especiales de apoyo que puedan resultar necesarias cuando se trate de una víctima con necesidades especiales de protección.

e) La derivación a servicios de apoyo especializados.

12. La elaboración de informes de acuerdo con las normas científicas y de manera independiente.

13. La difusión de su existencia y funciones a la sociedad en general y a determinados colectivos sociales especialmente vulnerables.

14. La sensibilización de los colectivos y organismos que trabajan con víctimas, así como la promoción, organización y participación en las acciones formativas que consideren necesarias.

15. La cooperación con estudios e investigaciones sobre diferentes aspectos de la victimización a partir de los resultados de la intervención de las Oficinas.

16. El acercamiento de la justicia a la ciudadanía promoviendo la comprensión de sus actuaciones.

17. La aplicación de las medidas de organización y gestión que faciliten el acceso rápido al servicio prestado, así como, la coordinación con otros entes e instituciones. En la aplicación de estas medidas primará la interdisciplinaridad y el principio de proximidad al ciudadano.

18. El desempeño de forma profesional de la función de ventanilla única en relación con la asistencia a las víctimas de delitos.

19. La información sobre alternativas de resolución de conflictos con aplicación, en su caso, de la mediación y de otras medidas de justicia restaurativa.

20. Recibir la comunicación de las resoluciones a las que se refiere el artículo 7.1 del Estatuto de la víctima del delito cuando la víctima haya hecho uso de la facultad prevista en el artículo 7.3 de este real decreto, y realizar las actuaciones de información y asistencia que en su caso resulten precisas.

21. Y cuantas otras funciones se determinen en este real decreto.

Artículo 20. La asistencia.

En cumplimiento de las funciones atribuidas en este capítulo, la Oficina de Asistencia a las Víctimas asistirá a la víctima en las áreas jurídica, psicológica y social, con el fin último de minimizar la victimización primaria y evitar la secundaria.

Para realizar esta asistencia las Oficinas realizarán planes de asistencia individualizados, y se coordinarán con todos los servicios competentes en atención a las víctimas.

Artículo 21. La atención jurídica.

1. Las Oficinas prestarán la atención jurídica a las víctimas, y en concreto, facilitarán información sobre el tipo de asistencia que la víctima puede recibir en el marco de las actuaciones judiciales, los derechos que puede ejercitar en el seno del proceso, la forma y condiciones en las que puede acceder a asesoramiento jurídico y el tipo de servicios u organizaciones a las que puede dirigirse para recibir apoyo.

2. La atención jurídica será en todo caso general del desarrollo del proceso y la manera de ejercitar los distintos derechos; la orientación y asistencia jurídica del caso concreto corresponde a quien asuma la asistencia letrada.

3. Las principales actuaciones derivadas de esta atención jurídica son:

a) La información a las víctimas: las víctimas desde el primer contacto y durante todo el procedimiento recibirán información actualizada sobre los derechos que asisten a lo largo del proceso, con lenguaje sencillo y asequible.

b) El estudio y, en su caso, propuesta de aplicación de las medidas generales de protección, conforme a lo previsto en el Estatuto de la víctima del delito.

4. Las Oficinas también informarán del derecho a la asistencia jurídica gratuita a las víctimas que lo tuvieran, y les asistirán para poder solicitarlo. Las solicitudes de reconocimiento del derecho a la asistencia jurídica gratuita podrán presentarse directamente ante las Oficinas, que las remitirán al Colegio de Abogados que corresponda. Las Oficinas también contactarán con los Colegios de Abogados para las designaciones de abogados en los casos en que proceda.

Artículo 22. La asistencia psicológica.

La asistencia psicológica supone:

a) La evaluación y el tratamiento de las víctimas más vulnerables para conseguir la disminución de la crisis ocasionada por el delito, el afrontamiento del proceso judicial derivado del delito, el acompañamiento a lo largo del proceso y la potenciación de las estrategias y capacidades de la víctima, posibilitando la ayuda del entorno de la víctima.

Entre los factores a evaluar están: el tipo de relaciones de la víctima, el afrontamiento de los problemas, las fuentes de apoyo, los valores, la acumulación de estresores, los problemas de salud y de comportamiento, las condiciones socio-ambientales, así como, las variables asociadas al hecho delictivo, entre las que están el impacto directo del delito y los trastornos ocasionados por éste, el riesgo de reincidencia, las posibles represalias y la intimidación.

b) El estudio y la propuesta de aplicación de las medidas de protección que minimicen los trastornos psicológicos derivados del delito y eviten la victimización secundaria, conforme a lo previsto en el Estatuto de la víctima del delito.

Artículo 23. La asistencia social.

La intervención social supone la coordinación y, en su caso, derivación a servicios sociales, instituciones, u organizaciones de asistencia a víctimas, para garantizar alojamiento seguro, atención médica inmediata, ayudas económicas que pudieran corresponderles, con especial atención a las necesidades derivadas de situaciones de invalidez, hospitalización, fallecimiento y las agravadas por la situación de vulnerabilidad de las víctimas.

Artículo 24. Las Oficinas de Asistencia a las Víctimas como autoridad de asistencia en los delitos transfronterizos.

Las Oficinas de Asistencia a las Víctimas, conforme a la Directiva 2004/80/CE del Consejo, de 29 de abril de 2004, sobre indemnización a las víctimas de delitos, son la autoridad de asistencia de las víctimas de delitos en situaciones transfronterizas, en los casos en que el delito se cometa en un Estado miembro de la Unión Europea distinto a España y la víctima tenga su residencia habitual en España, actuando conforme a lo establecido en el Real Decreto 738/1997, de 23 de mayo, por el que se aprueba el Reglamento de ayudas a las víctimas de delitos violentos y contra la libertad sexual. En los casos de delitos de terrorismo el Ministerio del Interior es la autoridad de asistencia a los efectos anteriores.

CAPÍTULO III. FASES DE LA ASISTENCIA

Artículo 25. Fases de la Asistencia.

La asistencia a las víctimas se realiza en cuatro fases: la acogida-orientación, la información, la intervención y el seguimiento.

Artículo 26. Fase de acogida-orientación.

La acogida-orientación se realiza a través de una entrevista, presencial o telefónica, y tiene como fin que la víctima plantee sus problemas y necesidades, que permita orientarla, analizar posibles intervenciones de otros recursos y, si procede, la derivación a éstos.

Artículo 27. Fase de información.

Las Oficinas de Asistencia a las Víctimas darán la información que precisa la víctima adaptada a sus circunstancias y condiciones personales, a la naturaleza del delito cometido y a los daños y perjuicios sufridos.

Esta información —que podrá ser por escrito, verbal o por medios electrónicos, así como presencial o no— comprenderá la información general sobre sus derechos, desde el primer contacto con las autoridades competentes, y será detallada y actualizada a lo largo de todo el proceso.

Las oficinas informarán a las víctimas sobre la función tuitiva del Ministerio Fiscal, y facilitarán a las víctimas información sobre los derechos que les asisten, y en particular sobre los siguientes:

a) Derecho a denunciar y, en su caso, el procedimiento para interponer la denuncia y derecho a facilitar elementos de prueba a las autoridades encargadas de la investigación.

b) Procedimiento para obtener asesoramiento y defensa jurídica y, en su caso, condiciones en las que pueda obtenerse gratuitamente.

c) Posibilidad de solicitar medidas de protección y, en su caso, procedimiento para hacerlo. Cuando se trate de víctimas de violencia de género y doméstica, sobre la posibilidad de solicitar una orden de protección, explicando de forma comprensible que confiere a la víctima un estatuto integral de protección y, en su caso, procedimiento para hacerlo.

d) Medidas de asistencia y apoyo disponibles, sean médicas, psicológicas o materiales, y procedimiento para obtenerlas. Dentro de estas últimas se incluirá, cuando resulte oportuno, información sobre las posibilidades de obtener un alojamiento alternativo.

e) Indemnizaciones o ayudas económicas a las que pueda tener derecho y, en su caso, procedimiento para reclamarlas.

f) Servicios de interpretación y traducción disponibles.

g) Ayudas y servicios auxiliares para la comunicación disponibles.

h) Procedimiento por medio del cual la víctima pueda ejercer sus derechos en el caso de que resida fuera de España.

i) Recursos que puede interponer contra las resoluciones que considere contrarias a sus derechos.

j) Datos de contacto de la autoridad encargada de la tramitación del procedimiento y cauces para comunicarse con ella.

k) Servicios de justicia restaurativa disponibles, en los casos en que sea legalmente posible.

l) Supuestos en los que pueda obtener el reembolso de los gastos judiciales y, en su caso, procedimiento para reclamarlo.

m) Derecho a ser informada sin retrasos innecesarios de la fecha, hora y lugar del juicio, así como del contenido de la acusación dirigida contra el infractor.

n) Derecho a efectuar una solicitud para ser notificada de las resoluciones a las que se refiere el artículo 7 del Estatuto de la víctima del delito, así como dejar sin efecto esta solicitud, y a solicitar que dichas resoluciones también se comuniquen a las Oficinas de Asistencia a las Víctimas.

o) Derecho obtener una copia de la denuncia, debidamente certificada.

p) Derecho a la asistencia lingüística gratuita y a la traducción escrita de la copia de la denuncia cuando no entienda, no hable ninguna de las lenguas que tengan carácter oficial en el lugar en el que se presenta la denuncia.

q) Derecho de las víctimas de delitos de violencia de género a ser notificadas de las resoluciones a las que se refieren las letras c) y d) del apartado 1 del artículo 7 del Estatuto de la víctima del delito, sin necesidad de que lo solicite, salvo que manifieste su deseo de no recibir dichas notificaciones.

r) Derecho al periodo de reflexión en garantía de los derechos de la víctima en casos de catástrofes, calamidades públicas u otros sucesos que hubieran producido un número elevado de víctimas que impiden a los abogados y procuradores sus servicios profesionales hasta transcurridos 45 días desde que aconteció el hecho, quedando sin efecto en el caso de que la presentación de estos servicios profesionales haya sido solicitada expresamente por la víctima.

s) Derecho a que se le comunique la resolución de sobreseimiento y la posibilidad de recurrir.

t) Derecho a interesar que se impongan al liberado condicional las medidas o reglas de conducta previstas por la ley que consideren necesarias para garantizar su seguridad, cuando aquél hubiera sido condenado por hechos de los que pueda derivarse razonablemente una situación de peligro para la víctima.

u) Derecho a facilitar al Juez o Tribunal cualquier información que resulte relevante para resolver sobre la ejecución de la pena impuesta, las responsabilidades civiles derivadas del delito o el comiso que hubiera sido acordado.

v) La información sobre los servicios especializados disponibles que puedan prestar asistencia a la víctima, así como los recursos psicosociales y asistenciales disponibles.

Artículo 28. Fase de intervención.

Entre las intervenciones jurídicas, psicológicas y sociales que realizan las Oficinas de Asistencia a las Víctimas están las siguientes:

a) La evaluación de la vulnerabilidad de las víctimas que le sean derivadas o que acudan directamente a la Oficina.

b) La propuesta de las medidas de protección a las víctimas, especialmente de las más vulnerables, con especial atención a los menores y a las personas con discapacidad necesitadas de especial protección, y el seguimiento de su ejecución.

c) La asistencia terapéutica psicológica y el tratamiento psicológico de las víctimas en el ámbito del proceso penal que, en principio, se realiza en dos fases:

1.ª La primera fase dirigida a lograr que la víctima tenga el control general de su conducta, en la que se analizan los elementos que garantizan la integridad física y psíquica, facilitando la expresión de los sentimientos y el dominio cognoscitivo, y realizando las adaptaciones conductuales e interpersonales más necesarias.

2.ª La segunda fase en la que se analizan las expectativas generadas por el delito, corrigiendo las posibles distorsiones y realizándose las intervenciones psicológicas y los tratamientos de larga evolución para el tratamiento específico de síntomas postraumáticos.

d) La aplicación del plan de apoyo psicológico.

e) La información y el seguimiento de la decisión de la víctima en las medidas penitenciarias.

f) La información sobre la posibilidad de acceder a justicia restaurativa y, en su caso, sobre la aplicación de las medidas de esta naturaleza que puedan adoptarse.

g) El acompañamiento a juicio u otras instancias judiciales, o la propuesta de acompañamiento por la persona designada por la propia víctima.

h) La coordinación con el resto de servicios sociales, policiales u otros, principalmente para el seguimiento de las víctimas vulnerables con alto riesgo y el apoyo para la obtención de las ayudas económicas que pudieran corresponderles, así como las medidas asistenciales frente a cualquier necesidad y especialmente en situaciones de invalidez, hospitalización, o fallecimiento.

Artículo 29. Fase de seguimiento.

Las Oficinas de Asistencia a las Víctimas realizan el seguimiento de la víctima, especialmente de las más vulnerables, a lo largo de todo el proceso penal y por un período de tiempo adecuado después de su conclusión, con independencia de que se conozca o no la identidad del infractor y del resultado del proceso.

CAPÍTULO IV. EVALUACIÓN INDIVIDUAL DE LAS VÍCTIMAS

Artículo 30. Evaluación individual de las víctimas a fin de determinar sus necesidades especiales de protección.

1. Sin perjuicio de lo que acuerden las autoridades judiciales o fiscales competentes, las Fuerzas y Cuerpos de Seguridad del Estado y, en su caso, las policías autonómicas, efectuaran en el momento de la denuncia una primera evaluación individual de la víctima para la determinación de sus necesidades de protección y para la identificación, en su caso, de víctimas vulnerables.

En esta primera evaluación se informará a la víctima de la posibilidad de acudir a una Oficina de Asistencia a las Víctimas. La información recabada en esta primera evaluación podrá ser trasladada a la Oficina de Asistencia a las Víctimas sólo con el consentimiento previo e informado de la víctima.

2. Cuando la víctima acuda a las Oficinas de Asistencia a las Víctimas, en su caso con la información facilitada, éstas realizarán una evaluación indivi-

dualizada. La Oficina de Asistencia a las Víctimas estará en todo caso a lo que pueda acordar la autoridad judicial o fiscal competente para la valoración de las necesidades de la víctima y la determinación de las medidas de protección.

3. La evaluación individual atenderá a las necesidades manifestadas por la víctima, así como su voluntad, y respetará plenamente la integridad física, mental y moral de la víctima. Tendrá especialmente en consideración:

a) Las características personales de la víctima, su situación, necesidades inmediatas, edad, género, discapacidad y nivel de madurez. En particular, valorará:

1.º Si se trata de una persona con discapacidad o si existe una relación de dependencia entre la víctima y el supuesto autor del delito.

2.º Si se trata de víctimas menores de edad o de víctimas necesitadas de especial protección o en las que concurran factores de especial vulnerabilidad.

b) La naturaleza del delito y la gravedad de los perjuicios causados a la víctima, así como el riesgo de reiteración del delito. A estos efectos, se valoraran especialmente las necesidades de protección de las víctimas en los siguientes delitos:

1. Delitos de terrorismo.

2. Delitos cometidos por una organización criminal.

3. Delitos cometidos sobre el cónyuge o sobre persona que esté o haya estado ligada al autor por una análoga relación de afectividad, aun sin convivencia, o sobre los descendientes, ascendientes o hermanos por naturaleza, adopción o afinidad, propios o del cónyuge o conviviente.

4. Delitos contra la libertad o indemnidad sexual.

5. Delitos de trata de seres humanos.

6. Delitos de desaparición forzada.

7. Delitos cometidos por motivos racistas, antisemitas u otros referentes a la ideología, religión o creencias, situación familiar, la pertenencia de sus miembros a una etnia, raza o nación, su origen nacional, su sexo, orientación o identidad sexual, por razones de género, de enfermedad o discapacidad.

c) Las circunstancias del delito, en particular si se trata de delitos violentos.

4. En caso de víctimas menores o personas con discapacidad necesitadas de especial protección también se tomará en cuenta su opinión e intereses, así como sus especiales circunstancias personales, y se velará especialmente por el respeto a los principios del interés superior del menor o de la persona

con discapacidad necesitada de especial protección, derecho a la información, no discriminación, derecho a la confidencialidad, a la privacidad y el derecho a ser protegido.

Artículo 31. Informe de la evaluación individualizada.

1. Tras el proceso de evaluación individualizada, las Oficinas de Asistencia a las Víctimas podrán realizar un informe con el consentimiento previo e informado de la víctima, que será remitido con carácter reservado a la autoridad judicial o fiscal competente para adoptar las medidas de protección.

2. En el informe de evaluación individualizada, podrán proponerse las medidas que se estimen pertinentes para la asistencia y la protección de la víctima durante la fase de investigación, especialmente cuando se trate de personas con discapacidad necesitadas de especial protección, de otras víctimas vulnerables o de menores. En particular, podrá proponerse la adopción de las siguientes medidas:

a) Que se reciba declaración a la víctima lo antes posible, el menor número de veces y únicamente cuando resulte estrictamente necesario.

b) Que la víctima pueda estar acompañada de una persona de su elección.

c) Que se les reciba declaración en dependencias especialmente concebidas o adaptadas a tal fin.

d) Que se les reciba declaración por profesionales que hayan recibido una formación especial para reducir o limitar perjuicios a la víctima, o con su ayuda.

e) Que todas las tomas de declaración a una misma víctima le sean realizadas por la misma persona, salvo que ello pueda perjudicar de forma relevante el desarrollo del proceso o deba tomarse la declaración directamente por un Juez o un Fiscal.

f) Que la toma de declaración, cuando se trate de alguna de las víctimas a las que se refieren los números 3.º y 4.º de la letra b) del apartado 2 del artículo 23 del Estatuto de la víctima del delito y de las víctimas de trata con fines de explotación sexual, se lleve a cabo por una persona del mismo sexo que la víctima cuando ésta así lo solicite, salvo que ello pueda perjudicar de forma relevante el desarrollo del proceso o deba tomarse la declaración directamente por un Juez o Fiscal.

g) Cualquier otra medida tendente a evitar el contacto visual de la víctima con el acusado. Esta medida, dado su objeto, también podrá proponerse para la fase de enjuiciamiento.

3. Cuando se trate de víctimas menores de edad, las Oficinas de Asistencia a las Víctimas indicarán expresamente en su informe la concurrencia, en su caso, de cualquiera de los supuestos a los que hace referencia el artículo 26.2 del Estatuto de la víctima del delito; a fin de que ello pueda tomarse en consideración por el Fiscal en el momento de valorar la oportunidad de recabar del Juez o Tribunal la designación de un defensor judicial de la víctima para que la represente en la investigación y en el proceso penal.

4. Cualquier modificación relevante de las circunstancias en que se hubiera basado la evaluación individual de la víctima determinará una actualización de la misma y, en su caso, del informe remitido a la autoridad judicial o fiscal competente.

5. La Oficina de Asistencia a las Víctimas solamente podrá facilitar a terceros la información que hubieran recibido de la víctima con el consentimiento previo e informado de la misma.

Artículo 32. Plan de apoyo psicológico.

1. Las Oficinas de Asistencia a las Víctimas deberán realizar un plan de apoyo psicológico para las víctimas especialmente vulnerables, o necesitadas de especial protección.

2. El plan de apoyo psicológico tendrá como fin que la víctima pueda seguir el proceso penal sin volver a vivenciar angustia, fortalecer su autoestima, fortalecer la toma de decisiones y, en particular, aquellas que tienen relación con medidas judiciales.

3. El plan de apoyo psicológico se realizará mediante la evaluación de las consecuencias físicas y psíquicas del delito, del clima que rodea a la víctima, del riesgo de sufrir nuevas agresiones y del ambiente familiar. También se valorará la capacidad de resiliencia.

4. El Ministerio de Justicia y las comunidades autónomas con competencias asumidas podrán supervisar los planes de apoyo que

CAPÍTULO V. LA OFICINA DE INFORMACIÓN Y ASISTENCIA A LAS VÍCTIMAS DE TERRORISMO DE LA AUDIENCIA NACIONAL

Artículo 33. La Oficina de Información y Asistencia a las Víctimas del Terrorismo de la Audiencia Nacional.

1. La Oficina de Información y Asistencia a las Víctimas del Terrorismo de la Audiencia Nacional tiene ámbito nacional y realiza las funciones de infor-

mación y asistencia a las víctimas del terrorismo en los términos previstos en el artículo 51 de la Ley 29/2011, de 22 de septiembre, y en el presente real decreto. No obstante, por razones de urgencia o de cercanía las víctimas podrán acudir a la Oficina de Asistencia a las Víctimas de su provincia que se coordinará con la Oficina de Información y Asistencia a las Víctimas de Terrorismo de la Audiencia Nacional.

2. La Oficina de Información y Asistencia a las Víctimas del Terrorismo de la Audiencia Nacional realiza, entre otras, las siguientes funciones:

a) Facilitar información sobre el estado de los procedimientos que afecten a las víctimas del terrorismo.

b) Asesorar a las víctimas del terrorismo en todo lo relacionado con los procesos penales y contencioso-administrativos que les afecten.

c) Ofrecer acompañamiento personal a los juicios que se celebren en relación a los actos terroristas de los que traigan causa los afectados.

d) Dar apoyo emocional y terapéutico de las víctimas. La Oficina evaluará los trastornos ocasionados por el delito y, a lo largo del proceso penal, realizará la asistencia psicológica adecuada para la superación del delito y evaluará el riesgo de victimización, señalando las medidas de protección adecuadas y aplicará el plan de apoyo como víctima vulnerable. Todo ello sin perjuicio de las competencias en esta materia del Ministerio del Interior.

e) Prevenir las consecuencias de la victimización primaria y evitar la victimización secundaria y la desprotección tras el delito.

f) Facilitar la colaboración y la coordinación entre los organismos, instituciones y servicios que pueden estar implicados en la asistencia concreta de cada víctima, sin perjuicio de las competencias en esta materia del Ministerio del Interior.

g) Promover la salvaguarda de la seguridad e intimidad de las víctimas en su participación en los procesos judiciales, para protegerlas de injerencias ilegítimas o actos de intimidación y represalia y cualquier otro acto de ofensa y denigración.

h) Informar sobre las posibles indemnizaciones a víctimas de terrorismo derivándolas, en todo caso, al órgano del Ministerio del Interior competente en la materia.

i) Establecer cauces de información a la víctima acerca de todo lo relacionado con la ejecución penitenciaria, hasta el momento del cumplimiento íntegro de las penas. Particularmente, en los supuestos que supongan concesión de beneficios o excarcelación de los penados.

j) Recibir la comunicación de las resoluciones a las que se refiere el artículo 7.1 del Estatuto de la víctima del delito cuando la víctima haya hecho uso de la facultad prevista en el artículo 7.3 de este real decreto, y realizar las actuaciones de información y asistencia que en su caso resulten precisas.

3. Seguirá el mismo modelo de actuación general de las Oficinas de Asistencia a las Víctimas y realizará las evaluaciones necesarias de las víctimas más vulnerables en los términos del artículo 31 de este real decreto, prestando, asimismo, la asistencia psicológica en aquellos casos que sea necesaria para afrontar las consecuencias del delito.

CAPÍTULO VI. ACTUACIONES DE LAS OFICINAS EN MATERIA DE COORDINACIÓN

Artículo 34. La red de coordinación.

1. El Ministerio de Justicia, o las comunidades autónomas con competencias en justicia, podrán coordinar las actuaciones de las Oficinas de Asistencia a las Víctimas con los diferentes órganos o entidades competentes que prestan asistencia a las víctimas, con este fin se podrán realizar convenios de colaboración y protocolos. Podrán impulsar, asimismo, la colaboración con redes públicas y privadas que asisten a las víctimas, entre otras con:

a) Fuerzas y Cuerpos de Seguridad del Estado y las Policías Autonómicas.

b) Servicios de bienestar social.

c) Ayuntamientos.

d) Servicios de Salud (112/061, urgencias, urgencias psiquiátricas y Programas de Salud Mental).

e) Servicios de Educación.

f) Servicios laborales.

g) Asociaciones, fundaciones y otras entidades sin ánimo de lucro.

h) Servicios Psicosociales de la Administración de Justicia.

i) Unidades de Coordinación contra la Violencia sobre la Mujer y las Unidades de Violencia sobre la Mujer, integradas orgánicamente en las Delegaciones y Subdelegaciones del Gobierno y en las Direcciones Insulares.

j) Servicios especializados para la atención a las víctimas de violencia de género.

k) Cualquier otro órgano o entidad de la Administración General del Estado u otras Administraciones con competencias en asistencia y/o atención a las víctimas.

2. Las Oficinas de Asistencia a las Víctimas podrán mantener reuniones periódicas con los organismos, instituciones y entidades relacionados en el apartado anterior, para optimizar la asistencia de las víctimas particulares, efectuando, en su caso, el seguimiento de las víctimas vulnerables y asegurando su papel de punto de acceso coordinador o ventanilla única.

Artículo 35. Actuaciones de los letrados de la Administración de Justicia en cumplimiento del Estatuto de la víctima del delito.

En cumplimiento del artículo 10 del Estatuto de la víctima del delito, los letrados de la Administración de Justicia derivarán a las víctimas a las Oficinas de Asistencia a las Víctimas, en los términos establecidos en las leyes procesales, cuando resulte necesario en atención a la gravedad del delito, vulnerabilidad de la víctima o en aquellos casos en los que la víctima lo solicite.

Artículo 36. Coordinación en grandes catástrofes.

En el caso de catástrofes o sucesos con víctimas múltiples que tengan su origen o causa en un hecho delictivo, las Oficinas de Asistencia a las Víctimas se coordinarán con el resto de instituciones competentes para garantizar la asistencia a las víctimas.

CAPÍTULO VII. OTRAS ACTUACIONES DE LAS OFICINAS

Artículo 37. Funciones de las Oficinas de Asistencia a las Víctimas en materia de justicia restaurativa.

Las Oficinas de Asistencia a las Víctimas podrán realizar las siguientes actuaciones de justicia restaurativa:

a) Informar, en su caso, a la víctima de las diferentes medidas de justicia restaurativa.

b) Proponer al órgano judicial la aplicación de la mediación penal cuando lo considere beneficioso para la víctima.

c) Realizar actuaciones de apoyo a los servicios de mediación extrajudicial.

Artículo 38. Información y asistencia sobre ejecución penitenciaria.

Las Oficinas facilitarán a las víctimas información sobre la posibilidad de participar en la ejecución penitenciaria, en los términos previstos en el artículo 13 del Estatuto de la víctima del delito, y realizarán las actuaciones de asistencia que resulten precisas para que la víctima pueda ejercer los derechos que la ley les reconoce en este ámbito.

CAPÍTULO VIII. LAS ACTUACIONES DE LAS OFICINAS PARA CUMPLIR LAS FUNCIONES ADMINISTRATIVAS

Artículo 39. Los datos estadísticos.

La recopilación de los datos estadísticos deberá incluir al menos:

a) El número de víctimas que han solicitado asistencia y las asistidas, distinguiendo entre adultos y menores, y el sexo.

b) Tipo de víctima por delito sufrido.

c) Tipo de asistencia y actuaciones realizadas.

d) Las derivaciones principalmente las de la policía y de los letrados de la Administración de Justicia.

e) El número de víctimas que han sido derivadas a servicios de mediación.

Artículo 40. Otras actuaciones administrativas.

Las Oficinas realizarán un seguimiento de cada caso individual, que se documentará en los correspondientes archivos o registros. Asimismo realizarán una memoria anual de la que se dará traslado al Ministerio de Justicia, o en su caso, a las comunidades autónomas con competencia en la materia.

Disposición adicional única. Limitaciones presupuestarias.

1. La organización y funcionamiento del Consejo Asesor de Asistencia a las Víctimas se atenderá con los medios personales, técnicos y presupuestarios asignados a la Dirección General de Relaciones con la Administración de Justicia.

2. La entrada en vigor del presente real decreto no producirá incremento del número de efectivos, ni de las retribuciones, ni de otros gastos de personal con impacto presupuestario.

Disposición transitoria única. Adaptación de las relaciones de puestos de trabajo.

En tanto el Ministerio de Justicia proceda a la modificación de las relaciones de puestos de trabajo de aquellas Oficinas de Asistencia a las Víctimas que, dentro de su ámbito de competencia, estén insertas en la Oficina Judicial, las mismas funcionaran a efectos organizativos como unidades administrativas, en condiciones idénticas al resto de Oficinas dependientes del Ministerio.

Disposición final primera. Título competencial.

Este real decreto se dicta al amparo del artículo 149.1.5.ª de la Constitución Española, que atribuye al Estado la competencia exclusiva en materia de Administración de Justicia.

Se exceptúan de lo anterior los artículos 6, 7 y 8, que se dictan al amparo de la competencia exclusiva en materia de regulación de las condiciones básicas que garanticen la igualdad de todos los españoles en el ejercicio de los derechos y en el cumplimiento de los deberes constitucionales, atribuida al Estado por el artículo 149.1.1.ª de la Constitución Española, así como el artículo 9, que se dicta al amparo de la competencia exclusiva en materia de legislación penal y procesal atribuida al Estado por el artículo 149.1.6.ª de la Constitución Española.

Disposición final segunda. Habilitación normativa.

Se faculta a los titulares de los Ministerios de Justicia y de Hacienda y Administraciones Públicas para dictar, en el ámbito de sus competencias, las normas necesarias para el desarrollo, cumplimiento y ejecución de lo dispuesto en el presente real decreto.

Disposición final tercera. Entrada en vigor.

El presente real decreto entrará en vigor el día 1 de enero de 2016.

Real Decreto-ley 9/2018, de 3 de agosto, de medidas urgentes para el desarrollo del Pacto de Estado contra la violencia de género

EXPOSICIÓN DE MOTIVOS

I

La Exposición de Motivos de la Ley Orgánica 1/2004, de 28 de diciembre, de Medidas de Protección Integral contra la Violencia de Género, señalaba que la violencia de género no es un problema que afecte al ámbito privado. Al contrario, se manifiesta como el símbolo más brutal de la desigualdad existente en nuestra sociedad. Se trata de una violencia que se dirige sobre las mujeres por el hecho mismo de serlo, por ser consideradas, por sus agresores, carentes de los derechos mínimos de libertad, respeto y capacidad de decisión.

El Convenio del Consejo de Europa sobre prevención y lucha contra la violencia contra la mujer y la violencia doméstica, hecho en Estambul el 11 de mayo de 2011, en su artículo 5.2, exige a las partes del convenio que tomen las medidas legislativas y demás necesarias para actuar con la diligencia debida para prevenir, investigar, castigar y conceder una indemnización por los actos de violencia incluidos en el ámbito de aplicación del mismo.

El 15 de noviembre de 2016, el Pleno del Congreso de los Diputados aprobó, por unanimidad, una Proposición no de ley por la que se instaba al Gobierno a promover la suscripción de un Pacto de Estado en materia de Violencia de Género, por el Gobierno de la Nación, las Comunidades Autónomas y Ciudades con Estatuto de Autonomía y la Federación Española de Municipios y Provincias, que siga impulsando políticas para la erradicación de la violencia sobre la mujer como una verdadera política de Estado. La Proposición no de ley establecía la creación, en el seno de la Comisión de Igualdad del Congreso, de una Subcomisión que tenía como objetivo elaborar un informe en el que se identificaran y analizaran los problemas que impiden avanzar en la erradicación de las diferentes formas de violencia de género, y en el que se incluyeran un conjunto de propuestas de actuación, entre ellas las principales reformas que deben acometerse para dar cumplimiento efectivo a ese fin, así como a las recomendaciones de los organismos internacionales. El Congreso, en su sesión plenaria del 28 de septiembre de 2017, aprobó, sin ningún voto en contra, el Informe de la Subcomisión para un Pacto de Estado en materia de violencia de género.

Por su parte, la Comisión de Igualdad del Senado decidió, el 21 de diciembre de 2016, la creación de una Ponencia que estudiase y evaluase, en materia de Violencia de Género, los aspectos de prevención, protección y reparación de las víctimas, analizase la estrategia para alcanzar e implementar un Pacto de Estado contra la Violencia de Género y examinase la Ley Orgánica 1/2004, de 28 de diciembre. El 13 de septiembre de 2017, el Pleno del Senado aprobó, por unanimidad, el Informe de la Ponencia de Estudio para la elaboración de estrategias contra la violencia de género.

Ambos informes contienen un conjunto de propuestas para prevenir y combatir la violencia contra la mujer y la violencia doméstica, y para mejorar en la respuesta que, desde las Instituciones, se proporciona a las mujeres víctimas y a sus hijas e hijos menores o a los menores bajo su guarda, tutela o acogimiento.

Según la Proposición no de ley aprobada el 15 de noviembre de 2016, las medidas contenidas en el informe que supusieran la modificación de textos legales vigentes debían ser remitidas a las Cortes Generales en un plazo no superior a seis meses para su tramitación.

Transcurrido dicho plazo se hace urgente adoptar algunas medidas necesarias para avanzar en la erradicación de la violencia de género y en el logro de una sociedad libre de violencia sobre las mujeres.

La entidad de los derechos a proteger, que exigen una respuesta inmediata y contundente, que proteja la vida y la integridad física, psicológica y moral de las víctimas de esta violación de derechos fundamentales, no sólo justifican la necesidad y urgencia de la medida, sino que son una exigencia de todo Estado de Derecho.

II

La violencia contra las mujeres es la manifestación más cruel de la desigualdad y las relaciones de poder de los hombres sobre las mujeres. Se trata de una violencia de naturaleza estructural que se dirige contra la mujer por el mismo hecho de serlo. Esta violencia menoscaba el disfrute de sus derechos humanos y libertades fundamentales y es un obstáculo para la plena realización de la igualdad entre mujeres y hombres.

Así lo reconocen los organismos internacionales como la Organización de las Naciones Unidas, el Consejo de Europa y la Unión Europea, en distintos instrumentos jurídicos ratificados por España. La Declaración sobre la eliminación de la violencia contra la mujer (Resolución 48/104, de 20 de diciembre de 1993) adoptada por la Asamblea General de Naciones Unidas define la violencia contra la mujer como todo acto de violencia basado en la pertenencia al sexo femenino que tenga o pueda tener como resultado un daño o sufrimiento físico, sexual o psicológico para la mujer, así como las amenazas de tales actos, la coacción o la privación arbitraria de la libertad, tanto si se producen en la vida pública como en la vida privada.

La Constitución Española reconoce en su artículo 14 la igualdad ante la ley, sin que pueda prevalecer discriminación alguna por razón de nacimiento, raza, sexo, religión, opinión o cualquier otra condición o circunstancia personal o social. Y el artículo 15 reconoce el derecho a la vida y a la integridad física y moral, sin que, en ningún caso, nadie pueda ser sometido a tortura ni a penas o tratos inhumanos o degradantes. Por su parte el artículo 9.2 establece la obligación de los poderes públicos de promover las condiciones para que la libertad y la igualdad del individuo y de los grupos en que se integra sean reales y efectivas; y remover los obstáculos que impidan o dificulten su plenitud.

III

En España en los últimos años se han producido avances legislativos muy significativos en materia de lucha contra la violencia sobre la mujer. Por su especial relevancia, destacan la Ley 27/2003, de 31 de julio, reguladora de la Orden de protección de las víctimas de la violencia doméstica y, sobre todo, la Ley Orgánica, 1/2004, de 28 de diciembre, de medidas de Protección Integral contra la Violencia de Género.

La Ley Orgánica 1/2004, de 28 de diciembre, tiene por objeto actuar contra la violencia que, como manifestación de la discriminación, la situación de desigualdad y las relaciones de poder de los hombres sobre las mujeres, se ejerce sobre éstas por parte de quienes sean o hayan sido sus cónyuges o de quienes estén o hayan estado ligados a ellas por relaciones análogas, aun sin convivencia.

En sus trece años de vigencia, la Ley Orgánica 1/2004, de 28 de diciembre, ha incorporado tres modificaciones operadas, respectivamente, por la Ley 40/2007, de 4 de diciembre, de medidas en materia de Seguridad Social, relativa a la disposición adicional primera sobre pensiones de orfandad; por la Ley 42/2015, de 5 de octubre, de reforma de la Ley 1/2000, de 7 de enero, de Enjuiciamiento Civil, relativa al artículo 20.1 sobre asistencia jurídica gratuita, y por la Ley Orgánica 8/2015, de 22 de julio, de modificación del sistema de protección a la infancia y a la adolescencia relativa a los artículos 1.2, 61.2, 65 y 66, en relación con hijos e hijas menores de edad y menores sujetos a tutela o guarda y custodia de las víctimas de violencia de género.

En 2014, España ratificó el Convenio del Consejo de Europa para prevenir y combatir la violencia contra la mujer y la violencia doméstica, hecho en Estambul el 11 de mayo de 2011, que entró en vigor el 1 de agosto de 2014. El ámbito de aplicación del Convenio, que abarca todas las formas de violencia que afectan a las mujeres por el hecho de ser mujer o que les afectan de manera desproporcionada, define la «violencia contra las mujeres» como una violación de los derechos humanos y una forma de discriminación contra las mujeres, y designa todos los actos de violencia basados en el género que implican o pueden implicar para las mujeres daños o sufrimientos de naturaleza física, sexual, psicológica o económica, incluidas las amenazas de realizar dichos actos, la coacción o la privación arbitraria de libertad, en la vida pública o privada.

IV

El artículo 129 de la Ley 39/2015, de 1 de octubre, del Procedimiento Administrativo Común de las Administraciones Públicas, establece que, en el ejercicio de la iniciativa legislativa, las Administraciones Públicas actuarán de acuerdo con los principios de necesidad, eficacia, proporcionalidad, seguridad jurídica, transparencia, y eficiencia.

En cuanto a los principios de necesidad y eficiencia, se ven plenamente respaldados dado el interés general en el que se funda, siendo el real derecho ley el instrumento más adecuado para garantizar su consecución.

Por lo que respecta a la proporcionalidad, se ha buscado establecer las medidas imprescindibles para atender la necesidad de protección mejorando la asistencia y atención de las víctimas de la violencia de género, no pudiendo plantearse otras medidas menos restrictivas de derechos o que impongan menos obligaciones a los destinatarios.

Asimismo, siendo coherente con el resto del ordenamiento jurídico, supone un marco normativo estable, predecible, integrado, claro y de certidumbre, que facilita su conocimiento y comprensión y, en consecuencia, la actuación y toma de decisiones de las personas, por lo que se entiende que la propuesta se adecúa al principio de seguridad jurídica.

En cumplimiento del principio de transparencia la norma identifica claramente su propósito y ofrece una explicación completa de su contenido en esta exposición de motivos.

Finalmente, dado que la norma no impone cargas administrativas, y que supone una clara mejora en la protección de las víctimas de la violencia de género y de sus hijas e hijos, se entiende plenamente cumplida la adecuación al principio de eficiencia.

V

En el marco de las propuestas formuladas en el Informe de la Subcomisión del Congreso para un Pacto de Estado en materia de violencia de género y en el Informe de la Ponencia del Senado de Estudio para la elaboración de estrategias contra la violencia de género, el presente real decreto-ley modifica algunos preceptos de la Ley Orgánica 1/2004, de 28 de diciembre, que no tienen dicho rango de ley orgánica, así como otros textos normativos, cuya reforma es urgente a los efectos de dar una respuesta efectiva en relación a la asistencia a las víctimas y a sus hijos e hijas menores.

La violencia de género, como manifestación más cruel de la desigualdad y las relaciones de poder de los hombres sobre las mujeres, se ha cobrado la vida de 947 mujeres en España desde 2003, año en que en nuestro país empezaron a contabilizarse las mujeres asesinadas por sus parejas o exparejas. 11 de ellas lo han sido en los últimos dos meses de junio y julio de 2018. En la mayoría de los casos las víctimas no habían denunciado con anterioridad la violencia y el maltrato que venían sufriendo. Estos indicadores explican la situación de emergencia en la que nos encontramos y justifican suficientemente el recurso a un real decreto-ley. De esta manera, la presente reforma que tiene como objeto fortalecer la tutela judicial y el acceso a la justicia, y a los recursos de asistencia de las víctimas de violencia de género, a través de la modificación de los artículos 20 y 23. El artículo 20 contiene tres tipos de medidas destinadas a mejorar la participación de la víctima en el proceso penal. Por un lado, se reforma su apartado 4 y se añade un apartado 5 para reforzar la asistencia jurídica de las víctimas, tal y como exige el Pacto de Estado, contemplando no solamente que los Colegios de Abogados, sino también los de Procuradores, adopten las medidas necesarias para la designación urgente de letrados y procuradores de oficio en los procedimientos que se sigan por violencia de género, que aseguren su inmediata presencia para la defensa y representación de las víctimas. Por otro lado, se añade un nuevo apartado 6 para implementar una medida del Pacto de Estado referente a la habilitación legal del Letrado de la víctima a fin de que pueda ostentar su representación procesal hasta la personación de la víctima en el procedimiento, si bien esto debe armonizarse con la tercera medida consistente en la adición de un nuevo apartado 7 con el objeto de permitir a la víctima personarse como acusación particular en cualquier fase del procedimiento.

El artículo 23 de la Ley Orgánica es también objeto de modificación con una doble finalidad. Por una parte, para concretar y ampliar los títulos judiciales habilitantes para acreditar la condición de víctima de violencia de género; y, por otra parte, para establecer otros títulos no judiciales habilitantes para los casos en los que no hay denuncia y, en consecuencia, tampoco existe procedimiento judicial abierto. Como se ha señalado, un porcentaje elevado de las víctimas de violencia de género asesinadas no había de denunciado previamente la situación de maltrato que estaban sufriendo. En 2017, el 76.5% de las mujeres asesinadas no había denunciado previamente a su agresor, de ahí la urgencia y la necesidad de proceder a ampliar los mecanismos de acreditación de las situaciones de violencia de género. Cabe recordar que el artículo 18.3 del Convenio del Consejo de Europa sobre prevención y lucha contra la violencia contra la mujer y la violencia doméstica, exige no supeditar la protección de las víctimas de violencia de género al ejercicio por parte de aquéllas de acciones legales ni a la declaración contra el autor.

Entre las múltiples razones por las que las víctimas no denuncian la situación de violencia que están sufriendo, se encuentra la falta de recursos económicos, uno de los factores que les impide romper el círculo de la violencia. Por ello, en relación a las ayudas reguladas en el artículo 27, el presente real decreto-ley, con el fin de ampliar las posibilidades de acceso a las mismas y en consonancia con las propuestas formuladas en la Ponencia del Senado de

Estudio para la elaboración de estrategias contra la violencia de género, se ha previsto la compatibilidad de estas ayudas con otras de carácter autonómico o local que las víctimas puedan percibir.

VI

Una de las medidas más urgentes de llevar a cabo en el marco del Pacto de Estado contra la violencia de género, es la que plantea la necesidad de adoptar las modificaciones legales oportunas para que la Administración local pueda llevar a cabo actuaciones en la promoción de la igualdad entre hombres y mujeres, así como contra la violencia de género, ya que se trata de la administración más cercana a la ciudadanía y, por ende, a las víctimas. En este sentido, se plantea que estas cuestiones deberán formar parte del catálogo de materias recogido como de competencia propia de los municipios en el artículo 25.2 de la Ley 7/1985, de 2 de abril, Reguladora de las Bases del Régimen Local. Por otra parte, la Ley 6/2018, de 3 de julio, de Presupuestos Generales del Estado para el año 2018, establece cuantías específicas destinadas a las entidades locales dirigidas a implementar el Pacto de Estado contra la Violencia de Género.

Todo ello hace imprescindible la modificación de la Ley 7/1985, de 2 de abril, para poder permitir el desarrollo de políticas contra la violencia de género, y que dicha modificación se realice con toda celeridad, para evitar que las posibles actuaciones previstas por las entidades locales no puedan ser desarrolladas por la falta de adaptación de las disposiciones vigentes, algo que redundaría en un enorme perjuicio para las mujeres víctimas de la violencia de género, así como sus hijos e hijas.

VII

La protección de los menores, hijas e hijos de las mujeres víctimas de violencia de género constituye uno de los ejes del Pacto de Estado que exige una respuesta más urgente. Según la Macroencuesta de violencia contra la mujer realizada en 2015, del total de mujeres que sufren o han sufrido violencia física, sexual o miedo de sus parejas o exparejas y que tenían hijos/as en el momento en el que se produjeron los episodios de violencia, el 63,6% afirmó que los hijos e hijas presenciaron o escucharon alguna de las situaciones de violencia. De las mujeres que contestaron que sus hijos o hijas presenciaron o escucharon los episodios de violencia, el 92,5% afirmaron que los mismos eran menores de 18 años cuando sucedieron los hechos. Por ello el presente real decreto-ley incluye una modificación en el artículo 156 del Código Civil para dar cumplimiento a la medida 148, del Informe de la Subcomisión del Congreso que propone, desvincular la intervención psicológica con menores expuestos a violencia de género del ejercicio de la patria potestad. En concreto la reforma que afecta al artículo 156 del Código Civil tiene como objetivo que la atención y asistencia psicológica quede fuera del catálogo de actos que requieren una decisión común en el ejercicio de la patria potestad, cuando cualquiera de los progenitores esté incurso en un proceso penal iniciado por atentar contra la vida, la integridad física, la libertad, la integridad moral o la libertad e indemnidad sexual del otro progenitor o de los hijos e hijas de ambos.

VIII

Lo avanzado de las fechas en las que se adoptan las medidas contenidas en el presente real decreto-ley impide que puedan ser llevadas a efecto en su totalidad en el ejercicio 2018.

El régimen contenido en el artículo 86 de la Ley 47/2003, de 26 de noviembre, General Presupuestaria, supone que por estas solas circunstancias se produce un perjuicio en 2019 en las políticas impulsadas en el marco del Pacto de Estado contra la violencia de género.

El corto periodo de tiempo para la ejecución de las medidas y el carácter absolutamente prioritario de la lucha contra la violencia de género aconsejan que, de forma absolutamente excepcional y singular, se excepcione el régimen contenido en la regla Sexta del artículo 86.2 de la Ley 47/2003, de 26 de noviembre, General Presupuestaria, exclusivamente para el ejercicio 2018.

IX

Por otra parte, se respetan los límites constitucionalmente establecidos para el uso de este instrumento normativo, pues este real decreto-ley no afecta al ordenamiento de las instituciones básicas del Estado, a los derechos, deberes y libertades de los ciudadanos regulados en el Título I de la Constitución, al régimen de las comunidades autónomas ni al derecho electoral general; de hecho, únicamente se modifican algunas disposiciones de la Ley Orgánica 1/2004, de 28 de diciembre, de Medidas de Protección Integral contra la Violencia de Género, y de otras leyes en aquellos aspectos, propuestos en el Pacto de Estado, que carecen de la condición de materia reservada a ley orgánica.

Además el real decreto-ley representa un instrumento constitucionalmente lícito, en tanto que pertinente y adecuado para la consecución del fin que justifica la legislación de urgencia, que no es otro, tal como reiteradamente ha exigido nuestro Tribunal Constitucional, que subvenir a un situación concreta, dentro de los objetivos gubernamentales, que por razones difíciles de prever requiere una acción normativa inmediata en un plazo más breve que el requerido por la vía normal o por el procedimiento de urgencia para la tramitación parlamentaria de las leyes.

Por tanto, en el conjunto y en cada una de las medidas que se adoptan, concurren, por su naturaleza y finalidad, las circunstancias de extraordinaria y urgente necesidad que exige el artículo 86 de la Constitución Española como presupuestos habilitantes para la aprobación de un real decreto-ley.

En su virtud, en uso de la autorización contenida en el artículo 86 de la Constitución, a propuesta de la Vicepresidenta del Gobierno y Ministra de la Presidencia, Relaciones con las Cortes e Igualdad y previa deliberación del Consejo de Ministros en su reunión del día 3 de agosto de 2018,

DISPONGO:

Artículo único. Modificación de la ley orgánica 1/2004, de 28 de diciembre, de medidas de protección integral contra la violencia de género.

La Ley Orgánica 1/2004, de 28 de diciembre, de Medidas de Protección integral contra la Violencia de Género, queda modificada en los siguientes términos:

Uno. Se modifica el apartado 4 y se añaden tres nuevos apartados 5, 6 y 7 en el artículo 20, que queda redactado como sigue:

«4. Igualmente, los Colegios de Abogados adoptarán las medidas necesarias para la designación urgente de letrado o letrada de oficio en los procedimientos que se sigan por violencia de género y para asegurar su inmediata presencia y asistencia a las víctimas.

5. Los Colegios de Procuradores adoptarán las medidas necesarias para la designación urgente de procurador o procuradora en los procedimientos que se sigan por violencia de género cuando la víctima desee personarse como acusación particular.

6. El abogado o abogada designado para la víctima tendrá también habilitación legal para la representación procesal de aquella hasta la designación del procurador o procuradora, en tanto la víctima no se haya personado como acusación conforme a lo dispuesto en el apartado siguiente. Hasta entonces cumplirá el abogado o abogada el deber de señalamiento de domicilio a efectos de notificaciones y traslados de documentos.

7. Las víctimas de violencia de género podrán personarse como acusación particular en cualquier momento del procedimiento si bien ello no permitirá retrotraer ni reiterar las actuaciones ya practicadas antes de su personación, ni podrá suponer una merma del derecho de defensa del acusado».

Dos. Se modifica el artículo 23, que queda redactado como sigue:

«Artículo 23. Acreditación de las situaciones de violencia de género.

Las situaciones de violencia de género que dan lugar al reconocimiento de los derechos regulados en este capítulo se acreditarán mediante una sentencia condenatoria por un delito de violencia de género, una orden de protección o cualquier otra resolución judicial que acuerde una medida cautelar a favor de la víctima, o bien por el informe del Ministerio Fiscal que indique la existencia de indicios de que la demandante es víctima de violencia de género. También podrán acreditarse las situaciones de violencia de género mediante informe de los servicios sociales, de los servicios especializados, o de los servicios de acogida destinados a víctimas de violencia de género de la Administración Pública competente; o por cualquier otro título, siempre que ello esté previsto en las disposiciones normativas de carácter sectorial que regulen el acceso a cada uno de los derechos y recursos.

El Gobierno y las Comunidades Autónomas, en el marco de la Conferencia Sectorial de Igualdad, diseñaran, de común acuerdo, los procedimientos básicos que permitan poner en marcha los sistemas de acreditación de las situaciones de violencia de género».

Tres. Se modifican los apartados 2 y 5 del artículo 27 que quedan redactados como sigue:

«2. El importe de esta ayuda será equivalente al de seis meses de subsidio por desempleo. Cuando la víctima de la violencia ejercida contra la mujer tuviera reconocida oficialmente una discapacidad en grado igual o superior al 33 por 100, el importe será equivalente a doce meses de subsidio por desempleo.

(…)

5. Estas ayudas serán compatibles con cualquiera de las previstas en la Ley 35/1995, de 11 de diciembre, de Ayudas y Asistencia a las Víctimas de Delitos Violentos y contra la Libertad Sexual, así como con cualquier otra ayuda económica de carácter autonómico o local concedida por la situación de violencia de género».

Disposición adicional única. Régimen excepcional aplicable a los remanentes no comprometidos.

Con carácter excepcional, limitado exclusivamente a las subvenciones contempladas en los créditos 26.15.231F.450, correspondientes a los Presupuestos Generales del Estado para 2018, no resultará de aplicación lo dispuesto en la regla Sexta del artículo 86.2 de la Ley 47/2003, de 26 de noviembre, General Presupuestaria, a los remanentes no comprometidos resultantes al final del ejercicio.

Disposición transitoria primera. Aplicabilidad de los medios de acreditación de las situaciones de violencia de género ejercida sobre las trabajadoras previstos en el artículo 23 de la ley orgánica 1/2004, de 28 de diciembre, de medidas de protección integral contra la violencia de género.

Los nuevos medios de acreditación de las situaciones de violencia de género previstos en la nueva redacción que se da al artículo 23 de la Ley Orgánica 1/2004, de 28 de diciembre, de Medidas de Protección Integral contra la Violencia de Género, por el apartado dos del artículo único del presente real decreto-ley, serán aplicables solo respecto de solicitudes de reconocimiento de derechos motivadas por situaciones de violencia de género que hayan tenido lugar con posterioridad a la entrada en vigor de este real decreto-ley, incluidas aquellas que, iniciadas con anterioridad al mismo, se mantengan tras este y sean acreditadas por alguno de los medios previstos en el mencionado artículo 23.

Disposición transitoria segunda. Normativa aplicable a los procedimientos judiciales ya iniciados.

Los procedimientos judiciales iniciados con anterioridad a la entrada en vigor de este real decreto-ley se regirán por la normativa vigente en el momento de su inicio.

Disposición derogatoria única. Derogación normativa.

Quedan derogadas todas las normas de igual o inferior rango en lo que contradigan o se opongan a lo dispuesto en el presente real decreto-ley.

Disposición final primera. Modificación de la ley 7/1985, de 2 de abril, reguladora de las bases del régimen local.

Se añade un párrafo o) al apartado 2 del artículo 25 de la Ley 7/1985, de 2 de abril, Reguladora de las Bases del Régimen Local, con la siguiente redacción:

«o) Actuaciones en la promoción de la igualdad entre hombres y mujeres así como contra la violencia de género».

Disposición final segunda. Modificación del artículo 156 del código civil.

Se añade un nuevo párrafo segundo en el artículo 156 del Código Civil con la siguiente redacción:

«Dictada una sentencia condenatoria y mientras no se extinga la responsabilidad penal o iniciado un procedimiento penal contra uno de los progenitores por atentar contra la vida, la integridad física, la libertad, la integridad moral o la libertad e indemnidad sexual de los hijos o hijas comunes menores de edad, o por atentar contra el otro progenitor, bastará el consentimiento de éste para la atención y asistencia psicológica de los hijos e hijas menores de edad, debiendo el primero ser informado previamente. Si la asistencia hubiera de prestarse a los hijos e hijas mayores de dieciséis años se precisará en todo caso el consentimiento expreso de éstos».

Disposición final tercera. Distribución de los fondos destinados al cumplimiento del pacto de estado en materia de violencia de género, asignados a los ayuntamientos para programas dirigidos a la erradicación de la violencia de género.

1. Los fondos destinados al cumplimiento del Pacto de Estado en materia de violencia de género, asignados, vía transferencia finalista y directa, o través de otras Entidades Locales, a los ayuntamientos para programas dirigidos a la erradicación de la violencia de género, previstos en la disposición final sexta de la Ley 6/2018, de 3 de julio, de Presupuestos Generales del Estado para el año 2018, así como los fondos asignados en posteriores leyes de presupuestos, se distribuirán según los siguientes criterios:

a) Una cantidad fija por municipio.

La cuantía para el año 2018 será de 689 euros.

b) Una cantidad fija, en función del número de habitantes de derecho del municipio. La cifra de habitantes de derecho será la de población del Padrón municipal vigente a 1 de enero de 2017 y oficialmente aprobado por el Gobierno.

La cuantía para el año 2018 será de 0,18 euros por habitante.

c) El importe de la transferencia vendrá dado por la suma de las cuantías anteriormente señaladas.

El remanente que exista después del anterior reparto se distribuirá proporcionalmente entre todos los municipios incorporados al Sistema de Seguimiento Integral en los casos de Violencia de Género a fecha 1 de julio del año al que corresponda la asignación del fondo.

2. Los fondos deberán destinarse a programas dirigidos a la erradicación de la violencia de género.

3. Se habilita al Gobierno para que, por real decreto del Consejo de Ministros, modifique las cuantías a distribuir, los criterios y el procedimiento de distribución.

Disposición final cuarta. Entrada en vigor.

El presente real decreto-ley entrará en vigor el día siguiente al de su publicación en el «Boletín Oficial del Estado».

Circular 6/2011, sobre criterios para la unidad de actuación especializada del Ministerio Fiscal en relación a la violencia sobre la mujer

I. INTRODUCCIÓN

El tratamiento legislativo de los malos tratos en el Derecho español, se remonta al año 1989. El artículo 425 introducido por la Ley Orgánica 3/89 de 21 de junio sancionaba la violencia física habitual sobre «el cónyuge o persona que estuviese unido por análoga relación de afectividad o sobre hijos sujetos a patria potestad, pupilo, menor o incapaz».

A partir de este momento las sucesivas reformas legislativas van incorporando nuevos sujetos pasivos, de manera que en el Código Penal reformado y aprobado mediante Ley Orgánica 10/1995 de 23 de noviembre, a través del artículo 153 del Código Penal, se añaden a los anteriores, los ascendientes y los hijos del cónyuge o conviviente.

La Ley Orgánica 14/1999, de 9 de junio da una nueva redacción al artículo 153 del Código Penal extendiendo la protección penal a quien, con anterioridad a los hechos, hubiere sido cónyuge del sujeto activo o persona unida a él por análoga relación de afectividad a la conyugal, aunque no conservare tal condición al tiempo de cometerse el delito.

Por su parte, la Ley Orgánica 11/2003, de 29 de septiembre residenció en el artículo 153 el catálogo de conductas que hasta el momento de la reforma eran constitutivas de faltas, y que pasaban a considerarse delitos, reservando el artículo 173 para sancionar la violencia física y psíquica habitual y, entre otros extremos, volver a ampliar el círculo de sus posibles víctimas, añadiendo a los ya citados, los hermanos, las personas amparadas en cualquier otra relación por la que se encuentre integrada en el núcleo de la convivencia familiar, así como las personas que por su especial vulnerabilidad se encuentran sometidas a custodia y guarda en centros públicos y privados.

Pero la última y más importante reforma en este ámbito es la operada por la Ley Orgánica 1/2004, de 28 de diciembre, de Medidas de protección integral contra la violencia de género, sobre todo por el cambio de perspectiva que supone, porque, desde el punto de vista de sujetos pasivos de los tipos penales relativos al maltrato, se aparta de la violencia doméstica o intrafamiliar, centrando su atención en la violencia que se ejerce sobre las mujeres que la Exposición de Motivos describe como la manifestación más brutal de la desigualdad entre el hombre y la mujer en nuestra sociedad y que define como la violencia que se dirige sobre las mujeres «por el hecho mismo de serlo, por ser consideradas, por sus agresores, carentes de los derechos mínimos de libertad, respeto y capacidad de decisión», delimitando en el artículo 1 su ámbito de aplicación «a la violencia que los hombres ejercen sobre las mujeres que sean o hayan sido sus cónyuges, o que estén o hayan estado ligados a ellas por relaciones similares de afectividad aún sin convivencia». Junto a ellas se incorporan como sujetos pasivos de las conductas delictivas descritas en los artículos 153 (maltrato ocasional), 148 (lesiones), 171 (amenazas) y 172 (coacciones) del CP., a «las personas especialmente vulnerables que convivan con el autor».

En este punto, la Fiscalía General del Estado no ha permanecido ajena a este fenómeno social, manifestando gran interés y preocupación, traducido entre otros en:

a) Instrucción 1/1988 sobre «Persecución de malos tratos a personas desamparadas y necesidad de hacer cumplir las obligaciones alimenticias, fijadas en los procesos matrimoniales».

b) Circular 1/1998 sobre «Intervención del Ministerio Fiscal en la persecución de los malos tratos en el ámbito doméstico y familiar».

c) Circular 3/2003 sobre «Cuestiones procesales relacionadas con la orden de protección».

d) Circular 4/2003, sobre «Nuevos instrumentos jurídicos en la persecución de la violencia doméstica».

e) Instrucción 4/2004, sobre «Protección de las víctimas y reforzamiento de las medidas cautelares en relación con los delitos de violencia doméstica».

f) Instrucción 2/2005, sobre «Acreditación por el Ministerio Fiscal de las situaciones de violencia de género».

g) Consulta 2/2006, sobre la prisión preventiva acordada en supuestos de malos tratos del art. 153 del Código Penal. Límite de su duración.

En este sentido, un apartado más específico merecen la Instrucción 7/2005 relativa a «El Fiscal contra la Violencia sobre la Mujer y las Secciones contra la Violencia sobre las Fiscalías» y la Circular 4/2005 «Relativa a los criterios de aplicación de la Ley Orgánica de Medidas de protección integral contra la violencia de género».

Ambas se enfrentaron, sin precedentes previos, a cuestiones absolutamente nuevas. Por un lado, cómo habría que organizar un nuevo modelo de Fiscalía que rompía con la clásica estructura de las Fiscalías tradicionales y, por otro, cómo unificar criterios de actuación estableciendo las primeras pautas doctrinales, entre otras, sobre los nuevos tipos penales, normas de competencia penales y civiles, medidas judiciales de protección y de seguridad de estas víctimas, derecho supletorio y objeto de la ley.

Suponían, pues, una doctrina esencial, no solo para mantener la unidad de criterio, sino también como criterios de interpretación y actuación de los nuevos órganos judiciales de violencia sobre la mujer.

Reconociendo el esfuerzo de acercamiento interpretativo que supuso la Circular 4/2005, la finalidad de esta Circular es, por un lado, corroborar lo que se expuso en el año 2005 y, por otro, plasmar la doctrina mayoritariamente seguida ante los Tribunales de Justicia encargados del conocimiento y enjuiciamiento de estos actos regulados en el Título IV de la Ley Orgánica 1/2004.

II. COMPETENCIA DE LOS JUZGADOS DE VIOLENCIA SOBRE LA MUJER

II.1. Competencia en el orden penal.

II.1.1. Competencia objetiva.

La competencia objetiva de los Juzgados de Violencia se estructura sobre los siguientes criterios: la atribución por razón de la materia y por razón de las personas.

El art. 87 ter párrafo 1.º de la Ley Orgánica del Poder Judicial establece que «Los Juzgados de Violencia sobre la Mujer conocerán, en el orden penal, de conformidad en todo caso con los procedimientos y recursos previstos en la Ley de Enjuiciamiento Criminal, de los siguientes supuestos:

a. De la instrucción de los procesos para exigir responsabilidad penal por los delitos recogidos en los títulos del Código Penal relativos a homicidio, aborto, lesiones, lesiones al feto, delitos contra la libertad, delitos contra la integridad moral, contra la libertad e indemnidad sexuales o cualquier otro delito cometido con violencia o intimidación, siempre que se hubiesen cometido contra quien sea o haya sido su esposa, o mujer que esté o haya estado ligada al autor por análoga relación de afectividad, aun sin convivencia, así como de los cometidos sobre los descendientes, propios o de la esposa o conviviente, o sobre los menores o incapaces que con él convivan o que se hallen sujetos a la potestad, tutela, cúratela, acogimiento o guarda de hecho de la esposa o conviviente, cuando también se haya producido un acto de violencia de género.

b. De la instrucción de los procesos para exigir responsabilidad penal por cualquier delito contra los derechos y deberes familiares, cuando la víctima sea alguna de las personas señaladas como tales en la letra anterior.

c. De la adopción de las correspondientes órdenes de protección a las víctimas, sin perjuicio de las competencias atribuidas al Juez de Guardia.

d. Del conocimiento y fallo de las faltas contenidas en los títulos I y II del libro III del Código Penal, cuando la víctima sea alguna de las personas señaladas como tales en la letra a de este apartado.

e. Dictar sentencia de conformidad con la acusación en los casos establecidos por la Ley».

II.1.1.1. *Por razón de la materia*

El criterio seguido por la ley para la determinación de la competencia por razón de la materia, se corresponde con un sistema mixto que comprende junto a un catálogo de infracciones penales, una cláusula genérica de cierre y determinadas competencias por conexión que, como decía la Circular 4/2005, «conviene delimitar para no perjudicar el principio de seguridad jurídica».

Dando por reproducidas aquí todas las observaciones efectuadas en relación a este precepto en la Circular 4/2005, son dos las cuestiones que, por la experiencia acumulada en los cinco años de vigencia de la ley, han de ser objeto de reflexión y estudio en esta Circular:

a) Delito de quebrantamiento

Llama poderosamente la atención el hecho de que en el catálogo de delitos incluido en el apartado a) del art. 87 ter 1 de la LOPJ., no se haga una referencia expresa al delito de quebrantamiento de pena del art. 48 del CP o de medida cautelar o de seguridad de igual naturaleza (pena o medida de alejamiento) impuesta para proteger a la mujer víctima de violencia de género (art. 468.2 del CP).

Al ser un delito contra la Administración de Justicia queda fuera de los Títulos del Código Penal a que se refiere el catálogo antes mencionado, y por lo tanto es competencia de los Juzgados de Instrucción.

Ahora bien, cuando el quebrantamiento vaya acompañado de un acto de violencia, serán competentes los Juzgados de Violencia sobre la Mujer pues o bien es de aplicación el tipo penal agravado especifico (153.1 y 3; 171.4 y 5; 172.2 in fine, todos del CP) o bien aparecerá el delito de quebrantamiento en concurso medial (art. 77 del CP) con el delito violento.

Tal criterio es el que se mantuvo en la Conclusiones del Seminario de Fiscales de Violencia sobre la Mujer, que tuvo lugar los días 17 y 18 de noviembre de 2005, en consonancia con la Circular 4/05.

Los Fiscales que conocieran del nuevo procedimiento incoado por el delito de quebrantamiento debían interesar la remisión de testimonio bastante de lo actuado al órgano judicial que esté tramitando el procedimiento en que se haya acordado la medida cautelar quebrantada a los efectos de que este convoque y celebre la comparecencia prevista en el art. 505 de la LECr de conformidad con el último párrafo del art. 544 bis del mismo texto legal o bien, en el caso de que el quebrantamiento lo fuera de pena de alejamiento, remitir el testimonio al Juzgado de lo Penal que esté ejecutando dicha pena incumplida a los efectos que procedan en la ejecutoria.

Este era el criterio acogido por todos los tribunales pues es el único que se ajusta a la letra de la ley y al principio de improrrogabilidad de la competencia (arts. 117 de la CE y 9.1 de la LOPJ.).

No obstante, con el transcurso del tiempo, y en pro de la especialización, se advirtió la necesidad de que este tipo delictivo, cuando la medida o pena incumplida fue impuesta como consecuencia de actos de violencia sobre la mujer y para proteger a esta, fuera competencia de los Juzgados especializados.

En la práctica, tal postura se ha materializado en el hecho de que, en virtud de normas de reparto internas, algunos Juzgados de Violencia sobre la Mujer conozcan de todos los quebrantamientos de medida cautelar o penas impuestas como consecuencia de actos de violencia de género.

Asimismo, los Juzgados de lo Penal de Madrid con competencia exclusiva en materia de violencia de género (constituidos por Acuerdo del Consejo General del Poder Judicial de fecha 25 de noviembre de 2010, del Pleno de Consejo General del Poder Judicial, por el que se atribuye a determinados Juzgados de lo Penal creados y constituidos por el Real Decreto 819/2010, de 25 de junio, el conocimiento, con carácter exclusivo, de la materia relativa a la violencia sobre la mujer y otros extremos), en virtud también de sus normas de reparto, se han reservado la competencia para el enjuiciamiento de estos delitos aun cuando no se haya producido acto de violencia alguno, si la protegida era una mujer víctima de violencia de género.

b) Delito contra los derechos y deberes familiares

En segundo lugar, es preciso hacer referencia a la polémica suscitada en relación a la determinación del órgano judicial competente para la instrucción de los delitos contra los derechos y deberes familiares que el apartado b) del art. 87 ter 1 de la LOPJ atribuye a los Juzgados de Violencia sobre la Mujer cuando la víctima sea alguna de las referidas como tales en la letra anterior.

La Circular 4/2005, tras delimitar qué tipos delictivos, de los incluidos en el Capítulo III del Título XII del Libro II CP, de los delitos contra los derechos y deberes familiares, pueden ser competencia de los Juzgados especializados (los tipificados en los arts. 224, 225 bis, 226, 227, 229 a 231 y 232 del CP) ya se decantaba por entender que «los delitos contra los derechos y deberes familiares cometidos contra descendientes, menores o incapaces del art. 87 ter. 1b) LOPJ deberán ir acompañados de actos de violencia de género para tener cabida en el marco competencial de los Juzgados de Violencia sobre la Mujer».

En concreto, razona la Circular que «en cuanto al delito de abandono de familia propio (art. 226 CP) el tipo penal extiende el círculo de agraviados además de al cónyuge, a los descendientes y ascendientes que se hallen necesitados, pero por imperativo del artículo primero de la Ley, éstos dos últimos supuestos quedarán fuera del ámbito competencial de los Juzgados de Violencia sobre la Mujer, salvo que tratándose de descendientes también se haya producido un acto de violencia de género.

El delito de impago de pensiones (…) también puede tener como sujeto pasivo a la mujer que es o ha sido cónyuge, a los hijos, o ambos.

En aquellos casos en que la prestación económica que resulta desatendida tenga por objeto exclusivamente alimentar a los hijos éstos serán los sujetos pasivos, en cuanto titulares de las pensiones alimenticias y del bien jurídico protegido (el derecho familiar a percibir una pensión alimenticia por decisión judicial) aún cuando la madre pueda resultar perjudicada —como perjudicada civil— si ha subvenido con sus propios recursos económicos al mantenimiento de aquéllos y aunque conforme al art. 228 CP resulte legitimada para denunciar el delito mientras los hijos no adquieran la mayoría de edad (SAP Segovia 18/2003, de 18 de junio, SAP Madrid, Sec. 6.ª, 412/2003, de 30 de septiembre, SAP Guipúzcoa, Sec. 2.ª, 2208/2004, de 18 de noviembre y SAP Tarragona, Sec. 2.ª, de 21 de diciembre de 2004). En estos casos, la imputación de un delito de impago de pensiones respecto de los hijos determinará la competencia del Juzgado de Instrucción ordinario, salvo que también se haya producido un acto de violencia de género, en cuyo caso el Juzgado especializado atraerá la competencia para conocer ambos».

La postura de las Secciones de Violencia sobre la Mujer fue la mantenida en la Circular, pues si se analiza el precepto referido en su contexto normativo, el propio apartado atribuye el conocimiento de tales delitos a los Juzgados de Violencia sobre la Mujer cuando la víctima sea alguna de las personas señaladas como tales en la letra a)». Esto es:

a) «a quien sea o haya sido esposa o mujer que esté o haya estado ligada al autor por análoga relación de afectividad, aún sin convivencia» adquiriendo la condición de víctima, no solo por el hecho de ser mujer o mantener la relación de afectividad referida, sino por haber sufrido alguno de los delitos recogidos en el catálogo a que se refiere ese apartado;

b) «a los menores o incapaces que con él (el agresor) convivan o que se hallen sujetos a su potestad, tutela, acogimiento o guardia de hecho de la esposa o conviviente, cuando también se haya producido un acto de violencia de género».

De la interpretación conjunta de ambos apartados se deduce con claridad que cuando el sujeto pasivo del delito denunciado sean los hijos o menores o incapaces referidos anteriormente (supuesto del impago de pensiones alimenticias establecidas a favor de los hijos), será competente el Juzgado de Violencia sobre la Mujer solo cuando también se haya producido un acto de violencia de género, dado que estos tienen la condición de víctimas, a los efectos procesales a que se refiere el artículo analizado solo cuando concurren los presupuestos de la letra a) esto es, de conformidad con la interpretación ya consolidada de la Circular 4/2005, «cuando también se haya producido un acto de violencia de género».

Pero, además, tampoco será competente el Juzgado de Violencia sobre la Mujer cuando el sujeto pasivo del delito contra los derechos y deberes familiares es quien sea o haya sido cónyuge o pareja del obligado al pago (supuesto del impago de las pensiones compensatorias o alimenticias establecidas a favor de esta) a no ser que ésta también haya sufrido un acto de violencia de género de los referidos en el precepto anterior, obviamente por el que incumple esa obligación, pues sólo así adquiere la condición de víctima que exige el precepto para que se produzca la atracción competencial.

A esa conclusión ha de llegarse haciéndose una interpretación sistemática en relación con el art. 1.3 de la LO 1/04 que dispone que la violencia de género a que se refiere la presente ley comprende todo acto de violencia física y psicológica, incluidas las agresiones contra la libertad sexual, las amenazas, las coacciones o la privación arbitraria de la libertad», no siendo el incumplimiento de los deberes y derechos familiares un acto de violencia física o psicológica en sí mismo considerado; por ello el legislador limita la atracción competencial a aquellos supuestos en los que además se haya cometido una acto de violencia de los referidos y concretados en la letra a) del párrafo 1 del art. 87 ter de la LOPJ.

Por tanto, no serán competentes los Juzgados de Violencia sobre la Mujer para la instrucción y, en su caso fallo, de los procedimientos incoados por delitos contra los derechos y deberes familiares, salvo que concurra también un acto de violencia de género.

Esta interpretación ha sido acogida por los Tribunales. En este sentido, se debe hacer referencia al Acuerdo de los Magistrados de las Secciones Penales de la Audiencia Provincial de Madrid de 15 diciembre 2005 así como a la Actualización de criterios orientativos adoptados por la Sección 1.ª de la Audiencia Provincial de Alicante el 29 de marzo de 2011.

II.1.1.2. Por razón de las personas

La restricción del objeto legal de la violencia de género que la diferencia conceptualmente de la violencia doméstica es abordada por primera vez en la Instrucción 2/2005 «Sobre la acreditación por el Ministerio Fiscal de las situaciones de violencia de género» con ocasión de analizar los presupuestos que deben concurrir para entender acreditada la condición de víctima de violencia sobre la mujer, siendo uno de ellos «que tengan como sujeto activo en todo caso a un hombre, que el sujeto pasivo sea una mujer y que entre ambos exista, o haya existido, una relación matrimonial o relación similar de afectividad, aun sin convivencia».

La Ley Orgánica 1/2004, de 28 de diciembre, de Medidas de protección integral contra la violencia de género limita su ámbito de aplicación «a la violencia que los hombres ejercen sobre las mujeres que sean o hayan sido sus cónyuges, o que estén o hayan estado ligados a ellas por relaciones similares de afectividad aún sin convivencia».

La Circular 4/2005 relativa a los «Criterios de aplicación de la Ley Orgánica de medidas de protección integral contra la violencia de género», cuerpo de doctrina que en lo que a éste apartado se refiere, mantiene su vigencia, reproduce su ámbito de aplicación en similares términos, pero especificando que, junto a la tutela penal que se dispensa a estas mujeres, la citada Ley hace extensiva la protección a las «personas especialmente vulnerables que convivan con el autor»

Aun estando claros estos conceptos, se hace necesario perfilar algunos temas en relación a los sujetos que son objeto de tutela penal. En primer lugar porque el transcurso de estos años desde que la LO 1/04 entró en vigor nos ha mostrado algunas cuestiones relativas a la diferente interpretación que puede darse sobre el alcance de la relación afectiva entre hombres y mujeres, consecuencia de los cambios legislativos y sociales que se han producido y que supone un amplio y variado abanico de situaciones que puede diferir en razón a la edad, frecuencia e intensidad de la relación.

En primer lugar, las relaciones «more uxorio» han sido asimiladas a las relaciones conyugales. Así en la Disposición Adicional 3.ª de la Ley 21/1987, de 11 de noviembre, reguladora de la adopción, ya se identificaba la unión «...more uxorio como la relación de hombre y mujer integrantes de una pareja unida de forma permanente por relación de afectividad análoga a la conyugal». Y en idéntico sentido se pronunciaba la Sentencia de la Sala 1.ª del Tribunal Supremo, de 18 de mayo de 1992, según la cual, «... la convivencia more uxorio, ha de desarrollarse en régimen vivencial de coexistencia diaria, estable, con permanencia temporal consolidada a lo largo de los años,...»

Por ello las sucesivas reformas del Código Penal, en el contexto que nos ocupa, se han referido al cónyuge o «persona que esté o haya estado ligada a él por una análoga relación de afectividad».

Ahora bien, en estas relaciones afectivas entre hombres y mujeres no unidas por vínculo matrimonial, se han producido dos modificaciones destacables, primero las de los años 1995 y 1999 al añadir el vocablo «estable» y segundo, la reforma del año 2003, que elimina el citado vocablo por resultar innecesario al ser una característica propia de todas esas relaciones y estar ínsitas en su contenido.

Cuando el legislador del año 2003 añade el inciso «sin convivencia», está yendo más allá de las «uniones de hecho» expresando la multiplicidad de relaciones afectivas en que los sentimientos de los hombres y las mujeres pueden manifestarse, pues estas pueden producirse con o sin convivencia, sin limitaciones de edad, pueden ser notorias o desconocidas para terceros o más prolongadas o no en el tiempo.

a) Relaciones de noviazgo

La relación de noviazgo es una relación afectiva socialmente abierta y sometida a un cierto grado de relatividad en cuanto a los caracteres que la definen, porque, entre otras modalidades, puede tratarse de una persona que mantiene relaciones amorosas con fines matrimoniales, o puede aludir a una persona que mantiene una relación amorosa con otra, sin intención de casarse y sin convivir con ella.

Son relaciones que trascienden de los lazos de amistad, afecto y confianza y que crean un vínculo de complicidad estable, duradero y con cierta vocación de futuro; distinta de la relación matrimonial y «more uxorio», en las que se despliegan una serie de obligaciones y derechos que a los novios no les vincula, y que también de las relaciones ocasionales o esporádicas, de simple amistad o basadas en un componente puramente sexual, o que no impliquen una relación de pareja.

Por ello, cuando el legislador del año 2003 reformó el artículo 173.2 del CP (referido a la violencia habitual) e introdujo «o sobre persona que esté o haya estado ligada a él por una análoga relación de afectividad aun sin convivencia», sin duda alguna se estaba refiriendo, entre otras, a las relaciones de noviazgo,

b) Relaciones de afectividad de mujeres menores de edad

Los artículos 315 del Código Civil y 12 de la CE fijan la mayoría de edad a los 18 años. Por ello, se está planteando ante los Tribunales de Justicia la cuestión relativa a si las mujeres menores de edad pueden o no ser sujetos pasivos de la violencia de género en cuanto a si gozan de la capacidad necesaria para decidir el inicio de una relación sentimental.

La Circular 1/2010 «Sobre el tratamiento desde el sistema de justicia juvenil de los malos tratos de los menores contra sus ascendientes» dejaba al margen el estudio sobre los supuestos de violencia de género en la jurisdicción de menores, teniendo en cuenta que esta manifestación delictiva presentaba una incidencia menor en esta jurisdicción especial. No obstante se constata, a través de las denuncias que llegan a la Fiscalía de Sala de Violencia y a las Secciones contra la violencia sobre la mujer de las Fiscalías Provinciales, cómo en ellas se reproducen los roles de dominación/sumisión a través de conductas en ocasiones violentas.

En nuestro Ordenamiento jurídico son diversas las normas que otorgan capacidad al menor de edad. Las sucesivas reformas del Código Civil constituyen representativos ejemplos en los que se otorga al menor facultad para realizar por sí mismos actos con eficacia jurídica: por citar algunos ejemplos, pueden otorgar testamento a los 14 años (artículo 663 CC); el art. 48 CC permite contraer matrimonio con dispensa del Juez de Primera Instancia a los menores a partir de los 14 años; el art. 1329 CC autoriza al menor que con arreglo a la Ley pueda casarse a otorgar por sí solo capitulaciones matrimoniales en las que pacte el régimen de separación o el participación. Igualmente puede ejercer la patria potestad sobre sus hijos con la asistencia de sus padres o de su tutor (art. 157 CC); el art. 177.1 CC exige el consentimiento del menor mayor de 12 años para constituir su adopción; el art. 443 CC permite a los menores en general adquirir la posesión de las cosas, el art. 625 CC aceptar donaciones y el artículo 320 CC autoriza al Juez para conceder la emancipación de los hijos mayores de 16 años.

Basten estas citas de los preceptos reseñados para concluir que aunque la plena capacidad se concede con la mayoría de edad, las mujeres que no la han alcanzado gozan de capacidad para decidir el inicio de una relación sentimental que las sitúa, sin duda alguna bajo la esfera de tutela penal que se otorga a las mujeres víctimas de violencia de género.

El artículo 17 de la LO 1/04, así lo recoge, al disponer que «todas las mujeres víctimas de violencia de género, con independencia de su origen, religión o cualquier otra condición o circunstancia personal o social, tienen garantizados los derechos reconocidos en la Ley».

Los sujetos pasivos de los tipos penales relativos a la violencia que se ejerce sobre la mujer están perfectamente definidos, sin que la norma exija, condicione o defina las circunstancias que deben concurrir para tener por acreditada una relación sentimental, aunque este extremo deba ser objeto de prueba.

Finalmente, no parecen criterios asumibles aquellos que niegan la tutela penal a las adolescentes víctimas de violencia de género, por carecer de proyecto de vida en común con su pareja; o por convivir con los padres y depender económicamente de ellos, o por haber existido una ruptura transitoria en la relación, o por cualquier otra causa que la norma no requiere. La realidad nos pone de manifiesto que en algunas relaciones entre adolescentes o jóvenes se ejercen conductas de control, asedio, vigilancia, agresividad física o verbal o diversas formas de humillación que encajan en los tipos penales contenidos en los arts. 153 (delito de maltrato ocasional), 171-4 (delito de amenazas) 172-2 (delito de coacciones) 148-4 (delito de lesiones) y 173-2 del CP, (delito de violencia habitual).

c) Relaciones sentimentales paralelas

De idéntico modo que en las anteriores, la protección de la norma penal alcanza a aquellas relaciones que trascienden de los lazos de amistad, afecto y confianza, como una manifestación más de la relaciones de afectividad more uxorio, considerando que sólo podrán excluirse aquellas que se mantienen de modo esporádico u ocasional.

La Sala Segunda del Tribunal Supremo ha tenido ocasión de pronunciarse en este sentido, a través de la STS 510/2009 de 12 de mayo, que, reconociendo la dificultad de dar respuesta a todos y cada uno de los supuestos que la práctica puede ofrecer respecto de modelos de convivencia susceptibles de ser tomados en consideración para la aplicación de los tipos penales relativos a la violencia de género, estima que lo decisivo para que la equiparación entre el matrimonio y situaciones análogas se produzca es «que exista un cierto grado de compromiso o estabilidad, aun cuando no haya fidelidad ni se compartan expectativas de futuro. Quedando por tanto excluidas del concepto de «análoga relación de afectividad» las relaciones puramente esporádicas y de simple amistad, en las que el componente afectivo todavía no ha tenido ni siquiera la oportunidad de desarrollarse y llegar a condicionar los móviles del sujeto activo de la violencia sobre la mujer».

Y finalmente, apunta a una de las características que son propias de estas relaciones, al establecer que:»La protección penal reforzada que dispensan los citados preceptos no puede excluir a parejas que, pese a su formato no convencional, viven una relación caracterizada por su intensidad emocional».

d) Parejas homosexuales

De forma clara la Circular 4/2005 las incluía, a los efectos de tutela penal, en el apartado 2 del artículo 153, referido a la violencia doméstica. Y así lo expresaba al concluir: «asimismo, la dicción legal del art. 1 LO 1/2004 implica que las parejas de un mismo sexo han quedado excluidas de su ámbito de especial protección, aunque no puede ignorarse que en algún supuesto en ellas podrían reproducirse relaciones de dominación análogas a las perseguidas en esta Ley por interiorización y asunción de los roles masculinos y femeninos y de sus estereotipos sociales».

La STS 1068/2009 de 4 de noviembre estima el recurso interpuesto por el recurrente que había sido condenado por un delito del art. 171.4 del CP, por haber proferido amenazas a su pareja sentimental homosexual, aduciendo que entre amenazante y amenazado existía una relación de «pareja conviviente, siendo en aquel momento compañeros sentimentales». El Tribunal Supremo casa la sentencia dictando otra en su lugar en que absuelve al acusado recurrente y le condena por una falta de amenazas prevista en el art. 620 CP, y lo argumenta del siguiente modo: «ocurre, sin embargo, que el tipo penal aplicado establece con meridiana claridad que el sujeto pasivo de la leve amenaza es la persona que sea o haya sido la esposa o mujer que esté o haya estado ligado al autor por una relación análoga de afectividad. No prevé la norma que la víctima pueda ser un individuo del sexo masculino. En nuestro caso, la relación de pareja sentimental se establece entre dos hombres, lo que escapa a la descripción típica, sin que le esté permitido a esta Sala hacer una interpretación extensiva de la norma, en perjuicio del reo».

e) Víctimas transexuales

La Circular 4/2005 al delimitar el ámbito de aplicación de la LO 1/2004, entendía incluido en el apartado 1 del artículo 153 a las «parejas de distinto sexo formadas por transexuales reconocidos legalmente si el agresor es el varón y la víctima la mujer».

Antes de concluir en qué modo se puede interpretar la condición «reconocidos legalmente», es preciso hacer referencia a los conceptos que lo definen, partiendo de la diferencia básica entre persona homosexual y persona transexual y a las modificaciones legislativas que se han producido en torno al reconocimiento y efectos de la transexualidad.

La transexualidad está relacionada con la identidad sexual —el sexo con el que el individuo se identifica—, mientras que la homosexualidad se relaciona con la orientación sexual. Por ello se define transexual como «la persona que se siente del otro sexo, y adopta sus atuendos y comportamientos; persona que mediante tratamiento hormonal e intervención quirúrgica adquiere los caracteres sexuales del sexo opuesto», mientras que define la homosexualidad como la «Inclinación hacia la relación erótica con individuos del mismo sexo».

La diferencia apuntada sirve para justificar por qué el distinto tratamiento dispensado por la Circular 4/05 ya referido, al incorporar bajo el ámbito de aplicación de la LO 1/04 exclusivamente a los transexuales reconocidos legalmente si el agresor es varón y la mujer víctima, e incorporando al ámbito de la violencia domestica la protección penal de las parejas homosexuales.

En relación a este tema se hace preciso traer a colación que el 17 de marzo de 2007 entró en vigor la Ley 3/2007 de 15 de marzo, reguladora de la rectificación registral de la mención relativa al sexo de las personas fijando los requisitos legales que desde ese momento son exigibles para que la mención de sexo sea rectificada en el Registro Civil.

Anteriormente a la publicación de la citada Ley, el Tribunal Supremo venía reconociendo una cierta importancia al sexo psicológico y social admitiéndolo como criterio que podía prevalecer sobre el biológico, pero exigiendo al mismo tiempo la acreditación de cirugía total de reasignación sexual, y la implantación de los órganos, al menos en su apariencia externa, del sexo deseado (en este sentido SSTS de la Sala 1.ª, 811/2002, de 6 de septiembre y 929/2007 de 17 de septiembre).

El legislador, a través de la citada Ley 3/2007, de 15 de marzo, elimina los requisitos que se exigían por parte de los Tribunales, al suprimir el requisito de la cirugía de reasignación sexual, consistente en procesos quirúrgicos a los que las mujeres y los varones transexuales se sometían para armonizar su sexo anatómico con su identidad, y sustituirlo por otros contemplados en el artículo 4.

Así viene recogido en la Disposición Transitoria Única de la citada Ley: «La persona que, mediante informe de médico colegiado o certificado del médico del Registro Civil, acredite haber sido sometida a cirugía de reasignación sexual con anterioridad a la entrada en vigor de esta Ley, quedará exonerada de acreditar los requisitos previstos por el artículo 4.11 que, en definitiva viene a equiparar la cirugía de reasignación sexual al diagnóstico de disforia de género.

La Ley 3/2007 centra su objetivo en la rectificación de la mención registral del sexo regulando un procedimiento ante el Registro Civil, a través de un «expediente gubernativo» («procedimiento registral» a partir de 2014, fecha en que entrará en vigor la reforma de la Ley del Registro Civil operada por Ley 20/2011, de 21 de julio).

La resolución que acuerde la rectificación tendrá efectos constitutivos a partir de su inscripción en el Registro Civil (5.1), y permitirá a la persona ejercer todos los derechos inherentes a su nueva condición (5.2), y no alterará la titularidad de los derechos y obligaciones jurídicas que pudieran corresponder a la persona con anterioridad a la inscripción del cambio (5.3).

La ley, por tanto, otorga efectos civiles plenos a la rectificación, de manera que, quien la obtenga, podrá vivir de acuerdo con su nueva condición a todos los efectos jurídicos y, por lo tanto, ser amparada por todos los derechos que la LO 1/04 le reconoce.

La cuestión se plantea en relación a aquellas mujeres transexuales que no han llevado a cabo la rectificación registral del cambio de sexo en el Registro Civil, y, por tanto, si esa ausencia de asiento registral deriva en que las mujeres transexuales que sufran o hayan podido sufrir violencia de género se vean privadas de su condición de víctima desde el punto de vista del art. 1 de la LO 1/04, o, si por el contrario, se les incluye bajo la protección de la tutela penal y competencial de la citada Ley, en la que despliegan todos sus efectos los derechos y medidas asistenciales previstas en el mismo texto legal.

a. Que le ha sido diagnosticada disforia de género.

La acreditación del cumplimiento de este requisito se realizará mediante informe de médico o psicólogo clínico, colegiados en España o cuyos títulos hayan sido reconocidos u homologados en España, y que deberá hacer referencia:

1. A la existencia de disonancia entre el sexo morfológico o género fisiológico inicialmente inscrito y la Identidad de género sentida por el solicitante o sexo psicosocial, así como la estabilidad y persistencia de esta disonancia.

2. A la ausencia de trastornos de personalidad que pudieran influir, de forma determinante, en la existencia de la disonancia reseñada en el punto anterior.

b. Que ha sido tratada médicamente durante al menos dos años para acomodar sus características físicas a las correspondientes al sexo reclamado. La acreditación del cumplimiento de este requisito se efectuará mediante informe del médico colegiado bajo cuya dirección se haya realizado el tratamiento o, en su defecto, mediante informe de un médico forense especializado.

Cuando el legislador está aludiendo a garantizar el libre desarrollo de la personalidad y a la dignidad de las personas, está haciendo referencia explícita a la protección de los Derechos Fundamentales establecidos en el artículo 10 CE (dignidad de la persona, los derechos inviolables que le son inherentes, el libre desarrollo de la personalidad). Pero también el artículo 15 CE donde se establece el derecho a la vida y a la integridad física y moral, el derecho a la intimidad y la propia imagen del artículo 18 CE, el artículo 14 CE referido al derecho a la igualdad y la prohibición de discriminación por razón de sexo, e incluso, el artículo 43.1 CE donde se refleja el derecho a la protección de la salud. Y es que la salud no ha de definirse como sinónimo de no padecer enfermedad, sino más genéricamente, en el disfrute de un bienestar general, psíquico-mental y social, que ayude a un pleno desarrollo personal.

La realidad nos muestra que una parte de la población de este país, las mujeres transexuales, son víctimas de malos tratos por sus parejas varones, a lo hay que añadir que puede darse la circunstancia de que se trate de víctimas extranjeras que carecen de la posibilidad de acudir al procedimiento de rectificación registral.

En este sentido, el derecho penal permite un margen de autonomía conceptual que da solución satisfactoria a este problema. Desde el punto de vista del fin de protección de la norma y de la configuración del bien jurídico protegido cabe perfectamente la posibilidad de considerar a las mujeres transexuales como víctimas de violencia de género con independencia de las previsiones formales de la ley 3/07. Y ello por cuanto nada impide al juez penal apreciar la concurrencia de los requisitos materiales que permitirían la efectividad del cambio en la certificación registral (artículo 4 de la ley 3/07), con independencia de que ésta se haya producido.

En este sentido ya se ha pronunciado la Sección Octava de la Audiencia Provincial de Málaga (Rollo n.º 206/10), a través de Auto dictado el día 3 de mayo de 2010, que resuelve que una cuestión de competencia planteada por un Juzgado de Violencia sobre la mujer para la tramitación e investigación de una denuncia interpuesta por una mujer transexual (originariamente varón), contra un hombre con el que mantenía una relación sentimental, correspondía al Juzgado de Violencia sobre la Mujer n.º 1 de Málaga. Para ello se basa en que la prueba médico forense practicada permite determinar que el denunciante se encuentra intervenido quirúrgicamente de cambio de sexo y presenta «una identificación acusada y persistente con el sexo femenino». Y que «desde el punto de vista conductual y emocional el denunciante está más cerca del género femenino que del masculino».

Tras reconocer la Sala que el denunciante carece de documento oficial acreditativo de su identidad («que por otra parte no puede tramitar según manifiesta el interesado por carecer de nacionalidad española»), no aplicar al mismo la LO 1/2004, «supone desconocer una realidad social representada por un colectivo de personas que se identifican intensamente con el otro sexo; consideraciones que en definitiva conducen a la estimación de la cuestión de competencia planteada»

Por lo tanto, aun cuando la mujer transexual no haya acudido al Registro Civil para rectificar el asiento relativo a su sexo, si se acredita su condición de mujer a través de los informes médico-forenses e informes psicológicos por su identificación permanente con el sexo femenino, estas mujeres transexuales, nacionales y extranjeras, pueden ser consideradas como víctimas de violencia de género.

II.1.2. Competencia territorial

El artículo 15 bis de la LECr. (adicionado por el art. 59 de la LO 1/2004) dispone que «En el caso de que se trate de alguno de los delitos o faltas cuya instrucción o conocimiento corresponda al Juzgado de Violencia sobre la Mujer, la competencia territorial vendrá determinada por el domicilio de la víctima...».

Este artículo, como dice la Circular 4/05, contempla dos excepciones al fuero del domicilio, atribuyendo la competencia al Juez del lugar de la comisión de los hechos... «para la adopción de la orden de protección o medidas urgentes del art. 13 de la LECr» a lo que habría que añadir la competencia del Juez de Guardia del lugar donde se solicita la orden de protección que no sea el del domicilio de la víctima ni el de la comisión de los hechos (fueros subsidiarios).

Se trata en primer lugar el concepto de domicilio para después abordar las excepciones a este fuero.

II.1.2.1. Concepto de domicilio

La Circular 4/2005 estableció criterios en orden a la determinación del domicilio de la víctima y de las consecuencias de sus eventuales cambios.

Todos los criterios interpretativos de este precepto establecidos en aquella Circular se han consolidado y, en concreto, en cuanto a qué domicilio se ha de atender para determinar el juzgado competente, el de la víctima en el momento de la comisión de los hechos o el de la víctima en el momento de la denuncia.

La Circular 4/05 advertía en relación a este tema que «El nuevo criterio normativo no precisa si hay que atender al domicilio de la víctima en el momento en que ocurren los hechos punibles, o al que tenga en el momento de la denuncia».

Y añade que «en principio razones de índole práctica aconsejarían incli-
narse por este último, habida cuenta de que en ocasiones las víctimas se ven
obligadas a cambiar de domicilio precisamente a consecuencia de las conductas delictivas de que son objeto, más no podemos olvidar que en la LOMPIVG
el domicilio de la víctima fija la competencia y que ésta afecta al derecho al
juez legal, por lo que habrá que estar al domicilio de la víctima en el momento
de comisión de los hechos como fuero predeterminado por la Ley, pues otra
interpretación podría dejar a la voluntad de la denunciante la elección del juez
territorialmente competente».

Tal posición ha sido refrendada por la jurisprudencia y así, por Acuerdo de
Pleno no Jurisdiccional del Tribunal Supremo de 31-1-06, se concluyó que «el
domicilio a que se refiere el Art. 15 bis LECrim es el que tenía la víctima al
ocurrir los hechos», Pleno que dio lugar al Auto de 2 de febrero de 2006, n.º
de Recurso 131/2005.

Posteriormente y siguiendo ese criterio, se han dictado multitud de resoluciones en el mismo sentido: Autos del Tribunal Supremo de 3 de marzo, 6 de
marzo, 3 de octubre, 6 de octubre de 2006, 24 de septiembre de 2009, 9 de
julio y 21 de octubre de 2010, 14 y 19 de enero, 18 de febrero, 10 de marzo y
12 de mayo de 2011).

Añade la Circular que «Por la misma razón los cambios de domicilio posteriores a la denuncia serán irrelevantes. La institución procesal de la perpe-
tuatio iurisdictionis, aplicable en este punto al proceso penal, impone que la
situación —fáctica y jurídica— que sirvió de base para fijar la competencia
de un determinado órgano jurisdiccional se considere determinante del fuero,
sin perjuicio de que aquella situación se modifique a lo largo del proceso y sin
que pueda alterarse la competencia por un acto de voluntad de alguna de las
partes (STS 2.ª 782/1999, de 20 de mayo y ATS 2.ª de 18 de mayo de 1997)»

Dicha posición también ha sido ratificada por la Sala 2.ª del Tribunal Supremo (Autos de 6 de marzo de 2006, 10 de octubre de 2006 y 24 de octubre
de 2010), resoluciones que reproducen los argumentos esgrimidos por la FGE.

II.1.2.2. Excepciones al fuero determinado por el domicilio de la víctima

Desde la entrada en vigor de la LO 1/2004, se planteó el problema de
determinar qué órgano judicial ha de resolver la orden de protección (artículo
544 ter de la LECr) si aquella se solicitara —tratándose de una víctima de vio-

lencia de género— fuera de las horas de audiencia del Juzgado de Violencia sobre la Mujer o en una partido judicial distinto al territorialmente competente.

Como dice la Circular 4/2005 de la FGE «la necesidad de priorizar la respuesta judicial en tales casos, motiva la habilitación de otros órganos jurisdiccionales para ello».

Por esta razón, el Juez de Instrucción de guardia será competente para conocer de esas solicitudes de órdenes de protección de conformidad con el propio tenor del art. 15 bis de la LECr, que dispone, al establecer la competencia territorial a favor del Juzgado de Violencia sobre al Mujer del domicilio de la víctima, como excepción, «la adopción de la orden de protección, o de las medidas urgentes del art. 13 de la presente Ley que pudiera adoptar el Juez del lugar de la comisión de los hechos».

La Circular 4/2005 nos dice que el art. 15 bis LECrim «contempla dos excepciones al fuero del domicilio, atribuyendo la competencia al Juez del lugar de comisión de los hechos para la adopción de la orden de protección o de medidas urgentes del artículo 13 de la presente Ley. A lo que se debe añadir la salvedad derivada de la competencia del Juez de guardia ante el que se solicite una orden de protección para resolver la misma, aunque no sea ninguno de los dos anteriores, conforme a lo establecido en el art. 544 ter. 3 LECrim que no ha sido objeto de modificación».

La Circular 3/2003 de la Fiscalía General del Estado, también vigente, insta a los Sres. Fiscales a dictaminar a favor de la resolución de la orden de protección por el Juez de guardia ante el que se presentase la solicitud, en tanto que primeras diligencias, sin perjuicio de la posterior remisión de los autos resolviendo la orden de protección al que resultare finalmente competente para conocer de la causa.

Son dos, por tanto, las situaciones conflictivas:

1.ª Que la orden de protección se solicite en el Partido Judicial del domicilio de la víctima pero fuera de las horas de audiencia del Juzgado de Violencia sobre la Mujer objetivamente competente.

2.ª Que la orden de protección se solicite en un Partido Judicial distinto al del domicilio de la víctima, que puede coincidir o no con el lugar de la ejecución de los hechos.

La Circular 4/2005 establece que cuando el art. 544 ter de la LECR se refiere al juez del lugar de la comisión de los hechos, por tal «ha de entenderse el Juez de guardia, ya que en ambos casos (solicitud fuera de las horas de audiencia del Juzgado de Violencia sobre la Mujer o en una partido judicial distinto al territorialmente competente,) se trata de medidas de carácter urgente e inaplazable que deben ser adoptadas por un juez que no es territorialmente competente para conocer del asunto y el Juzgado de Violencia sobre la Mujer de ese partido judicial —recuérdese que nos estamos refiriendo al competente por razón del territorio— no desempeña funciones de guardia aunque se encuentre en horas de audiencia».

Tales criterios, establecidos en la Circular 4/2005 mantienen plena vigencia, pero han de ser aplicados a luz de las actuales circunstancias dada la creación de un servicio de guardia de los Juzgados de Violencia sobre la Mujer en algunas demarcaciones judiciales.

Por Acuerdo de 17 de julio de 2008, del Pleno del Consejo General del Poder Judicial, por el que se modifica el Reglamento 1/2005, de 15 de septiembre, de los Aspectos accesorios de las actuaciones judiciales, en materia de servicio de guardia en los Juzgados de Violencia sobre la Mujer, en el artículo 62 bis, dispuso que «En los partidos judiciales donde existan cuatro o más Juzgados de Violencia sobre la Mujer, se establecerá un servicio de guardia de permanencia en el que turnarán de modo sucesivo todos los órganos de tal naturaleza en ellos existente».

A partir de su entrada en vigor, para concretar qué juzgado es competente para la resolución de las solicitudes de órdenes de protección y otras actuaciones judiciales urgentes, será preciso distinguir entre el partido judicial del domicilio de la víctima u otro distinto y atender a si en el partido judicial de que se trate se ha establecido servicio de guardia entre los Juzgados especializados (en la actualidad Madrid, Barcelona, Valencia y Sevilla) o no:

a) Solicitud de orden de protección en el partido judicial del domicilio de la víctima donde el Juzgado de Violencia sobre la Mujer no presta servicio de guardia.

En este caso, habrá que distinguir si este se encuentra en horas de audiencia o no. Si está dentro de ese horario, el Juzgado de Violencia será el competente para la resolución de la orden de protección, en caso contrario el competente es el Juzgado de Instrucción en funciones de guardia.

Ello se deduce con absoluta claridad del artículo 42.4 del Reglamento de Aspectos accesorios de las actuaciones judiciales ya citado, que dispone que seguirá siendo «objeto del servicio de guardia de los Juzgados de Instrucción o de Primera Instancia e Instrucción la regularización de la situación personal de quienes sean detenidos por su presunta participación en delitos cuya instrucción sea competencia de los Juzgados de Violencia sobre la Mujer y la resolución de las solicitudes de adopción de las órdenes de protección de las víctimas de los mismos, siempre que dichas solicitudes se presenten y los detenidos sean puestos a disposición judicial fuera de las horas de audiencia de dichos Juzgados...»

b) Solicitud de orden de protección en el partido judicial del domicilio de la víctima donde el Juzgado de Violencia presta servicio de guardia.

El Juzgado de Violencia será competente para su tramitación si está en horario de guardia; si la actuación urgente surge fuera de dicha horas, el competente es el Juzgado de Instrucción en funciones de guardia.

En este sentido, el mismo art. 42.4 del Reglamento dispone que cuando la Intervención judicial haya de producirse fuera del período de tiempo en que preste servicio de guardia el Juzgado de Violencia sobre la Mujer» seguirán siendo competentes los Juzgados de Instrucción en funciones de guardia, toda vez que «El servicio de guardia de los Juzgados de Violencia sobre la Mujer (...), se prestará durante tres días consecutivos en régimen de presencia de 9 a 21 horas». y que «En las actuaciones inaplazables que se presenten en los restantes periodos de tiempo, intervendrá el Juzgado de Instrucción o de Primera Instancia e Instrucción que en esos momentos se encuentre prestando el servicio de guardia, el cual remitirá las diligencias practicadas al órgano competente. (Artículo 62 bis.3 del Reglamento 1/2005), será competente el Juzgado de Instrucción en funciones de guardia.

c) Solicitud en un partido judicial distinto al del domicilio de la víctima, que puede o no coincidir con el lugar de la ejecución de los hechos, sí en tal demarcación no existe servicio de guardia del Juzgado de Violencia.

El competente para su resolución es el Juez de Instrucción de Guardia de ese Partido Judicial de conformidad con el art. 544 ter.3 de la LECr, pues como dice la Circular 4/05, el Juzgado de Violencia no ejerce funciones de guardia.

d) Solicitud en un partido judicial distinto al del domicilio de la víctima en el que está establecido el servicio de guardia de los Juzgados de Violencia (Madrid, Barcelona, Valencia o Sevilla, en la actualidad) y durante el horario de permanencia,

La competencia para el trámite y resolución corresponde al Juzgado de Violencia en funciones de guardia de ese partido.

De conformidad con el art. 62 bis 2 del Reglamento 1/2005, los Juzgados de Violencia en funciones de guardia asumen las mismas competencias que los Juzgados de Instrucción en funciones de guardia «en lo relativo a las competencias que les son propias» y esas competencias se refieren en el art. 42 que establece el objeto del servicio de guardia: «Constituye el objeto del servicio de guardia la recepción e incoación, en su caso, de los procesos correspondientes a los atestados, denuncias y querellas que se presenten durante el tiempo de guardia, la realización de las primeras diligencias de instrucción criminal que resulten procedentes, entre ellas las medidas cautelares de protección a la víctima, la adopción de las resoluciones oportunas acerca de la situación personal de quienes sean conducidos como detenidos a presencia judicial, la celebración de los juicios inmediatos de faltas previstos en la Ley de Enjuiciamiento Criminal, la tramitación de diligencias urgentes y de otras actuaciones que el Título III del Libro IV de la Ley de Enjuiciamiento Críminal atribuye al Juez de guardia. Y, asimismo, la práctica de cualesquiera otras actuaciones de carácter urgente o inaplazable de entre las que la Ley atribuye a los Juzgados de Instrucción y a los Juzgados de Violencia sobre la Mujer».

Por tanto, el Juzgado de Violencia sobre la Mujer en funciones de guardia, durante el horario de dicho servicio, será el competente para la práctica de todas aquellas primeras diligencias especificadas en el artículo trascrito, pese a no ser territorialmente competente, si son relativas a las competencias objetivas que le son propias, es decir, sí tales diligencias están relacionadas con actos de violencia de género para los que tiene competencia objetiva de conformidad con el art. 87 ter 1 de la LOPJ.

Si tales diligencias han de practicarse fuera del horario de guardia, el competente es el Juzgado de Instrucción en funciones de guardia.

II.1.3. Competencia por conexidad

El artículo 17 bis de la LECr en su redacción dada por la LO 1/2004 de Medidas de Protección Integral contra la Violencia de Género, establece que «La competencia de los Juzgados de Violencia sobre la Mujer se extenderá a la instrucción y conocimiento de los delitos y faltas conexas siempre que la conexión tenga su origen en alguno de los supuestos previstos en los números 3.º y 4.º del artículo 17 de la presente Ley»

El Juzgado de Violencia sobre la Mujer, por tanto, tendrá competencia para instruir y, en su caso, conocer de los delitos y faltas cometidos como medio para perpetrar alguno de los previstos en el art. 87 ter. 1 LOPJ o facilitar su ejecución (art. 17.3 LECrim) así como de los delitos y faltas cometidos para procurar la impunidad de alguno de aquéllos (art. 17.4 LECrim).

Como decía la Circular 4/2005 de la Fiscalía General del Estado, «la interpretación sistemática de los nuevos arts. 15 bis, 17 bis LECrim y 87 ter.1 LOPJ conduce al entendimiento de que la determinación de la competencia de los Juzgados de Violencia sobre la Mujer atiende a la naturaleza del delito y no a la gravedad del mismo, por lo que las reglas establecidas en el art. 18 LECrim en relación con el Juez o Tribunal competente para conocer de los delitos conexos (el del territorio en que se haya cometido el delito más grave, el que primero comenzare la causa cuando tengan igual pena, etc.) no serán aplicables en este caso ya que el Juzgado especializado del domicilio de la mujer víctima, siempre será el preferente aunque el delito de violencia de género no sea el más grave de todos los conexos. En cuanto a los supuestos de conexidad prevenidos en el art. 17 bis LECrim se acoge con claridad la vis atractiva del Juzgado de Violencia sobre la Mujer en supuestos de comisión medial y comisión para impunidad (conexidad objetiva) guardando un significativo silencio la Ley tanto en relación con los supuestos de conexidad subjetiva, comisión simultánea por dos o más personas reunidas y comisión previo concierto mutuo (art. 17.1 y 2 LECrim), como con los de conexidad mixta o causal (art. 17.5 LECrim)».

Las razones que pudo tener el legislador para la exclusión de los supuestos de conexidad subjetiva y de conexidad mixta o causal, según la Circular 4/2005 probablemente sean, en relación a la conexidad subjetiva «... a lo raro de su aparición en este tipo de delitos» y en cuanto a los supuestos de conexidad mixta o causal que «como ya sucediera, mutatis mutandis, con la Ley Orgánica del Tribunal del Jurado (STS 857/2001, de 4 de mayo), la excesiva amplitud de esta causa de conexidad podría determinar la atribución a estos Juzgados del conocimiento de tipos delictivos muy diversos desnaturalizando la especificidad que les es propia».

No obstante, pese a la poca frecuencia con que puedan darse, no son extraños los supuestos en los que el varón junto a terceros agrede a su esposa o pareja o, a través de precio u otras artimañas, consigue que sea un tercero el que ejecute la agresión. Tales delitos, con independencia de la participación de cada uno de los intervinientes, por el carácter preferente de la especialización, la naturaleza del hecho delictivo y la improcedencia de romper la continencia de la causa, serán, en su conjunto y en relación a todos los partícipes, competencia del Juzgado de Violencia sobre la Mujer.

La experiencia a lo largo de estos años ha demostrado que los criterios establecidos en la Circular 4/05 son los seguidos mayoritariamente por las Audiencias Provinciales para determinar la competencia de los Juzgados de Violencia sobre la Mujer por conexidad de conformidad con el artículo 17 bis de la LECr.

Pero también se han planteado diversos problemas en relación a la competencia para la instrucción y en su caso fallo de aquellos supuestos de agresiones mutuas entre el hombre y la mujer que están o han estado unidos por alguna relación de afectividad de las referidas en el art. 1 de la LO 1/2004, que han provocado importantes disfunciones, al haber entendido algunos Juzgados de Instrucción que son competentes para la instrucción y, en su caso, fallo de la presunta agresión cometida por la mujer y entender competente al Juzgado de Violencia en cuanto a la agresión del hombre hacia aquella; en algunos casos, el Juzgado de Instrucción ha llegado a tramitar el Juicio Rápido dictando sentencia con la conformidad de la imputada (801 de la LECrim) o ha abierto juicio oral y remitido la causa para enjuiciamiento al Juzgado de lo Penal, y, al mismo tiempo, ha acordado la remisión de testimonio al Juzgado de Violencia sobre la Mujer para la tramitación del procedimiento por la agresión contra esta.

La Circular tantas veces referida, se hacía la siguiente pregunta en relación a esta problemática: «¿Ha de quedaren tales casos el varón sometido al Juzgado de Violencia sobre la Mujer y la mujer al Juzgado de Instrucción ordinario?».

Para responder a tal cuestión la Circular recordaba la posición jurisprudencial y así dice: «La posibilidad de actuar en la doble condición de acusado y acusador ha sido puesta de manifiesto en el Acuerdo de la Sala 2.ª del Tribunal Supremo de 27 de noviembre de 1998, que admite, con carácter excepcional, la posibilidad de que una misma persona asuma la doble condición de acusador y acusado en un proceso en el que se enjuician acciones distintas enmarcadas en un mismo suceso, cuando, por su relación entre sí, el enjuiciamiento separado de cada una de las acciones que ostentan como acusados y perjudicados, produjese la división de la continencia de la causa, con riesgo de sentencias contradictorias, y siempre que así lo exija la salvaguarda del derecho de defensa y de la tutela judicial efectiva. Criterio recogido en las SSTS 1178/1998, de 10 de diciembre, 363/2004, de 17 de marzo, 231/2004, de 26 de febrero,

1144/2003, de 6 de noviembre, 1978/2001, de 26 de octubre y ATS 19.9.00, entre otras».

Y concluye que, «Por tanto, en aplicación de la anterior doctrina, cuando concurra una íntima relación entre las mutuas agresiones de modo que el enjuiciamiento separado produciría la quiebra de la continencia de la causa con riesgo de sentencias contradictorias, resulta obligado asignar la competencia a uno u otro órgano jurisdiccional, que en este caso será al Juzgado de Violencia sobre la Mujer por concurrir los requisitos del art. 87 ter LOPJ».

Esta doctrina es pacífica hoy en día y, así, ha sido seguida, a título de ejemplo, en las siguientes resoluciones: Auto 457/08 de 30 de abril, dictado por la Audiencia Provincial de Barcelona, Sección 20.ª; Auto 440/07 de 20 de noviembre de la Sección 1.ª de la Audiencia Provincial de Lleida; Auto 1286/2008 de 12 de diciembre de la Sección 17.ª de la Audiencia Provincial de Madrid.

En estos supuestos, cuando se trate de lesiones que no precisen tratamiento médico ni quirúrgico, sino solo primera asistencia o no se haya producido menoscabo físico, se dirigirá la acusación contra el imputado varón por delito de maltrato del art. 153.1 del Código Penal y contra la imputada mujer por el art. 153.2 del CP.

II.2. Competencia civil

Como recordaba la repetidamente citada Circular 4/2005 de la Fiscalía General del Estado «Relativa a los criterios de aplicación de la Ley Orgánica de Medidas de Protección Integral contra la Violencia de Género», plenamente vigente, la Exposición de Motivos atribuye a los Juzgados de Violencia sobre la Mujer la tramitación de las causas civiles «relacionadas» con las causas penales que instruyan en materia de violencia sobre la mujer, de forma que unas y otras en la primera instancia sean objeto de tratamiento procesal ante la misma sede. De este modo la LO 1/04 opta por atribuir a dichos Juzgados competencias civiles más allá de las meramente cautelares.

La experiencia acumulada desde la entrada en vigor de la Ley integral, nos permite ahondar en algunas cuestiones ya tratadas en aquella Circular.

En relación a la competencia objetiva del Juzgado de Violencia sobre la Mujer en materia civil, como la Circular refiere, el legislador establece dos parámetros complementarios para determinarla:

a) un catálogo de procedimientos en relación a los cuales «podrán» tener competencia el JVM (artículo 87 ter 2 de la LOPJ).

b) unos presupuestos que han de concurrir para tener competencia en aquellos procedimientos (artículo 87 ter 3 de la LOPJ).

Insistiendo en la plena vigencia de la Circular 4/2005, se han ido planteando durante los años de vigencia de la Ley las siguientes cuestiones:

II.2.1. Catálogo de procedimientos

El art. 87 ter 2 de la LOPJ. dispone que «Los Juzgados de Violencia sobre la Mujer podrán conocer en el orden civil, en todo caso de conformidad con los procedimientos y recursos previstos en la Ley de Enjuiciamiento Civil, de los siguientes asuntos:

a) Los de filiación, maternidad y paternidad.

b) Los de nulidad del matrimonio, separación y divorcio»,

c) Los que versen sobre relaciones paterno filiales.

d) Los que tengan por objeto la adopción o modificación de medidas de trascendencia familiar.

e) Los que versen exclusivamente sobre guarda y custodia de hijos e hijas menores o sobre alimentos reclamados por un progenitor contra el otro en nombre de los hijos e hijas menores.

f) Los que versen sobre la necesidad de asentimiento en la adopción,

g) Los que tengan por objeto la oposición a las resoluciones administrativas en materia de protección de menores».

De la lectura de dicho precepto se podría concluir que ese listado es un catálogo cerrado o «numerus clausus» que no permite asumir la competencia por estos juzgados para la tramitación de otros procedimientos allí no incluidos.

Tras la publicación y entrada en vigor de la nueva Ley de Enjuiciamiento Civil (Ley 1/2000, de 7 de enero), hay procedimientos no incluidos en aquella lista, como el procedimiento para la liquidación del régimen económico matrimonial (Capítulo II del Título II del Libro IV) que se regula como un procedimiento especial, y el de ejecución de resoluciones judiciales (Capítulo I del Título I del Libro III), que se trata como procedimiento independiente y al que se remite el art. 776 de la LEC para la ejecución forzosa de las medidas acordadas en los procedimientos matrimoniales, para cuya tramitación puede ser competente el Juzgado de Violencia.

Haciendo una lectura demasiado rígida del artículo 87 ter de la LOPJ, algunos juzgados especializados, al no estar incluidos esos procedimientos en el catálogo establecido en ese artículo, han rechazado la competencia para su tramitación. Rechazo que también se ha producido en relación a otros procedimientos regulados en leyes especiales, íntimamente vinculados a aquellos para los cuales sí puede tener competencia el Juzgado especializado.

II.2.1.1. Procedimiento para la liquidación del régimen matrimonial y la formación de inventario

El artículo 1392 del Código Civil dispone que «La sociedad de gananciales concluirá de pleno derecho:

1.º Cuando se disuelva el matrimonio

2.º Cuando sea declarado nulo

3.º Cuando judicialmente se decrete la separación judicial de los cónyuges

4.º Cuando los cónyuges convengan un régimen económico distinto en la forma prevenida en este Código»

En el artículo 1393 dispone otras circunstancias por las que, en virtud de decisión judicial, puede concluir la sociedad de gananciales:

«1.º Haber sido el otro cónyuge judicialmente incapacitado, declarado pródigo, ausente o en quiebra o concurso de acreedores, o condenado por abandono de familia.

2.º Venir el otro cónyuge realizando por sí solo actos dispositivos o de gestión patrimonial que entrañen fraude, daño o peligro para los derechos del otro en la sociedad.

3.º Llevar separado de hecho más de un año de mutuo acuerdo o por abandono del hogar

4.º Incumplir grave y reiteradamente el deber de informar sobre la marcha y rendimientos de sus actividades económicas». «

Por su parte, el artículo 807 de la Ley de Enjuiciamiento Civil dispone que «Será competente para conocer del procedimiento de liquidación el Juzgado de Primera instancia que esté conociendo o haya conocido del proceso de nulidad, separación o divorcio, o aquel ante el que se sigan o se hayan seguido las actuaciones sobre disolución del régimen económico matrimonial por alguna de las causas previstas en la legislación civil».

Y en relación a la formación de inventario, el artículo 808 de la LEC dispone que «Admitida la demanda de nulidad, separación o divorcio, o iniciado el proceso en el que se haya demandado la disolución del régimen económico matrimonial, cualquiera de los cónyuges podrá solicitar la formación de inventario».

Para determinar si el Juzgado de Violencia sobre la Mujer es el competente para la tramitación de estos procedimientos o no será preciso distinguir, por una parte, aquellos procedimientos para la liquidación del régimen matrimonial consecuencia de haberse declarado nulo el matrimonio, o haberse decretado el divorcio o la separación judicial (artículo 1392-1.º, 2.º y 3.º del Código Civil) y aquellos que tienen su origen en las causas establecidas en el artículo 1392-4.º y 1393 del Código Civil.

En relación al primer supuesto, esto es, cuando se insta la liquidación por haberse disuelto el régimen matrimonial por sentencia declarando la nulidad del matrimonio, el divorcio o la separación, por aplicación del artículo 807 de la LEC será competente el órgano judicial que haya tramitado aquellos procedimientos de nulidad, divorcio o separación.

Por tanto, pese a que este procedimiento no esté incluido en el catálogo establecido en el artículo 87 ter 2 de la LOPJ el Juzgado de Violencia sobre la Mujer competente para tramitar el procedimiento de divorcio, separación o nulidad matrimonial (por concurrir los presupuestos establecidos en al párrafo 3.º del artículo 87 ter de la LOPJ), también lo es para la tramitación del procedimiento de liquidación del régimen matrimonial que se solicite tras la resolución por la que se declare nulo o disuelto el matrimonio o la separación de los cónyuges (artículo 807).

En relación a la formación de inventario, que se puede instar durante la tramitación de los procedimientos de separación, nulidad o divorcio o tras la resolución de la disolución del vínculo o de separación, será competente el Juzgado de Violencia cuando este esté tramitando o haya tramitado aquellos procedimientos.

Si la liquidación se demanda por alguna de las causas establecidas en el artículo 1392.4 o 1393 del Código Civil, dado que esa solicitud no tiene su origen en la resolución de un proceso judicial de los establecidos en el catálogo tantas veces referido (87 ter 2 de la LOPJ) el competente será en todo caso el Juzgado de 1.ª Instancia.

Esta posición ha sido mantenida por la Sección 24.ª de la Audiencia Provincial de Madrid, Auto de 1397/2007 de 22 de noviembre; Sección 5.ª de la Audiencia Provincial de Alicante por Auto de 28 de marzo de 2007 y por la

Sección 3.ª de la Audiencia Provincial de Granada, Auto 371/2008 de 10 de octubre.

En el supuesto de que se haya incoado un procedimiento civil de nulidad, separación o divorcio ante el Juzgado de Familia y durante su tramitación se solicite formación de inventario, si en aquel procedimiento ya se ha señalado fecha para la celebración de la vista (en base a la interpretación ya consolidada de la expresión «fase de juicio oral» contenida en el art. 49 bis de la LEC), este mismo juzgado será el competente para dar trámite a esa solicitud de conformidad con el artículo 808 y siguientes de la LEC y ello, aunque después se haya incoado un procedimiento penal por violencia de género ante el Juzgado de Violencia sobre la Mujer, pues llegados a la vista el Juzgado de Familia ya no pierde la competencia.

Si por el contrario no se ha llegado a la vista en el procedimiento civil y se ha incoado un procedimiento penal por violencia de género ante el Juzgado especializado, el Juzgado de 1.ª Instancia deberá inhibirse a favor de aquel, que será competente para ambos procedimientos.

En relación al procedimiento para la liquidación del régimen matrimonial disuelto por nulidad, separación o divorcio por sentencia dictada por un Juzgado de 1.ª Instancia, aunque después se haya incoado un procedimiento penal por violencia de género ante el Juzgado de Violencia, el competente para la tramitación sigue siendo, por los mismos razonamientos apuntados más arriba, el Juzgado de 1.ª Instancia.

II.2.1.2. Procedimientos de ejecución de sentencias y resoluciones dictadas por los juzgados especializados

La polémica se ha suscitado en relación a estos procedimientos, pues la ejecución también se regula en la nueva Ley de Enjuiciamiento Civil como un procedimiento independiente, que no está incluido en el catálogo del art. 87 ter 2 de la LOPJ.

La Circular 4/2005 al pronunciarse en relación a la competencia funcional en materia civil ya decía que «el Juzgado de Violencia sobre la Mujer será el competente para la ejecución de las resoluciones que dicte en asuntos civiles (arts. 61 y 545.1 LEC)».

Efectivamente, la solución no puede ser otra que la de atribuir dicha competencia al Juzgado de Violencia sobre la Mujer que dictó tales resoluciones por aplicación de lo dispuesto en los arts. 61 de la LEC que establece que «salvo disposición legal en otro sentido, el tribunal que tenga competencia para conocer de un pleito, la tendrá también para resolver sobre sus incidencias, para llevar a efecto las providencias y autos que dictare, y para la ejecución de la sentencia o convenios y transacciones que aprobare» y de conformidad con el artículo 545 del mismo texto legal: «Si el título ejecutivo consistiera en resoluciones judiciales, resoluciones dictadas por Secretarios Judiciales a las que esta Ley reconozca carácter de título ejecutivo o transacciones y acuerdos judicialmente homologados o aprobados, será competente para dictar el auto que contenga la orden general de ejecución y despacho de la misma el Tribunal que conoció del asunto en primera instancia o en el que se homologó o aprobó la transacción o acuerdo».

II.2.1.3. *Procedimiento de justicia gratuita*

En alguna ocasión los Jueces de Violencia sobre la Mujer han rechazado la competencia para resolver este procedimiento en base al argumento de que el mismo no aparece en el catálogo o listado de procedimientos establecido en el párrafo 2.º del art. 87 ter de la LEC, que consideran «numerus clausus».

Sin embargo, el art. 20 de la LO 1/1996 de 10 de enero de Asistencia Jurídica Gratuita establece que la resolución desestimatoria de la solicitud de justicia gratuita puede ser impugnada «ante el Secretario de la Comisión de Asistencia Jurídica Gratuita. Este remitirá el escrito de impugnación, junto con el expediente correspondiente a la resolución impugnada y una certificación de ésta, al Juzgado o Tribunal competente o al Juez Decano para su reparto, si el procedimiento no se hubiera iniciado», por lo que, si el competente para la tramitación del procedimiento en relación al cual se solicita ese beneficio es el Juzgado especializado, también será competente para tramitar y resolver el expediente de impugnación.

II.2.1.4. *Procedimiento para la reclamación derechos y gastos que hubiere suplido en un asunto el procurador o de honorarios de abogados*

A la misma conclusión ha de llegarse en relación a este procedimiento, pues los arts. 34 y 35 de la LEC se refieren a la presentación de la cuenta del procurador o de los honorarios del abogado devengados en un procedimiento ante el Tribunal o Juzgado en el que se haya tramitado aquel.

Por tanto si el devengo de aquellos derechos u honorarios se producen como consecuencia de la intervención de los respectivos profesionales en un procedimiento tramitado por el Juzgado de Violencia, este es el competente para resolver dichas reclamaciones.

II.2.2. Interpretación de la expresión «fase del juicio oral» contenida en el artículo 49 bis de la Ley de Enjuiciamiento Civil.

El artículo 49 bis-1 de la Ley de Enjuiciamiento Civil dispone que «Cuando un Juez, que esté conociendo en primera instancia de un procedimiento civil, tuviese noticia de la comisión de un acto de violencia de los definidos en el artículo 1 de la Ley Orgánica de Medidas de Protección Integral contra la Violencia de Género, que haya dado lugar a la iniciación de un proceso penal o a una orden de protección, tras verificar la concurrencia de los requisitos previstos en el apartado 3 del artículo 87 ter de la Ley Orgánica del Poder Judicial, deberá inhibirse, remitiendo los autos en el estado en que se hallen al Juez de Violencia sobre la Mujer que resulte competente, salvo que se haya iniciado la fase del juicio oral».

El precepto, desde la entrada en vigor de la ley, ha planteado importantes problemas de interpretación en relación a la frase «salvo que se haya iniciado la fase del juicio oral», en cuanto a sí la misma se refiere a la fase del juicio oral en el procedimiento penal seguido en el Juzgado de Violencia sobre la Mujer, o por el contrario, viene referida a la celebración de la vista en el procedimiento civil que se está tramitando ante el Juzgado de 1.ª Instancia.

La Circular 4/2005 de la Fiscalía General del Estado nos recordaba que «en el Proyecto de Ley se introdujo una limitación por la que el deber de inhibición del Juez Civil se supedita a que el procedimiento civil no haya iniciado la fase del juicio oral, acogiendo las sugerencias recogidas en los informes consultivos previos, ya que los principios de oralidad, concentración e inmediación que lo rigen, tras la LEC 1/2000, imponen que sea el mismo Juez que está conociendo del juicio el que dicte sentencia y quien, por tanto, sea el funcionalmente competente para la ejecución. Por la misma razón los procedimientos civiles que se encuentren en tramitación en el momento de entrada en vigor de la Ley continuarán siendo competencia de los órganos que vinieran conociendo de los mismos (D.T. 1.ª)».

Y concluía que, «dado que todos los procesos civiles de los que conocerá el Juez de Violencia sobre la Mujer han de seguir los trámites del juicio verbal salvo los de separación o divorcio solicitados de mutuo acuerdo o por uno de los cónyuges con el consentimiento del otro con las especialidades previstas en el Titulo I del Libro IV de la Ley de Enjuiciamiento Civil (artículos 748 y 753 LEC en relación con el nuevo artículo 87 ter LOPJ), deberá entenderse iniciada la fase del juicio oral, cuando el procedimiento haya llegado a la celebración de la vista prevista en el artículo 443 LEC, tras la cual el Juez debe dictar sentencia, salvo que quede pendiente prueba que no haya podido practicarse en el acto del juicio oral. En caso de procedimiento de mutuo acuerdo o instado por uno de los cónyuges con el consentimiento del otro, dada la inexistencia de juicio oral en su tramitación, habrá que entender que la comparecencia para la ratificación del convenio opera como límite equivalente al de la fase del juicio oral en los procedimientos contenciosos, ya que tras dicha comparecencia el Juez debe dictar sentencia (art. 777.6 LECrim) salvo que acuerde la práctica de prueba».

Esta postura de la Fiscalía General del Estado, muy controvertida en los órganos judiciales, ha sido finalmente consolidada.

Efectivamente, en algunas Audiencias Provinciales, haciendo una interpretación literal del art. 49 bis de la LEC, entendieron que llegados a la fase de juicio oral en el procedimiento penal ya no podía inhibirse el Juzgado de Familia a favor del Juzgado especializado. (Autos de la Sección 22.ª de la Audiencia Provincial de Madrid de 29 de septiembre de 2008, de 14 de octubre de 2008 y 21 de octubre de 2008. Autos de la Sección 24.ª de la Audiencia Provincial de Madrid de 19 de julio de 2006 (842/06; 173/2006 de la Sección 2.ª de la Audiencia Provincial de Sevilla; 420/2006 de la Sección 2.ª de la Audiencia Provincial de Tarragona).

El tema ha sido resuelto definitivamente por el Tribunal Supremo. En este sentido el Auto de 19 de enero de 2007 resolvió la cuestión de competencia diciendo que «de conformidad con el criterio seguido en la Circular de la Fiscalía General del Estado 4/05, de 18 de julio de 2005, debe considerarse iniciada la fase del juicio oral cuando se haya llegado a la vista del artículo 443 de la Ley de Enjuiciamiento Civil, criterio similar al seguido por la Guía del Observatorio del Consejo General del Poder Judicial y al adoptado por Magistrados de Audiencias Provinciales con competencias exclusivas en violencia de genero en reunión celebrada en Madrid los días 30 de noviembre a 2 de diciembre de 2005». Y continúa, «en atención al dictamen del Ministerio Fiscal y que la Sala acoge en su totalidad y conforme a lo previsto en el artículo 49 bis, 1 de la Ley de Enjuiciamiento Civil, e iniciada la vista del proceso civil, procede declarar la competencia territorial para el conocimiento y resolución del presente juicio a favor del Juzgado de Primera Instancia número 6 de Bilbao. «

Esta postura fue reiterada en Autos de 18 de octubre de 2007; de 4 de febrero y 24 de septiembre de 2008 y de 25 de marzo de 2009, en los que acogiendo la tesis de la Fiscalía, mantienen que «el artículo 49 bis 1 de la Ley de Enjuiciamiento Civil, únicamente señala un límite temporal para el deber de inhibición del Juez civil a favor del Juzgado de Violencia sobre la mujer: «que se haya iniciado la fase del juicio oral», referida entendemos al juicio civil. Tal criterio es criterio seguido por esta Sala, conforme al acuerdo para la unificación de criterios y coordinación de prácticas procesales, del día 16 de diciembre de 2008, del tenor siguiente: «el conflicto planteado en relación con la pérdida de competencia del Juez Civil a favor del Juzgado de Violencia sobre la Mujer, en aplicación del art. 49 bis LEC, en relación con el artículo 87 ter LOPJ, tras la reforma operada por la Ley Orgánica de Medidas de Protección integral contra la violencia de Género, se resuelve interpretando que la limitación temporal para la inhibición del Juez Civil, cuando se haya iniciado la fase del juicio oral, debe entenderse referida al juicio civil, esto es, a la vista del artículo 443 LEC».

El segundo problema es determinar cuándo se ha de entender iniciada dicha fase en los procedimientos civiles.

Los procesos civiles (separación, divorcio, nulidad y las del Título IV del Libro I del Código Civil) de los que conocerá el Juez de Violencia sobre la Mujer han de seguir los trámites del juicio verbal (artículos 748 a 753 y 770 LEC) a excepción de los de separación o divorcio solicitados de mutuo acuerdo o por uno de los cónyuges con el consentimiento del otro que seguirán los trámites establecidos en el art. 777 de la LEC.

En relación a los procedimientos para la adopción de medidas provisionales previas o simultáneas a la demanda de separación, nulidad o divorcio, así como las de medidas cautelares en los procesos que versen sobre guarda y custodia de los hijos menores o reclamación de alimentos en nombre de los hijos menores (770-6.ª), las normas procesales vienen establecidas en los arts. 771 y 773 de la LEC.

Dado que las medidas provisionales siguen una tramitación procesal diferente al pleito principal, es preciso concretar cuándo se produce el inicio del juicio oral en estos procedimientos:

En relación al procedimiento de medidas provisionales (previas o coetáneas) y cautelares, tras la solicitud de las medidas, la actuación judicial se limita a convocar a las partes a la celebración de la comparecencia que se ha de celebrar en el plazo máximo de 10 días, sin que entre la solicitud y el inicio de la vista se produzca ninguna otra actuación judicial (salvo en su caso la adopción de medidas urgentes del art. 102 del CC de conformidad con el art. 771-2 apartado segundo de la LEC), por lo que no hay inconveniente en entender que el inicio de la fase del juicio no se produce hasta que se inicie la comparecencia del art. 771 de la LEC.

Sin embargo, en relación al procedimiento principal contencioso, hasta la convocatoria para la celebración de la vista las actuaciones judiciales han sido varias: admisión a trámite de la demanda, traslado al demandado para contestación y citación para la vista (art. 440 de la LEC); admisión de la reconvención y traslado al demandante reconvenido para contestación (art. 770-2.ª) admisión o inadmisión de pruebas propuestas y citaciones a testigos, etc. Por ello, y en atención a que desde la interposición de la demanda hasta que se señala día para la vista, se han adoptado decisiones judiciales relevantes para su celebración y para la resolución del fondo del asunto, que ha de corresponder al mismo juez que adoptó aquellas, es conveniente fijar como inicio de la fase del juicio oral la providencia de señalamiento, que pone fin a esa fase de tramitación previa a la vista.

En el caso de mutuo acuerdo, se entenderá iniciada la fase del juicio oral el día de la ratificación de las partes, por las mismas razones que las esgrimidas para las medidas provisionales.

III. LA DISPENSA A LA OBLIGACIÓN DE DECLARAR

Una de las preocupaciones constantes de la Fiscalía General del Estado ha sido la de reprimir con ejemplaridad todo acto de maltrato que afecte a las personas más que estén en situación de mayor vulnerabilidad.

En este sentido, la Instrucción 3/88 sobre «Persecución de los malos tratos ocasionados a personas desamparadas y de la necesidad de hacer cumplir las obligaciones alimenticias fijadas en procedimientos matrimoniales», dedicaba uno de sus capítulos a «las lesiones y malos tratos a mujeres», exhortando a los Fiscales a poner todo su empeño para conseguir acabar con estas conductas, para lo cual debe «reprimir con toda ejemplaridad los supuestos de lesiones y malos tratos a mujeres, supliendo con su investigación las deficiencias de pruebas que puedan originarse en estos procesos por los naturales temores con que las mujeres comparecen en este tipo de procedimientos».

Esta preocupación motivó que se propusiera como uno de los temas a tratar en el Seminario de Fiscales Delegados celebrado en 2005, la problemática del art. 416 de la LECr y que en las conclusiones, se dijera que «debido a la posible falta de colaboración efectiva por parte de la víctima a lo largo del procedimiento y a la privacidad del entorno donde la violencia se desarrolla... se hace preciso que el Fiscal prepare y aporte al juicio oral toda la prueba que le sea posible. Así, citará a cuantas personas hayan sido testigos de los hechos, a los agentes de Policía intervinientes, a los médicos que asistieron a la víctima cuando sea necesario a fin de acreditar las lesiones que presentó la víctima en ese momento, inmediato a los hechos, y el mecanismo de su producción, a los médicos forenses cuando sea necesario para acreditar los extremos antes referidos, psicólogos y demás profesionales... Igualmente, sería conveniente se realizaran y aportaran reportajes fotográficos que pudieran hacer los miembros de las Fuerzas y Cuerpos de Seguridad actuantes».

El artículo 261 regula los supuestos en que no existe obligación de denunciar: «Tampoco estarán obligados a denunciar:

1. El cónyuge del delincuente.

2. Los ascendientes y descendientes consanguíneos o afines del delincuente y sus colaterales consanguíneos o uterinos y afines hasta el segundo grado inclusive.

Los hijos naturales respecto de la madre en todo caso, y respecto del padre cuando estuvieren reconocidos, así como la madre y el padre en iguales casos».

El artículo 416.1.º de la Ley de Enjuiciamiento Criminal dispone que: «Están dispensados de la obligación de declarar:

1.º Los parientes del procesado en línea directa ascendente y descendente, su cónyuge o persona unida por relación de hecho análoga a la matrimonial, sus hermanos consanguíneos o uterinos y los colaterales consanguíneos hasta el segundo grado civil, así como los parientes naturales a que se refiere el número 3 del artículo 261.

El Juez instructor advertirá al testigo que se halle comprendido en el párrafo anterior que no tiene obligación de declarar en contra del procesado; pero que puede hacer las manifestaciones que considere oportunas, consignándose la contestación que diere a esta advertencia».

El Artículo 707-1 de la Ley procesal a su vez dispone: «Todos los testigos que no se hallen privados del uso de su razón están obligados a declarar lo que supieren sobre lo que les fuere preguntado, con excepción de las personas expresadas en los artículos 416, 417 y 418, en sus respectivos casos».

La excepción a la obligación de declarar, que afecta así a una fase pre-procesal (la denuncia) y a dos procesales (fase de instrucción y juicio oral), plantea una difícil problemática en relación a diversos aspectos tales como la determinación de los sujetos con derecho a la dispensa, si es necesario advertir a la denunciante de su derecho a no denunciar o al testigo de su derecho a no declarar y las consecuencias en su caso; y sobre la necesidad o no de que subsista la relación en el momento de prestar declaración en las diversas fases del procedimiento.

El artículo 24 de la Constitución Española, en su último párrafo dispone que «la Ley regulará los casos en que, por razón de parentesco o de secreto profesional, no se estará obligado a declarar sobre hechos presuntamente delictivos», precepto que, al no establecer ningún parámetro normativo, convalida los supuestos previstos con anterioridad en la legislación procesal.

Como se ha visto, el legislador ordinario exime de la obligación de declarar, entre otros parientes, al cónyuge del imputado o persona unida a él por una relación de afectividad análoga al matrimonio.

Esta exención se viene justificando por la jurisprudencia desde el principio de no exigibilidad de otra conducta, principio basado, tradicionalmente, en los vínculos de solidaridad entre testigo e imputado, acorde a la protección de los vínculos familiares (artículo 39 de la Constitución Española).

Las Sentencias del Tribunal Supremo 1208/1997 de 6 de octubre, 164/2008 de 8 de abril, 294/2009 de 28 de enero, 160/2010 de 5 de marzo y 459/2010 de 14 de mayo, señalan que la finalidad del precepto es resolver el conflicto que se le puede plantear al testigo entre el deber de decir la verdad y «el vínculo de solidaridad y familiaridad que le une al procesado» o «su deber de lealtad y afecto hacia personas ligadas a él por vínculos familiares».

En el mismo sentido afirma la Sentencia 94/2010 de 15 de noviembre del Tribunal Constitucional: «El Tribunal Supremo, en una reiterada línea jurisprudencial constitucionalmente adecuada, invoca como fundamento de la dispensa de la obligación de declarar prevista en los arts. 416 y 707 LECrim los vínculos de solidaridad que existen entre los que integran un mismo circulo familiar, siendo su finalidad la de resolver el conflicto que pueda surgir entre el deber de veracidad del testigo y el vínculo de familiaridad y solidaridad que le une al acusado».

En otras ocasiones, el Tribunal Supremo ha añadido a los anteriores fines el de preservar la intimidad del testigo (Sentencias 292/2009 de 26 de marzo y 459/2010 de 14 de mayo).

Determinado el fundamento de estas excepciones, en primer lugar se examinará la dispensa de la obligación de denunciar para después estudiar la dispensa de la obligación de declarar.

III.1. Excepciones a la obligación de denunciar prevista en el artículo 261 de la Ley de Enjuiciamiento Criminal.

El precepto dispone que no tendrá obligación de denunciar el cónyuge del delincuente.

Este artículo no ha sido objeto de modificación para incluir junto al cónyuge a la persona unida al delincuente por una relación análoga al matrimonio, como si se ha hecho, por Ley 13/2009, en el art. 416 de la LECr en relación a la dispensa de la obligación de declarar del testigo. No obstante, no cabe duda que la interpretación extensiva que se venía efectuando en relación a este último precepto antes de la reforma, en el sentido de asimilar al cónyuge a la persona unida al autor por una relación análoga al matrimonio, también afecta a la dispensa de la obligación de denunciar (Sentencia del Tribunal Supremo 160/2010 de 5 de marzo).

En ocasiones se ha planteado la nulidad de la denuncia si, al concurrir las relaciones referidas en el art. 261 de la LECr no fue la denunciante previamente advertida de esa dispensa. En algunas sentencias se ha recogido esa necesidad de advertencia previa (385/2007 de 10 de mayo; 294/2009 de 28 de enero; 160/2010 de 5 de marzo), vinculando el artículo 261 de la LECr con párrafo 2.º del artículo 416, que obliga al juez a hacer la advertencia al testigo de la dispensa allí contenida. Así en la Sentencia 385/07 antes referida dice que «carecería de todo sentido que se excluyera a la policía de las obligaciones que se imponen expresamente al Juez de Instrucción...»

Tal postura ha sido matizada por la Sentencia de la misma Sala 294/09 de 28 de enero, al decir que «por la propia razón de ser y fundamento de la norma cuando la persona acude a dependencias policiales con la decidida voluntad de formular denuncia contra su pariente, por hechos en que el denunciante es víctima, y busca el amparo y la protección de la ley, expresarle que no tiene obligación de hacerlo es innecesario: resulta inútil y carece de función respecto a alguien que ya ha optado previamente por defender sus intereses frente a los de su pariente, es decir que no necesita se le informe de que puede ejercitar una dispensa que ya ha decidido no utilizar, cuando voluntariamente acude precisamente para denunciar a su pariente».

Así, la Sentencia 160/2010 de 5 de marzo, concluye que «En resumen, la participación del testigo víctima se produce en tres momentos: uno primero, en la fase prejudicial, donde es necesario que se le Informe de su derecho a no denunciar en virtud de lo dispuesto en el art. 261 LECr, salvo en algunos casos de «denuncia espontánea...».

Por tanto, si la víctima acude de forma espontánea a denunciar, no será necesario advertir del contenido del art. 261 de la LECr.

Ahora bien, sí en las dependencias policiales, se omite tal advertencia a quien no es denunciante espontáneo, la consecuencia será la que se derive de la posición que adopte el testigo en la fase de instrucción y juicio oral debidamente advertido del contenido del artículo 416 de la LECr de manera que, sí tras esta advertencia, ratifica la denuncia, aquella omisión queda subsanada; si por el contrario no la ratifica o se acoge a la dispensa, aquella primera declaración carecerá de valor alguno.

III.2. La dispensa del artículo 416 de la Ley de Enjuiciamiento Criminal.

III.2.1. Sujetos con derecho a la dispensa.

El art. 416 de la LECr fue modificado por la Ley 13/2009, de 3 de noviembre para incluir como sujeto con derecho a la dispensa a la persona unida al imputado por una relación de hecho análoga a la matrimonial.

No obstante, es preciso diferenciar:

III.2.1.1. Relaciones de noviazgo

El precepto alude a las personas unidas al imputado por matrimonio o por una relación análoga al matrimonio, a diferencia de lo que ocurre en los tipos penales relativos a la violencia sobre la mujer y a la violencia doméstica, en los que se incluyen como sujetos pasivos a las personas que estén o hayan estado unidas al autor por una relación de afectividad análoga, aun sin convivencia, por lo que la doctrina y la jurisprudencia vienen limitando la aplicación de la dispensa a aquellas personas que mantienen una relación matrimonial con el imputado o una relación more uxorio (de análoga afectividad con convivencia) quedando pues, fuera de tal precepto las relaciones de noviazgo.

Esta posición había sido mantenida por la jurisprudencia, incluso con anterioridad a la reforma referida, al equiparar a la relación conyugal la de convivencia de hecho (Sentencia 134/07 de 22 de febrero).

III.2.1.2. Ruptura de la relación

Si bien a efectos sustantivos cometen delito aquellos que maltratan, amenazan o coaccionan a quien es o haya sido su cónyuge o pareja de hecho y novio o novia (arts. 153, 171-4 y 5, 172.2 y 173.2 del CP), la dispensa de la obligación de declarar de los testigos se refiere sólo al «cónyuge o persona unida por relación de hecho análoga a la matrimonial» al «procesado» por lo que en atención a la propia literalidad del precepto y a la finalidad de la norma (artículo 3.1 del Código Civil), quedan excluidos quienes ya no mantienen la relación conyugal o de pareja con el procesado.

En este punto, caben dos supuestos:

a) Supuesto de ruptura de la convivencia en parejas de hecho

Rota la convivencia en la pareja de hecho, cuando la testigo es llamada a declarar, en base a la literalidad del precepto y a su finalidad, como se ha dicho, es inaplicable la dispensa.

Ahora bien, la ruptura de esa convivencia ha de obedecer a la voluntad de poner fin a la misma por las partes, porque si la convivencia resulta interrumpida como consecuencia de haber ingresado en prisión el imputado o por la imposición de la medida cautelar de prohibición de aproximación acordada a petición del Fiscal y con la oposición expresa o tácita de la víctima, la convivencia se ha de entender interrumpida por disposición judicial, pero subsistente el vínculo de afecto de la testigo al imputado, por lo que la testigo ha de ser advertida de su derecho a no declarar contra el imputado en estas situaciones. (Sentencia del Tribunal Supremo 134/2007 de 22 de febrero).

Distinto será el supuesto en que la víctima, como acusador particular, haya instado la prisión provisional del imputado o la medida cautelar de alejamiento, manifestaciones de las que se deduce su voluntad de poner fin a la convivencia y que determina su obligación de declarar a partir del momento en que se acuerden esas medidas.

b) Ruptura de la convivencia entre cónyuges

Respecto a si es de aplicación la dispensa cuando, vigente el vínculo matrimonial, no existe convivencia entre los cónyuges por separación judicial o de hecho existen dos posiciones.

La primera entiende que, efectuada la separación entre los cónyuges, desaparece cualquier deber de solidaridad o lealtad y, por tanto, a partir de ese momento la testigo tiene obligación de declarar en contra del imputado o procesado.

Una segunda postura parte de entender que, pese a la separación entre los cónyuges, de hecho o judicial, subsiste el vínculo conyugal, siguen siendo cónyuges y por tanto subsiste la dispensa a la obligación de declarar.

En este sentido la Sentencia del Tribunal Supremo 459/2010 de 14 mayo, en un supuesto en el que la víctima, esposa del imputado, no convivía con él en el momento de prestar declaración judicial dice que «no existe duda ninguna, en nuestro criterio, acerca de la posibilidad de ejercicio por [la víctima] del derecho a la dispensa de declarar ya que el acusado era su propio esposo, cumpliéndose por tanto las previsiones del artículo 416.1 en relación con el 707 de la Ley de Enjuiciamiento Criminal»

A esta conclusión se ha de llegar partiendo de la letra del precepto, que no distingue entre los cónyuges en las diferentes situaciones (convivientes o separados) y de la finalidad de la norma objeto de estudio: la de resolver el conflicto entre el deber de decir la verdad en contra del imputado-cónyuge del testigo y el deber de solidaridad y lealtad en relación al mismo.

Tras la modificación efectuada en el Código Civil por L. 15/2005, junto al vulgarmente denominado divorcio «express» en el que no es necesario demostrar la concurrencia de causa alguna ni la previa separación de los cónyuges, se ha mantenido, junto a la institución del divorcio, la separación. La Exposición de Motivos de la Ley 15/2005 de 8 de julio «por la que se modifica el Código Civil y la Ley de Enjuiciamiento Civil en materia de separación y divorcio justifica la subsistencia de la separación judicial diciendo que «...se mantiene la separación judicial como figura autónoma, para aquellos casos en los que los cónyuges, por las razones que les asistan, decidan no optar por la disolución de su matrimonio. En suma, la separación y el divorcio se conciben como dos opciones, a las que las partes pueden acudir para solucionar las vicisitudes de su vida en común. De este modo, se pretende reforzar el principio de libertad de los cónyuges en el matrimonio, pues tanto la continuación de su convivencia como su vigencia depende de la voluntad constante de ambos».

Si los cónyuges optan por la separación, porque quieren interrumpir la convivencia pero mantener el vínculo matrimonial, subsisten entre ellos los derechos y obligaciones civiles derivados de la existencia de vínculo matrimonial (artículos 66 y siguientes del Código Civil), en concreto el deber de respetarse y de ayudarse mutuamente (artículo 66 del Código Civil), suspendiéndose, solamente por la separación la vida común de los casados y cesando la posibilidad de vincular bienes del otro cónyuge (artículo 83 del Código Civil); entre los cónyuges separados continua vigente, por tanto, el deber de asistencia mutua y en concreto la obligación de alimentos (artículo 142 y 143 del CC) e incluso se establece un orden de prelación en relación a la reclamación de alimentos, de manera que la demanda ha de dirigirse al cónyuge antes que a los descendientes, ascendientes o hermanos (artículo 144 del CC)

Si pese a la separación judicial o de hecho de los cónyuges, porque, por las razones que fuere, no quieren acudir al divorcio y poner fin al vínculo que les une, permanecen vigentes las obligaciones de asistencia mutua, derivadas de la solidaridad exigible entre parientes, es lógico entender que también subsiste entre ellos el derecho a no declarar contra el cónyuge imputado, aun cuando medie ruptura de la convivencia.

III.2.2. Determinación del momento en que han de darse esas relaciones para la aplicación de la dispensa.

Admitido que el testigo unido por matrimonio al imputado y la pareja sentimental de hecho con convivencia puede acogerse a la dispensa en estudio, queda por discernir si esa relación ha de concurrir en el momento de ser llamado para prestar declaración para poder acogerse a la dispensa o por el contrario es suficiente con que hubiera existido con anterioridad.

Si el fundamento de la dispensa se encuentra en la solidaridad y en la conveniencia de evitar al testigo el conflicto que se le pudiera plantear entre decir la verdad y el deber de lealtad y afecto que le une al imputado, ese vínculo familiar o de afectividad ha de concurrir en el momento en el que es llamado para prestar declaración, de manera que si en ese momento procesal (ya sea en instrucción —artículo 416 de la LECr— o en el Juicio Oral —artículo 707 del mismo texto legal—) se ha producido el divorcio o se ha roto la convivencia en el caso de pareja de hecho, ya no asistirá al testigo la dispensa regulada en aquellos preceptos.

Esta postura vendrá avalada no solo como ya se ha visto por una interpretación teleológica de las normas en estudio, sino también por la diferencia existente entre estos preceptos procesales —arts. 416 y 707 de la LECr— y los sustantivos recogidos en los arts. 153, 171-4 y 5, 172.2 y 148.4 del CP pues mientras el art. 416 y 707 de la LECr se refieren al testigo que sea cónyuge o persona unida por relación de hecho análoga a la matrimonial, al procesado, los tipos penales refieren como posibles sujetos pasivos del delito a aquellas personas que mantuvieron aquellos vínculos con el presunto agresor tanto en el momento de la comisión de los hechos como con anterioridad, es decir, que sean o hayan sido cónyuges o parejas del presunto agresor.

Sí el legislador procesal hubiera querido extender estas excepciones a la obligación de denunciar o declarar a quienes ya no mantienen el vínculo afectivo, lo hubiera hecho expresamente como lo hace en la redacción de los tipos penales, en los que se amplía el círculo de sujetos pasivos a los ex cónyuges, ex parejas y ex novios.

La motivación a que responde la normativa procesal y sustantiva es bien distinta.

No incluye el legislador procesal las relaciones de matrimonio o de pareja extinguidas porque entiende que no hay conflicto cuando no existe vínculo de afecto. Y sin embargo, el legislador penal incluye como sujetos pasivo a aquellos que mantuvieron la relación sentimental con el agresor, no porque considere que subsista un vínculo sentimental entre agresor y agredido, que ha desaparecido aun cuando subsistan otras relaciones como la mera amistad, sino en atención a las especiales características de esta violencia, basada en la dominación y las relaciones de poder que el agresor puede proyectar más allá del fin de la relación.

Esta postura ha sido mayoritariamente seguida por la Sala 2.ª del Tribunal Supremo y así, Sentencias 134/2007 de 22 de febrero, 164/08 de 8 de abril y 13/2009 de 20 de enero.

III.2.3. La información del contenido del artículo 416 de la Ley de Enjuiciamiento Criminal. Supuestos y efectos.

En las Conclusiones del Seminario de los Fiscales Delegados de 2005, se dice que «en la fase de instrucción, el Fiscal interesará que con carácter previo al inicio de la prueba, se instruya a la víctima sobre el contenido del artículo

416 de la LECr antes de prestar declaración (aunque sea denunciante)», conclusión plenamente vigente.

Como se ha visto al tratar de la dispensa a la obligación de denunciar, la Jurisprudencia, reiteradamente, ha venido estableciendo la obligación de advertir al testigo pariente en las dos fases procesales, instrucción y plenario, de conformidad con los arts. 416 y 707 de la LECr «bien entendido que el hecho que en alguna de estas declaraciones no utilice el derecho a no declarar, no supone ya una renuncia tácita y definitiva a su utilización en una ulterior fase» (sentencia 160/2010).

Mención especial requiere el supuesto de la víctima pariente del imputado que se persona en el procedimiento penal como acusación particular. En relación a este supuesto conviene recordar la Sentencia del Tribunal Constitucional 94/2010 de 15 de noviembre en la que, acogiendo la tesis del Fiscal, se dice que «aunque el Juez de lo Penal tampoco informó expresamente a ésta, víctima de los hechos objeto del proceso penal, de la dispensa de la obligación de declarar, la espontánea actitud procesal de la demandante de amparo, en las concretas circunstancias que concurren en este caso, no puede sino razonablemente entenderse como reveladora de su intención y voluntad de primar el deber de veracidad como testigo al vínculo de solidaridad y familiaridad que le unía al acusado, finalidad a la que obedece, como ya hemos tenido ocasión de señalar, la dispensa del art. 416 LECrim. En efecto, siendo sin duda exigible y deseable que los órganos judiciales cumplan con las debidas formalidades con el mandato que les impone el art. 416 LECrim, lo que ciertamente, como la Audiencia Provincial viene a poner de manifiesto en su Sentencia, no ha acontecido en este caso, no puede sin embargo obviarse la continua y terminante actuación procesal de la recurrente en amparo, quien denunció en varias ocasiones a su marido por actos constitutivos de violencia doméstica, prestó declaraciones contra éste por los hechos denunciados tanto ante la autoridad policial como ante el Juzgado de Instrucción, ejerció la recurso de apelación contra ésta al haber sido desestimadas sus más graves pretensiones calificatorias y punitivas. Como el Ministerio Fiscal afirma, difícilmente puede sostenerse que la esposa del acusado no hubiera ejercitado voluntariamente la opción que resulta del art. 416 LECrim cuando precisamente es la promotora de la acusación contra su marido, habiéndose personado en la causa como acusación particular y habiendo solicitado para él la imposición de graves penas, pues si su dilema moral le hubiera imposibilitado perjudicar con sus acciones a su marido no habría desplegado contra él la concluyente actividad procesal reveladora de una, al menos, implícita renuncia a la dispensa que le confería el art. 416 LECrim».

En cuanto al contenido de la advertencia, esta debe venir referida expresa y claramente a la posibilidad de no declarar en contra del pariente imputado, sin que se cumpla tal obligación con un vago interrogatorio sobre la voluntad de declarar sin una información precisa que garantice el conocimiento por parte del testigo de esa facultad. En tal sentido la Sentencia del Tribunal Constitucional antes mencionada, en relación a la declaración prestada por la hija de la víctima e imputado, dice que «según resulta del acta del juicio y del visionado de la grabación del acto de la vista, no fue informada por el órgano judicial de dicha dispensa, quien se limitó a preguntarle si quería declarar, sin que exista dato o elemento alguno del que pueda inferirse que la testigo era conocedora de la posibilidad de aquella dispensa, ni conste actuación alguna por su parte que evidenciase de manera concluyente que renunciaba a la misma. A estos efectos ninguna objeción cabe efectuar con la perspectiva del derecho a la tutela judicial efectiva a la decisión del órgano judicial de considerar insuficiente el hecho de que la hija contestase afirmativamente a la pregunta del órgano judicial sobre si quería declarar y que efectivamente prestase declaración contra su padre, pues de este elemento fáctico, único existente respecto a dicha testigo, no puede inferirse de manera indubitada que conociera la facultad de dispensa que le confería el art. 416.1, en relación con el art. 707, ambos LECrim, y que renunciase a ella».

En relación al valor de las declaraciones efectuadas por la testigo sin la previa información de la dispensa (fuera del excepcional caso analizado por la sentencia del Tribunal Constitucional antes referida), la postura tradicional es la de entender nula la declaración prestada sin tal advertencia (Sentencias del Tribunal Supremo de 17-12-1997, de 26-5-1999, entre otras).

Se puede distinguir:

a) La testigo no fue advertida en la fase de instrucción de su derecho a no declarar y en el Plenario se acoge a la dispensa: carece de toda validez la declaración prestada en la instrucción.

En este sentido la Sentencia de la Sala 2.ª del Tribunal Supremo 385/2007 de 10 de mayo dice que lo cierto es que la información de derechos al testigo no era superflua, pues en el juicio oral el testigo podía haber ejercitado el derecho que le confiere la ley de no declarar contra su hermano y, en ese caso, su primera declaración hubiera carecido de todo efecto, toda vez que había sido prestada sin la debida advertencia» (en el mismo sentido, STS 160/2010 de 5 de marzo).

b) La testigo no fue advertida en la fase de instrucción de su derecho a no declarar y en el Plenario, advertida del contenido del art. 707 de la LECr opta por declarar y ratifica: la falta de advertencia en la primera declaración no producirá ningún efecto.

c) La testigo no fue advertida en la fase de instrucción de su derecho a no declarar y en el Plenario, advertida de su derecho, cambia la versión de los hechos: no podrá someterse a contradicción al amparo del art. 714 de la LECr lo dicho en juicio con lo manifestado previamente en instrucción, dado que la primera declaración es nula.

d) La testigo fue advertida en la fase de instrucción de su derecho a no declarar y voluntariamente presta declaración y en el Plenario se acoge a su derecho a no declarar: no se podrá introducir aquella primera declaración en virtud del art. 730 o 714 de la LECr (entre otras, Sentencias del Tribunal Supremo 129/2009; 160/2001; 459/2010).

e) La testigo fue advertida en la fase de instrucción de su derecho a no declarar y voluntariamente presta declaración y en el Plenario opta por declarar habiendo sido advertida de la posibilidad de no hacerlo, pero rectifica la primera declaración, que fue prestada con todas las garantías: se deberán someter a contradicción aquellas de conformidad con el artículo 714 de la LECr para que el Tribunal pueda ponderar la credibilidad que le merece cada una de ellas (Sentencia del Tribunal Supremo 952/2010 de 3 de noviembre).

IV. LEGITIMACIÓN DEL TITULAR DE LA DELEGACIÓN DE GOBIERNO CONTRA LA VIOLENCIA SOBRE LA MUJER ANTE LOS ÓRGANOS JURISDICCIONALES

IV.1. Personación de la Delegación del Gobierno y administraciones autonómicas. Normativa.

El artículo 29-2 de la LO 1/04 de Medidas de Protección Integral contra la Violencia sobre la Mujer, dispone que «el titular de la Delegación Especial del Gobierno contra la Violencia sobre la Mujer estará legitimado ante los órganos jurisdiccionales para intervenir en defensa de los derechos y de los intereses tutelados en esta Ley en colaboración y coordinación con las Administraciones con competencias en la materia».

La posible personación en los procedimientos penales de las Administraciones Autonómicas también está prevista en diferentes legislaciones de aquel ámbito, en algunas de las ocasiones sin mencionar en qué calidad (Ley 5/2008 de 24 de abril, del derecho de las mujeres a erradicar la violencia machista de Cataluña —art. 45—; Ley 13/2010 de 9 de diciembre contra la violencia de género en Castilla y León —art. 29—; y, Ley 13/2007, de 26 de noviembre, de medidas de prevención y protección integral contra la violencia de género de Andalucía —art. 38—, en otras, refiriéndose al ejercicio de la acción popular en la forma y condiciones establecidas en la Ley procesal (Ley 5/2005 de 20 de diciembre, integral contra la violencia de género de la Comunidad de Madrid —art. 29—; Ley 16/2003 de prevención y protección Integral de las mujeres contra la violencia de género de Canarias —art. 42—; Ley de 1/2004 de 1 de abril, Integral para la Prevención de la Violencia Contra las Mujeres de Cantabria —art. 18—; Ley 5/2001, de 17 de mayo, de Prevención de Malos Tratos y de Protección a las Mujeres Maltratadas, de Castilla La Mancha —art. 16—; Ley 4/2007 de 22 de marzo de 2007 de Prevención y Protección Integral a las Mujeres Víctimas de Violencia en Araa/ón —art. 31—; Ley 9/2003 de 2 de abril de la Generalitat Valenciana por la Igualdad de Hombres y Mujeres —art. 36—; Ley 11/2007 de 27 de julio, gallega para la prevención y tratamiento integral de la violencia de género —art. 30— y, en otras, regulando la posibilidad de personarse como perjudicada civilmente (Ley 11/2007 de 27 de julio, gallega para la prevención y tratamiento integral de la violencia de género —art. 31—).

Si se examinan minuciosamente estas legislaciones autonómicas se llega a la conclusión de que en la mayoría de ellas se limita la personación de estas administraciones en los procedimientos penales por violencia de género que se instruyen por muerte o lesiones muy graves de la mujer como consecuencia de esa violencia (Cantabria, Aragón, Valencia y Andalucía, entre otras, hacen esa matización).

De esta manera, en la práctica la personación de las Comunidades Autónomas, al igual que las de la Delegación de Gobierno, solo se produce en los casos más graves de violencia sobre la mujer, aunque en la Ley estatal no se establece ninguna acotación al respecto.

IV.2. Problemática en torno a la personación de la Delegación del Gobierno y las Comunidades Autónomas en los procedimientos de violencia sobre la mujer.

IV.2.1. Admisibilidad y cualidad de la personación

La problemática en torno a la personación de las administraciones públicas en estos procedimientos viene referida a dos cuestiones: si es admisible la personación y, en caso de admitirse, en qué calidad, ejerciendo la acusación particular o la acción popular.

Resultando inadmisible la personación como acusación particular, al no ser la administración autonómica ni estatal perjudicadas por el delito (art. 110.1 de la LECr) algunos Juzgados de Violencia sobre la Mujer y Secciones de las Audiencias Provinciales negaron la legitimación de las Comunidades Autónomas, también para el ejercicio de la acción popular. Ello motivó la interposición de diversos recursos de amparo ante el Tribunal Constitucional.

El Tribunal Constitucional, en la Sentencia 311/2006 de 23 de octubre, otorgó el amparo a la Generalitat al afirmar que ni en el art. 125 CE ni en la normativa general constituida por la LECr, existe una exclusión expresa de las personas jurídicas públicas para el ejercicio de la acción popular, y que corresponde al legislador la ponderación de la compatibilidad entre la institución de la acción popular y su titularidad por los órganos de gobierno de las Comunidades Autónomas, pues «es el legislador quien tiene la competencia para configurar los mecanismos procesales de acceso a la jurisdicción entre los cuales en los procesos penales se cuenta con el de la acción popular. Y como señalamos en la STC 175/2001, de 26 de julio, el contenido limitado del derecho a la tutela judicial efectiva sin indefensión para las entidades públicas no opera frente al legislador». (FJ 5). (En el mismo sentido, SSTC 8/2008, de 21 de enero y 67/2011 de 16 de mayo).

El Tribunal Constitucional establece que el hecho de que el artículo 29 de la LO 1/2004 no contenga una habilitación expresa al Delegado de Gobierno para ejercitar la acción popular, y descartada su personación como acusación particular —figura reservada a los perjudicados por el delito— no se puede desconocer que el legislador otorga al Delegado una habilitación ex lege para personarse en los procedimientos penales de violencia de género «que puede ser calificada como acción popular» y ello es así porque «la protección integral que otorga la Ley a las víctimas de la violencia de género abarca el ámbito de los procesos penales, la defensa de los derechos laborales o en el ámbito de la relación funcionarial, así como de sus derechos económicos, que pueden ser hechos valer a través de los procesos judiciales en los que cabrá la intervención de la Delegación Especial de Gobierno contra la violencia sobre la Mujer merced a la habilitación contenida en el citado artículo 29 de la LO. 1/2004».

Por tanto, entendiendo, como hace el Tribunal Constitucional, que no existe limitación alguna para el ejercicio de la acción popular por parte de la Administración Pública, Estatal o Autonómica, ha de admitirse al menos en el marco de la legislación procesal hoy vigente la personación en los procesos de violencia de genero de la Delegación del Gobierno contra la Violencia sobre la Mujer prevista en el artículo 29.2 de la LO 1/04, así como la de las Administraciones Autonómicas, regulada en sus respectivas legislaciones específicas, a fin de garantizar su derecho de acceso a los tribunales y la tutela judicial efectiva.

Tal personación lo será en calidad de acción popular (artículos 125 de la Constitución Española, 19 de la LOPJ y 101 de la LECr)

IV.2.2. Exigibilidad de querella y prestación de fianza

Aceptado que las personas jurídicas tienen la aptitud para personarse sin ser sujetos pasivos de la ofensa en que el delito consiste, como acusador popular, es preciso examinar los requisitos y límites para el ejercicio de esa acción.

El artículo 270 de la Ley de Enjuiciamiento Criminal dispone que «todos los ciudadanos españoles, hayan sido o no ofendidos por el delito, pueden querellarse, ejercitando la acción popular establecida en el artículo 101 de esta Ley».

Y el artículo 280 del mismo texto legal establece que «el particular querellante prestará fianza de la clase y en la cuantía que fijare el Juez o Tribunal para responder de las resultas del juicio».

De manera que el legislador procesal requiere para adquirir la condición de acusador popular, primero, la interposición de la querella y, además, la prestación de la fianza que el órgano judicial fije para responder de las resultas del juicio.

En aplicación del art. 270 de la LECr el particular o persona jurídica pública o privada que quiera ejercer la acción popular, ha de interponer querella para personarse como tal en el procedimiento.

Ahora bien, tal requisito ha sido objeto de matización, diferenciando el supuesto en el que por el ejercicio de la acción popular se inicia el procedimiento penal, en cuyo caso, es imprescindible la interposición de dicha querella para personarse como acusador popular en el procedimiento penal que se inicia, precisamente, con aquélla, y aquellos supuestos en los que la acusación popular se persona en un procedimiento ya incoado, en cuyo caso no le será exigíble la interposición de la querella, bastando un escrito de personación en el que se manifiesta la voluntad de ser parte.

La Sentencia del Tribunal Supremo de 30 de mayo de 2003, exime de la interposición de la querella, al acusador popular que se personó, después de que ya se había iniciado el procedimiento penal y así dice que «que el requisito de la personación con querella sólo se ha entendido exigible por la Jurisprudencia de esta Sala cuando mediante tal acto, se iniciaba la encuesta judicial. En el caso de que tal personación fuese en una causa ya iniciada como es el caso presente, porque se inició por denuncia se ha estimado que el requisito de la querella no era exigible (...), bastando en tal caso el cumplimiento de lo prevenido en el art. 110 LECriminal que limita temporalmente tal personación a su efectividad antes del trámite de calificación».

Por tanto, si la personación de la Delegación de Gobierno o de la Comunidad Autónoma, a través de sus servicios jurídicos, se efectúa, como es habitual, una vez iniciado el procedimiento penal, no le será exigible la presentación de querella.

Finalmente y en lo que se refiere a la prestación de fianza, si bien el artículo 280 de la Ley de Enjuiciamiento Criminal exige la prestación de la fianza de la clase y cuantía que exija el juez para responder de las resultas del juicio, se ha de tener en cuenta que el art. 12 de la Ley 52/1997 de 27 de noviembre, de Asistencia Jurídica del Estado, dispone que «El Estado y sus Organismos autónomos, así como las entidades públicas empresariales, los Organismos públicos regulados por su normativa específica dependientes de ambos y los órganos constitucionales, estarán exentos de la obligación de constituir los depósitos, cauciones, consignaciones o cualquier otro tipo de garantía previsto en las leyes»

Por tanto cuando la Administración del Estado o de las Comunidades Autónomas se personan como acusación popular en los procedimientos por Violencia de Género de conformidad con el art. 29 de la LO 1/2004 de Medidas de Protección Integral contra la Violencia sobre la Mujer, o en virtud de las disposiciones normativas autonómicas correspondientes, no se les puede exigir la prestación de fianza de conformidad con el precepto trascrito.

V. INTERVENCIÓN DEL EL MINISTERIO FISCAL EN RELACIÓN CON LAS MEDIDAS DE ASISTENCIA SOCIAL

La Instrucción 2/2005 de la Fiscalía General del Estado, plenamente vigente, nos dice que «la protección integral de las víctimas de violencia de género, objeto y fin de la Ley 1/2004, se articula tanto sobre un conjunto de medidas de naturaleza penal y judicial como sobre otras, no menos importantes, de amparo institucional, configurando todo un sistema normativo de asistencia a la víctima de carácter jurídico, económico, social, laboral y administrativo, asentado en principios de solidaridad social.

Así, los capítulos II y III (arts. 21 a 26) del Título II de la Ley Orgánica de Medidas de Protección Integral contra la Violencia de Género recogen medidas de protección en el ámbito laboral y de Seguridad Social respecto de las mujeres trabajadoras por cuenta propia o ajena y de las funcionarías públicas víctimas de violencia de género, tales como el derecho a la reducción o reordenación de su tiempo de trabajo, a la movilidad geográfica, al cambio de centro de trabajo, a la suspensión de la relación laboral con reserva del puesto de trabajo o a la extinción del contrato de trabajo con derecho a la situación legal de desempleo, y el Capítulo IV (art. 27), determinadas ayudas públicas de carácter pecuniario para las mujeres víctimas de violencia de género sin ingresos o con ingresos mínimos. Estas concretas medidas tienen por objeto posibilitar que las víctimas afronten el proceso contra sus agresores sin riesgos innecesarios, garantizarles un mínimo de cobertura económica que evite situaciones materiales de desamparo económico y, en definitiva, coadyuvar a su recuperación psicológica al margen de presiones.

Es en este contexto, en el que el legislador ha condicionado el reconocimiento de tales derechos, en determinados casos, a la existencia de un informe que debe emitir el Ministerio Fiscal».

Se consolida así, la posición del Fiscal como órgano constitucional idóneo para, junto al ejercicio de la acción penal que se le encomienda, realizar de la forma más rápida y efectiva la protección de las víctimas (artículos 3 del Estatuto Orgánico de Ministerio Fiscal y artículo 773.1 de la LECr), atribuyendo al Fiscal la legitimación para emitir acreditaciones que van a desplegar sus efectos ante las administraciones que tiene encomendada la asistencia social a estas víctimas.

Esta asistencia social ha sido ampliada a otras esferas no recogidas en los artículos mencionados de la LO 1/2004, a través de la modificación posterior de otras leyes.

En concreto, la Ley de Extranjería —artículos 19 y 31 bis— y la Ley de la Seguridad Social —artículo 174.2— y diversas normas autonómicas, recogen medidas de protección en el ámbito social para las víctimas de violencia de género en las que también se prevé para su acreditación la emisión de un informe por parte del Ministerio Fiscal

Dada la diferente regulación contenida en estas normas, se hace imprescindible el estudio separado de cada una de ellas.

V.1. Los Capítulos II y III (artículos 21 a 26) del Título II de la Ley Orgánica 1/2004 de medidas de protección integral contra la violencia de género.

Los capítulos II y III (arts. 21 a 26) del título II de la LO 1/2004 recogen medidas de protección en el ámbito laboral y de Seguridad Social respecto de las mujeres trabajadoras por cuenta propia o ajena y de las funcionarias públicas víctimas de violencia de género, y el Capítulo IV (art. 27), determinadas ayudas públicas de carácter pecuniario para las mujeres, víctimas de esta violencia, sin ingresos o con ingresos mínimos.

Para la acreditación de las situaciones de violencia, el legislador ha exigido la existencia de la orden de protección a favor de la víctima si bien,»excepcionalmente, será título de acreditación de esta situación, el informe del Ministerio Fiscal que indique la existencia de indicios de que la demandante es víctima de violencia de género hasta tanto se dicte la orden de protección» (Art. 23).

En relación con esta novedosa atribución de funciones al Fiscal, en orden a emitir un certificado del que pueden depender el reconocimiento de derechos asistenciales a las víctimas de violencia sobre la mujer, se emitió la Instrucción 2/2005 sobre «Acreditación por el Ministerio Fiscal de las situaciones de Violencia de Género», que establece los supuestos en los que el Fiscal ha de emitir esa acreditación, los presupuestos que han de concurrir para ello y el contenido del informe, que se mantiene en plena vigencia.

El Ministerio Fiscal puede emitir esa certificación en aquellos supuestos en los que no se puede celebrar la comparecencia de la orden de protección, bien porque alguna de las partes carezca en ese momento de asistencia jurídica, situación muy excepcional, o porque el imputado esté en paradero desconocido.

Para obtener la información necesaria al respecto, los Sres. Fiscales deberán consultar el Registro de la Fiscalía así como el Registro Central para la Protección de las Víctimas de Violencia Doméstica y de Género.

En cuanto al procedimiento para la emisión de estos informes, han de aplicarse las pautas establecidas en la Instrucción 2/05 y ha de ser informada sobre la emisión de estos certificados o su denegación, la Fiscal de Sala.

V.2. Ley de Extranjería

En relación a la reagrupación familiar, el artículo 19 de la L. de Extranjería, hace mención expresa a la posibilidad de que la cónyuge reagrupada victima de violencia género o mujer que mantenga con el extranjero residente una relación de afectividad análoga (17.4), pueda obtener el permiso de residencia y trabajo independiente «desde el momento que se hubiera dictado a su favor una orden de protección o, en su defecto, informe del Ministerio Fiscal que indique la existencia de indicios de violencia de género».

El artículo 31 bis, en los párrafos 2.º, 3.º y 4.º dispone «2. Si al denunciarse una situación de violencia de género contra una mujer extranjera se pusiera de manifiesto su situación irregular, no se incoará el expediente administrativo sancionador por infracción del artículo 53.1.a), y se suspenderá el expediente administrativo sancionador que se hubiera incoado por la comisión de dicha infracción con anterioridad a la denuncia o, en su caso, la ejecución de las órdenes de expulsión o de devolución eventualmente acordadas»

3. La mujer extranjera que se halle en la situación descrita en el apartado anterior, podrá solicitar una autorización de residencia y trabajo por circunstancias excepcionales a partir del momento en que se hubiera dictado una orden de protección a su favor o, en su defecto, Informe del Ministerio Fiscal que indique la existencia de indicios de violencia de género. Dicha autorización no se resolverá hasta que concluya el procedimiento penal. En el momento de presentación de la solicitud, o en cualquier otro posterior a lo largo del proceso penal, la mujer extranjera, por sí misma o través de representante, también podrá solicitar una autorización de residencia por circunstancias excepcionales a favor de sus hijos menores de edad o que tengan una discapacldad y no sean objetivamente capaces de proveer a sus propias necesidades, o una autorización de residencia y trabajo en caso de que fueran mayores de 16 años y se encuentren en España en el momento de la denuncia.

Sin perjuicio de lo anterior, la autoridad competente para otorgar la autorización por circunstancias excepcionales concederá una autorización provisional de residencia y trabajo a favor de la mujer extranjera y, en su caso, las autorizaciones de residencia provisionales a favor de sus hijos menores de edad o con discapacidad, o de residencia y trabajo si fueran mayores de 16 años, previstas en el párrafo anterior, que se encuentren en España en el momento de la denuncia. Las autorizaciones provisionales eventualmente concedidas concluirán en el momento en que se concedan o denieguen definitivamente las autorizaciones por circunstancias excepcionales.

4. Cuando el procedimiento penal concluyera con una sentencia condenatoria o con una resolución judicial de la que se deduzca que la mujer ha sido víctima de violencia de género, incluido el archivo de la causa por encontrarse el imputado en paradero desconocido o el sobreseimiento provisional por expulsión del denunciado, se notificará a la interesada la concesión de las autorizaciones solicitadas. En el supuesto de que no se hubieran solicitado, se le informará de la posibilidad de concederlas, otorgándole un plazo para su solicitud.

Si del procedimiento penal concluido no pudiera deducirse la situación de violencia de género, se incoará el expediente administrativo sancionador por infracción del artículo 53.1.a) o se continuará, en el supuesto de que se hubiera suspendido inicialmente».

A diferencia de lo que ocurre con los arts. 23 y 27 de la LO 1/2004, en estos preceptos, no se condiciona el informe del Ministerio Fiscal a que no se haya podido celebrar la comparecencia de orden de protección (art. 544 ter-4 LECr), por lo que aun no existiendo solicitud de orden de protección, el Fiscal podría emitir ese informe si se constatara la existencia de indicios de hechos delictivos relacionados con la violencia de género.

Sí, a diferencia de aquellos preceptos de la LO 1/2004, la solicitud de la demandante no ha de estar necesariamente ligada a la sustanciación de una orden de protección (la sola denuncia provoca la suspensión del expediente sancionador incoado con anterioridad, incluso la suspensión de la ejecución de las órdenes de expulsión o de devolución eventualmente acordadas), el examen que ha de hacer el Fiscal vendrá circunscrito a la existencia de esos indicios de delito, pero no será necesario, en principio, valorar la existencia de indicios objetivos de riesgo.

El hecho de que no sea necesaria la constatación de un riesgo objetivo, viene avalada porque para los supuestos de obtención de los permisos de residencia y trabajo por razones excepcionales, la legislación de extranjería prevé que, dictada sentencia condenatoria (con independencia de que haya existido o no una orden de protección,) si la víctima no los hubiere solicitado, «se le informará de la posibilidad de concederlas, otorgándole un plazo para su solicitud».

En cuanto al procedimiento para la emisión de estos informes, han de aplicarse las pautas establecidas en la Instrucción 2/05.

V.3. El artículo 174.2 DE LA Ley de Seguridad Social.

El artículo 174.2 de la LGSS (modificado por Ley 26/2009, de 23 de diciembre, de Presupuestos Generales del Estado para el año 2010.) dispone: «en todo caso, tendrán derecho a la pensión de viudedad las mujeres que, aún no siendo acreedoras de pensión compensatoria, pudieran acreditar que eran víctimas de violencia de género en el momento de la separación judicial o el divorcio mediante sentencia firme, o archivo de la causa por extinción de la responsabilidad penal por fallecimiento; en defecto de sentencia, a través de la orden de protección dictada a su favor o informe del Ministerio Fiscal que indique la existencia de indicios de violencia de género, así como por cualquier otro medio de prueba admitido en Derecho».

Al igual que ocurre en la legislación de extranjería, la ley de Seguridad Social amplía los títulos en virtud de los cuales la mujer viuda, pude acreditar haber sido víctima de violencia de género en el momento de la separación o divorcio, pues además de la orden de protección o el informe del Ministerio Fiscal, se hace referencia expresa a la sentencia condenatoria, al auto de archivo por extinción de la responsabilidad criminal por el fallecimiento del imputado, y «cualquier otro medio de prueba admitido en Derecho».

Por tanto en caso de que no se haya incoado procedimiento penal alguno, y la mujer solicitante pretenda acreditar la existencia de tales indicios, podrá presentar ante la Administración a la que dirija su solicitud los medios de prueba de que intente valerse, siendo la Administración la que tras su examen determinará si, a los fines que se le encomiendan, existen o no aquellos indicios.

Al igual que en el supuesto anterior, la solicitud de la demandante de certificación del Ministerio Fiscal, cuando no exista sentencia condenatoria, auto de archivo por extinción de responsabilidad criminal u orden de protección, no ha de estar necesariamente ligada a la sustanciación de una orden de protección y por tanto, si del examen de los procedimientos penales que hubieren existido coetáneamente a la tramitación del procedimiento de separación o divorcio, el Fiscal advierte la existencia de indicios fundados de violencia de género, podrá emitir aquella certificación sin necesidad de valorar el riesgo.

En cuanto al procedimiento para la emisión de estos certificados, rigen, también en este supuesto, las pautas establecidas en la Instrucción 2/05.

VI. DISPOSITIVOS ELECTRÓNICOS

El artículo 48.4 del Código Penal establece que, en caso de que un juez o tribunal acuerde la pena de prohibición de aproximación a la víctima, podrá asimismo disponer que el control de tal medida se efectúe a través «de aquellos medios electrónicos que lo permitan».

La LO 1/2004 en el art. 64.3 dispone que para el control del seguimiento de las medidas de prohibición de aproximación (alejamiento) «Podrá acordarse la utilización de instrumentos con la tecnología adecuada para verificar de inmediato su incumplimiento».

De este modo, la posibilidad de utilización de tales mecanismos prevista inicialmente sólo para los penados se hace extensiva al control de las medidas de alejamiento impuestas con carácter cautelar en los procedimientos que se sigan por violencia de género en el ámbito de la Ley Integral.

El Ministerio de Igualdad (Ministerio de Sanidad, Política Social e Igualdad), en cumplimiento del Acuerdo de Consejo de Ministros de 21 de noviembre de 2008, puso en marcha el «Sistema de Seguimiento por Medios Telemáticos de las Medidas de Alejamiento en materia de Violencia de Género» y se suscribió, el día 8 de julio de 2009, por el Ministerio de Interior, Ministerio de Igualdad, Consejo General del Poder Judicial y Fiscalía General del Estado, el Protocolo de actuación para la implantación del sistema de seguimiento por medios telemáticos del cumplimiento de las medidas de alejamiento en materia de violencia de género.

Estos mecanismos contribuyen a mejorar la seguridad y protección de las víctimas y permiten verificar el cumplimiento de las prohibiciones de aproximación impuestas en las resoluciones judiciales, proporcionando información actualizada y permanente sobre cualquier incidencia que se produzca tanto en cuanto al funcionamiento del sistema como del cumplimiento de la prohibición, generando, por otra parte una prueba documental de los incumplimientos que resultará de alto valor en el procedimiento penal que se incoe por un presunto delito de quebrantamiento (art. 468.2 del CP).

Si bien el objeto del Protocolo viene referido exclusivamente al control de medidas cautelares, pronto se detectó la necesidad de ampliar su aplicación también al ámbito del control de ejecución de penas, pues se podrían producir paradójicas situaciones como la de tener que proceder a la retirada del dispositivo al condenado que, en atención al riesgo detectado, lo había portado durante la tramitación del procedimiento para el control de la medida cautelar.

Por ello, se acordó por la Comisión de Seguimiento creada al efecto en la Cláusula Tercera del Acuerdo del Consejo de Ministros más arriba referido, la ampliación del Protocolo en el sentido expuesto y, con carácter excepcional, y hasta que se lleve a cabo tal ampliación, la aplicación de este sistema para el control de la ejecución de penas, cuando la resolución judicial acuerde su imposición, ante la necesidad de contar con este sistema por el alto riesgo de reiteración detectado, y siempre que el condenado no se halle en prisión.

En relación con control de las medidas cautelares, se ha de recordar que este dispositivo será un instrumento adecuado para ello salvo que resulte necesario acordar la prisión provisional del imputado, por concurrir los presupuestos y fines establecidos en el art. 503 de la LECr, lo que ocurrirá cuando la finalidad perseguida sea la de evitar el riesgo de reiteración de actos semejantes contra bienes jurídicos de la víctima y no se pueda enervar el riesgo detectado con medidas menos gravosas como pueden ser la prohibición de aproximación, y en su caso, con la imposición de los dispositivos electrónicos.

A estos efectos, la Consulta 2/2006 de la Fiscalía General del Estado «sobre la prisión preventiva acordada en supuestos de malos tratos del artículo 153 del Código Penal. Límite de su duración» recuerda el carácter excepcional de esta medida y así dice en el apartado V sobre «Medidas alternativas menos gravosas que la prisión provisional en los supuestos de violencia doméstica o de género» que «la prisión provisional sólo será necesaria cuando otras medidas no sean suficientes para garantizar el fin pretendido, principalmente, en este ámbito, evitar que el imputado pueda actuar contra bienes jurídicos de la víctima, especialmente cuando ésta sea alguna de las personas a las que se refiere el artículo 173.2 CP [art. 503.1.3.º c) LECrim]».

Puede ocurrir sin embargo, que acordada la prisión provisional se haya de dejar esta sin efecto por haber transcurrido el plazo máximo establecido en el art. 504 de la LECr sin haber concluido el procedimiento o por otras razones, supuestos en los que se podría interesar la imposición de estos mecanismos si se consideran necesarios para facilitar la protección de la víctima y el control de la medida cautelar de alejamiento que haya sido acordada.

En cuanto al control de penas de alejamiento, si el condenado lo fuera a pena de prisión, por imperativo del art. 57 del CP la pena de alejamiento ha de ser superior al menos en un año a aquélla. La posibilidad de instalar estos dispositivos existe, por tanto, no sólo cuando la pena de prisión ha sido suspendida de conformidad con el art. 80 y siguientes del Código Penal, sino tras quedar en libertad el condenado, en caso de cumplimiento de la pena privativa de libertad, para controlar la pena de prohibición de aproximación a la víctima pendiente de cumplimiento.

En torno a los dispositivos telemáticos se han venido planteando problemas sobre la calificación penal de ciertas conductas del imputado, cuando no respeta las normas de funcionamiento del dispositivo, haciendo éste ineficaz, o fractura intencionadamente el dispositivo transmisor RF (brazalete), sin aproximarse a la víctima, ni a los lugares determinados en la resolución judicial.

Se puede distinguir:

a) Situaciones en las que el dispositivo no funciona a consecuencia de la actuación voluntaria del imputado (por ejemplo, no carga de forma contumaz la batería de la unidad 2Trak, sabiendo que al agotarse ésta deja de funcionar).

Se podría estar ante un delito de desobediencia, pues la imposición de tales mecanismos de detección de proximidad ha sido acordada en una resolución judicial, y el imputado debe haber sido requerido para colaborar en la instalación y adecuado funcionamiento del dispositivo con el apercibimiento de que, de no hacerlo así, puede incurrir en el citado delito; tal requerimiento deberá constar en la propia resolución o en el acta de la notificación de la resolución en la que se acuerda la imposición de estos mecanismos para el control.

En la Conclusiones alcanzadas por los Fiscales Delegados especialistas en el Seminario celebrado en Antequera en el año 2010, refrendadas por el Fiscal General del Estado, ya se hacía constar que, los Sres. Fiscales debían velar para que se hicieran esos requerimientos.

Hay que tener en cuenta, además, que al imputado se le advierte por los técnicos en el momento de la instalación del dispositivo, de su funcionamiento y las normas básicas del mantenimiento de los aparatos, dejando constancia escrita y firmada por el usuario de todo ello y de que lo ha comprendido.

Efectivamente el «Protocolo de actuación para la implantación del sistema de seguimiento por medios telemáticos del cumplimiento de las medidas de alejamiento en materia de violencia de género», en el apartado 1.2.2 establece que «el inculpado dejará constancia por escrito de que le han facilitado el DLI, que le han explicado su funcionamiento y las normas básicas de mantenimiento y que las ha comprendido», documento que ha de suscribirse en todos los supuestos en los que se proceda a la instalación de estos mecanismos y del que han de procurarse los técnicos en el momento de la instalación.

b) Supuestos en los que el imputado fractura intencionadamente el brazalete (lo que generará inmediatamente la alarma correspondiente), pero no invada las zonas de exclusión establecidas en la resolución judicial, es decir, no se aproxime a la víctima ni a su domicilio, ni a los demás lugares afectados por la prohibición de aproximación.

En este caso, no cometería un delito de quebrantamiento de medida cautelar, pues no incumple las prohibiciones impuestas en la resolución judicial, dado que el dispositivo de detección de proximidad no es más que un mecanismo de control de ejecución de la medida cautelar o pena que no se vulnera.

Podría imputarse un delito de desobediencia (artículo 556 del Código Penal), si en la resolución judicial, o en el acta de su notificación al imputado consta el expreso requerimiento de que ha de colaborar con el adecuado funcionamiento del dispositivo, con las advertencias de poder incurrir, en caso contrario, en un delito de desobediencia. Además, y en atención al valor pericial de los daños causados, podría haber incurrido en una falta o delito de daños (artículos 625 o 263 del Código Penal).

VII. CUESTIONES SUSTANTIVAS PENALES

VII.1. La pena de prohibición de aproximación: artículo 57.2 del Código Penal.

VII.1.1. Sobre el carácter imperativo de la pena de prohibición de aproximación en los supuestos de violencia de género y doméstica.

El artículo 57 del CP fue modificado por Ley Orgánica 15/2003, de 25 de noviembre, incluyendo en el precepto el párrafo segundo, quedando regulado como sigue:

«1. Los jueces o tribunales, en los delitos de homicidio, aborto, lesiones, contra la libertad, de torturas y contra la integridad moral, la libertad e Indemnidad sexuales, la intimidad, el derecho a la propia imagen y la inviolabilidad del domicilio, el honor, el patrimonio y el orden socioeconómico, atendiendo a la gravedad de los hechos o al peligro que el delincuente represente, podrán acordar en sus sentencias la imposición de una o varias de las prohibiciones contempladas en el artículo 48, por un tiempo que no excederá de diez años si el delito fuera grave o de cinco si fuera menos grave.

No obstante lo anterior, si el condenado lo fuera a pena de prisión y el juez o tribunal acordara la imposición de una o varias de dichas prohibiciones, lo hará por un tiempo superior entre uno y 10 años al de la duración de la pena de prisión impuesta en la sentencia, si el delito fuera grave, y entre uno y cinco años, si fuera menos grave. En este supuesto, la pena de prisión y las prohibiciones antes citadas se cumplirán necesariamente por el condenado de forma simultánea.

2. En los supuestos de los delitos mencionados en el primer párrafo del apartado 1 de este artículo cometidos contra quien sea o haya sido el cónyuge, o sobre persona que esté o haya estado ligada al condenado por una análoga relación de afectividad aun sin convivencia, o sobre los descendientes, ascendientes o hermanos por naturaleza, adopción o afinidad, propios o del cónyuge o conviviente, o sobre los menores o incapaces que con él convivan o que se hallen sujetos a la potestad, tutela, cúratela, acogimiento o guarda de hecho del cónyuge o conviviente, o sobre persona amparada en cualquier otra relación por la que se encuentre integrada en el núcleo de su convivencia familiar, así como sobre las personas que por su especial vulnerabilidad se encuentran sometidas a su custodia o guarda en centros públicos o privados se acordará, en todo caso, la aplicación de la pena prevista en el apartado 2 del artículo 48 por un tiempo que no excederá de diez años si el delito fuera grave o de cinco si fuera menos grave, sin perjuicio de lo dispuesto en el párrafo segundo del apartado anterior».

En relación a esta modificación, la Circular 2/2004 de la Fiscalía General del Estado sobre «aplicación de la reforma del Código Penal operada por Ley Orgánica 15/2003 (primera parte)», establece que en los delitos relativos a malos tratos familiares es preceptiva la imposición de la pena accesoria de prohibición de aproximación a la víctima o personas asimiladas y así, literalmente dice que «debe pues tenerse en cuenta que conforme al art. 57.2 CP será obligatorio promover y acordar siempre la prohibición de aproximación del art. 48.2 CP respecto de los delitos relacionados con la violencia doméstica. Por tanto los Sres. Fiscales deberán solicitar siempre el alejamiento en tales supuestos, con independencia de la voluntad de la víctima»

Sobre el carácter imperativo de la pena en los supuestos del art. 57.2 del CP, nunca se había suscitado debate jurídico y sólo de forma tangencial había pronunciamientos que no discuten la imposición de la pena incluso contra la voluntad de la víctima (STS 69/2006 de 20 de enero; de 19-1-2007; de 28-9-2007; 172/2009 de 24 de febrero y de 20 de abril e 2007). En concreto la STS de 20 de abril de 2007, razona que «el párrafo 1.º del art. 57.1 CP., atribuye al tribunal sentenciador la facultad u opción de imponer o no las prohibiciones del art. 48 (penas accesorias), dentro de unos límites temporales. El mismo criterio se sigue en caso de responsabilidad por faltas (art. 57-3 CP).

Sin embargo, en el apartado 2.º de ese mismo artículo los términos en que la ley se manifiesta son distintos. En dicho apartado se establece con carácter imperativo la imposición de las penas accesorias del n.º 2 del art. 48, cuando se da el presupuesto normativo que allí se contempla (delitos enmarcados dentro de la violencia de género), en los siguientes términos «se acordará, en todo caso»; la pena por tanto no es discrecional,..., la ausencia de motivación o decisión de imponerla, no debe obstaculizar la aplicación de la ley penal, dada su imperatividad,...».

Razonamiento que motivó, igualmente, la inadmisión del recurso de casación en el Auto 1645/09 de 9 de julio en relación a un supuesto del art. 153-1 del CP sobre el «carácter inderogable de la pena», manteniendo que «su imposición resulta de obligado cumplimiento para el juez sin perjuicio de la utilización de la vía de indulto cuando se estime oportuno conforme a lo que dispone el artículo 4.3.º del Código Penal, que, aun así, determina la ejecución de la pena (tanto más la imposición de la misma)».

Ahora bien, en aras a evitar los conflictos humanos y familiares que tantas veces se han puesto de relieve por la imposición obligatoria de la pena, se emitió el oficio de 16 de marzo de 2010 a todos los Fiscales Jefes Provinciales y a los Fiscales Delegados en el que se establecía, con marcado carácter excepcional, ponderando las circunstancias del hecho, las personales del autor y la situación de riesgo de las víctimas, la posibilidad de no interesar la pena de alejamiento del art. 57-2 en los diferentes supuestos del art. 153-1 y 2 del mismo texto legal.

A consecuencia de esa comunicación se plantearon problemas en orden a su interpretación y en concreto a la pertinencia de que esa tesis se extendiera, también, a los supuestos de amenazas leves del art. 171-4 y 5 y de coacciones leves del art. 172-2 del CP, y a que la posibilidad de no solicitar la pena de alejamiento quedaría reducida a los supuestos en los que se interese como pena principal la de trabajos en beneficio de la comunidad, pero no en los casos en los que se solicite la pena de prisión, pues cuando proceda la suspensión de esta pena, de conformidad con el art. 83-1 in fine del CP habría que imponer, como condición imperativa, la prohibición de aproximación a la víctima, por lo que el efecto pretendido con la no petición de la pena accesoria no se produciría dado que el condenado no podrá acercarse a la víctima en virtud del beneficio que le fue concedido.

Con posterioridad existen otros pronunciamientos del Tribunal Supremo y así, la sentencia 703/2010 de 15 de julio, que estimó el recurso interpuesto por el Ministerio Fiscal entendiendo que «en efecto, en ese precepto se castiga al que por cualquier medio o procedimiento golpeare o maltratare de obra a otro sin causarle lesión, cuando la ofendida sea o haya sido esposa, o mujer que esté o haya estado ligada a él por una análoga razón de afectividad aun sin convivencia. Y ese es precisamente el supuesto fáctico que la Sala de instancia declara probado, pues afirma que el acusado zarandeó a la denunciante sin causarle lesión. No cabe duda alguna de que el zarandeo constituye un maltrato de obra, y como la denunciante no resultó lesionada, es claro que la Audiencia debió aplicar el referido precepto, incurriendo al no hacerlo en la infracción de ley que alega el Ministerio Fiscal en su escrito de recurso» y en la Segunda sentencia condena entre otras, por un periodo de dos años, a la pena de prohibición de aproximarse a menos de 500 metros de su ex mujer, ello sin fundamentación o motivación alguna que justifique la imposición de esta pena, lo que debería haberse hecho de considerarse discrecional y que no se hizo pues el tribunal sobreentendió que la pena es de obligada imposición en todos los supuestos del art. 153 del CP y por tanto, también, en el de malos tratos sin resultado lesivo.

Por su parte la Sentencia del TS 1182/2010 de 29 de diciembre, en relación al bien jurídico protegido en el art. 153 del CP es clara cuando dice que «... el tipo penal del maltrato previsto en el art. 153 del C. Penal resulta homogéneo con el tipo de lesiones del art. 148.4 del mismo texto legal, distinguiéndose sólo, tal como se ha anticipado, en la no concurrencia de un resultado lesivo que conllevara tratamiento médico. La modalidad de la acción es la misma, la base de agravación por el parentesco también y, asimismo, se vulnera en ambos casos el bien jurídico de la integridad física o la salud de la víctima».

De ello se deduce que no solo sistemáticamente están incluidas todas las conductas del art. 153 del CP integradas en el Título referido a «las lesiones», sino que el bien jurídico protegido es precisamente la integridad física de la víctima al igual que en el resto de preceptos comprendidos bajo tal rúbrica.

En la STS 819/2010 de 21 de septiembre, en un supuesto de lesiones graves causadas a la novia del imputado en el que las partes no pidieron la pena de alejamiento y ésta fue impuesta por el órgano de enjuiciamiento, razona el Tribunal Supremo que «nos encontramos por tanto ante la omisión de petición de una pena imperativa e insoslayable, por lo que, de acuerdo con la resolución del Pleno citado, a pesar de la no petición de las partes acusadoras, se deberá imponer en su medida mínima, que es precisamente lo que ha realizado la Sala que dicta la sentencia que se recurre».

En fin, hay que hacer referencia a la Sentencia 60/2010 de 7 de octubre del Tribunal Constitucional. El planteamiento de la cuestión, referida al art. 57-2 del CP, se basaba en la posible infracción del principio de personalidad de la pena (art. 25.1 de la CE), de la prohibición de indefensión (art. 24-1 CE), del principio de proporcionalidad de las penas (art. 25.1 CE en relación al 9.1) y del derecho a la intimidad familiar en relación al derecho al libre desarrollo de la personalidad (art. 18.1 en relación al art. 1.1 y 10 de la CE). Además se alega que afecta a la libertad de elegir residencia y a circular por el territorio nacional (art. 19.1 de la CE), a contraer matrimonio (19.1 CE) y, en este supuesto, habida cuenta que el condenado trabaja en el mismo centro que la víctima, al derecho al trabajo en la profesión elegida (35 CE). El TC declara la constitucionalidad de la imposición obligatoria de la pena de prohibición de aproximación por entender que los fines que persigue son constitucionales, y que la pena es adecuada y necesaria para su consecución y, además, es proporcional pues, el legislador articula un sistema que permite al juez graduar la pena en atención a las circunstancias del caso.

Por último, y como colofón, es preciso referirse a la Sentencia del Tribunal de Justicia Europeo (Sala Cuarta) de 15 de septiembre de 2011 dictada en las cuestiones acumuladas C-483/09 y C-1/10, que tienen por objeto las cuestiones prejudiciales planteadas, con arreglo al artículo 35 UE, por la Audiencia Provincial de Tarragona, en el marco de sendos procesos penales incoados contra los imputados, acusados de haber infringido la prohibición, impuesta como pena accesoria, de aproximarse a sus respectivas parejas víctimas de violencia sobre la mujer.

En ambos procedimientos seguidos por delitos de quebrantamiento de la pena de alejamiento, ambas mujeres, refirieron haber reanudado ellas voluntariamente la convivencia con los imputados, por lo que en el recurso de apelación que pende ante la Audiencia Provincial, los recurrentes entienden que tales hechos no constituyen el delito por el que fueron condenados en la instancia.

La Audiencia Provincial considera que la confirmación o no de aquella condena depende de que el carácter preceptivo de la adopción de medidas de alejamiento en los supuestos de delitos de violencia familiar, aun cuando las víctimas se opongan a tales medidas, sea compatible con la Decisión marco 2011/220/JAI del Consejo de Europa de 15 marzo de 2001, relativa al Estatuto de la víctima en el proceso penal.

En la Sentencia, el Tribunal Europeo recuerda que la Decisión marco referida no contiene ninguna disposición relativa a las clases y graduación de las penas que los Estados miembros han de establecer en su normativa para sancionar las infracciones penales, y que el art. 2 apartado 1, de la propia Decisión marco tiene por objeto «garantizar que la víctima pueda participar efectivamente en el proceso penal de un modo adecuado, lo cual no implica que una medida de alejamiento preceptiva como la controvertida en los procesos principales no pueda imponerse en contra de la opinión de la víctima» añade que el derecho procesal de la víctima a ser oída no confiere a esta ningún derecho en cuanto a la determinación de las clases ni la graduación de las penas aplicables a los autores de los hechos de conformidad con la normativa penal nacional, pues «la protección penal contra los actos de violencia doméstica que establece un Estado miembro en ejercicio de su potestad sancionadora no sólo tiene por objeto la protección de los intereses de la víctima tal como ésta los percibe, sino también la protección de otros intereses más generales de la sociedad». Y concluye que «los artículos 2, 3 y 8 de la Decisión marco deben interpretarse en el sentido de que no se oponen a la imposición de una medida de alejamiento preceptiva con una duración mínima, prevista como pena accesoria por el Derecho penal de un Estado miembro, a los autores de violencia en el ámbito familiar, aun en el supuesto de que las víctimas de esa violencia se opongan a la aplicación de tal medida».

A la vista de la reiterada posición del Tribunal Supremo sobre el carácter imperativo de la pena de alejamiento así como de la Sentencia del TC de 7 de octubre de 2010 y la del Tribunal de Justicia Europeo de 15 de septiembre de 2011, no puede sostenerse el carácter discrecional de la pena en los procedimientos de violencia sobre la mujer y doméstica (art. 57.2), por lo que los Sres. Fiscales deberán solicitar siempre la pena de alejamiento de conformidad con los parámetros establecidos en el art. 57.1 del CP.

VII.1.2. Sobre el cumplimiento simultáneo de la pena de prisión y de las penas accesorias de prohibición de aproximación y/o comunicación

En relación al cumplimiento de la pena de prisión y de las penas accesorias de prohibición de aproximación y de comunicación impuestas al acusado, en algunas resoluciones judiciales se dispone erróneamente que «se ejecutarán una vez que se cumplan las penas privativas de libertad o a partir del momento que en el cumplimiento de la pena privativa de libertad el acusado pueda obtener algún tipo de beneficio que le facilite salir de prisión».

Este criterio es contrario al establecido en el artículo 57-1 del CP que dispone que «se cumplirán necesariamente por el condenado de forma simultánea». La Exposición de Motivos de la LO 15/2003, de 11 de noviembre por la que se modificó la LO 10/95, de 23 de noviembre, del Código Penal, justifica la modificación efectuada en relación a este extremo diciendo que «se amplía la duración máxima de las penas de alejamiento y de no aproximación a la víctima, incluyéndose la previsión de su cumplimiento simultáneo con la prisión e incluso concluida la pena, para evitar el acercamiento durante los permisos de salida a otros beneficios penitenciarios o después de su cumplimiento».

En el mismo sentido la Circular 2/04, de 22 de octubre de la Fiscalía General del Estado advierte de la necesidad de incrementar estas penas accesorias «… en cuanto a su duración para que tras la libertad definitiva y consiguiente extinción de la pena principal de prisión, continúe siendo efectivo el alejamiento» y la STS 886/2010 de 20 de octubre, que resuelve un recurso de casación interpuesto por el Ministerio Fiscal, establece que: «la pena de prisión y las prohibiciones antes citadas se cumplirán necesariamente por el condenado de forma simultánea».

VII.2. El delito de quebrantamiento

VII.2.1. «Quebrantamiento consentido» de la pena o medida cautelar de prohibición de aproximación

Las particularidades de la violencia que los hombres ejercen sobre las mujeres con las que han mantenido o mantienen una relación sentimental nos enfrenta a situaciones en que las víctimas por diversas razones tales como el abandono, el temor a represalias, la esperanza en creer que el agresor cambiará su comportamiento violento, la dependencia emocional o económica que les une a ellos, presiones familiares, o por considerar que la ausencia del padre pueda resultar perjudicial al desarrollo de los hijos, deciden o consienten reanudar la convivencia pese a haberse decretado judicialmente una prohibición de aproximación que le ha sido impuesta al agresor (arts. 57.2 en relación al art. 48 CP y 544 bis y 544 ter LECr.)

Desde el año 2005 las Memorias de la Fiscalía General del Estado recogen la problemática que esta situación genera, y que se ha puesto de manifiesto de forma reiterada por la Fiscalía de Sala de Violencia sobre la Mujer, que ha advertido del riesgo al que se enfrentan estas mujeres, no solo de sufrir nuevos ataques contra su integridad o libertad, sino de sufrir males mayores.

Antes de que entrara en vigor la LO 1/2004, la reforma del Código Penal operada por LO 15/2003, de 25 de noviembre, ya había modificado las penas de privación del derecho a residir, a aproximarse y a comunicarse con la víctima previstas en los arts. 48 y 57 del CP. En virtud de dicha reforma, estas penas tienen carácter facultativo para el órgano de enjuiciamiento (art. 57.1 y 3 CP), salvo en delitos relativos a malos tratos familiares en los que es preceptiva la imposición de la prohibición de aproximarse a la víctima o a personas asimiladas. Así, conforme al art. 57.2 CP será obligatorio promover y acordar siempre la prohibición de aproximación del art. 48.2 CP respecto de los delitos relacionados con la violencia de género y violencia doméstica.

Por el contrario, la imposición de la medida cautelar de prohibición de aproximación a la víctima es una decisión precedida de un juicio previo que se deja a la facultad del juzgador que trata de evitar que, durante el proceso, puedan cometerse nuevos actos de violencia de género y que podrá ser acordada por el juez, de oficio, o a instancia de la víctima o persona que tenga con ella alguna de las relaciones indicadas en el art. 173.2 CP, o del Ministerio Fiscal, conforme dispone el art. 544 ter.2 LECr.

Ante estas situaciones, la experiencia de los Fiscales en la tramitación de los procedimientos en los Juzgados de Violencia sobre la Mujer les hizo enfrentarse a un escenario peculiar comprobando como en no pocas ocasiones, pese a haberse dictado una resolución judicial que contenía una medida cautelar o pena de prohibición de aproximación, agresor y víctima reanudaban la convivencia pese a la interdicción estipulada.

En relación con este último supuesto debe partirse de que el Código Penal tipifica como delito, en el artículo 468.2, el hecho de quebrantar una pena de las contempladas en el artículo 48 (prohibición de residir, de aproximación a la víctima y de comunicación) o una medida cautelar o de seguridad de la misma naturaleza impuesta en procesos criminales en que el ofendido sea alguna de las personas del art. 173.2 de dicho texto legal.

Lo que en principio no planteaba problemas jurídicos en otros tipos delictivos supuso un constante foco de problemas en relación con los delitos relacionados con la violencia de género y violencia doméstica que no ha sido fácil resolver por las constantes oscilaciones de los pronunciamientos del Tribunal Supremo en torno a su solución. Porque la primera STS 1156/2005, de 26 de septiembre que este Tribunal dicta en relación a dilucidar (entre otras cuestiones) si se había cometido un delito de quebrantamiento de medida cautelar impuesta al agresor, que había reanudado la convivencia con su pareja, concluyó con un pronunciamiento absolutorio al interpretar que la reanudación de la convivencia de forma voluntaria «acredita de forma fehaciente la no necesidad de la protección y por ello supone el decaimiento de la medida de forma definitiva, por lo que el plazo de duración de la medida quedaría condicionado a la voluntad de aquella sin perjuicio de que ante un nuevo episodio de ruptura violenta pudiera solicitarse del juzgado, si es preciso para la protección de su persona, otra resolución semejante». Es decir, otorga a la voluntad de la víctima de reanudar la convivencia con el agresor, la relevancia jurídica suficiente como para dejar sin efecto la orden judicial de alejamiento, dotando así a estas medidas de un carácter disponible ajeno a aquél con el cual las delimitó y reguló el legislador.

Con posterioridad a esta resolución, se celebró en el mes de noviembre de 2005 el primer Seminario de Fiscales Delegados de Violencia contra la mujer en el que se acometió este problema, acordando que: «cuando el Fiscal tenga conocimiento en las Diligencias en las que se acordó la medida cautelar de prohibición de aproximación o de comunicación, de que el agresor no está cumpliendo la medida de alejamiento o incomunicación adoptada como medida cautelar, se deducirá en todo caso, testimonio por si los hechos fueren constitutivos de un delito de quebrantamiento del artículo 468 del CP. De igual manera se solicitará la deducción de testimonio cuando en la ejecutoria (si las prohibiciones referidas hubieren sido impuestas por sentencia firme) se apreciara indicios de comisión del delito referido (quebrantamiento de pena). En ambos casos, se actuará de la manera referida, aún cuando mediara el consentimiento de la víctima, sin perjuicio de la valoración de los hechos en instrucción».

A partir de este momento la Jurisprudencia osciló en los dos años siguientes, diferenciando la respuesta según el delito cometido hubiera sido de quebrantamiento de medida cautelar o quebrantamiento de pena. En este sentido la citada STS 1156/2005 es matizada por la STS 69/2006, de 20 de enero, referida tanto a delito de quebrantamiento de medida cautelar como de pena y, aunque atribuye eficacia al consentimiento firme y relevante por parte de la víctima, lo hace a través del error invencible de tipo. Las siguientes resoluciones del Tribunal Supremo (STS 10/2007 de 19 de enero y STS 775/2007 de 28 de septiembre) comienzan a cuestionar la disponibilidad por parte de la víctima de los bienes jurídicos que la norma trata de proteger, y no será hasta el 25 de noviembre de 2008 cuando la cuestión fue abordada por el Pleno de la Sala Segunda del Tribunal Supremo, a través del Acuerdo no Jurisdiccional en el que se acordó que «el consentimiento de la mujer no excluye la punibilidad a efectos del art. 468 CP»., excluyendo, por tanto, cualquier clase de eficacia al consentimiento, expreso o tácito, otorgado por la víctima, para la reanudación de los encuentros o de la convivencia.

La primera sentencia posterior al pleno que trata la cuestión en relación a un delito continuado de quebrantamiento de medida cautelar es la STS 20/2009 de 29 de enero, que proclama la irrelevancia absoluta del consentimiento prestado por la víctima a la reanudación de la convivencia, independientemente de las condiciones en las que el mismo fue emitido.

En las posteriores resoluciones del Tribunal Supremo (39/2009 de 29 de enero, 172/2009 de 24 de febrero, 349/2009 de 30 de marzo, y otras) que reproducen el Acuerdo, no distingue el Tribunal entre quebrantamiento de medida y de pena, dispensándoles idénticas consecuencias en cuanto a que el incumplimiento de la resolución judicial (Auto o Sentencia) que acuerda la medida o pena de prohibición de aproximación a la víctima supone la comisión del delito previsto en el artículo 468.2 del CP. De otro modo la eficacia de los principios de legalidad y seguridad jurídica desaparecerían si el cumplimiento quedase al arbitrio de las personas obligadas, porque frente al interés de la víctima y el agresor en reanudar la convivencia, se encuentra el interés del Estado no solo en proteger a la víctima cuando se encuentra en una situación de riesgo sino en que las resoluciones judiciales se cumplan, y sean eficaces. Lógicamente, dejar al albur de la víctima el cumplimiento efectivo de las penas o medidas acordadas las convierte en disponibles y supondría una cesión del «ius puniendf del Estado imposible de asumir en un Estado de derecho. Y además, esta cuestión trae su causa de una realidad cotidiana que se dilucida en los juzgados y Tribunales, y esa práctica diaria, como dice la STS 755/2009 de 13 de julio «... nos enseña que los consentimientos se prestan en un marco intimidatorio innegable, en el que la ex-pareja se conoce demasiado bien y utiliza para lograr la aceptación del otro artimañas engañosas, cuando no el recursos a sentimientos fingidos o falsas promesas». Añade además esta resolución que «el derecho penal sobre violencia de género tiene unas finalidades que no se pueden conseguir si se permite a la víctima dejar sin efecto decisiones acordadas por la autoridad judicial en su favor».

Son una muestra de las peculiaridades que presenta el tratamiento del delito de quebrantamiento de pena o medida cautelar relativo a la violencia doméstica y de género, que acertadamente describe la STS 1065/2010 de 26 de noviembre cuando expresa que: «la pérdida de autoestima por parte de la mujer, que es consustancial a los episodios prolongados de violencia doméstica, puede provocar en el órgano judicial el irreparable error de convertir lo que no es sino la expresión patológica de un síndrome de anulación personal, en una fuente legitimante que lleve a la equivocación de anular las barreras alzadas para la protección de la propia víctima, sumiendo a éste de nuevo en la situación de riesgo que trataba de evitarse».

En suma, puesto que todas las SSTS dictadas durante los años 2010 y 2011, (SSTS 14/2010 de 28 de enero, 61/2010 de 28 de enero, 60/2010 de 29 de enero, 268/2010 de 26 de febrero, 474/2010 de 17 de mayo, 902/2010 de 21 de octubre, 117/2010 de 24 de noviembre, 1065/2010 de 26 de noviembre, 9/2011 de 31 de enero, 126/2011 de 31 de enero, 192/2011 de 18 de marzo, 260/2011 de 6 de abril) no se desvían del Acuerdo no jurisdiccional del Pleno de 25 de noviembre de 2008, se puede concluir que el problema que ya se puso de relieve en la Memoria del año 2006, y respecto del que nos pronunciamos en el año 2005 en el Seminario de Fiscales en torno a la irrelevancia del consentimiento de la víctima para perseguir las conductas descritas en el artículo 468.2 del CP ha sido ampliamente avalado por todas las resoluciones del Tribunal Supremo citadas.

VII.2.2. Continuidad delictiva en los delitos de quebrantamiento de medida o de pena de aproximación y/o de comunicación.

La figura de la continuidad delictiva puede concurrir en la comisión del delito de quebrantamiento previsto en el art. 468.2 CP, siempre que se cumplan los requisitos previstos en el artículo 74 del mismo cuerpo legal.

Cuando se habla de «quebrantamientos consentidos» es preciso referirse a diferentes supuestos que es preciso abordar; en primer lugar porque la figura del quebrantamiento puede manifestarse, o bien por reanudación de la convivencia entre agresor y víctima, o bien porque se producen encuentros o acercamientos entre ellos, desvinculados de la situación de convivencia. Estos diferentes modos van a ser merecedores de diferente respuesta punitiva, ya que en algunos casos concurre la continuidad delictiva en el delito de quebrantamiento, y en otros no.

No es delito continuado de quebrantamiento:

a) Cuando el agresor y la víctima reanudan la convivencia, pese a la prohibición impuesta.

En esta línea se pronunció el Seminario de Fiscales Delegados del año 2010, que acordó que «no existe la continuidad delictiva en el delito de quebrantamiento de medida cautelar o pena de alejamiento, cuando decretada por resolución judicial la pena o medida, se reanuda la convivencia entre agresor y víctima».

b) Cuando esa convivencia reanudada cesa durante un tiempo, para restablecerse de nuevo una o varias veces.

En este caso, se estaría ante la comisión de tantos delitos de quebrantamiento como veces se haya restablecido la convivencia, sin que exista tampoco en este caso continuidad delictiva, por interrupción de convivencia durante lapsos de tiempo independientes.

c) Cuando en un único encuentro sin haberse interrumpido en el tiempo el acercamiento entre agresor y víctima, este se ha extendido a varios y diferentes lugares. No hay por tanto interrupción, el encuentro se prolonga en el tiempo, por lo que existiría tan solo un único delito de quebrantamiento, sin que tampoco pueda predicarse la continuidad delictiva

Así lo expresa la STS 268/2010 de 26 de febrero, que en un supuesto en el que el agresor se encuentra con su víctima, pasea con ella, la acompaña... y posteriormente la conduce al hospital para curarla de las heridas que le ha causado y permanece allí con ella, resuelve que «no ha existido más que un solo encuentro, en donde el acusado ha incumplido la orden judicial».

Es delito continuado de quebrantamiento:

a) Cuando decretada la medida cautelar o pena de aproximación entre agresor y víctima, se produzcan entre ambos múltiples y sucesivos encuentros, al margen del lugar, ocasión o cualquier otra circunstancia (situación frecuente en la práctica reflejada en las causas que se incoan por estos delitos).

Se estaría ante una continuidad delictiva por consistir los hechos en una pluralidad de acciones que, por atacar el mismo precepto penal y realizarse aprovechando una misma circunstancia u ocasión, se pena de conformidad con lo estipulado en el artículo 74 del CP.

b) Cuando la prohibición acordada por resolución judicial consiste, además de la de aproximación, en la de prohibición de comunicación con la víctima, sea como medida cautelar, sea como pena accesoria, y el agresor la quebranta poniéndose en contacto con aquélla a través de repetidas llamadas telefónicas o sucesivos mensajes telefónicos (sms), o, incluso mensajes electrónicos (maíls) al margen de su contenido, tales hechos constituyen un delito continuado de quebrantamiento de prohibición de comunicación (STS 126/2011 de 31 de enero).

c) Cuando la prohibición acordada por resolución judicial consiste en la de prohibición de aproximación y de comunicación con la víctima, sea como medida cautelar, sea como pena accesoria, y el agresor la quebranta acercándose a la víctima y poniéndose en contacto con ella, con sucesivos encuentros y llamadas al margen del lugar, ocasión o cualquier otra circunstancia Esto es, cuando al incumplimiento de la medida de alejamiento se suma la de prohibición de comunicación con los requisitos del artículo 74 del CP (STAP de Navarra, 427/2005, de 21 de marzo).

Por ello, será necesario analizar la manifestación del delito de quebrantamiento, las circunstancias y contexto en que éste se ha producido: a través de reanudación de convivencia o de un simple acercamiento, o de múltiples encuentros o contactos entre agresor y víctima, para concluir si es o no un delito continuado de quebrantamiento de pena o medida cautelar.

VII.3. Problemática en relación con la aplicación del artículo 148-1 y 4 del Código Penal.

La LO 1/04 modifica el art. 148 del Código Penal para incluir, como circunstancias que permiten la aplicación de este precepto, la alevosía junto al ensañamiento en el apartado 2.º, en el párrafo 4.º que la víctima sea o haya sido esposa o mujer que esté o haya estado ligada al autor por una análoga relación de afectividad aun sin convivencia y, en el párrafo 5.º que la víctima sea una persona especialmente vulnerable que conviva con el autor.

Establece el artículo 148: «Las lesiones previstas en el apartado 1 del artículo anterior podrán ser castigadas con la pena de prisión de dos a cinco años, atendiendo al resultado causado o riesgo producido:

1. Si en la agresión se hubieren utilizado armas, instrumentos, objetos, medios, métodos o formas concretamente peligrosas para la vida o salud, física o psíquica, del lesionado.

2. Si hubiere mediado ensañamiento o alevosía.

3. Si la víctima fuere menor de doce años o incapaz.

4. Si la víctima fuere o hubiere sido esposa, o mujer que estuviere o hubiere estado ligada al autor por una análoga relación de afectividad, aun sin convivencia.

5. Si la víctima fuera una persona especialmente vulnerable que conviva con el autor».

La inclusión del párrafo 4.º plantea problemas de aplicación del precepto cuando concurre esta circunstancia junto a la 1.ª o 2.ª.

Efectivamente, cuando se comete una agresión por quien sea o haya sido esposo o compañero sentimental de la víctima (4.ª circunstancia) utilizando armas (1.ª) o con ensañamiento o alevosía (2.ª) y causando un resultado del art. 147-1 del CP, se ha suscitado el problema de si todas las circunstancias han de ser tenidas en cuenta como específicas del art. 148, con la consecuencia penológica de poder sancionar tal conducta con la pena que considere el juez adecuada dentro del parámetro marcado en dicho precepto (de 2 a 5 años de prisión) o, si una de esas circunstancias se ha de tener en cuenta para aplicar el subtipo agravado y el resto como circunstancias agravantes genéricas, de manera que ante una agresión con armas u objetos peligrosos a quien es o haya sido esposa o pareja del imputado, sería de aplicación el art. 148-1 del CP con la agravante genérica de parentesco del art. 23 y la pena a aplicar sería la prevista para el subtipo agravado en su mitad superior de conformidad con el art. 66-1-3.º del CP (de 3 años, 6 meses y 1 día a 5 años de prisión).

La primera postura fue mantenida por las Magistrados de las Audiencias Provinciales con competencias exclusivas en materia de violencia de género, en sus conclusiones de 2005, estableciendo en la Conclusión 16 que «el hecho de que concurran dos agravaciones del art. 148 no tiene efecto agravatorio alguno. Se podría aplicar el art. 66-1-3.º del CP, pero no tiene efecto directo punitivo».

Siguiendo esta posición, la lesión cometida con armas, ensañamiento o alevosía en la persona de la esposa o de la mujer unida al autor por una relación de afectividad análoga con convivencia, podrá ser castigada con pena de 2 a 5 años de prisión, pudiendo ser impuesta, pese a la concurrencia de 2 o más circunstancias la pena mínima de 2 años, pena susceptible de suspensión de conformidad con el art. 80 y ss del CP, y muy inferior a la que correspondería imponer a la mujer por la misma agresión cometida sobre el esposo o compañero sentimental, toda vez que en estos casos sería de aplicación el subtipo agravado del párrafo 1.º o 2.º del art. 148 del CP, pero no la circunstancia 4.ª, dado que no es la mujer la víctima, por lo que, al devenir aplicable la agravante de parentesco del art. 23 del CP, la pena a imponer a la mujer nunca sería inferior a 3 años, 6 meses y 1 día de prisión, no susceptible de suspensión.

La segunda postura parte de que en la interpretación de los nuevos preceptos no se puede desconocer la voluntad del legislador que se manifiesta claramente en la Exposición de Motivos cuando dice que «en su título IV la Ley introduce normas de naturaleza penal, mediante las que se pretende incluir, dentro de los tipos agravados de lesiones, un específico que incremente la sanción penal cuando la lesión se produzca contra quien sea o haya sido esposa del autor, o mujer que esté o haya estado ligada a él por una análoga relación de afectividad, aún sin convivencia». Por ello, se defiende que el legislador ha querido (si bien con una defectuosa técnica) agravar con el nuevo párrafo 4.º la pena para aquellos casos en los que la mujer resulta con lesiones graves por la acción de quien es o ha sido su esposo o compañero cuando no concurre ninguna de las demás circunstancias previstas en ese mismo artículo; si tal agresión se comete con armas, ensañamiento o alevosía, el hecho deberá ser sancionado de conformidad con el párrafo 1.º o 2.º del art. 148 del CP, pero no procedería aplicar la 4.ª circunstancia, pues ya no es necesaria para construir el subtipo agravado, por lo que procedería aplicar la circunstancia agravante de parentesco.

El Tribunal Supremo se ha decantado por la segunda postura manteniendo que «la circunstancia 4.ª, que ya no es necesaria para alumbrar el subtipo, ha de actuar como genérica, si queremos que las previsiones punitivas del legislador alcancen los objetivos pretendidos por éste, incorporando al hecho todo el desvalor de aquellos aspectos que normativamente han merecido un concreto reproche desvalorativo con su traducción en la pena» y que «si las circunstancias cualificativas...de los distintos subtipos agravados no tuvieran su correspondencia en las circunstancias modificativas genéricas, resultarían consumidas en el subtipo mismo sin posibilidad de influir de forma reglada sobre la pena,...Pero cuando tienen su equivalencia en el catálogo de circunstancias modificativas genéricas, debe acudirse a las mismas, pues ante la posibilidad formal de actuar como subtipos o como circunstancias modificativas, configurado ya el subtipo con otra cualificación, el art. 8-4.º CP impone la necesidad de contemplar toda la energía o virtualidad punitiva que el legislador estableció». (Sentencia 103/2007 de de 16 de febrero) pues, la postura contraria, «... supondría una modificación legislativa favorable para los maridos, y asimilados, frente a la situación anterior. Interpretación contraria a los objetivos de una ley titulada como de «Medidas de Protección Integral contra la Violencia de Género» (la Sentencia 113/2008 de 31 de enero)

Por último, la Sentencia de la Sala 2.ª del Tribunal Supremo 728/2010 de 22 de julio, en un supuesto de concurrencia de la 1.ª circunstancia (utilización de armas) y de la 2.ª (alevosía) y partiendo de que «el art. 148 CP no tipifica un solo subtipo agravado del delito básico de lesiones del art. 147, sino varios subtipos agravados, cada uno con individualidad propia por los diferentes elementos típicos que cada uno requiere y que les diferencia de los demás» dice que «... no podemos aceptar la aplicación del art. 67 CP que propugna el recurrido, porque, según lo que hemos expresado, el subtipo agravado del art. 148.1.º no requiere para la tipicidad del hecho que éste se ejecute con alevosía, ni ésta es inherente a este concreto subtipo delictivo que, repite, es autónomo del resto de los contemplados en el precepto».

Así, concluye el Alto tribunal que «...resulta obligada su valoración de acuerdo con el art. 66.3.º CP, sin que ello suponga violentar el principio «non bis in idem» que es lo que proscribe el art. 67, debiendo entenderse, a fin de no dar a este precepto una extensión desmesurada, que tal inferencia o imposibilidad de comisión del hecho delictivo sin el hecho de la agravante, se ha de medir en abstracto y no en concreto, es decir, teniendo en cuenta la estructura del tipo del delito [en este caso el subtipo concreto aplicado] y si éste puede o no cometerse sin la concurrencia de la circunstancia agravante...» (STS de 17 de marzo de 1992)».

En conclusión, la jurisprudencia ha acogido reiteradamente la segunda posición por resultar más conforme con la finalidad perseguida por el legislador con la modificación operada por la LO 1/2004, de manera que en el caso de concurrir la circunstancia primera del art. 148 —utilización de armas u objetos peligrosos— con la 2.ª —alevosía o ensañamiento— o la 4.ª (ser o haber sido la víctima del delito esposa o pareja con convivencia del autor), procederá la aplicación del art. 148.1 (subtipo agravado) con las agravantes de alevosía (22-1 del CP), ensañamiento (22.5 del CP) o parentesco (23 del CP).

VII.4. El delito de violencia habitual. Principio non bis in idem.

El delito de violencia habitual, que fue introducido por la LO 3/89 en el CP de 1973, como se apunta en la introducción de esta Circular, y que fue posteriormente modificado por LO 10/1995, LO 14/1999 y LO 11/2003, ha sido objeto de estudio en la Circular 4/2003, de 30 de diciembre, «sobre nuevos instrumentos jurídicos en la persecución de la violencia doméstica» en la que se desarrolla el concepto de habitualidad, sus requisitos y alcance. En ella se señalaba que la noción de habitualidad ha sido perfilada por la jurisprudencia, sustentándose este concepto «en la prueba de la creación de un clima de temor en las relaciones familiares, más que en la constatación de un determinado número de actos violentos» (SSTS 927/2000, de 24 de junio, 1208/2000, de 7 de julio y 1366/2000, de 7 de septiembre). Tal posición se ha mantenido con posterioridad por el TS y así, la Sentencia 474/10 de 15 de mayo dice «que lo relevante para apreciar la habitualidad es la repetición o frecuencia que suponga una permanencia en el trato violento, siendo lo importante que el Tribunal llegue a la convicción de que la víctima vive en un estado de agresión permanente», (en el mismo sentido STS 33/2010 de 3 de febrero).

Se configura de este modo el delito de violencia habitual como un delito con sustantividad propia, autónomo y distinto del que constituye cada uno de los actos violentos, «y sin perjuicio de las penas que pudieran corresponder a los delitos o faltas en que se hubieran concretado aquellos actos de violencia física o psíquica» (art. 173.2 in fine del CP), con independencia de que estos «hayan sido o no objeto de enjuiciamiento en procesos anteriores» (art. 173.3) de manera que «los concretos actos de violencia sólo tiene el valor de acreditar la actitud del agresor y por ello se sancionan separadamente, no impidiendo la sanción adicional de la conducta de violencia doméstica como delito autónomo, con sustantividad propia. El bien jurídico protegido, como se ha dicho, no es propiamente la integridad física de los agredidos. Si lo fuese no podrían sancionarse doblemente las agresiones individualizadas y, además, la violencia habitual integrada por las mismas, sin vulnerar el principio non bis in idem. El bien jurídico protegido es la pacífica convivencia familiar, por lo que no se trata propiamente de un delito contra las personas sino contra la relaciones familiares, pese a su ubicación sistemática (STS 20/2001, de 22 de enero)» (SSTS 474/2010 antes citada y 678/2010 de 13 de julio).

En este sentido, el Tribunal Constitucional, en Sentencia 77/2010 de 19 de octubre, tras recordar la doctrina desarrollada por el mismo acerca del principio non bis in idem, basado en la triple identidad de sujeto, hecho y fundamento, se pregunta si la violencia habitual conforma una realidad independiente y distinta de los diferentes hechos en que la habitualidad se funda. Para tener por acreditada la habitualidad no basta la realización de una pluralidad de actos de violencia «sino que es preciso que estos se hallen vinculados por una relación de proximidad temporal... de manera que se pueda declarar probada una situación de continuidad o permanencia en el trato violento en el entorno familiar, siendo por lo demás irrelevante si es una sola o varias las víctimas del mismo». Lo que pretende sancionar el tipo penal «no es la mera acumulación o sucesión de actos violentos sino... la existencia de una clima de sometimiento y humillación hacia los integrantes del entorno familiar». Por tanto, el delito de violencia habitual no es equiparable a la mera suma de actos violentos sino que «estamos ante un aliud en el que lo relevante no es, por sí solo, la realización de los actos violentos sino la unidad que quepa predicar de ellos a partir de su conexión temporal y sus consecuencias para la relación familiar». Concluye por ello que entre el supuesto de hecho del delito de violencia habitual y la suma de delitos «no hay una exacta identidad», por lo que no cabe apreciar quebranto de principio non bis in idem.

Por lo expuesto, el art. 173.2 del CP al disponer que la condena por el delito de violencia habitual procede «sin perjuicio de las penas que pudieran corresponder a los delitos y faltas en que se hubieren concretado los actos de violencia física o psíquica», no vulnera el principio non bis in idem

Ahora bien, pese a que en la sentencia referida del TC nada se resuelve en relación al párrafo 3.º del art. 173.2 del CP, por no haberse dado a las partes el preceptivo trámite de audiencia previa del art. 35 de la LOTC en relación a este punto, a la misma conclusión ha de llegarse en relación a la vulneración de dicho principio por el párrafo 3.º del art. 173 del CP.

Respecto a este extremo, la STS 474/2010 ya citada dice que «la STS 14-5-2004, n.º 645/2004 reiteró que «no cabe hablar de ninguna vulneración del principio non bis in idem, por la posible duplicidad de sanciones por unos mismos hechos, por la sencilla razón de que el propio precepto legal, cuya infracción se denuncia, prevé expresamente que la sanción correspondiente a la conducta descrita en el mismo se impondrá,...,»sin perjuicio de las penas que pudieran corresponder a los delitos o faltas en que se hubieran concretado los actos de violencia física o psíquica»..., y «con independencia de que (...) los actos violentos hayan sido o no objeto de enjuiciamiento en procesos anteriores»...Existen dos bienes jurídicos claramente diferenciados (la paz familiar y la integridad moral de la persona, de un lado, y la integridad física y psíquica de la persona, por otro). Los concretos actos de violencia sólo tienen el valor de acreditar la actitud del agresor, no existe, por tanto, infracción del principio «non bis in idem» (v. STS de 9 de julio de 2001)».

Efectivamente, sí el bien jurídico protegido por el tipo penal es la integridad moral y la pacífica convivencia familiar, y lo que se sanciona en el mismo «no es la mera acumulación o sucesión de actos violentos sino... la existencia de un clima de sometimiento y humillación hacia los integrantes del entorno familiar», nada empece a que tal clima se haya producido por la reiteración de actos que hayan sido objeto de enjuiciamiento previo, si entre ellos se advierte esa proximidad temporal, continuidad o permanencia que caracteriza al delito de violencia habitual.

VII.5. La nueva regulación de la pena de privación de la patria potestad y de la inhabilitación para su ejercicio

Con anterioridad a la LO 5/2010 de 22 de junio, por la que se modifica la LO 10/1995 de 23 de noviembre del Código Penal, sólo existía la pena de inhabilitación para el ejercicio de la patria potestad y no la pena de privación de ese derecho-deber. Además, aquella sólo existía como pena principal y no como accesoria, por lo que su imposición quedaba limitada a aquellos delitos en los que expresamente estuviera prevista dicha pena.

Ello determinó que en relación a los delitos de violencia de género y doméstica se plantearan problemas importantes.

La problemática afectaba a dos vertientes:

a) La imposibilidad de privar de la patria potestad al condenado, pues no existía tal pena en el Código Penal (principio de legalidad) y es inaplicable, en el procedimiento penal, el art. 170 del CC que dispone que «el padre o la madre podrán ser privados, total o parcialmente, de la patria potestad por sentencia fundada en el incumplimiento de los deberes inherentes a la misma o dictada en causa criminal o matrimoniar.

Al no existir la pena de privación de la patria potestad se planteó la posibilidad de aplicar en el procedimiento penal la privación de la patria potestad por incumplimiento de las obligaciones inherentes a la misma de conformidad con el artículo transcrito. Tal posición fue rechazada por el Tribunal Supremo por el Acuerdo del Pleno no jurisdiccional de la Sala 2.ª de 26 de mayo de 2000 que determinó que no es oportuno que se resuelva en la vía penal sobre la privación de la potestad en los casos en que el Código penal no prevea expresamente dicha posibilidad. Por su parte, la sentencia de la Sala 2.ª, 780/2000 de 11 de septiembre, reiterando lo dicho en aquel Acuerdo, añade que existen «mecanismos sustantivos y procesales civiles precisos para una inmediata y automática protección del menor desamparado, sin necesidad de que la jurisdicción penal asuma lo que a la Jurisdicción Civil corresponde mediante la aplicación de las correspondientes normas civiles a través de los cauces procesales específicamente creados para ello». En el mismo sentido STS de 2.10.2000 y de 13 de julio de 2006, entre otras.

b) La imposibilidad de aplicar la única pena existente, inhabilitación para el ejercicio de la patria potestad, en la mayoría de los delitos graves, dado que la misma no estaba prevista en la norma que los sanciona.

En relación a dicha imposibilidad, la Sentencia de la Sala 2.ª del Tribunal Supremo 1083/2010 de 15 de diciembre recordaba que «las exigencias insoslayables del principio de legalidad penal, sólo permiten acordar esta medida en aquellos casos en que las características del delito enjuiciado hayan llevado al legislador a establecer como accesoria la privación de la patria potestad, sin que se pueda extender por analogía a otros supuestos diferentes». (En el mismo sentido Sentencia 815/2006).

En consecuencia, al margen de aquellos delitos en los que se preveía expresamente la imposición imperativa o discrecional de la pena de inhabilitación para el ejercicio de la patria potestad (delitos de los arts. 149-2, 153, 171-4 y 5, 173-2, 192 —en relación a los delitos regulados en el Título VIII del Libro II del CP—, 220-4, 225 bis, 226, 229 a 232, del CP), no era posible en el procedimiento penal imponer limitación alguna al ejercicio de ese derecho-deber aun cuando el progenitor condenado lo fuera por actos tan graves como el homicidio o asesinato del otro progenitor o de alguno de sus hijos. En estos casos de extrema gravedad en los que la privación de la patria potestad o la inhabilitación para su ejercicio resultaban a todas luces necesarias y apropiadas para la adecuada protección de los menores afectados, y en base al superior interés de aquellos, se obligaba a acudir a los interesados (madre sobreviviente, abuelos o tíos encargados de la custodia de los menores) al procedimiento civil para que aquella privación se hiciera efectiva o bien, a instancia de los Sres. Fiscales que han «promover en vía civil las medidas en cada caso procedentes para salvaguardar el superior interés del menor», como recuerda la Circular 4/2003.

La LO 5/2010 de 22 de junio, ha incluido la pena de privación de la patria potestad y ha dado una nueva redacción y contenido a la pena de inhabilitación para su ejercicio.

Tal modificación ha afectado a los arts. 39, 46, 55 y 56.

En el primero de ellos se incorpora en el catálogo de penas graves (art. 39-1J) la, inexistente hasta entonces, pena de privación de la patria potestad.

El art. 46 regula, en la actual redacción, el contenido de las penas de inhabilitación especial para el ejercicio de la patria potestad, tutela, cúratela, guarda o acogimiento y de la pena de privación de la patria potestad.

Así, dispone que «La inhabilitación especial para el ejercicio de la patria potestad, tutela, cúratela, guarda o acogimiento, priva al penado de los derechos inherentes a la primera, y supone la extinción de las demás, así como la incapacidad para obtener nombramiento para dichos cargos durante el tiempo de la condena. La pena de privación de la patria potestad implica la pérdida de la titularidad de la misma, subsistiendo los derechos de los que sea titular el hijo respecto del penado. El juez o Tribunal podrá acordar estas penas respecto de todos o alguno de los menores o incapaces que estén a cargo del penado, en atención a las circunstancias del caso. A los efectos de este artículo, la patria potestad comprende tanto la regulada en el Código Civil, incluida la prorrogada, como las instituciones análogas previstas en la legislación civil de las Comunidades Autónomas».

La regulación de estas penas como accesorias se completa en los arts. 55 y 56 del CP en los que se establecen las condiciones para su imposición.

El art. 55 dispone que «La pena de prisión igual o superior a diez años llevará consigo la inhabilitación absoluta durante el tiempo de la condena, salvo que ésta ya estuviere prevista como pena principal para el supuesto de que se trate. El Juez podrá además disponer la inhabilitación especial para el ejercicio de la patria potestad, tutela, cúratela, guarda o acogimiento, o bien la privación de la patria potestad, cuando estos derechos hubieren tenido relación directa con el delito cometido. Esta vinculación deberá determinarse expresamente en la sentencia».

Por su parte la regla 3.ª del párrafo 1.º del art. 56 también ha sido objeto de modificación:

«1.- En las penas de prisión inferiores a diez años, los jueces o tribunales impondrán, atendiendo a la gravedad del delito, como penas accesorias, alguna o algunas de las siguientes:

[...]

3. a Inhabilitación especial para empleo o cargo público, profesión, oficio, industria, comercio, ejercicio de la patria potestad, tutela, cúratela, guarda o acogimiento o cualquier otro derecho, la privación de la patria potestad, si estos derechos hubieran tenido relación directa con el delito cometido, debiendo determinarse expresamente en la sentencia esta vinculación, sin perjuicio de la aplicación de lo previsto en el artículo 579 de este Código».

En cuanto al contenido, la diferencia entre la inhabilitación para el ejercicio de la patria potestad y la privación de la misma estriba, de conformidad con el art. 46 transcrito, en que con la inhabilitación se priva al condenado de los derechos inherentes a la patria potestad, y la privación supone la pérdida de la titularidad. En ambos casos subsisten los derechos de los que sea titular el hijo respecto del penado, aun cuando tal salvedad sólo aparezca en el texto legal en relación a la pena de privación de la patria potestad, y ello porque, además de afectar la inhabilitación sólo a los derechos inherentes a la patria potestad que corresponden al penado, y por tanto no a sus obligaciones o deberes, el art. 110 del CC dispone que «El padre y la madre, aunque no ostenten la patria potestad, están obligados a velar por sus hijos menores y a prestarles alimentos» y el art. 111 expresamente dice que en los casos de exclusión de la patria potestad «quedarán siempre a salvo las obligaciones de velar por lo hijos y prestarles alimentos».

El artículo 46.1 del CP añade que «El juez o Tribunal podrá acordar estas penas respecto de todos o alguno de los menores o incapaces que estén a cargo del penado, en atención a las circunstancias del caso» precepto introducido por la LO 15/03 de 25 de noviembre por la que se modificó el CP de 1995 y que «permite extender sus efectos a los demás menores que estén a cargo del penado, a todos o solo algunos, en atención a las circunstancias del caso». (Circular de la FGE 4/2003).

Por último, en este precepto se dispone que «A los efectos de este artículo, la patria potestad comprende tanto la regulada en el Código Civil, incluida la prorrogada, como las instituciones análogas previstas en la legislación civil de las Comunidades Autónomas».

Con esta precisión se aclara que en las penas de inhabilitación para el ejercicio de la patria potestad y de privación de la mismas queda incluida la patria potestad cualquiera que sea la legislación por la que se regule (Código Civil o legislaciones autonómicas) y además se incluye expresamente la patria potestad prorrogada, por lo que la pena de privación de la patria potestad y la de inhabilitación para el ejercicio de aquella, superando las deficiencias de la anterior regulación, puede afectar también a los hijos mayores de edad sometidos a esta patria potestad.

El legislador exige como condición para la imposición de estas penas, la existencia de una vinculación entre el delito y los derechos afectados y así, tanto el art. 55 como el 56-1.3.ª del CP prevén la posibilidad de imponer estas penas «si estos derechos hubieran tenido relación directa con el delito cometido, debiendo determinarse expresamente en la sentencia esta vinculación».

La cuestión es determinar cuándo concurren elementos o circunstancias que hagan aconsejable la solicitud y en su caso la imposición de la pena de privación de la patria potestad o inhabilitación, tanto como pena principal cuando es discrecional (arts. 153, 171-4 y 5, 173-2 del CP) como en los casos de pena accesoria que en la nueva redacción también se regula con ese carácter optativo (arts. 46, 55 y 56 del CP)

La Circular 4/2003 razona sobre la posibilidad de solicitar esta pena diciendo que «lo decisivo será si existen elementos que lleven a un convencimiento racional de que respecto de los hijos con los que el delito no guarda relación directa el condenado no está en condiciones de desempeñar correctamente las facultades inherentes a la patria potestad, atendiendo como criterio fundamental el del superior interés del menor».

De igual manera se manifiesta la STS 1383/2010 de 15 de diciembre, que además añade que «en consecuencia, es la protección del bien superior del menor la finalidad que debe prevalecer para determinar la aplicación de esta pena. Por esa razón es necesario exigir una prueba —pericial o de otro tipo— a través de la cual constatar que la privación de la patria potestad va a ser beneficiosa para el menor; en consecuencia, de no existir prueba o de ser ésta demostrativa de que la privación al padre de la patria potestad no va a beneficiar al menor, no puede aplicarse legalmente esta pena».

Por su parte, la sentencia del Alto Tribunal 126/2011 de 31 de enero, en relación a la posible imposición de la pena de inhabilitación especial para el ejercicio de la patria potestad prevista en el art. 173.2 del Código Penal para el delito de maltrato familiar habitual «cuando el Juez o Tribunal lo estime adecuado al interés del menor», dice que este condicionante «evidencia su aplicabilidad no solo en los casos en que el habitual maltrato recae directamente sobre el menor, supuesto en que no tendría sentido el condicionante por ser evidente la afectación del interés del menor, sino también cuando recae el maltrato sobre otras personas, como la madre en este caso, en cuanto podría tal conducta afectar negativamente sobre los hijos sometidos a la patria potestad de ambos».

En conclusión, la gravedad del hecho y el superior interés del menor serán los parámetros a los que haya que atender para la solicitud de la imposición de las penas de inhabilitación para el ejercicio de la patria potestad o su privación como penas accesorias, o principales cuando su previsión es facultativa.

En aquellos supuestos más graves en los que el progenitor ha atentado contra la vida del otro, el sentido común lleva a considerar adecuada al interés del menor y a su protección la petición de tales penas pues, con tal actuar, se les ha privado o se les ha podido privar, en el caso de intentos fallidos, de uno de sus progenitores, de su formación, asistencia, cariño y cuidado, en definitiva, de uno de los referentes fundamentales para el desarrollo de su personalidad, lo que les producirá, sin duda, enormes perjuicios en todas las esferas.

VIII. CUESTIONES SUSTANTIVAS CIVILES: CUSTODIA
COMPARTIDA Y VIOLENCIA SOBRE LA MUJER

La Constitución Española en el artículo 39 recoge el principio rector de política social y económica por el cual los poderes públicos vienen obligados adoptar las medidas necesarias para asegurar la «protección social, económica y jurídica de la familia» y en el párrafo 3.º dispone que «Los padres deben prestar asistencia de todo orden a los hijos habidos dentro o fuera del matrimonio, durante su minoría de edad y en los demás casos en que legalmente proceda».

La Convención sobre los Derechos del Niño, proclamada por la Asamblea General de las Naciones Unidas el 20 de noviembre de 1989 y ratificada por España el 30 de noviembre de 1990, obliga a los Estados a respetar el derecho del niño a mantener relaciones personales y contacto directo con ambos progenitores de modo regular, salvo que fuera contrario al interés superior del niño. Así, en concreto en el artículo 3 párrafo 1.º dispone que «En todas las medidas concernientes a los niños que tomen las instituciones públicas o privadas de bienestar social, los Tribunales, las autoridades administrativas o los órganos legislativos, una consideración primordial a que se atenderá será el interés superior del niño».

El artículo 9.1 establece que Tos Estados partes velarán porque el niño no sea separado de sus padres contra la voluntad de estos, excepto cuando, a reserva de revisión judicial, las autoridades competentes determinen, de conformidad con la Ley y los procedimientos aplicables, que tal separación es necesaria en el interés superior del niño. Tal determinación puede ser necesaria en casos particulares, por ejemplo, en los casos en que el niño sea objeto de maltrato o descuido por parte de sus padres o cuando estos viven separados y debe adoptarse una decisión acerca del lugar de residencia del niño».

Y para el caso de que el niño o niña sea separado de uno de sus padres, la Convención establece (art. 9.3) que «Los Estados partes respetarán el derecho del niño que este separado de uno o de ambos padres a mantener relaciones personales y contacto directo con ambos padres de modo regular, salvo si ello es contrarío al interés superior del niño».

Como dice la Instrucción 1/2006 «Sobre guardia y custodia compartida y el empadronamiento de los hijos menores»: «La concepción tradicional dominante mantenía que si los progenitores vivían separados, la guarda y custodia necesariamente debía residenciarse en el padre o en la madre o en tercera persona, pero nunca compartida. En los últimos años la posibilidad de establecer sistemas de guarda compartida se había ido abriendo camino en nuestra jurisprudencia menor, si bien con reticencias y dificultades, motivadas en parte por la falta de previsión expresa. Ahora este régimen de ejercicio de las funciones parentales adquiere rango legal al introducirse en el Código Civil tras la entrada en vigor de la reforma operada por Ley 15/2005, de 8 de julio».

En dicha reforma se recogió la institución de la guardia y custodia compartida como una herramienta para garantizar el superior interés del niño, sí bien supeditando la posibilidad de su adopción a la existencia de acuerdo entre los progenitores y excepcionalmente, a instancia de uno de los progenitores, con el informe favorable del Ministerio Fiscal, y prohibiendo tal posibilidad si uno de los progenitores está incurso en un proceso penal por atentar contra la vida, la integridad física, la libertad, la integridad moral o la libertad e indemnidad sexual del otro cónyuge o, cuando de las alegaciones de las partes o de las pruebas practicadas se adviertan indicios de violencia doméstica.

Siguiendo la evolución constatada en la Instrucción más arriba referida, algunas Comunidades Autónomas han incorporado en su legislación civil de familia la guardia y custodia compartida, en algunos casos como preferente, salvo que el interés superior del menor haga más conveniente la adjudicación individual a uno de los progenitores.

a) El art. 92.7 del Código Civil, establece que «No procederá la guarda conjunta cuando cualquiera de los padres esté incurso en un proceso penal iniciado por atentar contra la vida, la integridad física, la libertad, la integridad moral o la libertad e indemnidad sexual del otro cónyuge o de los hijos que convivan con ambos. Tampoco procederá cuando el Juez advierta, de las alegaciones de las partes y las pruebas practicadas, la existencia de indicios fundados de violencia doméstica».

b) La Ley aragonesa 2/2010, de 26 de mayo, de igualdad en las relaciones familiares ante la ruptura de convivencia de los padres, en el art. 6-6 dispone que «No procederá la atribución de la guarda y custodia a uno de los progenitores, ni individual ni compartida, cuando esté incurso en un proceso penal iniciado por atentar contra la vida, la integridad física, la libertad, la integridad moral o la libertad e indemnidad sexual del otro progenitor o de los hijos o hijas, y se haya dictado resolución judicial motivada en la que se constaten indicios fundados y racionales de criminalidad. Tampoco procederá cuando el

Juez advierta, de las alegaciones de las partes y las pruebas practicadas, la existencia de indicios fundados de violencia doméstica o de género».

c) La Ley 25/2010, de 29 de julio, del libro segundo del Código Civil de Cataluña, relativo a la persona y la familia, en el art. 233-11 apartado 3 dispone que «en interés de los hijos, no puede atribuirse la guarda al progenitor contra el que se haya dictado una sentencia firme por actos de violencia familiar o machista de los que los hijos hayan sido o puedan ser víctimas directas o indirectas. En interés de los hijos, tampoco puede atribuirse la guarda al progenitor mientras haya indicios, fundamentados de que ha cometido actos de violencia familiar o machista de los que los hijos hayan sido o puedan ser víctimas directas o indirectas».

d) La Ley Foral de Navarra 3/2011, de 17 de marzo, sobre custodia de los hijos en los casos de ruptura de la convivencia de los padres establece en el artículo 3.8 que «No procederá la atribución de la guarda y custodia a uno de los padres, ni individual ni compartida, cuando se den estos dos requisitos conjuntamente:

a. Esté incurso en un proceso penal iniciado por atentar contra la vida, la integridad física, la libertad, la integridad moral o la libertad e indemnidad sexual del otro progenitor o de los hijos o hijas.

b. Se haya dictado resolución judicial motivada en la que se constaten indicios fundados y racionales de criminalidad.

Tampoco procederá la atribución cuando el Juez advierta, de las alegaciones de las partes y de las pruebas practicadas, la existencia de indicios fundados y racionales de violencia doméstica o de género.

Las medidas adoptadas en estos dos supuestos serán revisables a la vista de la resolución firme que, en su caso, se dicte al respecto en la jurisdicción penal.

La denuncia contra un cónyuge o miembro de la pareja no será suficiente por sí sola para concluir de forma automática la existencia de violencia, de daño o amenaza para el otro o para los hijos, ni para atribuirle a favor de este la guarda y custodia de los hijos».

e) Por último, la Ley 5/2011, de 1 de abril, de la Generalitat Valenciana, de Relaciones Familiares de los hijos e hijas cuyos progenitores no conviven, que opta por el término «convivencia» para designar la guarda y custodia, establece en el art. 5-6 que «Excepcionalmente tampoco procederá la atribución de un régimen de convivencia a uno de los progenitores cuando esté incurso en un proceso penal iniciado por atentar contra la vida, la integridad física, la libertad, la integridad moral o la libertad e indemnidad sexual del otro progenitor o de los hijos o hijas, y se haya dictado resolución judicial motivada en la que se constaten indicios fundados y racionales de criminalidad, siempre y cuando, a tenor de dichos indicios, la aplicación del régimen de convivencia pudiera suponer riesgo objetivo para los hijos e hijas o para el otro progenitor. Tampoco procederá cuando la autoridad judicial advierta, como consecuencia de las alegaciones de las partes y las pruebas practicadas, la existencia de indicios fundados de violencia doméstica o de género. Cuando se dicte resolución judicial que ponga fin al procedimiento, con efectos absolutorios, en cualquiera de los procedimientos reseñados en el párrafo anterior, se podrá revisar, de oficio o a instancia de parte, la ordenación de las relaciones familiares».

Tanto en el Código Civil como en las leyes autonómicas, se establece una prohibición expresa de atribución de la guarda y custodia en dos supuestos distintos:

a) Que uno de los progenitores se halle incurso en un procedimiento penal por atentar contra la vida, la integridad física, la libertad, la integridad moral o la libertad e indemnidad sexual del otro cónyuge o de los hijos que convivan con ambos.

Aunque el CC haga referencia sólo a la custodia compartida, tampoco procederá otorgar la guarda y custodia individual al progenitor encausado. Tal conclusión se refleja en la legislación autonómica posterior y así es recogida expresamente la prohibición de la atribución de la custodia en cualquier forma, cuando concurran aquellos presupuestos, en las legislaciones de Aragón y Navarra, haciéndose eco de la que ya era evidente en la aplicación de la normativa estatal. En Valencia se prohibe la atribución de la custodia {régimen de convivencia») individual al progenitor que se halle incurso en esos procedimientos «lo que significa que, obviamente, tampoco cabrá la convivencia compartida» como dice la Nota de Servicio 1/11 de la Fiscalía de la Comunidad de Valencia. En Cataluña, por su parte, se prohibe la atribución de la guarda al progenitor condenado por sentencia firme o cuando existan indicios fundados y racionales de violencia doméstica o de género, lo que implica igualmente la prohibición de atribución de la custodia en cualquiera de sus modalidades.

Ahora bien, tal prohibición ha de ser interpretada a la luz del principio inspirador de esta reforma que es la salvaguardia del superior interés del menor. Por ello, en ese procedimiento han de haber sido objetivados indicios de criminalidad, por lo que la simple denuncia no será suficiente para vetar tal posibilidad. Esta precisión es recogida expresamente en las Leyes autonómicas de Valencia, Navarra y Aragón, en las que se establece la necesidad de contar con una resolución judicial motivada «en la que se constaten indicios fundados y racionales de criminalidad» y en Cataluña, se exige sentencia firme o «indicios, fundamentados de que ha cometido actos de violencia familiar o machista de los que los hijos hayan sido o puedan ser victimas directas o indirectas»

En aquellos supuestos en los que no se acuerde la atribución de la custodia (individual o compartida) al progenitor que se halle incurso en un procedimiento penal por atentar contra la vida, la integridad física, la libertad, la integridad moral o la libertad e indemnidad sexual del otro cónyuge o de los hijos que convivan con ambos, precisamente en base a la existencia de ese procedimiento, podría ser revisable la resolución civil cuando en el procedimiento penal se dicte sentencia absolutoria, o se acuerde el sobreseimiento libre de conformidad con al art. 637-1.º y 2 del CP, o el provisional, por no resultar debidamente justificada la perpetración del delito, o no haya motivos suficientes para acusar a ese progenitor (641-1 y 2). La posibilidad de revisar esas resoluciones civiles, se regula expresamente en la Ley de Valencia y de Navarra.

b) Que el Juez advierta, en el procedimiento civil donde se debate el régimen de custodia, de las alegaciones de las partes y las pruebas practicadas, la existencia de indicios fundados de violencia de género o doméstica.

Cuando el art. 92.7 del CC y las leyes autonómicas prohiben la atribución de la custodia cuando el Juez advierta, de las alegaciones de las partes y las pruebas practicadas, la existencia de indicios fundados de violencia doméstica o de género, se está haciendo referencia al juez de 1.ª Instancia que durante la tramitación del procedimiento de separación, nulidad o divorcio o de relaciones paternofiliales advierta la existencia de tales indicios.

Aunque el CC se refiera a la violencia doméstica y no a la de género, ello no es obstáculo para entender que tal alusión abarca todas las formas de violencia intrafamiliar entre las que se encuentra, si bien caracterizada por notas bien distintas, la violencia sobre la mujer en el ámbito de la pareja, pues aquellos indicios no pueden ser otros que los que hubieran podido determinar la incoación de los procedimientos a que se refiere el inciso primero del art. 92.7, es decir, de delitos cometidos contra el otro cónyuge o los hijos.

La advertencia de tales indicios se puede producir porque llegue al juez el conocimiento de la existencia de un procedimiento penal por delito de violencia sobre la mujer o doméstica en el que se haya dictado alguna resolución fundada en indicios racionales de criminalidad (por ejemplo a través de la aportación de un testimonio de aquella resolución) o bien porque de las alegaciones de las partes y de las pruebas practicadas en el procedimiento civil se evidencien tales indicios y no exista procedimiento penal incoado al respecto.

En el primer caso, cuando se evidencia la existencia de un procedimiento penal, la actuación del Juez civil será diferente según se trate de un supuesto de violencia de género o doméstica.

Si se evidencia la existencia de un procedimiento penal por actos de violencia de genero, de conformidad con el art. 49 bis 1 de la LEC, el juez de 1.ª Instancia, deberá inhibirse a favor del Juzgado de Violencia sobre la Mujer que esté tramitando el procedimiento penal, salvo que en el procedimiento civil, se haya llegado a la fase del juicio oral de conformidad con la interpretación tratada en el apartado II.2.B de esta Circular. Tanto en uno como en otro procedimiento, no procederá otorgar la custodia al progenitor imputado.

Sin embargo, si lo que se evidencia en el procedimiento civil es la existencia de un procedimiento penal por violencia doméstica, el Juez de 1.ª Instancia deberá seguir la tramitación de su procedimiento y, al igual que en el caso anterior, si en el procedimiento penal se ha dictado una resolución fundamentada en indicios de criminalidad no podrá otorgar la custodia al progenitor imputado.

En el segundo de los supuestos, esto es, que el Juez advirtiera la existencia de esos indicios de violencia de género y no se hubiera incoado procedimiento penal, el Juez de 1.ª Instancia, deberá convocar a la partes con el Ministerio Fiscal a la comparecencia prevista en el art. 49 bis 2 de la LEC, y deberá seguir tramitando el procedimiento civil, hasta que, en el caso de que el Fiscal interponga denuncia por esos hechos o solicite orden de protección, sea requerido de inhibición por el Juez de Violencia, lo que no sucederá si en el procedimiento civil se ha llegado a la fase de juicio oral.

Si la evidencia es de indicios de delito de violencia doméstica y no se hubiera incoado procedimiento penal, el juez civil seguirá tramitando el procedimiento, sin perjuicio de deducir testimonio bastante, y remitirlo al juzgado de Instrucción que corresponda para la incoación del procedimiento penal oportuno.

En todos estos casos, no procederá la atribución de la custodia ni compartida ni individual al progenitor respecto de quien se adviertan esos indicios de criminalidad.

IX. CONCLUSIONES

PRIMERA.- Los Sres. Fiscales que estén conociendo de un procedimiento incoado por delito de quebrantamiento de medida cautelar de prohibición de aproximación o de comunicación acordada en virtud del art. 544 bis o 544 ter de la LECr deberán interesar que se remita testimonio bastante de lo actuado al órgano judicial que esté tramitando el procedimiento en el que se acordó aquélla a los efectos de convocar y celebrar la comparecencia del art. 505 de la LECr de conformidad con el art. 544 bis último párrafo del mismo texto legal.

Si el quebrantamiento lo fuera de la pena de prohibición de aproximación el testimonio deberá ser remitido al Juzgado de lo Penal que esté ejecutando la pena incumplida, a los efectos que procedan.

SEGUNDA.- No serán competentes los Juzgados de Violencia sobre la Mujer para la instrucción, y en su caso fallo, de los procedimientos incoados por delitos contra los derechos y deberes familiares, salvo que concurra también un acto de violencia de género.

TERCERA.- Las relaciones de noviazgo están incluidas dentro del ámbito competencia de la LO 1/04 de Medidas de Protección Integral contra la Violencia de Género Por tales se entienden las que trascienden de los meros lazos de amistad, afecto y confianza. No se incluyen las relaciones ocasionales o esporádicas.

CUARTA.- La víctima menor de edad está incluida en el ámbito de protección de la LO, siempre y cuando el vínculo afectivo participe de las características señaladas en el apartado anterior.

QUINTA.- El hecho de que imputado y/o víctima mantengan más de una relación afectiva estable no excluye la aplicación de la LO 1/04.

SEXTA.- Las mujeres transexuales están incluidas en la tutela penal y asistencial de la LO 1/04 en los términos establecidos en esta Circular.

SÉPTIMA.- Se mantienen plenamente vigente la Circular 4/05 «Relativa a los criterios de aplicación de la LO de medidas de protección integral contra la violencia de género» en relación a la interpretación del concepto de domicilio de la víctima a que se refiere el art. 15 bis de la LECr que han sido consolidados jurisprudencialmente.

OCTAVA.- En relación a las excepciones al fuero del domicilio de la víctima los Sres. Fiscales atenderán a los siguientes criterios:

a) Si la orden de protección se solicita en el partido judicial del domicilio de la víctima pero fuera de las horas de audiencia o del servicio de guardia del Juzgado de Violencia sobre la Mujer, allí donde este exista, la competencia para celebrar la comparecencia y resolver la solicitud será del Juzgado de Instrucción en funciones de guardia.

b) Si la orden de protección se solicita en un partido judicial diferente al del domicilio de la víctima, hay que diferenciar dos supuestos:

i.- que en ese partido judicial exista Juzgado de Violencia sobre la Mujer en funciones de guardia. Si la solicitud entra en el juzgado en el horario de prestación de tal servicio, la competencia para la tramitación de la orden de protección será del Juzgado especializado. Si por el contrario entra fuera del horario de la guardia del Juzgado de Violencia, el competente es el Juzgado de Instrucción de guardia

ii.- si no existe Juzgado de Violencia sobre la Mujer en funciones de guardia, en todo caso, será competente el Juzgado de Instrucción que esté prestando dicho servicio.

NOVENA.- En los supuestos de conexidad subjetiva del art. 17.1 y 2 de la LECr, con independencia de la participación de cada uno de los intervinientes, el procedimiento penal en su conjunto y en relación a todos los partícipes es competencia el Juzgado de Violencia sobre la Mujer.

En los supuestos de agresiones mutuas entre hombre y mujer que son o han sido pareja, será competente para la instrucción y, en su caso, fallo el Juzgado de Violencia sobre la Mujer.

En tales supuestos, la calificación inicial de los hechos, cuando el resultado lesivo sea de primera asistencia facultativa o no se haya producido menoscabo físico o psíquico, será del art. 153.1 en relación al imputado y, del 153.2 del CP en relación a la imputada.

DÉCIMA.- En el orden civil, además de los procedimientos incluidos en el párrafo 2.º del art. 87 ter de la LOPJ, también son competencia de los Juzgados de Violencia sobre la Mujer:

a) El procedimiento de liquidación del régimen matrimonial que se solicite tras la resolución por la que se declare nulo o disuelto el matrimonio o la separación de los cónyuges dictada por el propio Juzgado de Violencia sobre la Mujer (art. 807 de la LEC) y para la formación de inventario que se inste durante la tramitación de aquellos procedimientos o tras su resolución (art. 808 de la LEC).

b) Los procedimientos de ejecución de sentencias y resoluciones por ellos dictadas.

c) El procedimiento de justicia gratuita en relación al procedimiento que dicho juzgado tramita.

d) El procedimiento para la reclamación derechos y gastos que hubiere suplido, en un asunto tramitado en ese juzgado, el procurador, o de honorarios de abogados.

UNDÉCIMA.- La frase «que se haya iniciado la fase del juicio oral» a que se refiere el art. 49 bis 1 de la LEC, de conformidad con lo establecido en la Circular 4/05, posición consolidada por la jurisprudencia, se ha de entender referida al inicio de la vista en el procedimiento civil.

A tales efectos se ha de entender que la vista en los procedimientos de medidas provisionales (previas o coetáneas) y cautelares coincide con el inicio de la comparecencia del art. 771 de la LEC.

En el procedimiento principal contencioso el inicio de la fase del juicio oral se produce con la providencia de señalamiento.

En el procedimiento de mutuo acuerdo se entenderá iniciada la fase del juicio oral, el día de la ratificación de las partes.

DUODÉCIMA.- Las relaciones de noviazgo no están incluidas en los supuestos del art. 416 de la LECr.

Tampoco lo están las relaciones conyugales extinguidas por divorcio ni las relaciones de pareja de hecho cuando, en el momento de declarar, ya se ha producido la ruptura de la convivencia por voluntad propia.

DÉCIMOTERCERA.- Para poderse acoger a la dispensa del art. 416 de la LECr, el vínculo familiar o de afectividad que una al imputado y víctima-testigo ha de concurrir en el momento en que es llamada a prestar declaración.

DÉCIMOCUARTA.- La víctima-testigo deberá ser informada, expresa y claramente, de la dispensa de la obligación de declarar, cuando proceda, en todas y cada una de las fases procesales y siempre que sea llamada a declarar en la sede judicial (art. 416 y 707 de la LECr).

No obstante, si la víctima acude de forma espontánea a denunciar, no será necesario advertir del contenido del art. 261 de la LECr.

En los supuestos en los que la víctima-testigo no haya sido informada, cuando proceda, de la dispensa del art. 416 de la LECr en la fase de instrucción, y en el plenario se acoja a tal dispensa, aquella primera declaración carece de efectos, no siendo posible introducirla en el acto del Juicio Oral a través del art. 730 ni 714 de la LECr.

En el supuesto de que informada adecuadamente de la dispensa en la fase de instrucción declare voluntariamente y, posteriormente, en la fase del plenario rectifique aquella primera declaración que fue prestada con todas las garantías, podrán someterse a contradicción ambas de conformidad con el art. 714 de la LECr a fin de que el Tribunal pueda ponderar la credibilidad que le merece cada una de ellas.

DÉCIMOQUINTA.- La Delegación de Gobierno contra la Violencia sobre la Mujer de conformidad con el art. 29.2 de la LO 1/2004 y las Administraciones Autonómicas, de conformidad con sus legislaciones específicas, podrán personarse en el procedimiento penal como acusación popular.

No será exigible la presentación de querella de la Delegación de Gobierno contra la Violencia sobre la Mujer ni de las Administraciones Autonómicas para admitir su personación cuando ya se haya iniciado el procedimiento penal.

En ningún caso les es exigible la prestación de fianza a que se refiere el art. 280 de la LECr de conformidad con el art. 12 de la Ley 52/1997 de 27 de noviembre, de Asistencia Jurídica del Estado.

DÉCIMOSEXTA.- En relación al informe del Ministerio Fiscal que indique la existencia de indicios de violencia de género hasta tanto se dicte la orden de protección (art. 23, 26 y 27.3 de la LO 1/04) continua vigente la Instrucción

2/2005 «sobre la acreditación por el Ministerio Fiscal de las situaciones de violencia de género» añadiendo que de cuantos certificados se emitan se deberá informar regularmente a la/el Fiscal de Sala, así como de aquellas solicitudes que, por no concurrir los presupuestos requeridos para la emisión del informe, hayan sido denegadas.

En los supuestos de mujeres extranjeras irregulares o reagrupadas víctimas de violencia de género (arts. 19 y 31 bis de la LExtranjería) y en los supuestos de solicitud de certificación del Fiscal de indicios de violencia de género en el momento del divorcio o separación de la mujer viuda a efectos de acceder a la pensión de viudedad de conformidad con el art. 174.2 de la Ley de Seguridad Social, la acreditación por el Fiscal de la existencia de indicios de dicha violencia, podrá ser emitida aun cuando no se haya interesado orden de protección y sin necesidad de valorar la existencia de indicios objetivos de riesgo.

Así mismo, de cuantos certificados se emitan y de aquellas solicitudes que hayan sido denegadas, en los que se ha de seguir en todo caso el procedimiento para su emisión establecido en la Instrucción 2/2005, se deberá informar regularmente la/el Fiscal de Sala

DECIMOSÉPTIMA.- En los supuestos en los que imputado/condenado no colabore de forma reiterada y contumaz con el adecuado funcionamiento del dispositivo electrónico de detección de proximidad o fracture el brazalete, podría incurrir en un delito de desobediencia del art. 556 del CP siempre y cuando haya sido requerido en forma de su obligación de respetar las normas de mantenimiento y funcionamiento y de colaborar en el cumplimiento de las mismas y haya sido apercibido que, de no hacerlo así, puede incurrir en el delito referido. Además en el caso de que fracture intencionadamente el brazalete, podría haber incurrido en un delito o falta de daños (art. 263 o 625 del CP)

DÉCIMOCTAVA.- La pena de prohibición de aproximación en los supuestos de los delitos mencionados en el artículo 57.1 CP cometidos sobre las personas a que se refiere el artículo 57.2 del mismo cuerpo legal, tiene carácter imperativo, por lo que los Sres. Fiscales deberán solicitar siempre en tales supuestos la pena de alejamiento.

DÉCIMONOVENA.- La pena de prisión y las penas de prohibición de aproximación y/o comunicación, se cumplirán necesariamente por el condenado de forma simultánea, de conformidad con lo previsto en el art. 57.1 párrafo 2 del CP.

VIGÉSIMA.- El consentimiento de la víctima en los supuestos de incumplimiento de la medida cautelar de aproximación o pena de idéntica naturaleza, es irrelevante a los efectos de incoación del procedimiento penal por delito de quebrantamiento del art. 468.2 CP, sin perjuicio de la valoración de los hechos en Instrucción.

En los casos en que el Fiscal tenga conocimiento en las Diligencias en que se acordó la medida cautelar, o en la ejecutoria, del incumplimiento de la medida o pena, interesará deducción de testimonio bastante y su remisión al juzgado competente, para la incoación del procedimiento penal que corresponda.

VIGÉSIMO-PRIMERA.- No existe continuidad delictiva en el delito de quebrantamiento de medida cautelar o pena de alejamiento, cuando decretada por resolución judicial la pena o medida, se reanuda la convivencia entre agresor y víctima.

En el supuesto de que esa convivencia cese durante algún tiempo para restablecerse de nuevo una o varias veces, existirán tantos delitos de quebrantamiento del art. 468.2 CP como veces se haya restablecido la convivencia.

Cuando se produce un único encuentro entre agresor y víctima que se prolonga en el tiempo sin interrupciones, existirá un solo delito de quebrantamiento del art. 468.2 CP

Cuando se produzcan múltiples y sucesivos incumplimientos de la medida cautelar o pena de prohibición de aproximación o de comunicación y se den los presupuestos previstos en el art. 74.1 CP, existirá delito continuado de quebrantamiento.

VIGÉSIMOSEGUNDA.- En los supuestos de lesiones menos graves del art. 147.1 CP, en las que, en atención al resultado causado o riesgo producido, proceda aplicar el artículo 148 CP y concurran varias de las circunstancias previstas en el mismo, una de ellas se tendrá en cuenta para aplicar el subtipo agravado, y el resto funcionarán, en su caso, como circunstancias agravantes genéricas.

VIGÉSIMOTERCERA.- La posibilidad de condenar además de por el delito de violencia habitual del artículo 173.2 CP, por los delitos o faltas en que se hubiesen concretado los actos de violencia física o psíquica, no supone un vulneración del principio «non bis in idem». Tampoco se produce cuando para acreditar la habitualidad se tengan en cuenta los hechos que hayan sido objeto de enjuiciamiento en procesos anteriores.

VIGÉSIMOCUARTA.- Las penas de privación de la patria potestad o de inhabilitación para su ejercicio, cuando proceda, podrán solicitarse respecto de todos o alguno de los menores o incapaces que estén a cargo del penado y comprenderá tanto la patria potestad regulada en el Código Civil, como en las legislaciones autonómicas, incluyendo la patria potestad prorrogada.

La vinculación directa entre los derechos inherentes a la patria potestad con el delito cometido, cuya concurrencia exigen los artículos 55 y 56.1.3.º del Código Penal, supone la existencia de elementos que lleven a un convencimiento racional de que, respecto de los hijos con que el delito no guarde relación directa, el condenado no está en condiciones de desempeñar aquellas facultades, por lo que los Sres. Fiscales deberán atender a la gravedad del hecho y al superior interés del menor como parámetros en los que fundar la solicitud de imposición de estas penas como accesorias, o principales cuando su previsión es facultativa.

VIGÉSIMOQUINTA.- La referencia del Código Civil y algunas leyes autonómicas a la prohibición de la atribución de la guarda y custodia compartida cuando uno de los progenitores se haya incurso en un procedimiento penal de violencia de género o doméstica, o cuando de las alegaciones de las partes o de las pruebas practicadas en el procedimiento civil, el juez advierta de la existencia de indicios fundados de aquella violencia, se ha de entender referida también a la prohibición de atribución de la custodia individual a aquel progenitor.

Para vetar la adjudicación de la custodia (compartida o individual) por hallarse incurso el progenitor en un procedimiento penal por violencia de género o doméstica, no será suficiente la simple denuncia, debiendo haber sido objetivados indicios fundados y racionales de criminalidad en ese procedimiento.

Si el procedimiento penal finaliza por sentencia absolutoria, sobreseimiento libre (arts. 637.1 y 2 LECr) o sobreseimiento provisional (art. 641.1 y 2 LECr), será posible revisar la resolución civil que haya vetado la atribución de la custodia a ese progenitor por razón del procedimiento penal.

Si en el procedimiento civil se advierten indicios de violencia de género, los Sres. Fiscales velarán porque se convoque y celebre la comparecencia prevista en el artículo 49 bis 2) LEC, salvo que tales indicios lleguen a través de la aportación de un testimonio de una resolución dictada en un procedimiento penal, en cuyo caso se procederá de conformidad con lo establecido en al art. 49 bis-1 de la LEC.

Si en el procedimiento civil se advierten indicios de violencia doméstica que no hayan motivado la incoación de un procedimiento penal, los Sres. Fiscales velarán porque se deduzca testimonio bastante de las actuaciones y se remita al Juzgado de Instrucción que corresponda para la incoación del procedimiento penal oportuno.

Por lo expuesto, las/los Sras. Y Sres. Fiscales, en el ejercicio de sus funciones, velarán por el cumplimiento de la presente Circular.

Madrid, a 2 de noviembre de 2011

Acuerdo de 17 de julio de 2008, del Pleno del Consejo General del Poder Judicial, por el que se modifica el Reglamento 1/2005, de 15 de septiembre, de los aspectos accesorios de las actuaciones judiciales, en materia de servicio de guardia en los Juzgados de Violencia sobre la Mujer

Con fecha 28 de marzo de 2007, el Pleno del Consejo General del Poder Judicial aprobó encomendar a la Comisión de Estudios e Informes la reforma del Reglamento 1/2005, de 25 de septiembre, de los Aspectos Accesorios de las Actuaciones Judiciales, para la implantación y regulación del Servicio de Guardia para los Juzgados de Violencia sobre la Mujer en partidos judiciales con un significativo número de órganos de tal clase.

El citado Reglamento 1/2005 no contempla un servicio de guardia propio para los Juzgados de Violencia sobre la Mujer, sino que este servicio se encomienda a los Juzgados de Instrucción de guardia que intervienen en sustitución de aquéllos. No obstante, este régimen se ha mostrado insuficiente allí donde existiendo un número significativo de Juzgados de Violencia sobre la Mujer, determinados asuntos son incoados dentro del horario de audiencia pública —y que, por tanto, no corresponde despachar al Juzgado de Guardia—, pero su sustanciación y, en su caso, resolución se extienden de modo notable y reiterado más allá de la jornada ordinaria de trabajo. Este problema se manifiesta con mayor intensidad en la celebración de juicios inmediatos de faltas, previamente señalados por la Policía Judicial, y en la tramitación de las órdenes de protección, actuaciones que la ley exige sean practicadas a la mayor brevedad.

Por tales motivos y sobre la base de la regulación actual, es precisa una adaptación del Reglamento 1/2005 a la necesidad de actuar fuera de las horas de audiencia que presentan los Juzgados de Violencia sobre la Mujer en determinadas demarcaciones jurisdiccionales, para lo cual se instaura un régimen singular de guardias para estos Juzgados, que atiende, fundamentalmente, a su demarcación territorial, competencia especializada y las concretas actuaciones que precisan una urgente intervención judicial, entre las que ocupan un lugar destacado la celebración de juicios inmediatos de faltas y la adopción de medidas concernientes a derechos fundamentales.

La reforma también afecta a preceptos que integran el Capítulo I del Título III, dedicado a las normas generales del servicio de guardia, a fin de armonizarlos con el establecimiento en determinadas demarcaciones jurisdiccionales del servicio de guardia propio de los Juzgados de Violencia sobre la Mujer.

En su virtud, el Pleno del Consejo General del Poder Judicial, en su reunión del día 17 de julio de 2008, ha acordado, de conformidad con lo dispuesto en el artículo 110.2 de la Ley Orgánica 6/1985, de 1 de julio, del Poder Judicial, previo informe de las asociaciones profesionales y del Observatorio contra la Violencia Doméstica y de Género, y audiencia de las Salas de Gobierno de Tribunales, Jueces Decanos con liberación de tareas jurisdiccionales y Jueces Decanos de los partidos judiciales correspondientes a las capitales de Provincia de Granada y Alicante, y del Ministerio Fiscal, así como con intervención de la Administración del Estado y de las Comunidades Autónomas con competencias en materia de Administración de Justicia, aprobar el presente Acuerdo:

Artículo único.

Modificación del Reglamento 1/2005, de los aspectos accesorios de las actuaciones judiciales.

El Reglamento 1/2005, de los aspectos accesorios de las actuaciones judiciales, queda modificado como sigue:

Uno.

El artículo 38 queda redactado del siguiente modo:

En cada partido judicial uno de los Juzgados de Instrucción o de Primera Instancia e Instrucción desempeñará, en régimen de guardia, las funciones a que se refiere el presente Título. Igual cometido desarrollará en las circunscripciones que corresponda un Juzgado de Menores y un Juzgado de Violencia sobre la Mujer.

Dos.

El apartado 4 del artículo 42 queda redactado del siguiente modo:

4. Salvo en aquellas demarcaciones donde exista servicio de guardia de Juzgados de Violencia sobre la Mujer, también será objeto del servicio de guardia de los Juzgados de Instrucción o de Primera Instancia e Instrucción la regularización de la situación personal de quienes sean detenidos por su presunta participación en delitos cuya instrucción sea competencia de los Juzga-

dos de Violencia sobre la Mujer y la resolución de las solicitudes de adopción de las órdenes de protección de las víctimas de los mismos, siempre que dichas solicitudes se presenten y los detenidos sean puestos a disposición judicial fuera de las horas de audiencia de dichos Juzgados. A estos efectos, el Juez de Instrucción que atienda el servicio de guardia actuará en sustitución del correspondiente Juez de Violencia sobre la Mujer. Adoptada la decisión que proceda, el Juez de Instrucción en funciones de guardia remitirá lo actuado al órgano competente y pondrá a su disposición, en su caso, al imputado.

Lo dispuesto en el párrafo anterior será también de aplicación cuando la intervención judicial haya de producirse fuera del período de tiempo en que preste servicio de guardia el Juzgado de Violencia sobre la Mujer allí donde esté establecido.

Tres.

El apartado 1 y los párrafos primero, segundo y tercero del apartado 2 del artículo 49 quedan redactados del siguiente modo:

1. De la coordinación entre los Juzgados de guardia, Juzgados de Violencia sobre la Mujer y la Policía Judicial en la realización de citaciones.

A los efectos de lo establecido en los artículos 796, 797 bis y 962 de la Ley de Enjuiciamiento Criminal, la asignación de espacios temporales para aquellas citaciones que la Policía Judicial realice ante los distintos Juzgados de guardia y ante los Juzgados de Violencia sobre la Mujer donde no esté establecido un servicio de guardia propio, se realizará a través de una Agenda Programada de Citaciones (APC), que detallará franjas horarias disponibles en dichos Juzgados para esta finalidad. Tratándose de Juzgados de Violencia sobre la Mujer en aquellas demarcaciones donde no presten servicio de guardia, las franjas horarias que se reserven comprenderán únicamente los días laborables y las horas de audiencia; las citaciones se señalarán para el día hábil más próximo, y si éste no tuviere horas disponibles, el señalamiento se hará para el siguiente día hábil más próximo.

Las asignaciones de hora para citaciones deben tener en cuenta los siguientes criterios:

I. Si hubiera más de un servicio de guardia o más de un Juzgado de Violencia sobre la Mujer en la circunscripción para instrucción de Diligencias Urgentes, las citaciones se realizarán al respectivo servicio de guardia o Juzgado de Violencia sobre la Mujer que corresponda con arreglo a las normas de reparto existentes, así como a los acuerdos adoptados en el seno de la Comisión Provincial de Coordinación de la Policía Judicial.

II. Tendrán preferencia en la asignación de espacios horarios preestablecidos los testigos extranjeros y nacionales desplazados temporalmente fuera de su localidad, a los efectos de facilitar la práctica de prueba preconstituida, de acuerdo con lo dispuesto en el apartado 2 del artículo 797 de la Ley de Enjuiciamiento Criminal.

2. De la coordinación de señalamientos para juicios orales entre Juzgados de guardia, Juzgados de Violencia sobre la Mujer, Juzgados de lo Penal y Fiscalías de las Audiencias Provinciales.

A los efectos previstos en el artículo 800.3 de la Ley de Enjuiciamiento Criminal, los distintos Juzgados en servicio de guardia ordinaria y los Juzgados de Violencia sobre la Mujer realizarán directamente los señalamientos para la celebración del juicio oral en las causas seguidas como procedimiento de enjuiciamiento rápido, siempre que no hayan de dictar sentencia, de conformidad de acuerdo a lo previsto en el artículo 801 de la Ley de Enjuiciamiento Criminal.

En aquellas demarcaciones donde no esté constituido el servicio de guardia en los Juzgados de Violencia sobre la Mujer, el Juzgado de Instrucción en servicio de guardia que, de conformidad con lo dispuesto en el artículo 54.2 de la Ley Orgánica 1/2004, de Medidas de Protección Integral contra la Violencia de Género, haya de resolver sobre la situación personal del detenido por hechos cuyo conocimiento corresponda al Juzgado de Violencia sobre la Mujer, citará a éste para comparecencia ante dicho Juzgado en la misma fecha para la que hayan sido citados por la Policía Judicial la persona denunciante y los testigos, en caso de que se decrete su libertad. En el supuesto de que el detenido sea constituido en prisión, junto con el mandamiento correspondiente, se librará la orden de traslado al Juzgado de Violencia sobre la Mujer en la fecha indicada.

Lo dispuesto en el párrafo anterior será también de aplicación cuando la intervención judicial haya de producirse fuera del período de tiempo en que preste servicio de guardia el Juzgado de Violencia sobre la Mujer allí donde esté establecido.

Cuatro.

Se introduce en el Capítulo II del Título III una nueva Sección 7.ª bis, con un artículo 62 bis, en los siguientes términos:

«Sección Séptima bis. El Servicio de Guardia de los Juzgados de Violencia sobre la Mujer en los Partidos Judiciales con cuatro o más Juzgados de tal clase
Artículo 62 bis.

1. En los partidos judiciales donde existan cuatro o más Juzgados de Violencia sobre la Mujer, se establecerá un servicio de guardia de permanencia en el que turnarán de modo sucesivo todos los órganos de tal naturaleza en ellos existentes.

2. Las referencias del Capítulo I del Título III a los servicios de guardia y a los Juzgados de guardia, se extienden a los Juzgados de Violencia sobre la Mujer que presten servicio de guardia, en lo relativo a las competencias que les son propias.

3. El servicio de guardia de los Juzgados de Violencia sobre la Mujer en los partidos judiciales a los que se refiere el apartado uno del presente artículo, se prestará durante tres días consecutivos en régimen de presencia de 9 a 21 horas. En las actuaciones inaplazables que se presenten en los restantes periodos de tiempo, intervendrá el Juzgado de Instrucción o de Primera Instancia e Instrucción que en esos momentos se encuentre prestando el servicio de guardia, el cual remitirá las diligencias practicadas al órgano competente».

Entrada en vigor.

El presente Acuerdo entrará en vigor el día uno de enero de dos mil nueve (1-01-2009)

Madrid, 17 de julio de 2008.

Normas civiles

Art. 94 Código civil

«No procederá el establecimiento de un régimen de visita o estancia, y si existiera se suspenderá, respecto del progenitor que esté incurso en un proceso penal iniciado por atentar contra la vida, la integridad física, la libertad, la integridad moral o la libertad e indemnidad sexual del otro cónyuge o sus hijos.

Tampoco procederá cuando la autoridad judicial advierta, de las alegaciones de las partes y las pruebas practicadas, la existencia de indicios fundados de violencia doméstica o de género. No obstante, la autoridad judicial podrá establecer un régimen de visita, comunicación o estancia en resolución motivada en el interés superior del menor o en la voluntad, deseos y preferencias del mayor con discapacidad necesitado de apoyos y previa evaluación de la situación de la relación paternofilial.

No procederá en ningún caso el establecimiento de un régimen de visitas respecto del progenitor en situación de prisión, provisional o por sentencia firme, acordada en procedimiento penal por los delitos previstos en el párrafo anterior».

Art. 156

«La patria potestad se ejercerá conjuntamente por ambos progenitores o por uno solo con el consentimiento expreso o tácito del otro. Serán válidos los actos que realice uno de ellos conforme al uso social y a las circunstancias o en situaciones de urgente necesidad.

Dictada una sentencia condenatoria y mientras no se extinga la responsabilidad penal o iniciado un procedimiento penal contra uno de los progenitores por atentar contra la vida, la integridad física, la libertad, la integridad moral o la libertad e indemnidad sexual de los hijos o hijas comunes menores de edad, o por atentar contra el otro progenitor, bastará el consentimiento de este para la atención y asistencia psicológica de los hijos e hijas menores de edad, debiendo el primero ser informado previamente. Lo anterior será igualmente aplicable, aunque no se haya interpuesto denuncia previa, cuando la mujer esté recibiendo asistencia en un servicio especializado de violencia de género, siempre que medie informe emitido por dicho servicio que acredite dicha situación. Si la asistencia hubiera de prestarse a los hijos e hijas mayores de dieciséis años se precisará en todo caso el consentimiento expreso de estos.

En caso de desacuerdo en el ejercicio de la patria potestad, cualquiera de los dos podrá acudir a la autoridad judicial, quien, después de oír a ambos y al hijo si tuviera suficiente madurez y, en todo caso, si fuera mayor de doce años, atribuirá la facultad de decidir a uno de los dos progenitores. Si los desacuerdos fueran reiterados o concurriera cualquier otra causa que entorpezca gravemente el ejercicio de la patria potestad, podrá atribuirla total o parcialmente a uno de los progenitores o distribuir entre ellos sus funciones. Esta medida tendrá vigencia durante el plazo que se fije, que no podrá nunca exceder de dos años. En los supuestos de los párrafos anteriores, respecto de terceros de buena fe, se presumirá que cada uno de los progenitores actúa en el ejercicio ordinario de la patria potestad con el consentimiento del otro.

En defecto o por ausencia o imposibilidad de uno de los progenitores, la patria potestad será ejercida exclusivamente por el otro.

Si los progenitores viven separados, la patria potestad se ejercerá por aquel con quien el hijo conviva. Sin embargo, la autoridad judicial, a solicitud fundada del otro progenitor, podrá, en interés del hijo, atribuir al solicitante la patria potestad para que la ejerza conjuntamente con el otro progenitor o distribuir entre ambos las funciones inherentes a su ejercicio».

Ley 6/2021, de 28 de abril, por la que se modifica la Ley 20/2011, de 21 de julio, del Registro Civil

«Artículo 54. Cambio de apellidos o de identidad mediante expediente.

1. El Encargado del Registro puede autorizar el cambio de apellidos, previo expediente instruido en forma reglamentaria.

2. Son requisitos necesarios de la petición de cambio de apellidos:

a) Que el apellido en la forma propuesta constituya una situación de hecho, siendo utilizado habitualmente por el interesado.

b) Que el apellido o apellidos que se tratan de unir o modificar pertenezcan legítimamente al peticionario.

c) Que los apellidos que resulten del cambio no provengan de la misma línea.

Podrá formularse oposición fundada únicamente en el incumplimiento de los requisitos exigidos.

3. Bastará que concurra el requisito del uso habitual del apellido propuesto, sin que se cumplan los requisitos b) y c) del apartado 2, si el apellido o apellidos solicitados correspondieran a quien tuviere acogido al interesado, siempre que aquél o, por haber fallecido, sus herederos den su consentimiento al cambio. En todo caso se requiere que, por sí o sus representantes legales, asientan al cambio el cónyuge y descendientes del titular del apellido.

4. No será necesario que concurra el uso habitual del apellido propuesto, bastando que se cumplan los requisitos b) y c) previstos en el apartado 2, para cambiar o modificar un apellido contrario a la dignidad o que ocasione graves inconvenientes.

5. Cuando se trate de víctimas de violencia de género o de sus descendientes que estén o hayan estado integrados en el núcleo familiar de convivencia, podrá autorizarse el cambio de apellidos sin necesidad de cumplir con los requisitos previstos en el apartado 2, de acuerdo con el procedimiento que se determine reglamentariamente.

Resolución de 2 de diciembre de 2020, de la Presidencia del Instituto Nacional de Estadística y de la Dirección General de Cooperación Autonómica y Local, por la que se modifica la Resolución de 17 de febrero de 2020, de la Presidencia del Instituto Nacional de Estadística y de la Dirección General de Cooperación Autonómica y Local por la que se dictan instrucciones técnicas a los Ayuntamientos sobre gestión del Padrón municipal

Uno. Se introduce un nuevo apartado 3.5, relativo al empadronamiento de víctimas de violencia de género, con la redacción siguiente:

«3.5 Empadronamiento de víctimas de violencia de género.

En el caso de personas víctimas de violencia de género a las que hace referencia el artículo 1.2 de la Ley Orgánica 1/2004, de 28 de diciembre, de Medidas de Protección Integral contra la Violencia de Género, que residan o se encuentren bajo el amparo de la red de recursos de asistencia social integral, como pisos tutelados, casas de acogida u otros recursos de la citada red, y cuando no sea posible el empadronamiento en el domicilio real por razones de seguridad, este podrá llevarse a cabo en el lugar que determinen los Servicios Sociales del municipio en el que efectivamente residan (que podrá ser la sede de una institución social o de los Servicios Sociales de cualquier Administración Pública domiciliada en su término municipal, o cualquier otra dirección que estos indiquen, siempre dentro del citado municipio) tras la correspondiente valoración técnica, debiendo cumplirse las siguientes condiciones:

– Que los Servicios Sociales y la institución social de referencia estén integrados en la estructura orgánica de alguna Administración Pública o bajo su coordinación y supervisión.

– Que los responsables de estos Servicios Sociales informen sobre la habitualidad de la residencia en el municipio de las personas que se pretenden empadronar.

– Que los Servicios Sociales indiquen la dirección que debe figurar en la inscripción padronal con referencia en el callejero municipal y se comprometan a intentar la práctica de la notificación cuando se reciba en esa dirección una comunicación procedente de alguna Administración Pública».

Dos. El séptimo párrafo del apartado 3.3, relativo al empadronamiento en infraviviendas y de personas sin domicilio, queda redactado de la siguiente manera:

«Que los Servicios Sociales indiquen la dirección que debe figurar en la inscripción padronal con referencia en el callejero municipal y se comprometan a intentar la práctica de la notificación cuando se reciba en esa dirección una comunicación procedente de alguna Administración Pública».

El Presidente del Instituto Nacional de Estadística, Juan Manuel Rodríguez Poo.– La Directora General de Cooperación Autonómica y Local, Carmen Cuesta Gil.

Mínimo Vital

Artículo 4. Personas beneficiarias.

1. Podrán ser beneficiarias del ingreso mínimo vital:

a) Las personas integrantes de una unidad de convivencia en los términos establecidos en este real decreto-ley.

b) Las personas de al menos veintitrés años que no sean beneficiarias de pensión contributiva por jubilación o incapacidad permanente, ni de pensión no contributiva por invalidez o jubilación, que no se integren en una unidad de convivencia en los términos establecidos en este real decreto-ley, siempre que no estén unidas a otra por vínculo matrimonial o como pareja de hecho, salvo las que hayan iniciado los trámites de separación o divorcio o las que se encuentren en otras circunstancias que puedan determinarse reglamentariamente.

No se exigirá el cumplimiento del requisito de edad ni el de haber iniciado los trámites de separación o divorcio en los supuestos de mujeres víctimas de violencia de género o de trata de seres humanos y explotación sexual.

2. Podrán ser beneficiarias de la prestación del ingreso mínimo vital las personas que temporalmente sean usuarias de una prestación de servicio residencial, de carácter social, sanitario o socio-sanitario.

La prestación de servicio residencial prevista en el párrafo anterior podrá ser permanente en el supuesto de mujeres víctimas de violencia de género o víctimas de trata de seres humanos y explotación sexual, así como otras excepciones que se establezcan reglamentariamente.

3. Las personas beneficiarias deberán cumplir los requisitos de acceso a la prestación establecidos en el artículo 7, así como las obligaciones para el mantenimiento del derecho establecidas en el artículo 33.

Artículo 6 bis. Situaciones especiales.

1. Tendrán la consideración de personas beneficiarias que no se integran en una unidad de convivencia, o en su caso, de personas beneficiarias integradas en una unidad de convivencia independiente, aquellas personas que convivan en el mismo domicilio con otras con las que mantuvieran alguno de los vínculos previstos en el artículo 6.1, y se encontraran en alguno de los siguientes supuestos:

a) Cuando una mujer, víctima de violencia de género, haya abandonado su domicilio familiar habitual acompañada o no de sus hijos o de menores en régimen de guarda con fines de adopción o acogimiento familiar permanente.

b) Cuando con motivo del inicio de los trámites de separación, nulidad o divorcio, o de haberse instado la disolución de la pareja de hecho formalmente constituida, una persona haya abandonado su domicilio familiar habitual acompañada o no de sus hijos o menores en régimen de guarda con fines de adopción o acogimiento familiar permanente. En el supuesto de parejas de hecho no formalizadas que hubieran cesado la convivencia, la persona que solicite la prestación deberá acreditar, en su caso, el inicio de los trámites para la atribución de la guarda y custodia de los menores.

c) Cuando se acredite haber abandonado el domicilio por desahucio, o por haber quedado el mismo inhabitable por causa de accidente o de fuerza mayor, así como otros supuestos que se establezcan reglamentariamente.

En los supuestos previstos en los párrafos b) y c) únicamente cabrá la consideración como unidad independiente a que se refiere el presente apartado durante los tres años siguientes a la fecha en que se hubieran producido los hechos indicados en cada una de ellas.

Real Decreto 141/2021, de 9 de marzo, por el que se aprueba el Reglamento de asistencia jurídica gratuita

SECCIÓN 3.ª PROCEDIMIENTO EN AQUELLOS PROCESOS JUDICIALES Y PROCEDIMIENTOS ADMINISTRATIVOS QUE TENGAN CAUSA DIRECTA O INDIRECTA EN LA VIOLENCIA DE GÉNERO

Artículo 27. Iniciación y presentación de la solicitud.

1. Cuando se trate de la prestación del servicio de orientación jurídica, defensa y asistencia letrada a las mujeres víctimas de violencia de género, este se asegurará a todas las que lo soliciten, procediéndose de forma inmediata a la designación de profesional de la Abogacía de oficio dentro del turno especializado en la defensa de las víctimas de violencia de género que a tal efecto se establezca por los Colegios de Abogados en sus respectivos ámbitos.

2. Designada la persona profesional de la Abogacía de oficio, esta informará a su defendida del derecho que le asiste para solicitar el beneficio de asistencia justicia gratuita, le informará de las prestaciones que comporta, auxiliándola si fuese necesario en la redacción de los impresos de solicitud, y le informará que, en caso de sentencia absolutoria firme o sobreseimiento por no resultar acreditados los hechos delictivos, no tendrá obligación de abonar el coste de las prestaciones disfrutadas gratuitamente hasta ese momento.

3. Si la interesada desea beneficiarse del derecho de asistencia jurídica gratuita, cumplimentará el modelo que se une como anexo I.IV y lo presentará en el Servicio de orientación jurídica del Colegio de Abogados territorialmente competente en el plazo máximo de cuarenta y ocho horas a contar desde el momento en que hubiese recibido la primera atención, o bien en el registro correspondiente del Juzgado de su domicilio dentro de ese mismo plazo máximo de cuarenta y ocho horas. En este último caso, el juzgado remitirá la solicitud al Colegio de Abogados territorialmente competente de forma inmediata. En la solicitud constarán los datos identificativos de la persona solicitante y deberá estar debidamente firmada por esta. Dada la inmediatez en la prestación de asistencia jurídica, no será precisa la acreditación previa de la carencia de recursos económicos por parte de la asistida, sin perjuicio de la obligación de presentar la documentación necesaria en el Colegio de Abogados.

Artículo 28. **Presentación de la documentación.**

1. La persona solicitante de asistencia jurídica gratuita deberá presentar la documentación necesaria relacionada en el anexo I.IV en el Servicio de orientación jurídica del Colegio de Abogados juntamente con la solicitud, o bien en el plazo máximo de cinco días hábiles a partir de la presentación de la misma.

2. Transcurrido dicho plazo, si la interesada no aportase la documentación se le tendrá por desistida de su solicitud y el Colegio de Abogados procederá a su archivo, dando cuenta al letrado para que actúe en consecuencia.

3. Analizada la solicitud y la documentación presentada, si esta fuese insuficiente, se requerirá a la persona solicitante para que subsane los defectos advertidos en el plazo de diez días hábiles; de no hacerlo así, se le tendrá igualmente por desistida en su solicitud.

4. Si la documentación fuese suficiente, subsanados en su caso los defectos advertidos, el Colegio de Abogados, en el plazo de tres días hábiles, trasladará el expediente a la Comisión de Asistencia Jurídica Gratuita junto con un informe sobre la procedencia de la pretensión, comunicando asimismo la designación efectuada del letrado que ha asumido la asistencia de oficio.

Artículo 29. **Instrucción y resolución del procedimiento.**

1. Recibido el expediente en la Comisión de Asistencia Jurídica Gratuita y realizadas las comprobaciones pertinentes, esta dictará resolución que reconozca o deniegue el derecho en el plazo máximo de treinta días hábiles a contar desde la recepción del expediente completo. Cuando se trate de la prestación del servicio de asistencia letrada a la mujer víctima de un delito susceptible de enjuiciamiento rápido, la Comisión de Asistencia Jurídica Gratuita dará preferencia a la tramitación de la solicitud, procurando que la resolución por la que se reconozca o deniegue el derecho se dicte con anterioridad a la fecha de celebración del juicio oral.

2. La resolución se notificará en el plazo común de tres días hábiles a la persona solicitante, al Colegio de Abogados y, en su caso al Colegio de Procuradores, a las partes interesadas y al juzgado o tribunal que esté conociendo del proceso, o al Juez Decano de la localidad si aquel no se hubiera iniciado.

Si la resolución fuese estimatoria, la persona profesional de la Abogacía del turno de oficio designada inicialmente y, en su caso, la persona profesional de la Procura, quedarán confirmados, asumiendo la asistencia jurídica, la defensa y, en su caso, la representación, gratuitas en todos los procesos y procedimientos administrativos que se deriven de la violencia padecida.

3. Si fuese desestimatoria, la persona solicitante podrá designar profesionales de la Abogacía y de la Procura de libre elección, debiendo abonar los honorarios y derechos económicos ocasionados por los servicios efectivamente prestados a los profesionales designados de oficio con carácter provisional. En este caso, el letrado actuante habrá de reembolsar a la Administración el importe de las retribuciones percibidas con motivo de su intervención profesional.

Artículo 30. Aplicación supletoria de las normas comunes.

En lo no previsto expresamente en esta sección, se aplicarán a este procedimiento las normas comunes contenidas en la sección 1.ª

TÍTULO II. ORGANIZACIÓN DE LOS SERVICIOS DE ASISTENCIA LETRADA, DEFENSA Y REPRESENTACIÓN

CAPÍTULO I. ORGANIZACIÓN DE LA ASISTENCIA LETRADA DE OFICIO

Artículo 31. Regulación y organización.

1. Los Consejos Generales de la Abogacía Española y de Procuradores de los Tribunales de España aprobarán las directrices generales de organización y funcionamiento de los servicios de asistencia letrada de oficio, que serán comunicadas al Ministerio de Justicia, durante el mes de enero.

2. Los Consejos Generales de la Abogacía Española y de Procuradores de los Tribunales de España, aprobarán, a través de las Juntas de Gobierno de los Colegios de Abogados y Procuradores, la distribución objetiva y equitativa de los turnos para la designación de los profesionales de oficio, que serán comunicadas al Ministerio de Justicia, durante el mes de enero, incluyendo la relación de servicios disponibles y el horario de atención, así como el número e identificación de abogados y procuradores que prestará el servicio en dicho ejercicio.

3. La organización de los servicios deberá garantizar su continuidad y, cuando el censo de profesionales lo permita, la especialización por órdenes jurisdiccionales, atendiendo a criterios de eficiencia y funcionalidad en la aplicación de los fondos públicos puestos a su disposición, velando por la distribución objetiva de turnos y medios.

Los sistemas de distribución de turnos y medios serán públicos para todos los colegiados que presten los servicios o estén adscritos a los turnos respectivos, y podrán ser consultados por la persona que solicite la asistencia jurídica gratuita. Además, serán expuestos en los tablones de anuncios y los medios telemáticos de los Colegios, actualizándose mensualmente.

Artículo 32. Requisitos generales mínimos exigibles a los abogados y procuradores de los tribunales.

1. Se establecen, como requisitos generales mínimos exigibles a los Abogados, para prestar los servicios de asistencia jurídica gratuita, los siguientes:

a) Tener radicado su despacho, único o principal, en el ámbito del colegio responsable del servicio, y estar inscrito en este. En el caso de que el colegio tenga establecidas demarcaciones territoriales especiales a estos efectos, tener despacho en la demarcación territorial correspondiente, salvo que, en cuanto a este último requisito, la Junta de Gobierno del Colegio lo dispense excepcionalmente para una mejor organización y eficacia del servicio.

b) Acreditar más de tres años de ejercicio efectivo de la profesión.

c) Haber superado los cursos o pruebas de acceso a los servicios, establecidos por las Juntas de Gobierno de los Colegios de Abogados.

No obstante, lo anterior, la Junta de Gobierno de cada colegio podrá dispensar motivadamente el cumplimiento de este requisito, si concurrieren en la persona solicitante experiencia y otras circunstancias que acreditasen su capacidad para la prestación del servicio.

2. Se establecen, como requisitos generales mínimos exigibles a los Procuradores de los Tribunales, para prestar los servicios de asistencia jurídica gratuita, los siguientes:

a) Tener despacho abierto en el territorio del partido judicial en el que se haya de actuar.

b) Acreditar la asistencia a los cursos de formación que, al efecto, hayan organizado los Colegios de Procuradores, así como la superación de las pruebas de aptitud celebradas a la finalización de los mismos.

No obstante, lo anterior, la Junta de Gobierno de cada colegio podrá eximir del cumplimiento del requisito establecido en la letra b) del punto anterior, si en la persona solicitante concurrieren experiencia u otras circunstancias que acreditasen su capacidad para la prestación del servicio.

3. Los requisitos establecidos anteriormente serán de obligado cumplimiento para todos los Colegios de Abogados y de Procuradores, sin perjuicio de los requisitos complementarios que hayan establecido o puedan establecer las Comunidades Autónomas que han asumido competencias en materia de Administración de Justicia.

Artículo 33. Obligaciones profesionales.

1. Los abogados y procuradores designados de oficio desempeñarán sus funciones de forma real y efectiva hasta la finalización del procedimiento en la instancia judicial de que se trate y, en su caso, la ejecución de las sentencias, si las actuaciones procesales en esta se produjeran dentro de los dos años siguientes a la resolución judicial dictada en la instancia.

2. En el procedimiento especial para el enjuiciamiento rápido de delitos, la asistencia letrada se prestará por la misma persona profesional de la Abogacía desde el momento de la detención, si la hubiese, o desde que se requiera dicha asistencia y hasta la finalización del procedimiento, incluido el juicio oral y, en su caso, la ejecución de la sentencia.

3. En el supuesto de asistencia a las víctimas de violencia de género, de terrorismo y de trata de seres humanos, así como a las personas menores de edad y las personas con discapacidad intelectual o enfermedad mental cuando sean víctimas de situaciones de abuso o maltrato, la orientación jurídica, defensa y asistencia se asumirán por una misma dirección letrada desde el momento en que se requiera, y abarcará todos los procesos y procedimientos administrativos que tengan causa directa o indirecta en alguno de los delitos a los que se refiere este apartado hasta su finalización, incluida la ejecución de sentencia. Este mismo derecho asistirá también a los causahabientes en caso de fallecimiento de la víctima.

En estos supuestos la persona profesional de la Abogacía designada de oficio, deberá informar a su defendido que el beneficio de justicia gratuita se perderá tras la firmeza de la sentencia absolutoria, o del sobreseimiento definitivo o provisional por no resultar acreditados los hechos delictivos, sin la obligación de abonar el coste de las prestaciones disfrutadas gratuitamente hasta ese momento.

4. Sólo en el orden penal los letrados designados podrán excusarse de la defensa, siempre que concurra un motivo personal y justo, que será apreciado por los decanos de los colegios. En el supuesto de atención a las víctimas de

violencia de género, la aceptación de la excusa en el orden penal implicará el cese en los demás procedimientos y la designación de un nuevo letrado.

Artículo 34. Régimen de guardias.

1. Para la atención letrada al detenido durante la detención y la realización de las primeras diligencias de instrucción criminal que resulten procedentes, así como para la asistencia letrada a quien se le atribuya un delito en el atestado policial, haya sido detenido o no, para cuya instrucción y enjuiciamiento es de aplicación el procedimiento especial previsto en el título III de la Ley de Enjuiciamiento Criminal, en su redacción dada por la Ley 38/2002, de 24 de octubre, de reforma parcial de la Ley de Enjuiciamiento Criminal, sobre procedimiento para el enjuiciamiento rápido e inmediato de determinados delitos y faltas, y de modificación del procedimiento abreviado, todos los Colegios de Abogados establecerán un régimen de guardias que garantice, de forma permanente, la asistencia y defensa de aquellos.

2. Para la orientación jurídica, defensa y asistencia letrada inmediatas de las mujeres víctimas de violencia de género en todos los procesos y procedimientos que tengan causa directa o indirecta en la violencia padecida y desde el momento en que lo requieran, todos los Colegios de Abogados establecerán un régimen de guardias especializado en la defensa de las víctimas de violencia de género.

3. El régimen de guardias así como el número de letrados que integran cada servicio de guardia se determinará, entre otras circunstancias, en función del volumen de litigiosidad, ámbito territorial, características geográficas o situación y distancia de los centros de detención. A tal efecto, el Consejo General de la Abogacía Española, con la conformidad del Ministerio de Justicia, determinará los parámetros a que han de ajustarse los colegios profesionales en la determinación del número de letrados que ha de integrar el servicio de guardia.

Artículo 35. Prestación de los servicios de guardia.

1. Con carácter general, los servicios de guardia se prestarán con periodicidad diaria, y se incorporarán a estos, en situación de disponibilidad o de presencia física, todos los letrados que lo integren conforme al régimen establecido por el colegio respectivo, y que realizarán cuantas asistencias sean necesarias durante el servicio de guardia.

2. Excepcionalmente, en aquellos colegios en los que la reducida dimensión de sus actividades u otras características así lo aconsejen, se podrán establecer servicios de guardia con diferente periodicidad, a los que se irán incorporando los letrados a medida que se produzca alguna incidencia que requiera asistencia letrada.

3. Para la orientación jurídica, defensa y asistencia letrada inmediata de las mujeres víctimas de violencia de género se establecerá en cada Colegio de Abogados una guardia de disponibilidad de la que formarán parte letrados especializados en la defensa de las víctimas de violencia de género, en el número que se determine por el propio colegio de conformidad con los parámetros que a tal efecto se determinen conforme a lo dispuesto en el apartado 3 del artículo anterior y con la periodicidad que asimismo se determine.

4. El régimen de prestación de servicios de guardia que se determine requerirá ser conocido, con carácter previo, por el Ministerio de Justicia.

CAPÍTULO II. RECONOCIMIENTO, RENUNCIA Y CUESTIONES ORGANIZATIVAS DE LA ASISTENCIA JURÍDICA GRATUITA

Artículo 36. Efectos del reconocimiento del derecho.

1. El reconocimiento del derecho a la asistencia jurídica gratuita llevará consigo la confirmación de las designaciones provisionales de persona profesional de la Abogacía y, en su caso, de la Procura de oficio, y si estas no se hubiesen producido, el nombramiento inmediato de los profesionales que defiendan y en su caso, representen al titular del derecho, así como del resto de las prestaciones que integren el derecho. En cada ámbito territorial, los Colegios de Abogados y los Colegios de Procuradores actuarán de manera coordinada para efectuar las designaciones que procedan en cada caso, y no podrá actuar, al mismo tiempo, un profesional de la Abogacía de oficio y un profesional de la Procura libremente elegido o viceversa, salvo que el profesional de libre elección renuncie por escrito a percibir sus honorarios o derechos ante el titular del derecho a la asistencia jurídica gratuita y ante el colegio ante el que se halle inscrito.

2. En el orden penal, se asegurará en todo caso la defensa desde el momento mismo de la detención, sin perjuicio del abono por el cliente de los honorarios devengados si no le fuese reconocido el derecho a la asistencia jurídica gratuita.

3. Cuando se trate de asistencia a la mujer víctima de violencia de género, se asegurará dicha asistencia desde el momento en que la mujer lo solicite, produciendo la falta de reconocimiento del derecho iguales efectos a los señalados en el apartado anterior.

Artículo 44. Devengo de la indemnización.

1. Los abogados y procuradores devengarán la retribución correspondiente a su actuación, en los porcentajes establecidos en el anexo III, una vez acrediten documentalmente ante sus respectivos colegios la intervención profesional realizada, que habrá de ser verificada por estos. Dicha documentación se conservará por los colegios, quienes la pondrán a disposición del Consejo General de la Abogacía Española y, en su caso, del Ministerio de Justicia cuando sea solicitada.

2. Cuando se trate del servicio de asistencia letrada al detenido, la indemnización se devengará por servicio de guardia de veinticuatro horas al finalizar este y las asistencias realizadas se considerarán, con las limitaciones que se establezcan, como una única actuación.

Si, excepcionalmente, el servicio de guardia fuese de duración superior, se retribuirá por asistencia individualizada, sin que la retribución diaria de cada letrado, sea cual sea el número de las realizadas, pueda exceder del doble de la cantidad asignada por día a cada letrado por servicio de guardia de veinticuatro horas.

Las actuaciones posteriores a la primera declaración del detenido o preso se considerarán incluidas en la retribución que corresponda al procedimiento de que se trate conforme al baremo establecido en el anexo II.

3. Cuando se trate de asesoramiento y asistencia a la mujer víctima de violencia de género, el servicio de guardia se retribuirá conforme al baremo establecido en el anexo II. Las actuaciones posteriores en procesos o procedimientos administrativos que tengan su origen directo o indirecto en la violencia padecida se retribuirán igualmente conforme a las bases y módulos establecidos en el anexo II correspondientes al procedimiento de que se trate.

4. Cuando se trate de un procedimiento de enjuiciamiento rápido, excepto en el supuesto a que se refiere el apartado anterior, en el que las actuaciones que se realicen se retribuirán en la forma indicada en él, todas las actuaciones, incluida la asistencia letrada al detenido, si la hubiera, se considerarán incluidas en la retribución que corresponda al procedimiento conforme al baremo

establecido en el anexo II. No obstante, si una vez prestada la asistencia letrada al detenido en las diligencias policiales o en la primera comparecencia judicial, el juez determinara que el procedimiento no es susceptible de tramitación rápida, la actuación letrada de asistencia al detenido se considerará, a efectos de su retribución, como asistencia individualizada, y se devengará una vez adoptada la resolución judicial y previa su acreditación.

5. Asimismo, si durante el servicio de guardia los letrados a quienes por turno corresponda no hubiesen efectuado ninguna intervención, serán retribuidos por haber permanecido en disponibilidad en la cuantía que se fija en el anexo II.

Si, por el contrario, durante el tiempo de la guardia el número de letrados que constituye el servicio de guardia de asistencia para el enjuiciamiento rápido de delitos excepcionalmente resultase insuficiente, los letrados que forman parte del servicio de guardia de asistencia al detenido podrán pasar a reforzar dicho servicio, sin perjuicio de percibir la indemnización correspondiente por servicio de guardia al detenido. Este refuerzo, en cualquier caso, será acordado por el colegio correspondiente, a la vista de la situación planteada.

6. En todos los casos, la documentación acreditativa de la actuación profesional realizada ha de ser presentada en el colegio, dentro del plazo de un mes natural, contado a partir de la fecha de su realización.

Ley Orgánica 8/2021, de 4 de junio, de protección integral a la infancia y la adolescencia frente a la violencia

EXPOSICIÓN DE MOTIVOS

FELIPE VI
REY DE ESPAÑA
A todos los que la presente vieren y entendieren.
Sabed: Que las Cortes Generales han aprobado y Yo vengo en sancionar la siguiente ley orgánica:

PREÁMBULO

I

La lucha contra la violencia en la infancia es un imperativo de derechos humanos. Para promover los derechos de los niños, niñas y adolescentes consagrados en la Convención sobre los Derechos del Niño es esencial asegurar y promover el respeto de su dignidad humana e integridad física y psicológica, mediante la prevención de toda forma de violencia.

La protección de las personas menores de edad es una obligación prioritaria de los poderes públicos, reconocida en el artículo 39 de la Constitución Española y en diversos tratados internacionales, entre los que destaca la mencionada Convención sobre los Derechos del Niño, adoptada por la Asamblea General de las Naciones Unidas el 20 de noviembre de 1989 y ratificada por España en 1990.

Los principales referentes normativos de protección infantil circunscritos al ámbito de Naciones Unidas son los tres protocolos facultativos de la citada Convención y las Observaciones Generales del Comité de los Derechos del Niño, que se encargan de conectar este marco de Derecho Internacional con realidades educativas, sanitarias, jurídicas y sociales que atañen a niños, niñas y adolescentes. En el caso de esta ley orgánica, son especialmente relevantes la Observación General número 12, de 2009, sobre el derecho a ser escuchado, la Observación General número 13, de 2011, sobre el derecho del niño y la niña a no ser objeto de ninguna forma de violencia y la Observación General número 14, de 2014, sobre que el interés superior del niño y de la niña sea considerado primordialmente.

La Unión Europea, por su parte, expresa la «protección de los derechos del niño» a través del artículo 3 del Tratado de Lisboa y es un objetivo general de la política común, tanto en el espacio interno como en las relaciones exteriores.

El Consejo de Europa, asimismo, cuenta con estándares internacionales para garantizar la protección de los derechos de las personas menores de edad como son el Convenio para la protección de los niños contra la explotación y el abuso sexual (Convenio de Lanzarote), el Convenio sobre prevención y lucha contra la violencia contra la mujer y la violencia doméstica (Convenio de Estambul), el Convenio sobre la lucha contra la trata de seres humanos o el Convenio sobre la Ciberdelincuencia; además de incluir en la Estrategia del Consejo de Europa para los derechos del niño (2016-2021) un llamamiento a todos los Estados miembros para erradicar toda forma de castigo físico sobre la infancia.

Esta ley orgánica se relaciona también con los compromisos y metas del Pacto de Estado contra la violencia de género, así como de la Agenda 2030 en varios ámbitos, y de forma muy específica con la meta 16.2: «Poner fin al maltrato, la explotación, la trata y todas las formas de violencia y tortura contra los niños». dentro del Objetivo 16 de promover sociedades, justas, pacíficas e inclusivas. Las niñas, por su edad y sexo, muchas veces son doblemente discriminadas o agredidas. Por eso esta ley debe tener en cuenta las formas de violencia que las niñas sufren específicamente por el hecho de ser niñas y así abordarlas y prevenirlas a la vez que se incide en que solo una sociedad que educa en respeto e igualdad será capaz de erradicar la violencia hacia las niñas.

Con arreglo a la Convención sobre los Derechos del Niño y los otros referentes mencionados, España debe fomentar todas las medidas legislativas, administrativas, sociales y educativas necesarias para garantizar el derecho del niño, niña o adolescente a desarrollarse libre de cualquier forma de violencia, perjuicio, abuso físico o mental, descuido o negligencia, malos tratos o explotación.

El cuerpo normativo español ha incorporado importantes avances en la defensa de los derechos de las personas menores de edad, así como en su protección frente a la violencia. En esta evolución encaja la reforma operada en la Ley Orgánica 1/1996, de 15 de enero, de Protección Jurídica del Menor, de modificación parcial del Código Civil y de la Ley de Enjuiciamiento Civil, por la Ley Orgánica 8/2015, de 22 de julio, y la Ley 26/2015, de 28 de julio, ambas de modificación del sistema de protección de la infancia y la adolescencia, que introduce como principio rector de la actuación administrativa el amparo de las personas menores de edad contra todas las formas de violencia, incluidas las producidas en su entorno familiar, de género, la trata y el tráfico de seres humanos y la mutilación genital femenina, entre otras. Con acuerdo a la ley, los poderes públicos tienen la obligación de desarrollar actuaciones de sensibilización, prevención, asistencia y protección frente a cualquier forma de maltrato infantil, así como de establecer aquellos procedimientos necesarios para asegurar la coordinación entre las administraciones públicas competentes y, en este orden, revisar en profundidad el funcionamiento de las instituciones del sistema de protección a las personas menores de edad y constituir así una protección efectiva ante las situaciones de riesgo y desamparo.

En este contexto, el Pleno del Congreso de los Diputados, en su sesión del 26 de junio de 2014, acordó la creación de una Subcomisión de estudio para abordar el problema de la violencia sobre los niños y las niñas. Dicha Subcomisión adoptó ciento cuarenta conclusiones y propuestas que dieron lugar, en 2017, a la aprobación de la Proposición no de ley, por la que se instaba al Gobierno, en el ámbito de sus competencias y en colaboración con las comunidades autónomas, a iniciar los trabajos para la aprobación de una ley orgánica para erradicar la violencia sobre la infancia.

Sin embargo, a pesar de dichos avances, el Comité de Derechos del Niño, con ocasión del examen de la situación de los derechos de la infancia en España en 2018, reiteró a nuestro país la necesidad de la aprobación de una ley integral sobre la violencia contra los niños y niñas, que debía resultar análoga en su alcance normativo a la aprobada en el marco de la violencia de género.

Por supuesto, la aprobación de una ley integral sobre la violencia contra los niños, niñas y adolescentes no solo responde a la necesidad de introducir en nuestro ordenamiento jurídico los compromisos internacionales asumidos por España en la protección integral de las personas menores de edad, sino a la relevancia de una materia que conecta de forma directa con el sano desarrollo de nuestra sociedad.

Como indica el Comité de los Derechos del Niño en la citada Observación General número 13, las graves repercusiones de la violencia y los malos tratos sufridos por los niños, niñas y adolescentes son sobradamente conocidas. Esos actos, entre otras muchas consecuencias, pueden causar lesiones que pueden provocar discapacidad; problemas de salud física, como el retraso en el desarrollo físico y la aparición posterior de enfermedades; dificultades de aprendizaje incluidos problemas de rendimiento en la escuela y en el trabajo; consecuencias psicológicas y emocionales como trastornos afectivos, trauma, ansiedad, inseguridad y destrucción de la autoestima; problemas de salud mental como ansiedad y trastornos depresivos o intentos de suicidio, y comportamientos perjudiciales para la salud como el abuso de sustancias adictivas o la iniciación precoz en la actividad sexual.

La violencia sobre personas menores de edad es una realidad execrable y extendida a pluralidad de frentes. Puede pasar desapercibida en numerosas ocasiones por la intimidad de los ámbitos en los que tiene lugar, tal es el caso de las esferas familiar y escolar, entornos en los que suceden la mayor parte de los incidentes y que, en todo caso, debieran ser marcos de seguridad y desarrollo personal para niños, niñas y adolescentes. Además, es frecuente que en estos escenarios de violencia confluyan variables sociológicas, educativas, culturales, sanitarias, económicas, administrativas y jurídicas, lo que obliga a que cualquier aproximación legislativa sobre la cuestión requiera un amplio enfoque multidisciplinar.

Cabe destacar que los niños, niñas y adolescentes con discapacidad son sujetos especialmente sensibles y vulnerables a esta tipología de violencia, expuestos de forma agravada a sus efectos y con mayores dificultades para el acceso, en igualdad de oportunidades, al ejercicio de sus derechos.

Esta ley combate la violencia sobre la infancia y la adolescencia desde una aproximación integral, en una respuesta extensa a la naturaleza multidimensional de sus factores de riesgo y consecuencias. La ley va más allá de los marcos administrativos y penetra en numerosos órdenes jurisdiccionales para afirmar su voluntad holística. Desde una perspectiva didáctica, otorga una prioridad esencial a la prevención, la socialización y la educación, tanto entre las personas menores de edad como entre las familias y la propia sociedad civil. La norma establece medidas de protección, detección precoz, asistencia, reintegración de derechos vulnerados y recuperación de la víctima, que encuentran su inspiración en los modelos integrales de atención identificados como buenas prácticas a la hora de evitar la victimización secundaria.

Esta ley es propicia a la colaboración con las comunidades autónomas y evita el fraccionamiento operativo que venía existiendo en una materia tan importante. Abre paso a un nuevo paradigma de prevención y protección común en todo el territorio del Estado frente a la vulneración de derechos de las personas menores de edad y favorece que el conjunto de las administraciones públicas, en el marco de sus respectivas competencias, refuercen su implicación en un objetivo de alcance general como es la lucha contra la violencia sobre los niños, niñas y adolescentes, del todo consecuente con los compromisos internacionales del Estado.

La ley, en definitiva, atiende al derecho de los niños, niñas y adolescentes de no ser objeto de ninguna forma de violencia, asume con rigor los tratados internacionales ratificados por España y va un paso más allá con su carácter integral en las materias que asocia a su marco de efectividad, ya sea en su realidad estrictamente sustantiva como en su voluntad didáctica, divulgativa y cohesionadora.

II

La ley se estructura en 60 artículos, distribuidos en un título preliminar y cinco títulos, nueve disposiciones adicionales, una disposición derogatoria y veinticinco disposiciones finales.

El título preliminar aborda el ámbito objetivo y subjetivo de la ley, recogiendo la definición del concepto de violencia sobre la infancia y la adolescencia, así como el buen trato, y estableciendo los fines y criterios generales de la ley. Asimismo, regula la formación especializada, inicial y continua, de los y las profesionales que tengan un contacto habitual con personas menores de edad, y recoge la necesaria cooperación y colaboración entre las administraciones públicas, estableciéndose a tal efecto la creación de la Conferencia Sectorial de la infancia y la adolescencia, y la colaboración público-privada.

El título I recoge los derechos de los niños, niñas y adolescentes frente a la violencia, entre los que se encuentran su derecho a la información y asesoramiento, a ser escuchados y escuchadas, a la atención integral, a intervenir en el procedimiento judicial o a la asistencia jurídica gratuita.

El título II está dedicado a regular el deber de comunicación de las situaciones de violencia. En este sentido, se establece un deber genérico, que afecta a toda la ciudadanía, de comunicar de forma inmediata a la autoridad competente la existencia de indicios de violencia ejercida sobre niños, niñas o adolescentes. Este deber de comunicación se configura de una forma más exigente para aquellos colectivos que, por razón de su cargo, profesión, oficio o actividad, tienen encomendada la asistencia, el cuidado, la enseñanza o la protección de personas menores de edad: personal cualificado de los centros sanitarios, centros escolares, centros de deporte y ocio, centros de protección a la infancia y de responsabilidad penal de menores, centros de acogida, de asilo y atención humanitaria y establecimientos en los que residan habitualmente niños, niñas o adolescentes. En estos supuestos, se establece la obligación de las administraciones públicas competentes de facilitar mecanismos adecuados de comunicación e intercambio de información.

Por otro lado, se prevé la dotación por parte de las administraciones públicas competentes de los medios necesarios y accesibles para que sean los propios niños, niñas y adolescentes víctimas de violencia, o que hayan presenciado una situación de violencia, los que puedan comunicarlo de forma segura y fácil. En relación con esto, se reconoce legalmente la importancia de los medios electrónicos de comunicación, tales como líneas telefónicas de ayuda a niños, niñas y adolescentes, que habrán de ser gratuitas y que las administraciones deberán promover, apoyar y divulgar.

Además, se regula de forma específica el deber de comunicación de la existencia de contenidos en Internet que constituyan una forma de violencia o abuso sobre los niños, niñas o adolescentes, sean o no constitutivos de delito, en tanto que el ámbito de Internet y redes sociales es especialmente sensible a estos efectos.

En todo caso, la ley garantiza la protección y seguridad, de las personas que cumplan con su deber de comunicación de situaciones de violencia, con el objetivo de incentivar el cumplimiento de tal deber.

El título III, que regula la sensibilización, prevención y detección precoz, recoge en su capítulo I la obligación por parte de la Administración General del Estado de disponer de una Estrategia de erradicación de la violencia sobre la infancia y la adolescencia, con especial incidencia en los ámbitos familiar, educativo, sanitario, de los servicios sociales, de las nuevas tecnologías, del deporte y el ocio y de las Fuerzas y Cuerpos de Seguridad.

El capítulo II recoge los diferentes niveles de actuación, incidiendo en la sensibilización, la prevención y la detección precoz. En concreto, profundiza en la necesidad de que las administraciones públicas establezcan planes y programas específicos de prevención de la violencia sobre la infancia y la adolescencia, identificando grupos de riesgo y especificando los recursos presupuestarios para llevarlos a cabo. También se apunta la necesidad de establecer medidas de sensibilización, prevención y detección precoz frente a los procesos de radicalización y adoctrinamiento que conducen a la violencia. En cuanto a detección precoz, se incide en la adopción de medidas que garanticen la comunicación de las situaciones de violencia que hayan sido detectadas.

El capítulo III, dedicado al ámbito familiar, parte de la idea de la familia, en sus múltiples formas, como unidad básica de la sociedad y medio natural para el desarrollo de los niños, niñas y adolescentes, debe ser objetivo prioritario de todas las administraciones públicas, al ser el primer escalón de la prevención de la violencia sobre la infancia, debiendo favorecer la cultura del buen trato, incluso desde el momento de la gestación.

Para ello, la ley refuerza los recursos de asistencia, asesoramiento y atención a las familias para evitar los factores de riesgo y aumentar los factores de prevención, lo que exige un análisis de riesgos en las familias, que permita definir los objetivos y las medidas a aplicar. Todos los progenitores requieren apoyos para desarrollar adecuadamente sus responsabilidades parentales, siendo una de sus implicaciones la necesidad de procurarse dichos apoyos para ejercer adecuadamente su rol. Por ello, antes que los apoyos con finalidad reparadora o terapéutica, deben prestarse aquellos que tengan una finalidad preventiva y de promoción del desarrollo de la familia. Todas las políticas en el ámbito familiar deben adoptar un enfoque positivo de la intervención familiar para reforzar la autonomía y capacidad de las familias y desterrar la idea de considerar a las familias más vulnerables como las únicas que necesitan apoyos cuando no funcionan adecuadamente.

Destaca en la ley la referencia al ejercicio positivo de la responsabilidad parental, como un concepto integrador que permite reflexionar sobre el papel de la familia en la sociedad actual y al mismo tiempo desarrollar orientaciones y recomendaciones prácticas sobre cómo articular sus apoyos desde el ámbito de las políticas públicas de familia.

Por ello, la ley establece medidas destinadas a favorecer y adquirir tales habilidades, siempre desde el punto de vista de la individualización de las necesidades de cada familia y dedicando una especial atención a la protección del interés superior de la persona menor de edad en los casos de ruptura familiar y de violencia de género en el ámbito familiar.

El capítulo IV desarrolla diversas medidas de prevención y detección precoz de la violencia en los centros educativos que se consideran imprescindibles si se tiene en cuenta que se trata de un entorno de socialización central en la vida de los niños, niñas y adolescentes. La regulación propuesta profundiza y completa el marco establecido en el artículo 124 de la Ley Orgánica 2/2006, de 3 de mayo, de Educación, al establecer junto al plan de convivencia recogido en dicho artículo, la necesidad de protocolos de actuación frente a indicios de abuso y maltrato, acoso escolar, ciberacoso, acoso sexual, violencia de género, violencia doméstica, suicidio, autolesión y cualquier otra forma de violencia. Para el correcto funcionamiento de estos protocolos se constituye un coordinador o coordinadora de bienestar y protección, en todos los centros educativos. También se refleja la necesaria capacitación de las personas menores de edad en materia de seguridad digital.

El capítulo V regula la implicación de la Educación Superior y del Consejo de Universidades en la lucha contra la violencia sobre la infancia y la adolescencia.

Las medidas contenidas en el capítulo VI respecto al ámbito sanitario se orientan desde la necesaria colaboración de las administraciones sanitarias en el seno del Consejo Interterritorial del Sistema Nacional de Salud. En este marco, se establece el compromiso de crear una nueva Comisión frente a la violencia en los niños, niñas y adolescentes con el mandato de elaborar un protocolo común de actuación sanitaria para la erradicación de la violencia sobre la infancia y la adolescencia. Además, en el marco de la atención universal a todas aquellas personas menores de edad en situación de violencia, se garantiza una atención a la salud mental integral y adecuada a su edad.

El capítulo VII refuerza el ejercicio de las funciones de protección de los niños, niñas y adolescentes por parte de los funcionarios que desarrollan su actividad profesional en los servicios sociales. En este sentido, se les atribuye la condición de agentes de la autoridad, en aras de poder desarrollar eficazmente sus funciones en materia de protección de personas menores de edad, debido a la posibilidad de verse expuestos a actos de violencia o posibles situaciones de alta conflictividad, como las relacionadas con la posible retirada del menor de su familia en casos de desamparo.

Además, se establece la necesidad de diseñar un plan de intervención familiar individualizado, con la participación del resto de administraciones, judicatura y agentes sociales implicados, así como un sistema de seguimiento y registro de casos que permita evaluar la eficacia de las distintas medidas puestas en marcha.

El capítulo VIII, regula las actuaciones que deben realizar y promover las administraciones públicas para garantizar el uso seguro y responsable de Internet por parte de los niños, niñas y adolescentes, familias, personal educador y profesionales que trabajen con personas menores de edad.

El capítulo IX dedicado al ámbito del deporte y el ocio establece la necesidad de contar con protocolos de actuación frente a la violencia en este ámbito y establece determinadas obligaciones a las entidades que realizan actividades deportivas o de ocio con personas menores de edad de forma habitual, y entre la que destaca el establecimiento de la figura del Delegado o Delegada de protección.

El capítulo X se centra en el ámbito de las Fuerzas y Cuerpos de Seguridad y consta de dos artículos. El primero de ellos asegura que todas las Fuerzas y Cuerpos de Seguridad, en todos sus niveles (estatal, autonómico, local), dispongan de unidades especializadas en la investigación y prevención, detección y actuación de situaciones de violencia sobre personas menores de edad y preparadas para una correcta y adecuada actuación ante tales casos, así como que todos los integrantes de los Cuerpos Policiales reciban formación específica para el tratamiento de este tipo de situaciones.

El segundo artículo establece cuáles han de ser los criterios de actuación policial en casos de violencia sobre la infancia y la adolescencia, la cual debe estar presidida por el respeto a los derechos de los niños, niñas y adolescentes y por la consideración de su interés superior. Sin perjuicio de los protocolos de actuación a que están sujetos los miembros de las Fuerzas y Cuerpos de Seguridad, la ley recoge una relación de criterios de actuación obligatorios, cuya principal finalidad es lograr el buen trato al niño, niña o adolescente víctima de violencia y evitar la victimización secundaria.

Entre esos criterios de actuación obligatorios, es especialmente relevante la obligación de evitar, con carácter general, la toma de declaración a la persona menor de edad, salvo en aquellos supuestos que sea absolutamente necesaria. Ello es coherente con la reforma de la Ley de Enjuiciamiento Criminal, aprobada por Real Decreto de 14 de septiembre de 1882, por la que se pauta como obligatoria la práctica de prueba preconstituida por el órgano instructor. El objetivo de esta ley es que la persona menor de edad realice una única narración de los hechos, ante el Juzgado de Instrucción, sin que sea necesario que lo haga ni con anterioridad ni con posterioridad a ese momento.

El capítulo XI regula las competencias de la Administración General del Estado en el Exterior en relación con la protección de los intereses de los menores de nacionalidad española que se encuentren en el extranjero.

Por último, el capítulo XII recoge el papel de la Agencia Española de Protección de Datos en la protección de datos personales, garantizando los derechos digitales de las personas menores de edad al establecer un canal accesible y la retirada inmediata de los contenidos ilícitos.

El título IV sobre actuaciones en centros de protección de personas menores de edad, establece la obligatoriedad de los centros de protección de aplicar protocolos de actuación, cuya eficacia se someterá a evaluación, y que recogerán las actuaciones a seguir en aras de prevenir, detectar precozmente y actuar ante posibles situaciones de violencia. Asimismo, se establece una atención reforzada, en el marco de los protocolos anteriormente citados, a las actuaciones específicas de prevención, detección precoz e intervención en posibles casos de abuso, explotación sexual y trata de seres humanos que tengan como víctimas a personas menores de edad sujetas a medida protectora y que residan en centros residenciales.

Además, se establece la oportuna supervisión por parte del Ministerio Fiscal de los centros de protección de menores y se prevé la necesaria conexión informática con las entidades públicas de protección a la infancia, así como la permanente comunicación de estas con el Ministerio Fiscal y, en su caso, con la autoridad judicial que acordó el ingreso.

El título V dedicado a la organización administrativa recoge en su capítulo I el compromiso para la creación de un Registro Central de información sobre la violencia contra la infancia y la adolescencia, al que deberán remitir información las administraciones públicas, el Consejo General del Poder Judicial y las Fuerzas y Cuerpos de Seguridad.

El capítulo II, por su parte, introduce una regulación específica en relación a la certificación negativa del Registro Central de Delincuentes Sexuales, que pasa a denominarse Registro Central de Delincuentes Sexuales y de Trata de Seres Humanos, desarrollando y ampliando la protección de las personas menores de edad a través del perfeccionamiento del sistema de exigencia del requisito de no haber cometido delitos contra la libertad o indemnidad sexuales o de trata de seres humanos para desarrollar actividades que supongan contacto habitual con personas menores de edad.

Se introduce una definición acerca de qué ha de entenderse, a los efectos de la ley, por profesiones, oficios y actividades que implican contacto habitual con personas menores de edad, limitándolo a aquellas que por su propia esencia conllevan un trato repetido, directo y regular, y no meramente ocasional, con niños, niñas y adolescentes, quedando en todo caso incluidas aquellas actividades o servicios que se dirijan específicamente a ellos.

A fin de ampliar la protección, se extiende la obligación de acreditar el requisito de no haber cometido delitos contra la libertad e indemnidad sexuales a todos los trabajadores y trabajadoras, por cuenta propia o ajena, tanto del sector público como del privado, así como a las personas voluntarias.

Además, se establece el sentido negativo del silencio administrativo en los procedimientos de cancelación de antecedentes por delitos de naturaleza sexual iniciados a solicitud de la persona interesada.

Por lo que respecta a las disposiciones adicionales, se establece en ellas la necesaria dotación presupuestaria en el ámbito de la Administración de Justicia y los servicios sociales para luchar contra la victimización secundaria y cumplir las nuevas obligaciones encomendadas por la ley respectivamente, el mandato a las administraciones públicas, en el ámbito de sus competencias, para priorizar las soluciones habitacionales ante los desahucios de familias en el que alguno de sus integrantes sea una persona menor de edad, el seguimiento de los datos de opinión pública sobre la violencia hacia la infancia y adolescencia, a través de la realización de encuestas periódicas, el cumplimiento de la normativa vigente en materia de gastos de personal, la actualización de las referencias al Registro Central de Delincuentes Sexuales y al Registro Unificado de Maltrato Infantil. Asimismo, la disposición adicional sexta encomienda al Gobierno, en el plazo de un año, a establecer los mecanismos necesarios para realizar la comprobación automatizada de la existencia de antecedentes por las administraciones, empresas u otras entidades. Por su parte, la disposición adicional séptima recoge el compromiso para la creación de una Comisión de seguimiento encargada de analizar la puesta en marcha de la ley, sus repercusiones jurídicas y económicas y evaluación de su impacto. La disposición adicional octava garantiza a los niños y niñas en necesidad de protección internacional el acceso al territorio y a un procedimiento de asilo con independencia de su nacionalidad y de su forma de entrada en España, en los términos establecidos en la Ley 12/2009, de 30 de octubre, reguladora del derecho de asilo y de protección subsidiaria. Por último, la disposición adicional novena mandata al Gobierno para regular el régimen de Seguridad Social de las personas acogedoras especializadas de dedicación exclusiva.

Por último, cabe destacar la modificación llevada a cabo de diferentes cuerpos normativos a través de las disposiciones finales de la ley.

La disposición final primera está dedicada a la modificación de la Ley de Enjuiciamiento Criminal.

En los apartados primero y segundo se otorga una mayor seguridad jurídica tanto a las víctimas como a las personas perjudicadas por un delito. Así, se modifican los artículos 109 bis y 110 reflejando la actual jurisprudencia que permite la personación de las mismas, una vez haya transcurrido el término para formular el escrito de acusación, siempre que se adhieran al escrito de acusación formulado por el Ministerio Fiscal o por el resto de las acusaciones personadas. De esta forma, se garantiza el derecho a la tutela judicial efectiva de las víctimas del delito a la vez que se respeta el derecho de defensa de las personas investigadas.

En el tercer apartado se modifica el artículo 261 y se establece una excepción al régimen general de dispensa de la obligación de denunciar, al determinar la obligación de denunciar del cónyuge y familiares cercanos de la persona que haya cometido un hecho delictivo cuando se trate de un delito grave cometido contra una persona menor de edad o con discapacidad necesitada de especial protección, adaptando nuestra legislación a las exigencias del Convenio de Lanzarote. Igualmente, en el apartado cuatro se modifica el artículo 416, de forma que se establecen una serie de excepciones a la dispensa de la obligación de declarar, con el fin de proteger en el proceso penal a las personas menores de edad o con discapacidad necesitadas de especial protección.

Los apartados quinto a decimocuarto regulan de forma completa y sistemática la prueba preconstituida, fijándose los requisitos necesarios para su validez. Además, se modifica la regulación de las medidas cautelares con carácter penal y de naturaleza civil que pueden adoptarse durante el proceso penal y que puedan afectar de cualquier modo a personas menores de edad o con discapacidad necesitadas de especial protección.

En relación con la prueba preconstituida es un instrumento adecuado para evitar la victimización secundaria, particularmente eficaz cuando las víctimas son personas menores de edad o personas con discapacidad necesitadas de especial protección. Atendiendo a su especial vulnerabilidad se establece su obligatoriedad cuando el testigo sea una persona menor de catorce años o una persona con discapacidad necesitada de especial protección. En estos supuestos la autoridad judicial, practicada la prueba preconstituida, solo podrá acordar motivadamente su declaración en el acto del juicio oral, cuando, interesada por una de las partes, se considere necesario.

Por tanto, se convierte en excepcional la declaración en juicio de los menores de catorce años o de las personas con discapacidad necesitadas de especial protección, estableciéndose como norma general la práctica de la prueba preconstituida en fase de instrucción y su reproducción en el acto del juicio evitando que el lapso temporal entre la primera declaración y la fecha de juicio oral afecten a la calidad del relato, así como la victimización secundaria de víctimas especialmente vulnerables.

La disposición final segunda modifica el artículo 92 del Código Civil para reforzar el interés superior del menor en los procesos de separación, nulidad y divorcio, así como para asegurar que existan las cautelas necesarias para el cumplimiento de los regímenes de guarda y custodia.

Asimismo, se modifica el artículo 154 del Código Civil, a fin de establecer con claridad que la facultad de decidir el lugar de residencia de los hijos e hijas menores de edad forma parte del contenido de la potestad que, por regla general, corresponde a ambos progenitores. Ello implica que, salvo suspensión, privación de la potestad o atribución exclusiva de dicha facultad a uno de los progenitores, se requiere el consentimiento de ambos o, en su defecto, autorización judicial para el traslado de la persona menor de edad, con independencia de la medida que se haya adoptado en relación a su guarda o custodia, como así se ha fijado ya explícitamente por algunas comunidades autónomas. Así, se aclaran las posibles dudas interpretativas con los conceptos autónomos de la normativa internacional, concretamente, el Reglamento 2201/2003 del Consejo, de 27 de noviembre de 2003, relativo a la competencia, el reconocimiento y la ejecución de resoluciones judiciales en materia matrimonial y de responsabilidad parental, por el que se deroga el Reglamento (CE) n.º 1347/2000, y el Convenio relativo a la competencia, la ley aplicable, el reconocimiento, la ejecución y la cooperación en materia de responsabilidad parental y de medidas de protección de los niños, hecho en La Haya el 19 de octubre de 1996, en sus artículos 2, 9 y 3 respectivamente, ya que en la normativa internacional la custodia y la guarda comprenden el derecho de decidir sobre el lugar de residencia de la persona menor de edad, siendo un concepto autónomo que no coincide ni debe confundirse con el contenido de lo que se entiende por guarda y custodia en nuestras leyes internas. Ese cambio completa la vigente redacción del artículo 158 del Código Civil, que contempla como medidas de protección «Las medidas necesarias para evitar la sustracción de los hijos menores por alguno de los progenitores o por terceras personas y, en particular, el sometimiento a autorización judicial previa de cualquier cambio de domicilio del menor».

Se modifica el artículo 158 del Código Civil, con el fin de que el Juez pueda acordar la suspensión cautelar en el ejercicio de la patria potestad y/o el ejercicio de la guarda y custodia, la suspensión cautelar del régimen de visitas y comunicaciones establecidos en resolución judicial o convenio judicialmente aprobado y, en general, las demás disposiciones que considere oportunas, a fin de apartar al menor de un peligro o de evitarle perjuicios en su entorno familiar o frente a terceras personas, con la garantía de la audiencia de la persona menor de edad.

Por último, se modifica el artículo 172.5 del Código Civil, que regula los supuestos de cesación de la tutela y de la guarda provisional de las entidades públicas de protección, ampliando de 6 a 12 meses el plazo desde que el menor abandonó voluntariamente el centro.

La disposición final tercera correspondiente a la modificación de la Ley Orgánica 1/1979, de 26 de septiembre, General Penitenciaria, establece programas específicos para las personas internas condenadas por delitos relacionados con la violencia sobre la infancia y adolescencia a fin de evitar la reincidencia, así como el seguimiento de las mismas para la concesión de permisos y la libertad condicional.

La disposición final cuarta se destina a la modificación de la Ley Orgánica 6/1985, de 1 de julio, del Poder Judicial. Mediante esta modificación se regula la necesidad de formación especializada en las carreras judicial y fiscal, en el cuerpo de letrados y en el resto de personal al servicio de la Administración de Justicia, exigida por toda la normativa internacional, en la medida en que las materias relativas a la infancia y a personas con discapacidad se refieren a colectivos vulnerables. Asimismo, se establece la posibilidad de que, en las unidades administrativas, entre las que se encuentran los Institutos de Medicina Legal y Ciencias Forenses y las Oficinas de Asistencia a las Víctimas, dependientes del Ministerio de Justicia, se incorporen como funcionarios otros profesionales especializados en las distintas áreas de actuación de estas unidades, reforzando así el carácter multidisciplinar de la asistencia que se prestará a las víctimas.

La disposición final quinta modifica la Ley 34/1988, de 11 de noviembre, General de Publicidad, con el objeto de declarar ilícita tanto a la publicidad que incite a cualquier forma de violencia o discriminación sobre las personas menores de edad como aquella que fomente estereotipos de carácter sexista, racista, estético, homofóbico o transfóbico o por razones de discapacidad.

La disposición final sexta relativa a la modificación de la Ley Orgánica 10/1995, de 23 de noviembre, del Código Penal, incorpora diferentes modificaciones de importante calado.

Se da una nueva regulación a los delitos de odio, comprendidos en los artículos 22.4, 314, 511, 512 y 515.4 del Código Penal. Para ello, la edad ha sido incorporada como una causa de discriminación, en una vertiente dual, pues no solo aplica a los niños, niñas y adolescentes, sino a otro colectivo sensible que requiere amparo, como son las personas de edad avanzada. Asimismo, dentro del espíritu de protección que impulsa este texto legislativo, se ha aprovechado la reforma para incluir la aporofobia y la exclusión social dentro de estos tipos penales, que responde a un fenómeno social en el que en la actuación delictiva subyace el rechazo, aversión o desprecio a las personas pobres, siendo un motivo expresamente mencionado en el artículo 21 de la Carta de Derechos Fundamentales de la Unión Europea.

Se extiende el tiempo de prescripción de los delitos más graves cometidos contra las personas menores de edad, modificando el día de comienzo de cómputo del plazo: el plazo de prescripción se contará a partir de que la víctima haya cumplido los treinta y cinco años de edad. Con ello se evita la existencia de espacios de impunidad en delitos que estadísticamente se han probado de lenta asimilación en las víctimas en el plano psicológico y, muchas veces, de tardía detección.

Se elimina el perdón de la persona ofendida como causa de extinción de la responsabilidad criminal, cuando la víctima del delito sea una persona menor de dieciocho años, completando de este modo la protección de los niños, niñas y adolescentes ante delitos perseguibles a instancia de parte.

Se configura como obligatoria la imposición de la pena de privación de la patria potestad a los penados por homicidio o por asesinato en dos situaciones: cuando el autor y la víctima tuvieran en común un hijo o una hija y cuando la víctima fuera hijo o hija del autor.

Se incrementa la edad a partir de la que se aplicará el subtipo agravado del delito de lesiones del artículo 148.3, de los doce a los catorce años, puesto que resulta una esfera de protección más apropiada en atención a la vulnerabilidad que se manifiesta en la señalada franja vital.

Se modifica la redacción del tipo agravado de agresión sexual, del tipo de abusos y agresiones sexuales a menores de dieciséis años y de los tipos de prostitución y explotación sexual y corrupción de menores (artículos 180, 183, 188 y 189) con el fin de adecuar su redacción a la realidad actual y a las previsiones de la presente ley. Además, se modifica el artículo 183 quater, para limitar el efecto de extinción de la responsabilidad criminal por el consentimiento libre del menor de dieciséis años, únicamente a los delitos previstos en los artículos 183, apartado 1, y 183 bis, párrafo primero, inciso segundo, cuando el autor sea una persona próxima a la persona menor por edad y grado de desarrollo o madurez física y psicológica, siempre que los actos no constituyan un atentado contra la libertad sexual de la persona menor de edad.

Se modifica el tipo penal de sustracción de personas menores de edad del artículo 225 bis, permitiendo que puedan ser sujeto activo del mismo tanto el progenitor que conviva habitualmente con la persona menor de edad como el progenitor que únicamente lo tenga en su compañía en un régimen de estancias.

Por último, se crean nuevos tipos delictivos para evitar la impunidad de conductas realizadas a través de medios tecnológicos y de la comunicación, que producen graves riesgos para la vida y la integridad de las personas menores edad, así como una gran alarma social. Se castiga a quienes, a través de estos medios, promuevan el suicidio, la autolesión o los trastornos alimenticios entre personas menores de edad, así como la comisión de delitos de naturaleza sexual contra estas. Además, se prevé expresamente que las autoridades judiciales retirarán estos contenidos de la red para evitar la persistencia delictiva.

La disposición final séptima modifica la Ley 1/1996, de 10 de enero, de asistencia jurídica gratuita, reconociendo el derecho a la asistencia jurídica gratuita a las personas menores de edad y las personas con discapacidad necesitadas de especial protección cuando sean víctimas de delitos violentos graves con independencia de sus recursos para litigar.

La disposición final octava correspondiente a la modificación de la Ley Orgánica 1/1996, de 15 de enero, de Protección Jurídica del Menor, de modificación parcial del Código Civil y de la Ley de Enjuiciamiento Civil, viene a completar la revisión del sistema de protección de la infancia y adolescencia llevada a cabo en el año 2015 con la descripción de los indicadores de riesgo para la valoración de la situación de riesgo. Asimismo, se introduce un nuevo artículo 14 bis para facilitar la labor de los servicios sociales en casos de urgencia. Por último, se establece un sistema de garantías en los sistemas de protección a la infancia, de las que deben cuidar las entidades públicas de protección, en especial respecto de niños, niñas y adolescentes en situación de vulnerabilidad, como es el caso de los niños o niñas que llegan solos a España o de los niños, niñas y adolescentes privados de cuidado parental.

La reforma operada en la citada Ley Orgánica 1/1996, de 15 de enero, se completa con la introducción de los artículos 20 ter a 20 quinquies a fin de regular las condiciones y el procedimiento aplicable a las solicitudes de acogimiento transfronterizo de menores procedentes de un Estado miembro de la Unión Europea o de un Estado parte del Convenio de La Haya de 1996. La Autoridad Central Española debe garantizar el cumplimiento en estos casos de los derechos del niño y asegurarse que la medida de protección que se pretende ejecutar en España proteja su interés superior. También se regula el procedimiento para la transmisión de las solicitudes de acogimiento transfronterizo desde España a otro Estado miembro de la Unión Europea, conforme a los Reglamentos (CE) n.º 2201/2003 del Consejo, de 27 de noviembre de 2003, relativo a la competencia, el reconocimiento y la ejecución de resoluciones judiciales en materia matrimonial y de responsabilidad parental, por el que se deroga el Reglamento (CE) n.º 1347/2000 y (UE) 2019/1111 del Consejo, de 25 de junio de 2019, relativo a la competencia, el reconocimiento y la ejecución de resoluciones en materia matrimonial y de responsabilidad parental, y sobre la sustracción internacional de menores, o a un Estado parte del citado Convenio de La Haya de 1996.

De este modo, se da cumplimiento no solo a las obligaciones derivadas de Convenios internacionales, sino que se adecúa la nueva redacción a los últimos criterios jurisprudenciales tanto del Tribunal Constitucional en la sentencia del Pleno 64/2019, de 9 de mayo de 2019, como del Tribunal Europeo de Derechos Humanos en la sentencia de 11 de octubre de 2016.

La disposición final novena modifica los artículos 779 y 780 de la Ley 1/2000, de 7 de enero, de Enjuiciamiento Civil, para fijar un plazo máximo de tres meses, desde su iniciación, en los procedimientos en los que se sustancie la oposición a las resoluciones administrativas en materia de protección de menores. Además, se prevé que las personas menores de edad podrán elegir, ellos mismos, a sus defensores, se reducen los plazos del procedimiento, y se contempla la posibilidad de que se adopten medidas cautelares.

La disposición final décima modifica el artículo 1 de la Ley Orgánica 1/2004, de 28 de diciembre, de Medidas de Protección Integral contra la Violencia de Género, para hacer constar que la violencia de género a que se refiere dicha ley también comprende la violencia que con el objetivo de causar perjuicio o daño a las mujeres se ejerza sobre sus familiares o allegados menores de edad.

La disposición final undécima modifica el artículo 4 de la Ley Orgánica 5/2000, de 12 de enero, reguladora de la responsabilidad penal de los menores, referido a los derechos de las víctimas de los delitos cometidos por personas menores de edad, a fin de configurar nuevos derechos de las víctimas de delitos de violencia de género cuando el autor de los hechos sea una persona menor de dieciocho años, adaptando lo previsto en el artículo al artículo 7.3 de la Ley 4/2015, de 27 de abril, del Estatuto de la víctima del delito.

La disposición final duodécima modifica el texto refundido de la Ley sobre Infracciones y Sanciones en el Orden Social, aprobado por Real Decreto Legislativo 5/2000, de 4 de agosto, introduciendo una nueva infracción en el orden social por el hecho de dar ocupación a personas con antecedentes de naturaleza sexual en actividades relacionadas con personas menores de edad.

La disposición final decimotercera por la que se modifica la Ley 41/2002, de 14 de noviembre, básica reguladora de la autonomía del paciente y de derechos y obligaciones en materia de información y documentación clínica, establece que los registros relativos a la atención de las personas menores de edad víctimas de violencia deben constar en la historia clínica. Esto permitirá hacer un mejor seguimiento de los casos, así como estimar la magnitud de este problema de salud pública y facilitar su vigilancia.

La disposición final decimocuarta modifica la Ley 44/2003, de 21 de noviembre, de ordenación de las profesiones sanitarias, en relación con la expedición de los títulos de especialista en Ciencias de la Salud.

La disposición final decimoquinta modifica la Ley 15/2015, de 2 de julio, de la Jurisdicción Voluntaria, con el fin de asegurar el derecho del niño, niña y adolescente a ser escuchado en los expedientes de su interés, salvaguardando su derecho de defensa, a expresarse libremente y garantizando su intimidad.

La disposición final decimosexta modifica la Ley Orgánica 7/2015, de 21 de julio, por la que se modifica la Ley Orgánica 6/1985, de 1 de julio, del Poder Judicial, para actualizar la denominación de la especialidad en Medicina Legal y Forense.

La disposición final decimoséptima mandata al Gobierno para que, en el plazo de seis meses desde la aprobación de esta ley, proceda a la creación del Consejo Estatal de Participación de la Infancia y de la Adolescencia.

La disposición final decimoctava establece el título competencial, indicando que esta ley se dicta al amparo de lo previsto en el artículo 149.1, 1.ª, 2.ª, 5.ª, 6.ª, 7.ª, 8.ª, 16.ª, 18.ª, 27.ª, 29.ª y 30.ª de la Constitución Española.

La disposición final decimonovena establece el carácter ordinario de determinadas disposiciones.

La disposición final vigésima contempla un mandato al Gobierno para la elaboración de dos proyectos de ley con el fin de establecer la especialización de la jurisdicción penal y civil, así como del Ministerio Fiscal. Igualmente, se establece que las administraciones competentes regularán en idéntico plazo la composición y funcionamiento de los Equipos Técnicos que presten asistencia especializada a los órganos judiciales especializados en infancia y adolescencia para la consecución de la mejora en la respuesta judicial, desde un enfoque multidisciplinar, y la protección igualitaria, adecuada y uniforme de los derechos de la infancia y de las personas con discapacidad.

La disposición final vigésima primera, regula la autorización al Consejo de Ministros y a los titulares de Derechos Sociales y Agenda 2030, Justicia e Interior a dictar cuantas normas sean necesarias para su desarrollo, con una especial referencia al régimen aplicable a las medidas de contención y seguridad en los centros de protección y reforma de menores.

Las disposiciones finales vigésima segunda y vigésima tercera regulan la necesaria adaptación de la normativa incompatible con lo previsto en la misma y la incorporación del Derecho de la Unión Europea, respectivamente.

La disposición final vigésima cuarta mandata al Gobierno, en el plazo de doce meses desde la aprobación de esta ley, para que proceda al desarrollo normativo del procedimiento para la determinación de la edad de los menores.

Por último, la disposición final vigésima quinta regula la entrada en vigor de esta ley.

III

Durante la tramitación de la ley se ha recabado informe del Consejo Económico y Social, el Consejo Fiscal, la Agencia Española de Protección de Datos, el Consejo Nacional de la Discapacidad, el Consejo Estatal de Organizaciones no Gubernamentales de Acción Social y la Comisión para el Diálogo Civil con la Plataforma del Tercer Sector. Asimismo, se ha consultado a las comunidades autónomas, así como a las entidades locales a través de la Federación Española de Municipios y Provincias. Finalmente, la ley ha sido informada por el Consejo Territorial de Servicios Sociales y Sistema para la Autonomía y Atención a la Dependencia, así como por su Comisión Delegada, y por el Consejo Interterritorial del Sistema Nacional de Salud y su Comité Consultivo.

Esta ley es coherente con los principios de buena regulación establecidos en el artículo 129 de la Ley 39/2015, de 1 de octubre, del Procedimiento Administrativo Común de las administraciones públicas. De lo expuesto en los párrafos anteriores se pone de manifiesto el cumplimiento de los principios de necesidad y eficacia, toda vez que mediante esta ley se da respuesta a la necesidad de contar con un marco normativo que regule un sistema de protección integral y uniforme en todo el territorio del Estado frente a la vulneración de derechos que significa la violencia sobre la infancia y la adolescencia, frente a la fragmentación del modelo actual, garantizando de esta forma una mayor protección de las personas menores de edad. Asimismo, la ley es acorde al principio de proporcionalidad, al contener la regulación imprescindible para la consecución de los objetivos previamente mencionados, e igualmente se ajusta al principio de seguridad jurídica en tanto que la ley es coherente con el ordenamiento jurídico nacional, e internacional, cumpliendo con lo establecido en el artículo 19 de la Convención sobre los Derechos del Niño que señala la obligación de los Estados Partes de proteger a los niños, niñas y adolescentes contra toda forma de maltrato y con las recomendaciones hechas por el Comité de los Derechos del Niño a España en 2010 y 2018. En cuanto al principio de transparencia, durante la tramitación de la norma se ha realizado el trámite de consulta pública previa, así como el trámite de información pública de conformidad con lo previsto en el artículo 26, apartados 2 y 6, de la Ley 50/1997, de 27 de noviembre, del Gobierno. Por último, con respecto al principio de eficiencia, si bien supone un aumento de las cargas administrativas, estas son las mínimas imprescindibles para la consecución de los objetivos de la ley y en ningún caso innecesarias.

Como se menciona, la reforma completa la incorporación al derecho español de los artículos 3, apartados 2 a 4, 6 y 9, letras a), b) y g) de la Directiva 2011/93/UE del Parlamento Europeo y del Consejo, de 13 de diciembre de 2011, relativa a la lucha contra los abusos sexuales y la explotación sexual de los menores y la pornografía infantil y por la que se sustituye la Decisión marco 2004/68/JAI del Consejo.

TÍTULO PRELIMINAR. DISPOSICIONES GENERALES

Artículo 1. Objeto.

1. La ley tiene por objeto garantizar los derechos fundamentales de los niños, niñas y adolescentes a su integridad física, psíquica, psicológica y moral frente a cualquier forma de violencia, asegurando el libre desarrollo de su personalidad y estableciendo medidas de protección integral, que incluyan la sensibilización, la prevención, la detección precoz, la protección y la reparación del daño en todos los ámbitos en los que se desarrolla su vida.

2. A los efectos de esta ley, se entiende por violencia toda acción, omisión o trato negligente que priva a las personas menores de edad de sus derechos y bienestar, que amenaza o interfiere su ordenado desarrollo físico, psíquico o social, con independencia de su forma y medio de comisión, incluida la realizada a través de las tecnologías de la información y la comunicación, especialmente la violencia digital.

En cualquier caso, se entenderá por violencia el maltrato físico, psicológico o emocional, los castigos físicos, humillantes o denigrantes, el descuido o trato negligente, las amenazas, injurias y calumnias, la explotación, incluyendo la violencia sexual, la corrupción, la pornografía infantil, la prostitución, el acoso escolar, el acoso sexual, el ciberacoso, la violencia de género, la mutilación genital, la trata de seres humanos con cualquier fin, el matrimonio forzado, el matrimonio infantil, el acceso no solicitado a pornografía, la extorsión sexual, la difusión pública de datos privados así como la presencia de cualquier comportamiento violento en su ámbito familiar.

3. Se entiende por buen trato a los efectos de la presente ley aquel que, respetando los derechos fundamentales de los niños, niñas y adolescentes, promueve activamente los principios de respeto mutuo, dignidad del ser humano, convivencia democrática, solución pacífica de conflictos, derecho a igual protección de la ley, igualdad de oportunidades y prohibición de discriminación de los niños, niñas y adolescentes.

Artículo 2. Ámbito de aplicación.

1. La presente ley es de aplicación a las personas menores de edad que se encuentren en territorio español, con independencia de su nacionalidad y de su situación administrativa de residencia y a los menores de nacionalidad española en el exterior en los términos establecidos en el artículo 51.

2. Las obligaciones establecidas en esta ley serán exigibles a todas las personas físicas o jurídicas, públicas o privadas, que actúen o se encuentren en territorio español. A estos efectos, se entenderá que una persona jurídica se encuentra en territorio español cuando tenga domicilio social, sede de dirección efectiva, sucursal, delegación o establecimiento de cualquier naturaleza en territorio español.

Artículo 3. Fines.

Las disposiciones de esta ley persiguen los siguientes fines:

a) Garantizar la implementación de medidas de sensibilización para el rechazo y eliminación de todo tipo de violencia sobre la infancia y la adolescencia, dotando a los poderes públicos, a los niños, niñas y adolescentes y a las familias, de instrumentos eficaces en todos los ámbitos, de las redes sociales e Internet, especialmente en el familiar, educativo, sanitario, de los servicios sociales, del ámbito judicial, de las nuevas tecnologías, del deporte y el ocio, de la Administración de Justicia y de las Fuerzas y Cuerpos de Seguridad.

b) Establecer medidas de prevención efectivas frente a la violencia sobre la infancia y la adolescencia, mediante una información adecuada a los niños, niñas y adolescentes, la especialización y la mejora de la práctica profesional en los distintos ámbitos de intervención, el acompañamiento de las familias, dotándolas de herramientas de parentalidad positiva, y el refuerzo de la participación de las personas menores de edad.

c) Impulsar la detección precoz de la violencia sobre la infancia y la adolescencia mediante la formación interdisciplinar, inicial y continua de los y las profesionales que tienen contacto habitual con los niños, niñas y adolescentes.

d) Reforzar los conocimientos y habilidades de los niños, niñas y adolescentes para que sean parte activa en la promoción del buen trato y puedan reconocer la violencia y reaccionar frente a la misma.

e) Reforzar el ejercicio del derecho de los niños, niñas y adolescentes a ser oídos, escuchados y a que sus opiniones sean tenidas en cuenta debidamente en contextos de violencia contra ellos, asegurando su protección y evitando su victimización secundaria.

f) Fortalecer el marco civil, penal y procesal para asegurar la tutela judicial efectiva de los niños, niñas y adolescentes víctimas de violencia.

g) Fortalecer el marco administrativo para garantizar una mejor tutela administrativa de los niños, niñas y adolescentes víctimas de violencia.

h) Garantizar la reparación y restauración de los derechos de las víctimas menores de edad.

i) Garantizar la especial atención a los niños, niñas y adolescentes que se encuentren en situación de especial vulnerabilidad.

j) Garantizar la erradicación y la protección frente a cualquier tipo de discriminación y la superación de los estereotipos de carácter sexista, racista, homofóbico, bifóbico, transfóbico o por razones estéticas, de discapacidad, de enfermedad, de aporofobia o exclusión social o por cualquier otra circunstancia o condición personal, familiar, social o cultural.

k) Garantizar una actuación coordinada y colaboración constante entre las distintas administraciones públicas y los y las profesionales de los diferentes sectores implicados en la sensibilización, prevención, detección precoz, protección y reparación.

l) Abordar y erradicar, desde una visión global, las causas estructurales que provocan que la violencia contra la infancia tenga cabida en nuestra sociedad.

m) Establecer los protocolos, mecanismos y cualquier otra medida necesaria para la creación de entornos seguros, de buen trato e inclusivos para toda la infancia en todos los ámbitos desarrollados en esta ley en los que la persona menor de edad desarrolla su vida. Se entenderá como entorno seguro aquel que respete los derechos de la infancia y promueva un ambiente protector físico, psicológico y social, incluido el entorno digital.

n) Proteger la imagen del menor desde su nacimiento hasta después de su fallecimiento.

Artículo 4. Criterios generales.

1. Serán de aplicación los principios y criterios generales de interpretación del interés superior del menor, recogidos en el artículo 2 de la Ley Orgánica 1/1996, de 15 de enero, de Protección Jurídica del Menor, de modificación parcial del Código Civil y de la Ley de Enjuiciamiento Civil, así como los siguientes:

a) Prohibición de toda forma de violencia sobre los niños, niñas y adolescentes.

b) Prioridad de las actuaciones de carácter preventivo.

c) Promoción del buen trato al niño, niña y adolescente como elemento central de todas las actuaciones.

d) Promover la integralidad de las actuaciones, desde la coordinación y cooperación interadministrativa e intradministrativa, así como de la cooperación internacional.

e) Protección de los niños, niñas y adolescentes frente a la victimización secundaria.

f) Especialización y capacitación de los y las profesionales que tienen contacto habitual con los niños, niñas y adolescentes para la detección precoz de posibles situaciones de violencia.

g) Reforzar la autonomía y capacitación de las personas menores de edad para la detección precoz y adecuada reacción ante posibles situaciones de violencia ejercida sobre ellos o sobre terceros.

h) Individualización de las medidas teniendo en cuenta las necesidades específicas de cada niño, niña o adolescente víctima de violencia.

i) Incorporación de la perspectiva de género en el diseño e implementación de cualquier medida relacionada con la violencia sobre la infancia y la adolescencia.

j) Incorporación del enfoque transversal de la discapacidad al diseño e implementación de cualquier medida relacionada con la violencia sobre la infancia y la adolescencia.

k) Promoción de la igualdad de trato de niños y niñas mediante la coeducación y el fomento de la enseñanza en equidad, y la deconstrucción de los roles y estereotipos de género.

l) Evaluación y determinación formal del interés superior del menor en todas las decisiones que afecten a una persona menor de edad.

m) Asegurar la supervivencia y el pleno desarrollo de las personas menores de edad.

n) Asegurar el ejercicio del derecho a la participación de los niños, niñas y adolescentes en toda toma de decisiones que les afecte.

ñ) Accesibilidad universal, como medida imprescindible, para hacer efectivos los mandatos de esa Ley a todos los niños, niñas y adolescentes, sin excepciones.

2. Adoptar todas las medidas necesarias para promover la recuperación física, psíquica, psicológica y emocional y la inclusión social de los niños, niñas y adolescentes víctimas de violencia, así como su inclusión social.

3. Las personas menores de edad que hayan cometido actos de violencia deberán recibir apoyo especializado, especialmente educativo, orientado a la promoción del buen trato y la prevención de conductas violentas con el fin de evitar la reincidencia.

Artículo 5. Formación.

1. Las administraciones públicas, en el ámbito de sus respectivas competencias, promoverán y garantizarán una formación especializada, inicial y continua en materia de derechos fundamentales de la infancia y la adolescencia a los y las profesionales que tengan un contacto habitual con las personas menores de edad. Dicha formación comprenderá como mínimo:

a) La educación en la prevención y detección precoz de toda forma de violencia a la que se refiere esta ley.

b) Las actuaciones a llevar a cabo una vez que se han detectado indicios de violencia.

c) La formación específica en seguridad y uso seguro y responsable de Internet, incluyendo cuestiones relativas al uso intensivo y generación de trastornos conductuales.

d) El buen trato a los niños, niñas y adolescentes.

e) La identificación de los factores de riesgo y de una mayor exposición y vulnerabilidad ante la violencia.

f) Los mecanismos para evitar la victimización secundaria.

g) El impacto de los roles y estereotipos de género en la violencia que sufren los niños, niñas y adolescentes.

2. Además de lo dispuesto en el apartado anterior, las administraciones públicas, en el ámbito de sus competencias, deberán garantizar que el personal docente y educador recibe formación específica en materia de educación inclusiva.

3. Los colegios de abogados y procuradores facilitarán a sus miembros el acceso a formación específica sobre los aspectos materiales y procesales de la violencia sobre la infancia y la adolescencia, tanto desde la perspectiva del Derecho interno como del Derecho de la Unión Europea y Derecho Internacional, así como a programas de formación continua en materia de lucha contra la violencia sobre la infancia y la adolescencia.

4. El diseño de las actuaciones formativas a las que se refiere este artículo tendrán especialmente en cuenta la perspectiva de género, así como las necesidades específicas de las personas menores de edad con discapacidad, con un origen racial, étnico o nacional diverso, en situación de desventaja económica, personas menores de edad pertenecientes al colectivo LGTBI o con cualquier otra opción u orientación sexual y/o identidad de género y personas menores de edad no acompañadas.

Artículo 6. Colaboración y cooperación entre las administraciones públicas.

1. Las distintas administraciones públicas, en el ámbito de sus respectivas competencias, deberán colaborar entre sí, en los términos establecidos en el artículo 141 de la Ley 40/2015, de 1 de octubre, de Régimen Jurídico del Sector Público, al objeto de lograr una actuación eficaz en los ámbitos de la prevención, detección precoz, protección y reparación frente a la violencia sobre los niños, niñas y adolescentes.

2. Las administraciones públicas promoverán la colaboración institucional a nivel nacional e internacional mediante acciones de intercambio de información, conocimientos, experiencias y buenas prácticas.

3. Para garantizar la necesaria cooperación entre todas las administraciones públicas, los asuntos relacionados con la aplicación de esta ley serán abordados en el seno de la Conferencia Sectorial de infancia y adolescencia.

Artículo 7. Conferencia sectorial de infancia y adolescencia.

1. La Conferencia Sectorial de infancia y adolescencia es el órgano de cooperación entre las administraciones públicas en materia de protección y desarrollo de la infancia y la adolescencia.

2. Las funciones de la citada Conferencia se dirigirán a conseguir los siguientes objetivos:

a) La coherencia y complementariedad de las actividades que realicen las administraciones públicas en el ámbito de la protección y desarrollo de los derechos de la infancia y la adolescencia, y especialmente en la lucha frente a la violencia sobre estos colectivos.

b) El mayor grado de eficacia y eficiencia en la identificación, formulación y ejecución de las políticas, programas y proyectos impulsados por las distintas administraciones públicas en aplicación de lo previsto en esta ley.

c) La participación de las administraciones públicas en la formación y evaluación de la Estrategia de erradicación de la violencia sobre la infancia y la adolescencia.

3. La Conferencia Sectorial aprobará su reglamento de organización y funcionamiento interno de acuerdo con lo establecido en el artículo 147.3 de la Ley 40/2015, de 1 de octubre, garantizándose la presencia e intervención de las comunidades autónomas, entidades locales y del Alto Comisionado para la lucha contra la pobreza infantil.

Artículo 8. Colaboración público-privada.

1. Las administraciones públicas promoverán la colaboración público-privada con el fin de facilitar la prevención, detección precoz e intervención en las situaciones de violencia sobre la infancia y la adolescencia, fomentando la suscripción de convenios con los medios de comunicación, los agentes sociales, los colegios profesionales, las confesiones religiosas, y demás entidades privadas que desarrollen su actividad en contacto habitual con niños, niñas y adolescentes o en su ámbito material de relación.

2. Asimismo, las administraciones públicas competentes adoptarán las medidas necesarias con el fin de asegurar el adecuado desarrollo de las acciones de colaboración con el sector de las nuevas tecnologías contempladas en el capítulo VIII del título III.

En especial, se fomentará la colaboración de las empresas de tecnologías de la información y comunicación, las Agencias de Protección de Datos de las distintas administraciones públicas, las Fuerzas y Cuerpos de Seguridad y la Administración de Justicia con el fin de detectar y retirar, a la mayor brevedad posible, los contenidos ilegales en las redes que supongan una forma de violencia sobre los niños, niñas y adolescentes.

3. Las administraciones públicas fomentarán el intercambio de información, conocimientos, experiencias y buenas prácticas con la sociedad civil relacionadas con la protección de las personas menores de edad en Internet, bajo un enfoque multidisciplinar e inclusivo.

4. En los casos de violencia sobre la infancia, la colaboración entre las administraciones públicas y los medios de comunicación pondrá especial énfasis en el respeto al honor, a la intimidad y a la propia imagen de la víctima y sus familiares, incluso en caso de fallecimiento del menor. En esta situación, la difusión de cualquier tipo de imagen deberá contar con la autorización expresa de herederos o progenitores.

TÍTULO I. DERECHOS DE LOS NIÑOS, NIÑAS Y ADOLESCENTES FRENTE A LA VIOLENCIA

Artículo 9. Garantía de los derechos de los niños, niñas y adolescentes víctimas de violencia.

1. Se garantiza a todos los niños, niñas y adolescentes víctimas de violencia los derechos reconocidos en esta ley.

2. Las administraciones públicas pondrán a disposición de los niños, niñas y adolescentes víctimas de violencia, así como de sus representantes legales, los medios necesarios para garantizar el ejercicio efectivo de los derechos previstos en esta ley, teniendo en consideración las circunstancias personales, familiares y sociales de aquellos que pudieran tener una mayor dificultad para su acceso. En todo caso, se tendrán en consideración las necesidades de las personas menores de edad con discapacidad, o que se encuentren en situación de especial vulnerabilidad.

3. Los niños, niñas y adolescentes tendrán derecho a que su orientación sexual e identidad de género, sentida o expresada, sea respetada en todos los entornos de vida, así como a recibir el apoyo y asistencia precisos cuando sean víctimas de discriminación o violencia por tales motivos.

4. Con la finalidad de garantizar el adecuado ejercicio de los derechos previstos en esta ley, los niños, niñas y adolescentes víctimas de violencia contarán con la asistencia y apoyo de las Oficinas de Asistencia a las Víctimas, que actuarán como mecanismo de coordinación del resto de recursos y servicios de protección de las personas menores de edad.

A estos efectos, el Ministerio de Justicia y las comunidades autónomas con competencias transferidas, promoverán la adopción de convenios con otras administraciones públicas y con las entidades del tercer sector, para la eficaz coordinación de la ayuda a las víctimas.

Artículo 10. Derecho de información y asesoramiento.

1. Las administraciones públicas proporcionarán a los niños, niñas y adolescentes víctimas de violencia de acuerdo con su situación personal y grado de madurez, y, en su caso, a sus representantes legales, y a la persona de su confianza designada por él mismo, información sobre las medidas contempladas en esta ley que les sean directamente aplicables, así como sobre los mecanismos o canales de información o denuncia existentes.

2. Los niños, niñas y adolescentes víctimas de violencia serán derivados a la Oficina de Asistencia a las Víctimas correspondiente, donde recibirán la información, el asesoramiento y el apoyo que sea necesario en cada caso, de conformidad con lo previsto en la Ley 4/2015, de 27 de abril, del Estatuto de la víctima del delito.

3. La información y el asesoramiento a la que se refieren los apartados anteriores deberá proporcionarse en un lenguaje claro y comprensible, en un idioma que puedan entender y mediante formatos accesibles en términos sensoriales y cognitivos y adaptados a las circunstancias personales de sus destinatarios, garantizándose su acceso universal. Cuando se trate de territorios con lenguas cooficiales el niño, niña o adolescente podrá recibir dicha información en la lengua cooficial que elija.

Artículo 11. Derecho de las víctimas a ser escuchadas.

1. Los poderes públicos garantizarán que las niñas, niños y adolescentes sean oídos y escuchados con todas las garantías y sin límite de edad, asegurando, en todo caso, que este proceso sea universalmente accesible en todos los procedimientos administrativos, judiciales o de otra índole relacionados con la acreditación de la violencia y la reparación de las víctimas. El derecho a ser oídos de los niños, niñas y adolescentes solo podrá restringirse, de manera motivada, cuando sea contrario a su interés superior.

2. Se asegurará la adecuada preparación y especialización de profesionales, metodologías y espacios para garantizar que la obtención del testimonio de las víctimas menores de edad sea realizada con rigor, tacto y respeto. Se

prestará especial atención a la formación profesional, las metodologías y la adaptación del entorno para la escucha a las víctimas en edad temprana.

3. Los poderes públicos tomarán las medidas necesarias para impedir que planteamientos teóricos o criterios sin aval científico que presuman interferencia o manipulación adulta, como el llamado síndrome de alienación parental, puedan ser tomados en consideración.

Artículo 12. Derecho a la atención integral.

1. Los poderes públicos proporcionarán a los niños, niñas y adolescentes víctimas de violencia una atención integral, que comprenderá medidas de protección, apoyo, acogida y recuperación.

2. Entre otros aspectos, la atención integral, en aras del interés superior de la persona menor, comprenderá especialmente medidas de:

a) Información y acompañamiento psicosocial, social y educativo a las víctimas.

b) Seguimiento de las denuncias o reclamaciones.

c) Atención terapéutica de carácter sanitario, psiquiátrico y psicológico para la víctima y, en su caso, la unidad familiar.

d) Apoyo formativo, especialmente en materia de igualdad, solidaridad y diversidad.

e) Información y apoyo a las familias y, si fuera necesario y estuviese objetivamente fundada su necesidad, seguimiento psicosocial, social y educativo de la unidad familiar.

f) Facilitación de acceso a redes y servicios públicos.

g) Apoyo a la educación e inserción laboral.

h) Acompañamiento y asesoramiento en los procedimientos judiciales en los que deba intervenir, si fuera necesario.

i) Todas estas medidas deberán tener un enfoque inclusivo y accesible para que puedan atender a todos los niños, niñas y adolescentes sin excepción.

3. Las administraciones públicas deberán adoptar las medidas de coordinación necesarias entre todos los agentes implicados con el objetivo de evitar la victimización secundaria de los niños, niñas y adolescentes con los que en cada caso, deban intervenir.

4. Las administraciones públicas procurarán que la atención a las personas menores víctimas de violencia se realice en espacios que cuenten con un entorno amigable adaptado al niño, niña o adolescente.

5. Las administraciones sanitarias, educativas y los servicios sociales competentes garantizarán de forma universal y con carácter integral la atención temprana desde el nacimiento hasta los seis años de edad de todo niño o niña con alteraciones o trastornos en el desarrollo o riesgo de padecerlos en el ámbito de cobertura de la ley, así como el apoyo al desarrollo infantil.

Artículo 13. Legitimación para la defensa de derechos e intereses en los procedimientos judiciales que traigan causa de una situación de violencia.

1. Los niños, niñas y adolescentes víctimas de violencia están legitimados para defender sus derechos e intereses en todos los procedimientos judiciales que traigan causa de una situación de violencia.

Dicha defensa se realizará, con carácter general, a través de sus representantes legales en los términos del artículo 162 del Código Civil. También podrá realizarse a través del defensor judicial designado por el Juzgado o Tribunal, de oficio o a instancia del Ministerio Fiscal, en los supuestos previstos en el artículo 26.2 de la Ley 4/2015, de 27 de abril.

En el caso de los niños, niñas o adolescentes bajo la guarda y/o tutela de una entidad pública de protección que denuncian a esta o al personal a su servicio por haber ejercido violencia contra ellos, se entenderá, en todo caso, que existe un conflicto de intereses entre el niño y su tutor o guardador.

2. Incoado un procedimiento penal como consecuencia de una situación de violencia sobre un niño, niña o adolescente, el Letrado de la Administración de Justicia derivará a la persona menor de edad víctima de violencia a la Oficina de Atención a la Víctima competente, cuando ello resulte necesario en atención a la gravedad del delito, la vulnerabilidad de la víctima o en aquellos casos en los que la víctima lo solicite, en cumplimiento de lo dispuesto en el artículo 10 de la Ley 4/2015, de 27 de abril.

Artículo 14. Derecho a la asistencia jurídica gratuita.

1. Las personas menores de edad víctimas de violencia tienen derecho a la defensa y representación gratuitas por abogado y procurador de conformidad con lo dispuesto en la Ley 1/1996, de 10 de enero, de asistencia jurídica gratuita.

2. Los Colegios de Abogados, cuando exijan para el ejercicio del turno de oficio cursos de especialización, asegurarán una formación específica en materia de los derechos de la infancia y la adolescencia, con especial atención

a la Convención sobre los Derechos del Niño y sus observaciones generales, debiendo recibir, en todo caso, formación especializada en materia de violencia sobre la infancia y adolescencia.

3. Igualmente, los Colegios de Abogados adoptarán las medidas necesarias para la designación urgente de letrado o letrada de oficio en los procedimientos que se sigan por violencia contra menores de edad y para asegurar su inmediata presencia y asistencia a las víctimas.

4. Los Colegios de Procuradores adoptarán las medidas necesarias para la designación urgente de procurador o procuradora en los procedimientos que se sigan por violencia contra menores de edad cuando la víctima desee personarse como acusación particular.

5. El abogado o abogada designado para la víctima tendrá también habilitación legal para la representación procesal de aquella hasta la designación del procurador o procuradora, en tanto la víctima no se haya personado como acusación conforme a lo dispuesto en el apartado siguiente. Hasta entonces cumplirá el abogado o abogada el deber de señalamiento de domicilio a efectos de notificaciones y traslados de documentos.

6. Las personas menores de edad víctimas de violencia podrán personarse como acusación particular en cualquier momento del procedimiento si bien ello no permitirá retrotraer ni reiterar las actuaciones ya practicadas antes de su personación, ni podrá suponer una merma del derecho de defensa del acusado.

TÍTULO II. DEBER DE COMUNICACIÓN DE SITUACIONES DE VIOLENCIA

Artículo 15. Deber de comunicación de la ciudadanía.

Toda persona que advierta indicios de una situación de violencia ejercida sobre una persona menor de edad, está obligada a comunicarlo de forma inmediata a la autoridad competente y, si los hechos pudieran ser constitutivos de delito, a las Fuerzas y Cuerpos de Seguridad, al Ministerio Fiscal o a la autoridad judicial, sin perjuicio de prestar la atención inmediata que la víctima precise.

Artículo 16. Deber de comunicación cualificado.

1. El deber de comunicación previsto en el artículo anterior es especialmente exigible a aquellas personas que por razón de su cargo, profesión, oficio

o actividad, tengan encomendada la asistencia, el cuidado, la enseñanza o la protección de niños, niñas o adolescentes y, en el ejercicio de las mismas, hayan tenido conocimiento de una situación de violencia ejercida sobre los mismos.

En todo caso, se consideran incluidos en este supuesto el personal cualificado de los centros sanitarios, de los centros escolares, de los centros de deporte y ocio, de los centros de protección a la infancia y de responsabilidad penal de menores, centros de acogida de asilo y atención humanitaria de los establecimientos en los que residan habitualmente o temporalmente personas menores de edad y de los servicios sociales.

2. Cuando las personas a las que se refiere el apartado anterior tuvieran conocimiento o advirtieran indicios de la existencia de una posible situación de violencia de una persona menor de edad, deberán comunicarlo de forma inmediata a los servicios sociales competentes.

Además, cuando de dicha violencia pudiera resultar que la salud o la seguridad del niño, niña o adolescente se encontrase amenazada, deberán comunicarlo de forma inmediata a las Fuerzas y Cuerpos de Seguridad y/o al Ministerio Fiscal.

3. Cuando las personas a las que se refiere el apartado 1 adviertan una posible infracción de la normativa sobre protección de datos personales de una persona menor de edad, deberán comunicarlo de forma inmediata a la Agencia Española de Protección de Datos.

4. En todo caso, las personas a las que se refiere el apartado 1 deberán prestar a la víctima la atención inmediata que precise, facilitar toda la información de que dispongan, así como prestar su máxima colaboración a las autoridades competentes.

A estos efectos, las administraciones públicas competentes establecerán mecanismos adecuados para la comunicación de sospecha de casos de personas menores de edad víctimas de violencia.

Artículo 17. Comunicación de situaciones de violencia por parte de niños, niñas y adolescentes.

1. Los niños, niñas y adolescentes que fueran víctimas de violencia o presenciaran alguna situación de violencia sobre otra persona menor de edad, podrán comunicarlo, personalmente, o a través de sus representantes legales, a los servicios sociales, a las Fuerzas y Cuerpos de Seguridad, al Ministerio Fiscal

o a la autoridad judicial y, en su caso, a la Agencia Española de Protección de Datos.

2. Las administraciones públicas establecerán mecanismos de comunicación seguros, confidenciales, eficaces, adaptados y accesibles, en un lenguaje que puedan comprender, para los niños, niñas y adolescentes, que podrán estar acompañados de una persona de su confianza que ellos mismos designen.

3. Las administraciones públicas garantizarán la existencia y el apoyo a los medios electrónicos de comunicación, tales como líneas telefónicas gratuitas de ayuda a niños, niñas y adolescentes, así como su conocimiento por parte de la sociedad civil, como herramienta esencial a disposición de todas las personas para la prevención y detección precoz de situaciones de violencia sobre los niños, niñas y adolescentes.

Artículo 18. Deberes de información de los centros educativos y establecimientos residenciales.

1. Todos los centros educativos al inicio de cada curso escolar, así como todos los establecimientos en los que habitualmente residan personas menores de edad, en el momento de su ingreso, facilitarán a los niños, niñas y adolescentes toda la información, que, en todo caso, deberá estar disponible en formatos accesibles, referente a los procedimientos de comunicación de situaciones de violencia regulados por las administraciones públicas y aplicados en el centro o establecimiento, así como de las personas responsables en este ámbito. Igualmente, facilitarán desde el primer momento información sobre los medios electrónicos de comunicación, tales como las líneas telefónicas de ayuda a los niños, niñas y adolescentes.

2. Los citados centros y establecimientos mantendrán permanentemente actualizada esta información en un lugar visible y accesible, adoptarán las medidas necesarias para asegurar que los niños, niñas y adolescentes puedan consultarla libremente en cualquier momento, permitiendo y facilitando el acceso a esos procedimientos de comunicación y a las líneas de ayuda existentes.

Artículo 19. Deber de comunicación de contenidos ilícitos en internet.

1. Toda persona, física o jurídica, que advierta la existencia de contenidos disponibles en Internet que constituyan una forma de violencia contra cualquier niño, niña o adolescente, está obligada a comunicarlo a la autoridad

competente y, si los hechos pudieran ser constitutivos de delito, a las Fuerzas y Cuerpos de Seguridad, al Ministerio Fiscal o a la autoridad judicial.

2. Las administraciones públicas deberán garantizar la disponibilidad de canales accesibles y seguros de denuncia de la existencia de tales contenidos. Estos canales podrán ser gestionados por líneas de denuncia nacionales homologadas por redes internacionales, siempre en colaboración con las Fuerzas y Cuerpos de Seguridad.

Artículo 20. Protección y seguridad.

1. Las administraciones públicas, en el ámbito de sus competencias, establecerán los mecanismos oportunos para garantizar la confidencialidad, protección y seguridad de las personas que hayan puesto en conocimiento de las autoridades situaciones de violencia sobre niños, niñas y adolescentes.

2. Los centros educativos y de ocio y tiempo libre, así como los establecimientos en los que habitualmente residan personas menores de edad adoptarán todas las medidas necesarias para garantizar la protección y seguridad de los niños, niñas y adolescentes que comuniquen una situación de violencia.

3. La autoridad judicial, de oficio o a instancia de parte, podrá acordar las medidas de protección previstas en la normativa específica aplicable en materia de protección a testigos, cuando lo estime necesario en atención al riesgo o peligro que derive de la formulación de denuncia conforme a los artículos anteriores.

TÍTULO III. SENSIBILIZACIÓN, PREVENCIÓN Y DETECCIÓN PRECOZ

CAPÍTULO I. ESTRATEGIA PARA LA ERRADICACIÓN DE LA VIOLENCIA SOBRE LA INFANCIA Y LA ADOLESCENCIA

Artículo 21. Estrategia de erradicación de la violencia sobre la infancia y la adolescencia.

1. La Administración General del Estado, en colaboración con las comunidades autónomas, las ciudades de Ceuta y Melilla, y las entidades locales elaborará una Estrategia nacional, de carácter plurianual, con el objetivo de erradicar la violencia sobre la infancia y la adolescencia, con especial incidencia en los ámbitos familiar, educativo, sanitario, de los servicios sociales, de las nuevas tecnologías, del deporte y el ocio y de las Fuerzas y Cuerpos de Seguridad. Esta Estrategia se aprobará por el Gobierno a propuesta de la Con-

ferencia Sectorial de infancia y adolescencia y se acompañará de una memoria económica en la que los centros competentes identificarán las aplicaciones presupuestarias con cargo a las que habrá de financiarse.

Dicha Estrategia se elaborará en consonancia con la Estrategia Nacional de Infancia y Adolescencia, y contará con la participación del Observatorio de la Infancia, las entidades del tercer sector, la sociedad civil, y, de forma muy especial, con los niños, niñas y adolescentes.

Su impulso corresponderá al departamento ministerial que tenga atribuidas las competencias en políticas de infancia.

En la elaboración de la Estrategia se contará con la participación de niños, niñas y adolescentes a través del Consejo Estatal de Participación de la Infancia y de la Adolescencia.

2. Anualmente, el órgano al que corresponda el impulso de la Estrategia elaborará un informe de evaluación acerca del grado de cumplimiento y la eficacia de la Estrategia de erradicación de la violencia sobre la infancia y la adolescencia. Dicho informe, que deberá ser elevado al Consejo de Ministros, se realizará en colaboración con los Ministerios de Justicia, Interior, Sanidad, Educación y Formación Profesional y el Alto Comisionado para la lucha contra la pobreza infantil.

Los resultados del informe anual de evaluación, que contendrá los datos estadísticos disponibles sobre violencia hacia la infancia y la adolescencia, se harán públicos para general conocimiento, y deberán ser tenidos en cuenta para la elaboración de las políticas públicas correspondientes.

CAPÍTULO II. NIVELES DE ACTUACIÓN

Artículo 22. De la sensibilización.

1. Las administraciones públicas promoverán, en el ámbito de sus competencias, campañas y acciones concretas de información evaluables y basadas en la evidencia, destinadas a concienciar a la sociedad acerca del derecho de los niños, niñas y adolescentes a recibir un buen trato. Dichas campañas incluirán medidas contra aquellas conductas, discursos y actos que favorecen la violencia sobre la infancia y la adolescencia en sus distintas manifestaciones, incluida la discriminación, la criminalización y el odio, con el objetivo de promover el cambio de actitudes en el contexto social.

Asimismo, las administraciones públicas impulsarán campañas específicas de sensibilización para promover un uso seguro y responsable de Internet, desde un enfoque de aprovechamiento de las oportunidades y su uso en positivo, incorporando la perspectiva y opiniones de los propios niños, niñas y adolescentes.

2. Estas campañas se realizarán de modo accesible, diferenciando por tramos de edad, de manera que se garantice el acceso a las mismas a todas las personas menores de edad y especialmente, a aquellas que por razón de su discapacidad necesiten de apoyos específicos.

Artículo 23. De la prevención.

1. Las administraciones públicas competentes establecerán planes y programas de prevención para la erradicación de la violencia sobre la infancia y la adolescencia.

Estos planes y programas comprenderán medidas específicas en los ámbitos familiar, educativo, sanitario, de los servicios sociales, de las nuevas tecnologías, del deporte y el ocio y de las Fuerzas y Cuerpos de Seguridad, en el marco de la estrategia de erradicación de la violencia sobre la infancia y la adolescencia, y deberán ser evaluados en los términos que establezcan las administraciones públicas competentes.

2. Los planes y programas de prevención para la erradicación de la violencia sobre la infancia y la adolescencia identificarán, conforme a los factores de riesgo, a los niños, niñas y adolescentes en situación de especial vulnerabilidad, así como a los grupos específicos de alto riesgo, con el objeto de priorizar las medidas y recursos destinados a estos colectivos.

3. En todo caso, tendrán la consideración de actuaciones en materia de prevención las siguientes:

a) Las dirigidas a la promoción del buen trato en todos los ámbitos de la vida de los niños, niñas y adolescentes, así como todas las orientadas a la formación en parentalidad positiva.

b) Las dirigidas a detectar, reducir o evitar las situaciones que provocan los procesos de exclusión o inadaptación social, que dificultan el bienestar y pleno desarrollo de los niños, niñas y adolescentes.

c) Las que tienen por objeto mitigar o compensar los factores que favorecen el deterioro del entorno familiar y social de las personas menores de edad.

d) Las que persiguen reducir o eliminar las situaciones de desprotección debidas a cualquier forma de violencia sobre la infancia y la adolescencia.

e) Las que promuevan la información dirigida a los niños, niñas y adolescentes, la participación infantil y juvenil, así como la implicación de las personas menores de edad en los propios procesos de sensibilización y prevención.

f) Las que fomenten la conciliación familiar y laboral, así como la corresponsabilidad parental.

g) Las enfocadas a fomentar tanto en las personas adultas como en las menores de edad el conocimiento de los principios y disposiciones de la Convención sobre los Derechos del Niño.

h) Las dirigidas a concienciar a la sociedad de todas las barreras que sitúan a los niños, niñas y adolescentes en situaciones de desventaja social y riesgo de sufrir violencia, así como las dirigidas a reducir o eliminar dichas barreras.

i) Las destinadas a fomentar la seguridad en todos los ámbitos de la infancia y la adolescencia.

j) Las dirigidas al fomento de relaciones igualitarias entre los niños y niñas, en las que se identifiquen las distintas formas de violencia contra niñas, adolescentes y mujeres.

k) Las dirigidas a formar de manera continua y especializada a los profesionales que intervienen habitualmente con niños, niñas y adolescentes, en cuestiones relacionadas con la atención a la infancia y adolescencia, con particular atención a los colectivos en situación de especial vulnerabilidad.

l) Las encaminadas a evitar que niñas, niños y adolescentes abandonen sus estudios para asumir compromisos laborales y familiares, no acordes con su edad, con especial atención al matrimonio infantil, que afecta a las niñas en razón de sexo.

m) Cualquier otra que se recoja en relación a los distintos ámbitos de actuación regulados en esta ley.

4. Las actuaciones de prevención contra la violencia en niños, niñas y adolescentes, tendrán una consideración prioritaria. A tal fin, los Presupuestos Generales del Estado se acompañarán de documentación asociada al informe de impacto en la infancia, en la adolescencia y en la familia en la que los distintos centros gestores del presupuesto individualizarán las partidas presupuestarias consignadas para llevarlas a cabo.

Artículo 24. Prevención de la radicalización en los niños, niñas y adolescentes.

Las administraciones públicas competentes adoptarán las medidas de sensibilización, prevención y detección precoz necesarias para proteger a las personas menores de edad frente a los procesos en los que prime el aprendizaje de modelos de conductas violentas o de conductas delictivas que conducen a la violencia en cualquier ámbito en el que se manifiesten, así como para el tratamiento y asistencia de las mismas en los casos en que esta llegue a producirse. En todo caso, se proporcionará un tratamiento preventivo que incorpore las dimensiones de género y de edad.

Artículo 25. De la detección precoz.

1. Las administraciones públicas, en el ámbito de sus competencias, desarrollarán anualmente programas de formación inicial y continua destinada a los profesionales cuya actividad requiera estar en contacto habitual con niñas, niños y adolescentes con el objetivo de detectar precozmente la violencia ejercida contra los mismos y que esta violencia pueda ser comunicada de acuerdo con lo previsto en los artículos 15 y 16.

2. En aquellos casos en los que se haya detectado precozmente alguna situación de violencia sobre una persona menor de edad, esta situación deberá ser inmediatamente comunicada por el o la profesional que la haya detectado a los progenitores, o a quienes ejerzan funciones de tutela, guarda o acogimiento, salvo que existan indicios de que la mencionada violencia haya sido ejercida por estos.

3. Las administraciones públicas competentes promoverán la capacitación de personas menores de edad para que cuenten con herramientas para detectar situaciones de violencia.

CAPÍTULO III. DEL ÁMBITO FAMILIAR

Artículo 26. Prevención en el ámbito familiar.

1. Las administraciones públicas, en el ámbito de sus respectivas competencias, deberán proporcionar a las familias en sus múltiples formas, y a aquellas personas que convivan habitualmente con niños, niñas y adolescentes, para crear un entorno seguro, el apoyo necesario para prevenir desde la primera infancia factores de riesgo y fortalecer los factores de protección, así

como apoyar la labor educativa y protectora de los progenitores, o de quienes ejerzan funciones de tutela, guarda o acogimiento, para que puedan desarrollar adecuadamente su rol parental o tutelar.

2. A tal fin, dentro de los planes y programas de prevención previstos en el artículo 23, las administraciones públicas competentes deberán incluir, como mínimo, un análisis de la situación de la familia en el territorio de su competencia, que permita identificar sus necesidades y fijar los objetivos y medidas a aplicar.

3. Las medidas a las que se refiere el apartado anterior deberán estar enfocadas a:

a) Promover el buen trato, la corresponsabilidad y el ejercicio de la parentalidad positiva. A los efectos de esta ley, se entiende por parentalidad positiva el comportamiento de los progenitores, o de quienes ejerzan funciones de tutela, guarda o acogimiento, fundamentado en el interés superior del niño, niña o adolescente y orientado a que la persona menor de edad crezca en un entorno afectivo y sin violencia que incluya el derecho a expresar su opinión, a participar y ser tomado en cuenta en todos los asuntos que le afecten, la educación en derechos y obligaciones, favorezca el desarrollo de sus capacidades, ofrezca reconocimiento y orientación, y permita su pleno desarrollo en todos los órdenes.

En ningún caso las actuaciones para promover la parentalidad positiva deben ser utilizadas con otros objetivos en caso de conflicto entre progenitores, separaciones o divorcios, ni para la imposición de la custodia compartida no acordada. Tampoco debe ser relacionada con situaciones sin aval científico como el síndrome de alienación parental.

b) Promover la educación y el desarrollo de estrategias básicas y fundamentales para la adquisición de valores y competencias emocionales, tanto en los progenitores, o en quienes ejerzan funciones de tutela, guarda o acogimiento, como en los niños y niñas de acuerdo con el grado de madurez de los mismos. En particular, se promoverá la corresponsabilidad y el rechazo de la violencia contra las mujeres y niñas, la educación con enfoque inclusivo y el desarrollo de estrategias durante la primera infancia destinadas a la adquisición de habilidades para una crianza que permita el establecimiento de un lazo afectivo fuerte, recíproco y seguro con sus progenitores, o con quienes ejerzan funciones de tutela, guarda o acogimiento.

c) Promover la atención a las mujeres durante el periodo de gestación y facilitar el buen trato prenatal. Esta atención deberá incidir en la identificación de aquellas circunstancias que puedan influir negativamente en la gestación y en el bienestar de la mujer, así como en el desarrollo de estrategias para la detección precoz de situaciones de riesgo durante el embarazo y de preparación y apoyo.

d) Proporcionar un entorno obstétrico y perinatal seguro para la madre y el recién nacido e incorporar los protocolos, con evidencia científica demostrada, para la detección de enfermedades o alteraciones genéticas, destinados al diagnóstico precoz y, en su caso, al tratamiento y atención sanitaria temprana del o la recién nacida.

e) Desarrollar programas de formación a adultos y a niños, niñas y adolescentes en habilidades para la negociación y resolución de conflictos intrafamiliares.

f) Adoptar programas dirigidos a la promoción de formas positivas de aprendizaje, así como a erradicar el castigo con violencia física o psicológica en el ámbito familiar.

g) Crear los servicios necesarios de información y apoyo profesional a los niños, niñas y adolescentes a fin de que tengan la capacidad necesaria para detectar precozmente y rechazar cualquier forma de violencia, con especial atención a los problemas de las niñas y adolescentes que por género y edad sean víctimas de cualquier tipo de discriminación directa o indirecta.

h) Proporcionar la orientación, formación y apoyos que precisen las familias de los niños, niñas y adolescentes con discapacidad, a fin de permitir una atención adecuada de estos en su entorno familiar, al tiempo que se fomenta su grado de autonomía, su participación activa en la familia y su inclusión social en la comunidad.

i) Desarrollar programas de formación y sensibilización a adultos y a niños, niñas y adolescentes, encaminados a evitar la promoción intrafamiliar del matrimonio infantil, el abandono de los estudios y la asunción de compromisos laborales y familiares no acordes con la edad.

Artículo 27. Actuaciones específicas en el ámbito familiar.

1. Las administraciones públicas impulsarán medidas de política familiar encaminadas a apoyar los aspectos cualitativos de la parentalidad positiva en progenitores o quienes ejerzan funciones de tutela, guarda o acogimiento. En

particular, las destinadas a prevenir la pobreza y las causas de exclusión social, así como la conciliación de la vida familiar y laboral en el marco del diálogo social, a través de horarios y condiciones de trabajo que permitan atender adecuadamente las responsabilidades derivadas de la crianza, y el ejercicio igualitario de dichas responsabilidades por hombres y mujeres.

Dichas medidas habrán de individualizarse en función de las distintas necesidades de apoyo específico que presente cada unidad familiar, con especial atención a las familias con niños, niñas o adolescentes con discapacidad, o en situación de especial vulnerabilidad. Y las dirigidas a prevenir la separación del entorno familiar.

2. Las administraciones públicas elaborarán y/o difundirán materiales formativos, en formato y lenguaje accesibles en términos sensoriales y cognitivos, dirigidos al ejercicio positivo de las responsabilidades parentales o tutelares. Estos materiales contendrán formación en materia de derechos y deberes de los niños, niñas y adolescentes, e incluirán contenidos específicos referidos a combatir roles y estereotipos de género que sitúan a las niñas en plano de desigualdad, contenidos sobre la diversidad sexual y de género, como medida de prevención de conductas discriminatorias y violentas hacia los niños, niñas y adolescentes.

Artículo 28. Situación de ruptura familiar.

Las administraciones públicas deberán prestar especial atención a la protección del interés superior de los niños, niñas y adolescentes en los casos de ruptura familiar, adoptando, en el ámbito de sus competencias, medidas especialmente dirigidas a las familias en esta situación con hijos y/o hijas menores de edad, a fin de garantizar que la ruptura de los progenitores no implique consecuencias perjudiciales para el bienestar y el pleno desarrollo de los mismos.

Entre otras, se adoptarán las siguientes medidas:

a) Impulso de los servicios de apoyo a las familias, los puntos de encuentro familiar y otros recursos o servicios especializados de titularidad pública que permitan una adecuada atención y protección a la infancia y adolescencia frente a la violencia.

b) Impulso de los gabinetes psicosociales de los juzgados así como de servicios de mediación y conciliación, con pleno respeto a la autonomía de los progenitores y de los niños, niñas y adolescentes implicados.

Artículo 29. Situación de violencia de género en el ámbito familiar.

1. Las administraciones públicas deberán prestar especial atención a la protección del interés superior de los niños, niñas y adolescentes que conviven en entornos familiares marcados por la violencia de género, garantizando la detección de estos casos y su respuesta específica, que garantice la plena protección de sus derechos.

2. Las actuaciones de las administraciones públicas deben producirse de una forma integral, contemplando conjuntamente la recuperación de la persona menor de edad y de la madre, ambas víctimas de la violencia de género. Concretamente, se garantizará el apoyo necesario para que las niñas, niños y adolescentes, de cara a su protección, atención especializada y recuperación, permanezcan con la mujer, salvo si ello es contrario a su interés superior.

Para ello, los servicios sociales y de protección de la infancia y adolescencia asegurarán:

a) La detección y la respuesta específica a las situaciones de violencia de género.

b) La derivación y la coordinación con los servicios de atención especializada a menores de edad víctimas de violencia de género.

Asimismo, se seguirán las pautas de actuación establecidas en los protocolos que en materia de violencia de género tienen los diferentes organismos sanitarios, policiales, educativos, judiciales y de igualdad.

CAPÍTULO IV. DEL ÁMBITO EDUCATIVO

Artículo 30. Principios.

El sistema educativo debe regirse por el respeto mutuo de todos los miembros de la comunidad educativa y debe fomentar una educación accesible, igualitaria, inclusiva y de calidad que permita el desarrollo pleno de los niños, niñas y adolescentes y su participación en una escuela segura y libre de violencia, en la que se garantice el respeto, la igualdad y la promoción de todos sus derechos fundamentales y libertades públicas, empleando métodos pacíficos de comunicación, negociación y resolución de conflictos.

Los niños, niñas y adolescentes en todas las etapas educativas e independientemente de la titularidad del centro, recibirán, de forma transversal, una educación que incluya su participación, el respeto a los demás, a su dignidad y sus derechos, especialmente de aquellos menores que sufran especial vulnerabilidad por su condición de discapacidad o de algún trastorno del neurodesarrollo, la igualdad de género, la diversidad familiar, la adquisición de habilidades para la elección de estilos de vida saludables, incluyendo educación alimentaria y nutricional, y una educación afectivo sexual, adaptada a su nivel madurativo y, en su caso, discapacidad, orientada al aprendizaje de la prevención y evitación de toda forma de violencia y discriminación, con el fin de ayudarles a reconocerla y reaccionar frente a la misma.

Artículo 31. De la organización educativa.

1. Todos los centros educativos elaborarán un plan de convivencia, de conformidad con el artículo 124 de la Ley Orgánica 2/2006, de 3 de mayo, de Educación, entre cuyas actividades se incluirá la adquisición de habilidades, sensibilización y formación de la comunidad educativa, promoción del buen trato y resolución pacífica de conflictos por el personal del centro, el alumnado y la comunidad educativa sobre la resolución pacífica de conflictos.

2. Asimismo, dicho plan recogerá los códigos de conducta consensuados entre el profesorado que ejerce funciones de tutor/a, los equipos docentes y el alumnado ante situaciones de acoso escolar o ante cualquier otra situación que afecte a la convivencia en el centro educativo, con independencia de si estas se producen en el propio centro educativo o si se producen, o continúan, a través de las tecnologías de la información y de la comunicación.

El Claustro del profesorado y el Consejo Escolar tendrán entre sus competencias el impulso de la adopción y seguimiento de medidas educativas que fomenten el reconocimiento y protección de los derechos de las personas menores de edad ante cualquier forma de violencia.

3. Las administraciones educativas velarán por el cumplimiento y aplicación de los principios recogidos en este capítulo. Asimismo, establecerán las pautas y medidas necesarias para el establecimiento de los centros como entornos seguros y supervisarán que todos los centros, independientemente de su titularidad, apliquen los protocolos preceptivos de actuación en casos de violencia.

Artículo 32. Supervisión de la contratación de los centros educativos.

Las administraciones educativas y las personas que ostenten la dirección y titularidad de todos los centros educativos supervisarán la seguridad en la contratación de personal y controlarán la aportación de los certificados obligatorios, como son los recogidos en el capítulo II del título V, tanto del personal docente como del personal auxiliar, contrato de servicio, u otros profesionales que trabajen o colaboren habitualmente en el centro escolar de forma retribuida o no.

Artículo 33. Formación en materia de derechos, seguridad y responsabilidad digital.

Las administraciones públicas garantizarán la plena inserción del alumnado en la sociedad digital y el aprendizaje de un uso de los medios digitales que sea seguro y respetuoso con la dignidad humana, los valores constitucionales, los derechos fundamentales y, particularmente con el respeto y la garantía de la intimidad personal y familiar y la protección de datos personales, conforme a lo previsto en el artículo 83 de la Ley Orgánica 3/2018, de 5 de diciembre, de Protección de Datos Personales y garantía de los derechos digitales.

Específicamente, las administraciones públicas promoverán dentro de todas las etapas formativas el uso adecuado de Internet.

Artículo 34. Protocolos de actuación.

1. Las administraciones educativas regularán los protocolos de actuación contra el abuso y el maltrato, el acoso escolar, ciberacoso, acoso sexual, violencia de género, violencia doméstica, suicidio y autolesión, así como cualquier otra manifestación de violencia comprendida en el ámbito de aplicación de esta ley. Para la redacción de estos protocolos se contará con la participación de niños, niñas y adolescentes, otras administraciones públicas, instituciones y profesionales de los diferentes sectores implicados en la prevención, detección precoz, protección y reparación de la violencia sobre niños, niñas y adolescentes.

Dichos protocolos deberán ser aplicados en todos los centros educativos, independientemente de su titularidad y evaluarse periódicamente con el fin de valorar su eficacia. Deberán iniciarse cuando el personal docente o educador de los centros educativos, padres o madres del alumnado o cualquier miembro de la comunidad educativa, detecten indicios de violencia o por la mera comunicación de los hechos por parte de los niños, niñas o adolescentes.

2. Entre otros aspectos, los protocolos determinarán las actuaciones a desarrollar, los sistemas de comunicación y la coordinación de los y las profesionales responsables de cada actuación. Dicha coordinación deberá establecerse

también con los ámbitos sanitario, de las Fuerzas y Cuerpos de Seguridad del Estado y judicial.

Asimismo, deberán contemplar actuaciones específicas cuando el acoso tenga como motivación la discapacidad, problemas graves del neurodesarrollo, problemas de salud mental, la edad, prejuicios racistas o por lugar de origen, la orientación sexual, la identidad o expresión de género. De igual modo, dichos protocolos deberán contemplar actuaciones específicas cuando el acoso se lleve a cabo a través de las nuevas tecnologías o dispositivos móviles y se haya menoscabado la intimidad, reputación o el derecho a la protección de datos personales de las personas menores de edad.

3. Las personas que ostenten la dirección o titularidad de los centros educativos se responsabilizarán de que la comunidad educativa esté informada de los protocolos de actuación existentes así como de la ejecución y el seguimiento de las actuaciones previstas en los mismos.

4. Se llevarán a cabo actuaciones de difusión de los protocolos elaborados y formación especializada de los profesionales que intervengan, a fin de que cuenten con la formación adecuada para detectar situaciones de esta naturaleza.

Artículo 35. Coordinador o coordinadora de bienestar y protección.

1. Todos los centros educativos donde cursen estudios personas menores de edad, independientemente de su titularidad, deberán tener un Coordinador o Coordinadora de bienestar y protección del alumnado, que actuará bajo la supervisión de la persona que ostente la dirección o titularidad del centro.

2. Las administraciones educativas competentes determinarán los requisitos y funciones que debe desempeñar el Coordinador o Coordinadora de bienestar y protección. Asimismo, determinarán si estas funciones han de ser desempeñadas por personal ya existente en el centro escolar o por nuevo personal.

Las funciones encomendadas al Coordinador o Coordinadora de bienestar y protección deberán ser al menos las siguientes:

a) Promover planes de formación sobre prevención, detección precoz y protección de los niños, niñas y adolescentes, dirigidos tanto al personal que trabaja en los centros como al alumnado. Se priorizarán los planes de formación dirigidos al personal del centro que ejercen de tutores, así como aquellos dirigidos al alumnado destinados a la adquisición por estos de habilidades para detectar y responder a situaciones de violencia.

Asimismo, en coordinación con las Asociaciones de Madres y Padres de Alumnos, deberá promover dicha formación entre los progenitores, y quienes ejerzan funciones de tutela, guarda o acogimiento.

b) Coordinar, de acuerdo con los protocolos que aprueben las administraciones educativas, los casos que requieran de intervención por parte de los servicios sociales competentes, debiendo informar a las autoridades correspondientes, si se valora necesario, y sin perjuicio del deber de comunicación en los casos legalmente previstos.

c) Identificarse ante los alumnos y alumnas, ante el personal del centro educativo y, en general, ante la comunidad educativa, como referente principal para las comunicaciones relacionadas con posibles casos de violencia en el propio centro o en su entorno.

d) Promover medidas que aseguren el máximo bienestar para los niños, niñas y adolescentes, así como la cultura del buen trato a los mismos.

e) Fomentar entre el personal del centro y el alumnado la utilización de métodos alternativos de resolución pacífica de conflictos.

f) Informar al personal del centro sobre los protocolos en materia de prevención y protección de cualquier forma de violencia existentes en su localidad o comunidad autónoma.

g) Fomentar el respeto a los alumnos y alumnas con discapacidad o cualquier otra circunstancia de especial vulnerabilidad o diversidad.

h) Coordinar con la dirección del centro educativo el plan de convivencia al que se refiere el artículo 31.

i) Promover, en aquellas situaciones que supongan un riesgo para la seguridad de las personas menores de edad, la comunicación inmediata por parte del centro educativo a las Fuerzas y Cuerpos de Seguridad del Estado.

j) Promover, en aquellas situaciones que puedan implicar un tratamiento ilícito de datos de carácter personal de las personas menores de edad, la comunicación inmediata por parte del centro educativo a las Agencias de Protección de Datos.

k) Fomentar que en el centro educativo se lleva a cabo una alimentación saludable y nutritiva que permita a los niños, niñas y adolescentes, en especial a los más vulnerables, llevar una dieta equilibrada.

3. El Coordinador o Coordinadora de bienestar y protección actuará, en todo caso, con respeto a lo establecido en la normativa vigente en materia de protección de datos.

CAPÍTULO V. DE LA EDUCACIÓN SUPERIOR

Artículo 36. Implicación de la educación superior en la erradicación de la violencia sobre la infancia y la adolescencia.

1. Los centros de Educación Superior promoverán en todos los ámbitos académicos la formación, docencia e investigación en derechos de la infancia y adolescencia en general y en la lucha contra la violencia ejercida sobre los mismos en particular.

2. En concreto, los ciclos formativos de grado superior, de grado y posgrado y los programas de especialización de las profesiones sanitarias, del ámbito social, del ámbito educativo, de Periodismo y Ciencias de la Información, del derecho, y de aquellas otras titulaciones conducentes al ejercicio de profesiones en contacto habitual con personas menores de edad, promoverán la incorporación en sus planes de estudios de contenidos específicos dirigidos a la prevención, detección precoz e intervención de los casos de violencia sobre la infancia y la adolescencia teniendo en cuenta la perspectiva de género.

Artículo 37. Actuaciones del consejo de universidades en la lucha contra la violencia sobre la infancia y la adolescencia.

Entre las actividades y publicaciones anuales del Consejo de Universidades se promoverá la inclusión en el mundo académico del estudio y la investigación de los derechos de la infancia y la adolescencia en general y de la violencia sobre los mismos en particular, y más específicamente en aquellos estudios orientados al ejercicio de profesiones que impliquen el contacto habitual con personas menores de edad.

CAPÍTULO VI. DEL ÁMBITO SANITARIO

Artículo 38. Actuaciones en el ámbito sanitario.

1. Las administraciones sanitarias, en el seno del Consejo Interterritorial del Sistema Nacional de Salud, promoverán e impulsarán actuaciones para la promoción del buen trato a la infancia y la adolescencia, así como para la prevención y detección precoz de la violencia sobre los niños, niñas y adolescentes, y de sus factores de riesgo, en el marco del protocolo común de actuación sanitaria previsto en el artículo 39.2.

2. Sin perjuicio de lo dispuesto en el apartado anterior, las administraciones sanitarias competentes promoverán la elaboración de protocolos es-

pecíficos de actuación en el ámbito de sus competencias, que faciliten la promoción del buen trato, la identificación de factores de riesgo y la prevención y detección precoz de la violencia sobre niños, niñas y adolescentes, así como las medidas a adoptar para la adecuada asistencia y recuperación de las víctimas, y que deberán tener en cuenta las especificidades de las actuaciones a desarrollar cuando la víctima de violencia sea una persona con discapacidad, problemas graves del neurodesarrollo, problemas de salud mental o en la que concurra cualquier otra situación de especial vulnerabilidad. Se promoverá, así mismo, la coordinación con todos los agentes implicados.

3. Las administraciones sanitarias competentes facilitarán el acceso de los niños, niñas y adolescentes a la información, a los servicios de tratamiento y recuperación, garantizando la atención universal y accesible a todos aquellos que se encuentren en las situaciones de desprotección, riesgo y violencia a las que se refiere esta ley. Especialmente, se garantizará una atención a la salud mental integral reparadora y adecuada a su edad.

Artículo 39. Comisión frente a la violencia en los niños, niñas y adolescentes.

1. De acuerdo con lo previsto en el artículo 74 de la Ley 16/2003, de 28 de mayo, de cohesión y calidad del Sistema Nacional de Salud, el Consejo Interterritorial del Sistema Nacional de Salud acordará en el plazo de un año a contar desde la entrada en vigor de esta ley, la creación de una Comisión frente a la violencia en los niños, niñas y adolescentes. Dicha Comisión contará con expertos de los Institutos de Medicina Legal y Ciencias Forenses designados por el Ministerio de Justicia, junto con expertos de las profesiones sanitarias implicadas en la prevención, valoración y tratamiento de las víctimas de violencia contra los niños, niñas y adolescentes.

2. La Comisión frente a la violencia en los niños, niñas y adolescentes apoyará y orientará la planificación de las medidas con incidencia sanitaria contempladas en la ley, y elaborará en el plazo de seis meses desde su constitución un protocolo común de actuación sanitaria, que evalúe y proponga las medidas necesarias para la correcta aplicación de la ley y cualesquiera otras medidas que se estimen precisas para que el sector sanitario contribuya a la erradicación de la violencia sobre la infancia y la adolescencia. Dicho protocolo establecerá los procedimientos de comunicación de las sospechas o evidencias de casos de violencia sobre la infancia y la adolescencia a los servicios sociales

correspondientes, así como la colaboración con el Juzgado de Guardia, las Fuerzas y Cuerpos de Seguridad, la entidad pública de protección a la infancia y el Ministerio Fiscal. Para la redacción del mencionado protocolo se procurará contar con la participación de otras administraciones públicas, instituciones y profesionales de los diferentes sectores implicados en la prevención, detección precoz, protección y reparación de la violencia sobre la infancia y la adolescencia.

3. Asimismo, la citada Comisión emitirá un informe anual, que incluirá los datos disponibles sobre la atención sanitaria de las personas menores de edad víctimas de violencia, desagregados por sexo y edad, así como información sobre la implementación de las medidas con incidencia sanitaria contempladas en la ley. Este informe será remitido al Consejo Interterritorial del Sistema Nacional de Salud y al Observatorio Estatal de la infancia, y sus resultados serán incluidos en el informe anual de evaluación de la Estrategia de erradicación de la violencia sobre la infancia y la adolescencia previsto en el artículo 21.2.

Artículo 40. Actuaciones de los centros y servicios sanitarios ante posibles situaciones de violencia.

1. Todos los centros y servicios sanitarios, en los que se preste asistencia sanitaria a una persona menor de edad como consecuencia de cualquier tipo de violencia, deberán aplicar el protocolo común de actuación sanitaria previsto en el artículo 39.2, incluido al alta hospitalaria.

2. Los registros relativos a la atención de las personas menores de edad víctimas de violencia quedarán incorporados en su historia clínica y su protección estará a lo dispuesto en el artículo 16.3 de esta ley.

CAPÍTULO VII. DEL ÁMBITO DE LOS SERVICIOS SOCIALES

Artículo 41. Actuaciones por parte de los servicios sociales.

1. El personal funcionario que desarrolle su actividad profesional en los servicios sociales, en el ejercicio de sus funciones relativas a la protección de los niños, niñas y adolescentes, tendrá la condición de agente de la autoridad y podrá solicitar en su ámbito geográfico correspondiente la colaboración de las Fuerzas y Cuerpos de Seguridad, de los servicios sanitarios y de cualquier servicio público que fuera necesario para su intervención.

2. Con el fin de responder de forma adecuada a las situaciones de urgencia que puedan presentarse y en tanto no se pueda derivar el caso a la Entidad Pública de Protección a la infancia, cada comunidad autónoma determinará el procedimiento para que los funcionarios que desarrollan su actividad profesional en los servicios sociales de atención primaria, puedan adoptar las medidas oportunas de coordinación para garantizar la mejor protección de las personas menores de edad víctimas de violencia.

Sin perjuicio de lo anterior y del deber de comunicación cualificado previsto en el artículo 16, cuando los servicios sociales de atención primaria tengan conocimiento de un caso de violencia en el que la persona menor de edad se encuentre además en situación de desprotección, lo comunicarán inmediatamente a la Entidad Pública de Protección a la infancia.

3. Cuando la gravedad lo requiera, los y las profesionales de los servicios sociales o las Fuerzas y Cuerpos de Seguridad podrán acompañar a la persona menor de edad a un centro sanitario para que reciba la atención que precise, informando a sus progenitores o a quienes ejerzan funciones de tutela, guarda o acogimiento, salvo que se sospeche que la mencionada violencia haya sido ejercida por estos, en cuyo caso se pondrá en conocimiento del Ministerio Fiscal.

Artículo 42. De los equipos de intervención.

1. Las administraciones públicas competentes dotarán a los servicios sociales de atención primaria y especializada de profesionales y equipos de intervención familiar y con la infancia y la adolescencia, especialmente entrenados en la detección precoz, valoración e intervención frente a la violencia ejercida sobre las personas menores de edad.

2. Los equipos de intervención de los servicios sociales que trabajen en el ámbito de la violencia sobre las personas menores de edad, deberán estar constituidos, preferentemente, por profesionales de la educación social, de la psicología y del trabajo social, y cuando sea necesario de la abogacía, especializados en casos de violencia sobre la infancia y la adolescencia.

Artículo 43. Plan de intervención.

1. En todos los casos en los que exista riesgo o sospecha de violencia sobre los niños, niñas o adolescentes, los servicios sociales de atención primaria establecerán, de forma coordinada con la entidad pública de protección

a la infancia, las vías para apoyar a la familia en el ejercicio positivo de sus funciones parentales de protección. En caso necesario, los servicios sociales diseñarán y llevarán a cabo un plan de intervención familiar individualizado de forma coordinada y con la participación del resto de ámbitos implicados.

2. La valoración por parte de los servicios sociales de atención primaria de los casos de violencia sobre la infancia y la adolescencia deberá realizarse, siempre que sea posible, de forma interdisciplinar y coordinada con la entidad pública de protección a la infancia y con aquellos equipos y profesionales de los ámbitos de la salud, la educación, la judicatura, o la seguridad existentes en el territorio que puedan aportar información sobre la situación de la persona menor de edad y su entorno familiar y social.

En aquellas situaciones que se consideren de especial gravedad por la tipología del acto violento, especialmente en los casos de delitos de naturaleza sexual, se requerirá de la intervención de un profesional especializado desde la comunicación o detección del caso.

3. Corresponderá a los servicios sociales de atención primaria la recogida de la información sobre los posibles casos de violencia, y de concretar, con la participación de los y las profesionales correspondientes, el análisis interdisciplinar del caso, recabando siempre que sea necesario, el apoyo o intervención de la entidad pública de protección a la infancia, así como, en su caso, de los servicios de atención a mujeres víctimas de violencia de género de la comunidad autónoma correspondiente. Las actuaciones desarrolladas por los servicios sociales de atención primaria en el marco del plan de intervención sobre casos de riesgo o sospecha de maltrato infantil se notificarán a los servicios sociales especializados de protección de menores.

4. Los poderes públicos garantizarán a los niños, niñas y adolescentes víctimas de delitos violentos y, en todo caso, de delitos de naturaleza sexual, de trata o de violencia de género una atención integral para su recuperación a través de servicios especializados.

Artículo 44. Seguimiento y registro de los casos de violencia sobre las personas menores de edad.

1. Los servicios sociales de atención primaria deberán establecer, de conformidad con el procedimiento que se regule en cada comunidad autónoma, un sistema de seguimiento y registro de los casos de violencia sobre la infancia y la adolescencia en el que consten las notificaciones y comunicaciones

recibidas, los casos confirmados y las distintas medidas puestas en marcha en relación con la intervención de dichos servicios sociales.

2. La información estadística de casos de violencia sobre la infancia y la adolescencia procedente de los servicios sociales de atención primaria, junto con la procedente de la entidad pública de protección a la infancia, será incorporada, con la desagregación establecida, en el Registro Unificado de Maltrato Infantil al que se refiere el artículo 22 ter de la Ley Orgánica 1/1996, de 15 de enero, y que pasa a denominarse Registro Unificado de Servicios Sociales sobre Violencia contra la Infancia (en adelante RUSSVI).

CAPÍTULO VIII. DE LAS NUEVAS TECNOLOGÍAS

Artículo 45. Uso seguro y responsable de internet.

1. Las administraciones públicas desarrollarán campañas de educación, sensibilización y difusión dirigidas a los niños, niñas y adolescentes, familias, educadores y otros profesionales que trabajen habitualmente con personas menores de edad sobre el uso seguro y responsable de Internet y las tecnologías de la información y la comunicación, así como sobre los riesgos derivados de un uso inadecuado que puedan generar fenómenos de violencia sexual contra los niños, niñas y adolescentes como el ciberbullying, el grooming, la ciberviolencia de género o el sexting, así como el acceso y consumo de pornografía entre la población menor de edad.

Asimismo, fomentarán medidas de acompañamiento a las familias, reforzando y apoyando el rol de los progenitores a través del desarrollo de competencias y habilidades que favorezcan el cumplimiento de sus obligaciones legales y, en particular, las establecidas en el artículo 84.1 de la Ley Orgánica 3/2018, de 5 de diciembre, de Protección de Datos Personales y garantía de los derechos digitales.

2. Las administraciones públicas pondrán a disposición de los niños, niñas y adolescentes, familias, personal educador y otros profesionales que trabajen habitualmente con personas menores de edad un servicio específico de línea de ayuda sobre el uso seguro y responsable de Internet, que ofrezca a los usuarios asistencia y asesoramiento ante situaciones potenciales de riesgo y emergencia de las personas menores de edad en Internet.

3. Las administraciones públicas deberán adoptar medidas para incentivar la responsabilidad social de las empresas en materia de uso seguro y responsable de Internet por la infancia y la adolescencia.

Asimismo, fomentarán en colaboración con el sector privado que el inicio y desarrollo de aplicaciones y servicios digitales tenga en cuenta la protección a la infancia y la adolescencia.

4. Las campañas institucionales de prevención e información deben incluir entre sus objetivos la prevención sobre contenidos digitales sexuales y/o violentos que pueden influir y ser perjudiciales para la infancia y adolescencia.

Artículo 46. Diagnóstico y control de contenidos.

1. Las administraciones públicas, en el ámbito de sus competencias, deberán realizar periódicamente diagnósticos, teniendo en cuenta criterios de edad y género, sobre el uso seguro de Internet entre los niños, niñas y adolescentes y las problemáticas de riesgo asociadas, así como de las nuevas tendencias.

2. Las administraciones públicas fomentarán la colaboración con el sector privado, para la creación de entornos digitales seguros, una mayor estandarización en el uso de la clasificación por edades y el etiquetado inteligente de contenidos digitales, para conocimiento de los niños, niñas y adolescentes y apoyo de los progenitores, o de quienes ejerzan funciones de tutela, guarda o acogimiento, en la evaluación y selección de tipos de contenidos, servicios y dispositivos.

Además, las administraciones públicas fomentarán la implementación y el uso de mecanismos de control parental que ayuden a proteger a las personas menores de edad del riesgo de exposición a contenidos y contactos nocivos, así como de los mecanismos de denuncia y bloqueo.

3. Las administraciones públicas, en colaboración con el sector privado y el tercer sector, fomentarán los contenidos positivos en línea y el desarrollo de contenidos adaptados a las necesidades de los diferentes grupos de edad, impulsando entre la industria códigos de autorregulación y corregulación para el uso seguro y responsable en el desarrollo de productos y servicios destinados al público infantil y adolescente, así como fomentar y reforzar la incorporación por parte de la industria de mecanismos de control parental de los contenidos ofrecidos o mediante la puesta en marcha de protocolos de verificación de edad, en aplicaciones y servicios disponibles en Internet para impedir el acceso a los reservados a adultos.

4. Las administraciones públicas trabajarán para conseguir que en los envases de los instrumentos de las nuevas tecnologías deba figurar un aviso mediante el que se advierta de la necesidad de un uso responsable de estas tecnologías para prevenir conductas adictivas específicas. Así mismo, se recomienda a las personas adultas responsables de la educación de la infancia y adolescencia la vigilancia y responsabilidad en el uso adecuado de estas tecnologías.

CAPÍTULO IX. DEL ÁMBITO DEL DEPORTE Y EL OCIO

Artículo 47. Protocolos de actuación frente a la violencia en el ámbito deportivo y de ocio.

Las administraciones públicas, en el ámbito de sus competencias, regularán protocolos de actuación que recogerán las actuaciones para construir un entorno seguro en el ámbito deportivo y de ocio y que deben seguirse para la prevención, detección precoz e intervención, frente a las posibles situaciones de violencia sobre la infancia y la adolescencia comprendidas en el ámbito deportivo y de ocio.

Dichos protocolos deberán ser aplicados en todos los centros que realicen actividades deportivas y de ocio, independientemente de su titularidad y, en todo caso, en la Red de Centros de Alto Rendimiento y Tecnificación Deportiva, Federaciones Deportivas y Escuelas municipales.

Artículo 48. Entidades que realizan actividades deportivas o de ocio con personas menores de edad de forma habitual.

1. Las entidades que realizan de forma habitual actividades deportivas o de ocio con personas menores de edad están obligadas a:

a) Aplicar los protocolos de actuación a los que se refiere el artículo anterior que adopten las administraciones públicas en el ámbito deportivo y de ocio.

b) Implantar un sistema de monitorización para asegurar el cumplimiento de los protocolos anteriores en relación con la protección de las personas menores de edad.

c) Designar la figura del Delegado o Delegada de protección al que las personas menores de edad puedan acudir para expresar sus inquietudes y quien se encargará de la difusión y el cumplimiento de los protocolos establecidos, así como de iniciar las comunicaciones pertinentes en los casos en los que se haya detectado una situación de violencia sobre la infancia o la adolescencia.

d) Adoptar las medidas necesarias para que la práctica del deporte, de la actividad física, de la cultura y del ocio no sea un escenario de discriminación por edad, raza, discapacidad, orientación sexual, identidad sexual o expresión de género, o cualquier otra circunstancia personal o social, trabajando con los propios niños, niñas y adolescentes, así como con sus familias y profesionales, en el rechazo al uso de insultos y expresiones degradantes y discriminatorias.

e) Fomentar la participación activa de los niños, niñas y adolescentes en todos los aspectos de su formación y desarrollo integral.

f) Fomentar y reforzar las relaciones y la comunicación entre las organizaciones deportivas y los progenitores o quienes ejerzan funciones de tutela, guarda o acogimiento.

2. Asimismo, además de la formación a la que se refiere el artículo 5, quienes trabajen en las citadas entidades deberán recibir formación específica para atender adecuadamente las diferentes aptitudes y capacidades de los niños, niñas y adolescentes con discapacidad para el fomento y el desarrollo del deporte inclusivo de estos.

CAPÍTULO X. DE LAS FUERZAS Y CUERPOS DE SEGURIDAD

Artículo 49. Unidades especializadas.

1. Las Fuerzas y Cuerpos de Seguridad del Estado, de las comunidades autónomas y de las entidades locales actuarán como entornos seguros para la infancia y la adolescencia. Con tal finalidad, contarán con unidades especializadas en la investigación y prevención, detección y actuación de situaciones de violencia sobre la infancia y la adolescencia y preparadas para una correcta y adecuada intervención ante tales casos.

Las administraciones competentes adoptarán las medidas necesarias para garantizar que en los procesos de ingreso, formación y actualización del personal de las Fuerzas y Cuerpos de Seguridad se incluyan contenidos específicos sobre el tratamiento de situaciones de violencia sobre la infancia y la adolescencia desde una perspectiva policial.

2. Las distintas Fuerzas y Cuerpos de Seguridad que actúen en un mismo territorio colaborarán, dentro de su ámbito competencial, para lograr un eficaz desarrollo de sus funciones en el ámbito de la lucha contra la violencia ejercida

sobre la infancia y la adolescencia, en los términos previstos en la Ley Orgánica 2/1986, de 13 de marzo, de Fuerzas y Cuerpos de Seguridad.

3. Las administraciones públicas, en el ámbito de sus competencias, potenciarán la labor de las Fuerzas y Cuerpos de Seguridad mediante el desarrollo de herramientas tecnológicas interoperables que faciliten la investigación de los delitos.

Artículo 50. Criterios de actuación.

1. La actuación de los miembros de las Fuerzas y Cuerpos de Seguridad en los casos de violencia sobre la infancia y la adolescencia, se regirá por el respeto a los derechos de los niños, niñas y adolescentes y la consideración de su interés superior.

2. Los miembros de las Fuerzas y Cuerpos de Seguridad actuarán de conformidad con los protocolos de actuación policial con personas menores de edad, así como cualesquiera otros protocolos aplicables. En este sentido, las Fuerzas y Cuerpos de Seguridad estatales, autonómicas y locales contarán con los protocolos necesarios para la prevención, sensibilización, detección precoz, investigación e intervención en situaciones de violencia sobre la infancia y la adolescencia, a fin de procurar una correcta y adecuada intervención ante tales casos.

En todo caso, procederán conforme a los siguientes criterios:

a) Se adoptarán de forma inmediata todas las medidas provisionales de protección que resulten adecuadas a la situación de la persona menor de edad.

b) Solo se practicarán diligencias con intervención de la persona menor de edad que sean estrictamente necesarias. Por regla general la declaración del menor se realizará en una sola ocasión y, siempre, a través de profesionales específicamente formados.

c) Se practicarán sin dilación todas las diligencias imprescindibles que impliquen la intervención de la persona menor de edad, una vez comprobado que se encuentra en disposición de someterse a dichas intervenciones.

d) Se impedirá cualquier tipo de contacto directo o indirecto en dependencias policiales entre la persona investigada y el niño, niña o adolescente.

e) Se permitirá a las personas menores de edad, que así lo soliciten, formular denuncia por sí mismas y sin necesidad de estar acompañadas de una persona adulta.

f) Se informará sin demora al niño, niña o adolescente de su derecho a la asistencia jurídica gratuita y, si así lo desea, se requerirá al Colegio de Abogados competente la designación inmediata de abogado o abogada del turno de oficio específico para su personación en dependencias policiales.

g) Se dispensará un buen trato al niño, niña o adolescente, con adaptación del lenguaje y las formas a su edad, grado de madurez y resto de circunstancias personales.

h) Se procurará que el niño, niña o adolescente se encuentre en todo momento en compañía de una persona de su confianza designada libremente por él o ella misma en un entorno seguro, salvo que se observe el riesgo de que dicha persona podría actuar en contra de su interés superior, de lo cual deberá dejarse constancia mediante declaración oficial.

CAPÍTULO XI. DE LA ADMINISTRACIÓN GENERAL DEL ESTADO EN EL EXTERIOR

Artículo 51. Embajadas y consulados.

1. Corresponde a las Embajadas y a las Oficinas Consulares de España en el exterior, de acuerdo con lo establecido en artículo 5 h) del Convenio de Relaciones Consulares de Viena y demás normativa internacional en este ámbito, la protección de los intereses de los menores de nacionalidad española que se encuentren en el extranjero. Dicha protección se guiará por los principios generales recogidas en la misma.

2. El Ministerio de Asuntos Exteriores, Unión Europea y Cooperación, a través de la Dirección General de Asuntos Consulares y Españoles en el Exterior, coordinará con la Dirección General de Derechos de la Infancia y de la Adolescencia del Ministerio de Derechos Sociales y Agenda 2030 o con la Unidad que se determine, las actuaciones de los menores españoles en el exterior, especialmente en los casos en los que se prevea el retorno a España de los mismos.

CAPÍTULO XII. DE LA AGENCIA ESPAÑOLA DE PROTECCIÓN DE DATOS

Artículo 52. De la agencia española de protección de datos.

1. La Agencia Española de Protección de Datos ejercerá las funciones y potestades que le corresponden de acuerdo con lo previsto en el artículo 47 de la Ley Orgánica 3/2018, de 5 de diciembre, de Protección de Datos de Carácter Personal, con el fin de garantizar una protección específica de los datos perso-

nales de las personas menores de edad en los casos de violencia ejercida sobre la infancia y la adolescencia, especialmente cuando se realice a través de las tecnologías de la información y la comunicación.

2. La Agencia garantizará la disponibilidad de un canal accesible y seguro de denuncia de la existencia de contenidos ilícitos en Internet que comportaran un menoscabo grave del derecho a la protección de datos personales.

3. Se permitirá a las personas menores de edad, que así lo soliciten, formular denuncia por sí mismas y sin necesidad de estar acompañadas de una persona adulta, siempre que el funcionario público encargado estime que tiene madurez suficiente.

4. Las personas mayores de catorce años podrán ser sancionadas por hechos constitutivos de infracción administrativa de acuerdo con la normativa sobre protección de datos personales.

5. Cuando la autoría de los hechos cometidos corresponda a una persona menor de dieciocho años, responderán solidariamente con ella de la multa impuesta sus progenitores, tutores, acogedores y guardadores legales o de hecho, por este orden, en razón al incumplimiento del deber de cuidado y vigilancia para prevenir la infracción administrativa que se impute a las personas menores de edad.

TÍTULO IV. DE LAS ACTUACIONES EN CENTROS DE PROTECCIÓN

Artículo 53. Protocolos de actuación en los centros de protección de personas menores de edad.

1. Todos los centros de protección de personas menores de edad serán entornos seguros e, independientemente de su titularidad, están obligados a aplicar los protocolos de actuación que establezca la Entidad Pública de Protección a la infancia, y que contendrán las actuaciones que deben seguirse para la prevención, detección precoz e intervención frente a las posibles situaciones de violencia comprendidas en el ámbito de aplicación de esta ley. Estas administraciones deberán aprobar estándares e indicadores que permitan evaluar la eficacia de estos protocolos en su ámbito de aplicación.

Entre otros aspectos, los protocolos:

a) Determinarán la forma de iniciar el procedimiento, los sistemas de comunicación y la coordinación de los y las profesionales responsables de cada actuación.

b) Establecerán mecanismos de queja y denuncia sencillos, accesibles, seguros y confidenciales para informar, de forma que los niños, niñas y adolescentes sean tratados sin riesgo de sufrir represalias. Las respuestas a estas quejas serán susceptibles de ser recurridas. En todo caso las personas menores de edad tendrán derecho a remitir quejas de forma confidencial al Ministerio Fiscal, a la autoridad judicial competente y al Defensor del Pueblo o ante las instituciones autonómicas homólogas.

c) Garantizar que, en el momento del ingreso, el centro de protección facilite a la persona menor de edad, por escrito y en idioma y formato que le resulte comprensible y accesible, las normas de convivencia y el régimen disciplinario que rige en el centro, así como información sobre los mecanismos de queja y de comunicación existentes.

d) Deberán contemplar actuaciones específicas cuando el acoso tenga como motivación la discapacidad, el racismo o el lugar de origen, la orientación sexual, la identidad o expresión de género. De igual modo, dichos protocolos deberán contemplar actuaciones específicas cuando el acoso se lleve a cabo a través de las nuevas tecnologías de las personas menores de edad o dispositivos móviles y se haya menoscabado la intimidad y reputación.

e) Deberán tener en cuenta las situaciones en las que es aconsejable el traslado de la persona menor de edad a otro centro para garantizar su interés superior y su bienestar.

2. Lo previsto en este artículo se entiende sin perjuicio de lo señalado en capítulo IV del título II de la Ley Orgánica 1/1996, de 15 de enero, y en el artículo 778 bis de la Ley 1/2000, de 7 de enero, de Enjuiciamiento Civil, con respecto a centros específicos de protección de menores con problemas de conducta.

Artículo 54. Intervención ante casos de explotación sexual y trata de personas menores de edad sujetas a medidas de protección.

Los protocolos a los que se refiere el artículo anterior deberán contener actuaciones específicas de prevención, detección precoz e intervención en posibles casos de abuso, explotación sexual y trata de seres humanos que tengan como víctimas a personas menores de edad sujetas a medida protectora y que residan en centros residenciales bajo su responsabilidad. Se tendrá muy especialmente en cuenta para la elaboración de estas actuaciones la perspectiva de género, así como las medidas necesarias de coordinación con el Ministerio

Fiscal, las Fuerzas y Cuerpos de Seguridad y el resto de agentes sociales implicados.

Artículo 55. Supervisión por parte del ministerio fiscal.

1. El Ministerio Fiscal visitará periódicamente de acuerdo con lo previsto en la normativa interna de los centros de protección de personas menores de edad para supervisar el cumplimiento de los protocolos de actuación y dar seguimiento a los mecanismos de comunicación de situaciones de violencia, así como escuchar a los niños, niñas y adolescentes que así lo soliciten.

2. Las entidades públicas de protección a la infancia mantendrán comunicación de carácter permanente con el Ministerio Fiscal y, en su caso, con la autoridad judicial que acordó el ingreso, sobre las circunstancias relevantes que puedan producirse durante la estancia en un centro que afecte a la persona menor de edad, así como la necesidad de mantener el mismo.

TÍTULO V. DE LA ORGANIZACIÓN ADMINISTRATIVA

CAPÍTULO I. REGISTRO CENTRAL DE INFORMACIÓN

Artículo 56. Registro central de información sobre la violencia contra la infancia y la adolescencia.

1. Con la finalidad de compartir información que permita el conocimiento uniforme de la situación de la violencia contra la infancia y la adolescencia, el Gobierno establecerá, mediante real decreto la creación del Registro Central de información sobre la violencia contra la infancia y la adolescencia, así como la información concreta y el procedimiento a través del cual el Consejo General del Poder Judicial, las Fuerzas y Cuerpos de Seguridad, el RUSSVI y las distintas administraciones públicas deben suministrar los datos requeridos al registro.

El real decreto señalará la información que debe notificarse anonimizada al Registro que, como mínimo, comprenderá los siguientes aspectos:

a) Con respecto a las víctimas: edad, sexo, tipo de violencia, gravedad, nacionalidad y, en su caso, discapacidad.

b) Con respecto a las personas agresoras: edad, sexo y relación con la víctima.

c) Información policial (denuncias, victimizaciones, etc.) y judicial.

d) Medidas puestas en marcha, frente a la violencia sobre la infancia y adolescencia.

2. El Registro Central de información sobre la violencia contra la infancia y la adolescencia quedará adscrito orgánicamente al departamento ministerial que tenga atribuidas las competencias en políticas de infancia.

3. Con los datos obtenidos por el Registro se publicará anualmente un informe de la situación de la violencia contra la infancia y la adolescencia al que se dará la mayor publicidad posible.

CAPÍTULO II. DE LA CERTIFICACIÓN NEGATIVA DEL REGISTRO CENTRAL DE DELINCUENTES SEXUALES Y DE TRATA DE SERES HUMANOS

Artículo 57. Requisito para el acceso a profesiones, oficios y actividades que impliquen contacto habitual con personas menores de edad.

1. Será requisito para el acceso y ejercicio de cualesquiera profesiones, oficios y actividades que impliquen contacto habitual con personas menores de edad, el no haber sido condenado por sentencia firme por cualquier delito contra la libertad e indemnidad sexuales tipificados en el título VIII de la Ley Orgánica 10/1995, de 23 de noviembre, del Código Penal, así como por cualquier delito de trata de seres humanos tipificado en el título VII bis del Código Penal. A tal efecto, quien pretenda el acceso a tales profesiones, oficios o actividades deberá acreditar esta circunstancia mediante la aportación de una certificación negativa del Registro Central de delincuentes sexuales

2. A los efectos de esta ley, son profesiones, oficios y actividades que implican contacto habitual con personas menores de edad, todas aquellas, retribuidas o no, que por su propia naturaleza y esencia conllevan el trato repetido, directo y regular y no meramente ocasional con niños, niñas o adolescentes, así como, en todo caso, todas aquellas que tengan como destinatarios principales a personas menores de edad.

3. Queda prohibido que las empresas y entidades den ocupación en cualesquiera profesiones, oficios y actividades que impliquen contacto habitual con personas menores de edad a quienes tengan antecedentes en el Registro Central de Delincuentes Sexuales y de Trata de Seres Humanos.

Artículo 58. Consecuencias de la existencia de antecedentes en caso de personas trabajadoras o aquellas que realicen una práctica no laboral que conlleve el alta en la seguridad social.

1. La existencia de antecedentes en el Registro Central de Delincuentes Sexuales y de Trata de Seres Humanos al inicio de la actividad en aquellos trabajos o actividades que impliquen contacto habitual con personas menores conllevará la imposibilidad legal de contratación.

2. La existencia sobrevenida de antecedentes en el Registro Central de Delincuentes Sexuales y de Trata de Seres Humanos conllevará el cese inmediato de la relación laboral por cuenta ajena o de las prácticas no laborales. No obstante, siempre que fuera posible, en atención a las circunstancias concurrentes en el centro de trabajo y a la actividad desarrollada en el mismo, la empresa podrá efectuar un cambio de puesto de trabajo siempre que la nueva ocupación impida el contacto habitual con personas menores de edad.

De conformidad con lo anterior, el trabajador por cuenta ajena deberá comunicar a su empleador cualquier cambio que se produzca en dicho Registro respecto de la existencia de antecedentes, aun cuando estos se deriven de hechos anteriores al inicio de su relación laboral. La omisión de esta comunicación será considerada como incumplimiento grave y culpable a los efectos de lo dispuesto en el artículo 54.2.d) del Estatuto de los Trabajadores.

Esta obligación de comunicación, así como las consecuencias de su incumplimiento, deberán incluirse también en los acuerdos que se suscriban entre las empresas y los beneficiarios de las prácticas no laborales que se formalicen al amparo del Real Decreto 1543/2011, de 31 de diciembre, por el que se regulan las prácticas no laborales en empresas.

Artículo 59. Consecuencias del incumplimiento del requisito en caso de personas que realicen actividades en régimen de voluntariado.

1. La existencia de antecedentes en el Registro Central de Delincuentes Sexuales y de Trata de Seres Humanos al inicio de la actividad en aquellas actividades de voluntariado que impliquen el contacto habitual con personas menores de edad obliga a la entidad de voluntariado a prescindir de forma inmediata del voluntario o voluntaria. A tal efecto, quien pretenda el acceso a tales actividades deberá acreditar esta circunstancia mediante la aportación de una certificación negativa del Registro Central de delincuentes sexuales.

2. La existencia sobrevenida de antecedentes en el Registro Central de Delincuentes Sexuales y de Trata de Seres Humanos conllevará el fin inmediato de la participación de la persona voluntaria en las actividades que impliquen el contacto habitual con personas menores. No obstante, siempre que fuera posible, en atención a las circunstancias concurrentes en la entidad y a la actividad desarrollada en el mismo, la entidad podrá efectuar un cambio de actividad de voluntariado siempre que la misma no suponga el contacto habitual con personas menores de edad.

3. Las comunidades autónomas establecerán mediante norma con rango de ley el régimen sancionador correspondiente al incumplimiento de las obligaciones establecidas en el artículo 57.1.

Artículo 60. Cancelación de antecedentes en el registro central de delincuentes sexuales y de trata de seres humanos.

1. Los antecedentes que figuren como cancelados en el Registro Central de Delincuentes Sexuales y de Trata de Seres Humanos no se tomarán en consideración a los efectos de limitar el acceso y ejercicio de profesiones, oficios y actividades que impliquen contacto habitual con menores de edad.

2. Instada por la persona interesada la cancelación de antecedentes en el Registro Central de Delincuentes Sexuales y de Trata de Seres Humanos, y transcurrido el plazo máximo de tres meses sin que por la Administración se haya dictado resolución, la petición se entenderá desestimada por silencio administrativo, sin que sea de aplicación a estos supuestos lo establecido en el artículo 3 del Real Decreto 1879/1994, de 16 de septiembre, por el que se aprueban determinadas normas procedimentales en materia de justicia e interior.

Disposición adicional primera. Dotación presupuestaria.

El Estado y las comunidades autónomas, en el ámbito de sus respectivas competencias, deberán dotar a los Juzgados y Tribunales de los medios personales y materiales necesarios para el adecuado cumplimiento de las nuevas obligaciones legales. Asimismo, se deberá dotar a los Institutos de Medicina Legal, Oficinas de Atención a las Víctimas, órganos técnicos que prestan asesoramiento pericial o asistencial y servicios sociales de los medios personales y materiales necesarios para el adecuado cumplimiento de los fines y obligaciones previstas en esta ley.

Disposición adicional segunda. Soluciones habitacionales y de apoyo psicosocial.

Las administraciones públicas, en el ámbito de sus competencias, priorizarán las soluciones habitacionales ante los desahucios de familias en el que alguno de sus miembros sea una persona menor de edad, y promoverán medidas de apoyo psicosocial con el fin de reducir el posible impacto emocional, sin perjuicio de la consideración de otras situaciones graves de vulnerabilidad.

Disposición adicional tercera. Mejora de los datos de opinión pública.

El Centro de Investigaciones Sociológicas realizará anualmente una encuesta acerca de las opiniones de la población, tanto adulta como infantil y adolescente, con respecto a la violencia ejercida sobre los niños, niñas y adolescentes y la utilidad de las medidas establecidas en la ley, que permita establecer series temporales para valorar los cambios sociales más relevantes sobre la violencia hacia la infancia y la adolescencia.

La encuesta tendrá perspectiva de discapacidad y género; garantizará que los niños, niñas y adolescentes con discapacidad estén representados entre las personas encuestadas.

Los resultados de este análisis deberán ser incluidos en el informe anual de evaluación de la Estrategia de erradicación de la violencia sobre la infancia y la adolescencia previsto en el artículo 21.2.

Disposición adicional cuarta. Gastos de personal.

Las actuaciones derivadas de la aplicación y desarrollo de esta ley que tengan incidencia sobre el personal de las administraciones públicas, se ajustarán a las normas básicas sobre gastos de personal que sean de aplicación.

Disposición adicional quinta. Referencias normativas.

Las referencias realizadas en el ordenamiento jurídico al Registro Central de Delincuentes Sexuales deberán entenderse realizadas al Registro Central de Delincuentes Sexuales y de Trata de Seres Humanos.

Asimismo, las referencias realizadas en el ordenamiento jurídico al Registro Unificado de Maltrato Infantil deberán entenderse realizadas al Registro Unificado de Servicios Sociales sobre Violencia contra la infancia.

Disposición adicional sexta. Procedimiento de comprobación automatizada de los antecedentes regulados en los artículos 57 a 60.

1. En el plazo de un año, el Gobierno establecerá los mecanismos necesarios que permitan la comprobación automática de la inexistencia de antecedentes, en los casos en que la actividad conlleve el alta en la Seguridad Social o en mutualidades de Previsión Social, mediante el cruce de la información existente en las bases de datos de trabajadores por cuenta ajena, por cuenta propia y de quienes realicen una práctica no laboral, y la recogida en el Registro Central de Delincuentes Sexuales y de Trata de Seres Humanos.

2. Asimismo, el Gobierno establecerá los mecanismos necesarios que permitan, para las personas que desarrollen actividades de voluntariado, la comprobación de la inexistencia de antecedentes mediante el cruce de la información recopilada por las asociaciones en las que desarrollen su actividad voluntaria y la recogida en el Registro Central de Delincuentes Sexuales y de Trata de Seres Humanos.

3. En el mismo sentido, el Gobierno establecerá los mecanismos necesarios que permitan la comprobación automática de la inexistencia de antecedentes en el Registro Central de Delincuentes Sexuales y de Trata de Seres Humanos de aquellas personas que realicen prácticas no laborales que no precisen el alta en la Seguridad Social.

Disposición adicional séptima. Comisión de seguimiento.

1. Por orden de los Ministros de Justicia, Interior y de Derechos Sociales y Agenda 2030, a propuesta de la Dirección General de los Derechos de la Infancia y de la Adolescencia, se creará una Comisión de seguimiento en el plazo máximo de un año a partir de la aprobación de esta ley, con el objeto de analizar su puesta en marcha, sus repercusiones jurídicas y económicas y la evaluación de su impacto.

La Comisión de seguimiento podrá requerir la colaboración de todos los departamentos ministeriales y en especial de los Ministerios de Sanidad, Consumo, Educación y Formación Profesional e Igualdad mediante la participación en los asuntos que se estime de su competencia.

2. La Comisión deberá emitir en el plazo máximo de dos años, contados a partir de la entrada en vigor de esta ley, un informe razonado que incluya el análisis mencionado en el apartado anterior y sugerencias para la mejora del sistema.

3. A la luz de dicho informe los Ministros de Justicia, Interior y de Derechos Sociales y Agenda 2030 promoverán, en su caso, las modificaciones que consideren convenientes.

Disposición adicional octava. Acceso al territorio a los niños y niñas solicitantes de asilo.

Las autoridades competentes garantizarán a los niños y niñas en necesidad de protección internacional el acceso al territorio y a un procedimiento de asilo con independencia de su nacionalidad y de su forma de entrada en España, en los términos establecidos en la Ley 12/2009, de 30 de octubre, reguladora del derecho de asilo y de protección subsidiaria.

Disposición adicional novena. Seguridad social de las personas acogedoras especializadas de dedicación exclusiva.

Reglamentariamente el Gobierno determinará en el plazo de un año de la entrada en vigor de la presente ley orgánica, el alcance y condiciones de la incorporación a la Seguridad Social de las personas que sean designadas como acogedoras especializadas de dedicación exclusiva, previstas en el artículo 20.1 de la Ley Orgánica 1/1996, de 15 de enero, de Protección Jurídica del Menor, de modificación parcial del Código Civil y de la Ley de Enjuiciamiento Civil, en el Régimen que les corresponda, así como los requisitos y procedimiento de afiliación, alta y cotización.

Disposición derogatoria única. Derogación normativa.

Quedan derogadas todas las normas de igual o inferior rango en lo que contradigan o se opongan a lo dispuesto en esta ley.

Disposición final primera. Modificación de la Ley de Enjuiciamiento Criminal, aprobada por Real Decreto de 14 de septiembre de 1882.

La Ley de Enjuiciamiento Criminal, aprobada por Real Decreto de 14 de septiembre de 1882, queda modificada en los siguientes términos:

Uno. Se modifica el primer párrafo del apartado 1 del artículo 109 bis, que queda redactado como sigue:

«Artículo 109 bis.

1. Las víctimas del delito que no hubieran renunciado a su derecho podrán ejercer la acción penal en cualquier momento antes del trámite de calificación del delito, si bien ello no permitirá retrotraer ni reiterar las actuaciones ya

practicadas antes de su personación. Si se personasen una vez transcurrido el término para formular escrito de acusación podrán ejercitar la acción penal hasta el inicio del juicio oral adhiriéndose al escrito de acusación formulado por el Ministerio Fiscal o del resto de las acusaciones personadas».

Dos. Se modifica el artículo 110 que queda redactado como sigue:

«Artículo 110.

Las personas perjudicadas por un delito que no hubieren renunciado a su derecho podrán mostrarse parte en la causa si lo hicieran antes del trámite de calificación del delito y ejercitar las acciones civiles que procedan, según les conviniere, sin que por ello se retroceda en el curso de las actuaciones. Si se personasen una vez transcurrido el término para formular escrito de acusación podrán ejercitar la acción penal hasta el inicio del juicio oral adhiriéndose al escrito de acusación formulado por el Ministerio Fiscal o del resto de las acusaciones personadas.

Aun cuando las personas perjudicadas no se muestren parte en la causa, no por esto se entiende que renuncian al derecho de restitución, reparación o indemnización que a su favor puede acordarse en sentencia firme, siendo necesario que la renuncia de este derecho se haga en su caso de una manera clara y terminante».

Tres. Se modifica el artículo 261, que queda redactado como sigue:

«Artículo 261.

Tampoco estarán obligados a denunciar:

1.º Quien sea cónyuge del delincuente no separado legalmente o de hecho o la persona que conviva con él en análoga relación de afectividad.

2.º Quienes sean ascendientes y descendientes del delincuente y sus parientes colaterales hasta el segundo grado inclusive.

Esta disposición no será aplicable cuando se trate de un delito contra la vida, de un delito de homicidio, de un delito de lesiones de los artículos 149 y 150 del Código Penal, de un delito de maltrato habitual previsto en el artículo 173.2 del Código Penal, de un delito contra la libertad o contra la libertad e indemnidad sexual o de un delito de trata de seres humanos y la víctima del delito sea una persona menor de edad o una persona con discapacidad necesitada de especial protección».

Cuatro. Se modifica el apartado primero del artículo 416, que queda redactado como sigue:

«Están dispensados de la obligación de declarar:

1. Los parientes del procesado en líneas directa ascendente y descendente, su cónyuge o persona unida por relación de hecho análoga a la matrimonial, sus hermanos consanguíneos o uterinos y los colaterales consanguíneos hasta el segundo grado civil. El Juez instructor advertirá al testigo que se halle comprendido en el párrafo anterior que no tiene obligación de declarar en contra del procesado; pero que puede hacer las manifestaciones que considere oportunas, y el Letrado de la Administración de Justicia consignará la contestación que diere a esta advertencia.

Lo dispuesto en el apartado anterior no será de aplicación en los siguientes casos:

1.º Cuando el testigo tenga atribuida la representación legal o guarda de hecho de la víctima menor de edad o con discapacidad necesitada de especial protección.

2.º Cuando se trate de un delito grave, el testigo sea mayor de edad y la víctima sea una persona menor de edad o una persona con discapacidad necesitada de especial protección.

3.º Cuando por razón de su edad o discapacidad el testigo no pueda comprender el sentido de la dispensa. A tal efecto, el Juez oirá previamente a la persona afectada, pudiendo recabar el auxilio de peritos para resolver.

4.º Cuando el testigo esté o haya estado personado en el procedimiento como acusación particular.

5.º Cuando el testigo haya aceptado declarar durante el procedimiento después de haber sido debidamente informado de su derecho a no hacerlo».

Cinco. Se suprime el párrafo cuarto del artículo 433.

Seis. Se suprime el párrafo tercero del artículo 448.

Siete. Se introduce un artículo 449 bis con el siguiente contenido:

«Artículo 449 bis.

Cuando, en los casos legalmente previstos, la autoridad judicial acuerde la práctica de la declaración del testigo como prueba preconstituida, la misma deberá desarrollarse de conformidad con los requisitos establecidos en este artículo.

La autoridad judicial garantizará el principio de contradicción en la práctica de la declaración. La ausencia de la persona investigada debidamente citada no impedirá la práctica de la prueba preconstituida, si bien su defensa letrada, en todo caso, deberá estar presente. En caso de incomparecencia injustificada del defensor de la persona investigada o cuando haya razones de urgencia para proceder inmediatamente, el acto se sustanciará con el abogado de oficio expresamente designado al efecto.

La autoridad judicial asegurará la documentación de la declaración en soporte apto para la grabación del sonido y la imagen, debiendo el Letrado de la Administración de Justicia, de forma inmediata, comprobar la calidad de la grabación audiovisual. Se acompañará acta sucinta autorizada por el Letrado de la Administración de Justicia, que contendrá la identificación y firma de todas las personas intervinientes en la prueba preconstituida.

Para la valoración de la prueba preconstituida obtenida conforme a lo previsto en los párrafos anteriores, se estará a lo dispuesto en el artículo 730.2».

Ocho. Se introduce un artículo 449 ter con el siguiente contenido:

«Artículo 449 ter.

Cuando una persona menor de catorce años o una persona con discapacidad necesitada de especial protección deba intervenir en condición de testigo en un procedimiento judicial que tenga por objeto la instrucción de un delito de homicidio, lesiones, contra la libertad, contra la integridad moral, trata de seres humanos, contra la libertad e indemnidad sexuales, contra la intimidad, contra las relaciones familiares, relativos al ejercicio de derechos fundamentales y libertades públicas, de organizaciones y grupos criminales y terroristas y de terrorismo, la autoridad judicial acordará, en todo caso, practicar la audiencia del menor como prueba preconstituida, con todas las garantías de la práctica de prueba en el juicio oral y de conformidad con lo establecido en el artículo anterior. Este proceso se realizará con todas las garantías de accesibilidad y apoyos necesarios.

La autoridad judicial podrá acordar que la audiencia del menor de catorce años se practique a través de equipos psicosociales que apoyarán al Tribunal de manera interdisciplinar e interinstitucional, recogiendo el trabajo de los profesionales que hayan intervenido anteriormente y estudiando las circunstancias personales, familiares y sociales de la persona menor o con discapacidad, para mejorar el tratamiento de los mismos y el rendimiento de la prueba. En este caso, las partes trasladarán a la autoridad judicial las preguntas que estimen oportunas quien, previo control de su pertinencia y utilidad, se las facilitará a las personas expertas. Una vez realizada la audiencia del menor, las partes podrán interesar, en los mismos términos, aclaraciones al testigo. La declaración siempre será grabada y el Juez, previa audiencia de las partes, podrá recabar del perito un informe dando cuenta del desarrollo y resultado de la audiencia del menor.

Para el supuesto de que la persona investigada estuviere presente en la audiencia del menor se evitará su confrontación visual con el testigo, utilizando para ello, si fuese necesario, cualquier medio técnico.

Las medidas previstas en este artículo podrán ser aplicables cuando el delito tenga la consideración de leve».

Nueve. Se modifican los apartados 6 y 7 del artículo 544 ter, que quedan redactados como sigue:

«6. Las medidas cautelares de carácter penal podrán consistir en cualesquiera de las previstas en la legislación procesal criminal. Sus requisitos, contenido y vigencia serán los establecidos con carácter general en esta ley. Se adoptarán por el Juez de instrucción atendiendo a la necesidad de protección integral e inmediata de la víctima y, en su caso, de las personas sometidas a su patria potestad, tutela, curatela, guarda o acogimiento.

7. Las medidas de naturaleza civil deberán ser solicitadas por la víctima o su representante legal, o bien por el Ministerio Fiscal cuando existan hijos menores o personas con la capacidad judicialmente modificada, determinando su régimen de cumplimiento y, si procediera, las medidas complementarias a ellas que fueran precisas, siempre que no hubieran sido previamente acordadas por un órgano del orden jurisdiccional civil, y sin perjuicio de las medidas previstas en el artículo 158 del Código Civil. Cuando existan menores o personas con discapacidad necesitadas de especial protección que convivan con la víctima y dependan de ella, el Juez deberá pronunciarse en todo caso, incluso de oficio, sobre la pertenencia de la adopción de las referidas medidas.

Estas medidas podrán consistir en la forma en que se ejercerá la patria potestad, acogimiento, tutela, curatela o guarda de hecho, atribución del uso y disfrute de la vivienda familiar, determinar el régimen de guarda y custodia, suspensión o mantenimiento del régimen de visitas, comunicación y estancia con los menores o personas con discapacidad necesitadas de especial protección, el régimen de prestación de alimentos, así como cualquier disposición que se considere oportuna a fin de apartarles de un peligro o de evitarles perjuicios.

Cuando se dicte una orden de protección con medidas de contenido penal y existieran indicios fundados de que los hijos e hijas menores de edad hubieran presenciado, sufrido o convivido con la violencia a la que se refiere el apartado

1 de este artículo, la autoridad judicial, de oficio o a instancia de parte, suspenderá el régimen de visitas, estancia, relación o comunicación del inculpado respecto de los menores que dependan de él. No obstante, a instancia de parte, la autoridad judicial podrá no acordar la suspensión mediante resolución motivada en el interés superior del menor y previa evaluación de la situación de la relación paternofilial.

Las medidas de carácter civil contenidas en la orden de protección tendrán una vigencia temporal de treinta días. Si dentro de este plazo fuese incoado a instancia de la víctima o de su representante legal un proceso de familia ante la jurisdicción civil, las medidas adoptadas permanecerán en vigor durante los treinta días siguientes a la presentación de la demanda. En este término las medidas deberán ser ratificadas, modificadas o dejadas sin efecto por el Juez de primera instancia que resulte competente».

Diez. Se introduce un artículo 703 bis con el siguiente contenido:

«Artículo 703 bis.

Cuando en fase de instrucción, en aplicación de lo dispuesto en el artículo 449 bis y siguientes, se haya practicado como prueba preconstituida la declaración de un testigo, se procederá, a instancia de la parte interesada, a la reproducción en la vista de la grabación audiovisual, de conformidad con el artículo 730.2, sin que sea necesaria la presencia del testigo en la vista.

En los supuestos previstos en el artículo 449 ter, la autoridad judicial solo podrá acordar la intervención del testigo en el acto del juicio, con carácter excepcional, cuando sea interesada por alguna de las partes y considerada necesaria en resolución motivada, asegurando que la grabación audiovisual cuenta con los apoyos de accesibilidad cuando el testigo sea una persona con discapacidad.

En todo caso, la autoridad judicial encargada del enjuiciamiento, a instancia de parte, podrá acordar su intervención en la vista cuando la prueba preconstituida no reúna todos los requisitos previstos en el artículo 449 bis y cause indefensión a alguna de las partes».

Once. Se modifica el párrafo segundo del artículo 707, que queda redactado como sigue:

«Fuera de los casos previstos en el artículo 703 bis, cuando una persona menor de dieciocho años o una persona con discapacidad necesitada de especial protección deba intervenir en el acto del juicio, su declaración se llevará a cabo, cuando resulte necesario para impedir o reducir los perjuicios que para ella puedan derivar del desarrollo del proceso o de la práctica de la diligencia, evitando la confrontación visual con la persona inculpada. Con este fin podrá ser utilizado cualquier medio técnico que haga posible la práctica de esta prueba, incluyéndose la posibilidad de que los testigos puedan ser oídos sin estar presentes en la sala mediante la utilización de tecnologías de la comunicación accesible».

Doce. Se modifica el artículo 730, que queda redactado como sigue:

«Artículo 730.

1. Podrán también leerse o reproducirse a instancia de cualquiera de las partes las diligencias practicadas en el sumario, que, por causas independientes de la voluntad de aquellas, no puedan ser reproducidas en el juicio oral.

2. A instancia de cualquiera de las partes, se podrá reproducir la grabación audiovisual de la declaración de la víctima o testigo practicada como prueba preconstituida durante la fase de instrucción conforme a lo dispuesto en el artículo 449 bis».

Trece. Se adiciona un apartado 3 al artículo 777, con el siguiente contenido:

«3. Cuando una persona menor de catorce años o una persona con discapacidad necesitada de especial protección deba intervenir en condición de testigo, será de aplicación lo dispuesto en el artículo 449 ter, debiendo la autoridad judicial practicar prueba preconstituida, siempre que el objeto del procedimiento sea la instrucción de alguno de los delitos relacionados en tal artículo.

A efectos de su valoración como prueba en sentencia, la parte a quien interese deberá instar en el juicio oral la reproducción de la grabación audiovisual, en los términos del artículo 730.2».

Catorce. Se adiciona un apartado 2 y se reenumeran los apartados del 2 al 6, que pasan a ser del 3 al 7, en el artículo 788, con el siguiente contenido:

«2. Será de aplicación lo dispuesto en el artículo 703 bis en cuanto a la no intervención en el acto del juicio del testigo, cuando se haya practicado prueba preconstituida de conformidad con lo dispuesto en los artículos 449 bis y siguientes».

Disposición final segunda. Modificación del Código Civil, aprobado por Real Decreto de 24 de julio de 1889.

Uno. Se modifica el artículo 92 del Código Civil, aprobado por Real Decreto de 24 de julio de 1889, que queda redactado como sigue:

«Artículo 92.

1. La separación, la nulidad y el divorcio no eximen a los padres de sus obligaciones para con los hijos.

2. El Juez, cuando deba adoptar cualquier medida sobre la custodia, el cuidado y la educación de los hijos menores, velará por el cumplimiento de su derecho a ser oídos y emitirá una resolución motivada en el interés superior del menor sobre esta cuestión.

3. En la sentencia se acordará la privación de la patria potestad cuando en el proceso se revele causa para ello.

4. Los padres podrán acordar en el convenio regulador o el Juez podrá decidir, en beneficio de los hijos, que la patria potestad sea ejercida total o parcialmente por uno de los cónyuges.

5. Se acordará el ejercicio compartido de la guarda y custodia de los hijos cuando así lo soliciten los padres en la propuesta de convenio regulador o cuando ambos lleguen a este acuerdo en el transcurso del procedimiento.

6. En todo caso, antes de acordar el régimen de guarda y custodia, el Juez deberá recabar informe del Ministerio Fiscal, oír a los menores que tengan suficiente juicio cuando se estime necesario de oficio o a petición del Fiscal, las partes o miembros del Equipo Técnico Judicial, o del propio menor, y valorar las alegaciones de las partes, la prueba practicada, y la relación que los padres mantengan entre sí y con sus hijos para determinar su idoneidad con el régimen de guarda.

7. No procederá la guarda conjunta cuando cualquiera de los progenitores esté incurso en un proceso penal iniciado por atentar contra la vida, la integridad física, la libertad, la integridad moral o la libertad e indemnidad sexual del otro cónyuge o de los hijos que convivan con ambos. Tampoco procederá cuando el Juez advierta, de las alegaciones de las partes y las pruebas practicadas, la existencia de indicios fundados de violencia doméstica o de género.

8. Excepcionalmente, aun cuando no se den los supuestos del apartado cinco de este artículo, el Juez, a instancia de una de las partes, con informe del Ministerio Fiscal, podrá acordar la guarda y custodia compartida fundamentándola en que solo de esta forma se protege adecuadamente el interés superior del menor.

9. El Juez, antes de adoptar alguna de las decisiones a que se refieren los apartados anteriores, de oficio o a instancia de parte, del Fiscal o miembros del Equipo Técnico Judicial, o del propio menor, podrá recabar dictamen de

especialistas debidamente cualificados, relativo a la idoneidad del modo de ejercicio de la patria potestad y del régimen de custodia de las personas menores de edad para asegurar su interés superior.

10. El Juez adoptará, al acordar fundadamente el régimen de guarda y custodia, así como el de estancia, relación y comunicación, las cautelas necesarias, procedentes y adecuadas para el eficaz cumplimiento de los regímenes establecidos, procurando no separar a los hermanos».

Dos. Se modifica el artículo 154 del Código Civil, aprobado por Real Decreto de 24 de julio de 1889, que queda redactado como sigue:

«Artículo 154.

Los hijos e hijas no emancipados están bajo la patria potestad de los progenitores.

La patria potestad, como responsabilidad parental, se ejercerá siempre en interés de los hijos e hijas, de acuerdo con su personalidad, y con respeto a sus derechos, su integridad física y mental.

Esta función comprende los siguientes deberes y facultades:

1.º Velar por ellos, tenerlos en su compañía, alimentarlos, educarlos y procurarles una formación integral.

2.º Representarlos y administrar sus bienes.

3.º Decidir el lugar de residencia habitual de la persona menor de edad, que solo podrá ser modificado con el consentimiento de ambos progenitores o, en su defecto, por autorización judicial.

Si los hijos o hijas tuvieren suficiente madurez deberán ser oídos siempre antes de adoptar decisiones que les afecten sea en procedimiento contencioso o de mutuo acuerdo. En todo caso, se garantizará que puedan ser oídas en condiciones idóneas, en términos que les sean accesibles, comprensibles y adaptados a su edad, madurez y circunstancias, recabando el auxilio de especialistas cuando ello fuera necesario.

Los progenitores podrán, en el ejercicio de su función, recabar el auxilio de la autoridad».

Tres. Se modifica el artículo 158 del Código Civil, aprobado por Real Decreto de 24 de julio de 1889, que queda redactado como sigue:

«Artículo 158.

El Juez, de oficio o a instancia del propio hijo, de cualquier pariente o del Ministerio Fiscal, dictará:

1.º Las medidas convenientes para asegurar la prestación de alimentos y proveer a las futuras necesidades del hijo, en caso de incumplimiento de este deber, por sus padres.

2.º Las disposiciones apropiadas a fin de evitar a los hijos perturbaciones dañosas en los caso de cambio de titular de la potestad de guarda.

3.º Las medidas necesarias para evitar la sustracción de los hijos menores por alguno de los progenitores o por terceras personas y, en particular, las siguientes:

a) Prohibición de salida del territorio nacional, salvo autorización judicial previa.

b) Prohibición de expedición del pasaporte al menor o retirada del mismo si ya se hubiere expedido.

c) Sometimiento a autorización judicial previa de cualquier cambio de domicilio del menor.

4.º La medida de prohibición a los progenitores, tutores, a otros parientes o a terceras personas de aproximarse al menor y acercarse a su domicilio o centro educativo y a otros lugares que frecuente, con respecto al principio de proporcionalidad.

5.º La medida de prohibición de comunicación con el menor, que impedirá a los progenitores, tutores, a otros parientes o a terceras personas establecer contacto escrito, verbal o visual por cualquier medio de comunicación o medio informático o telemático, con respeto al principio de proporcionalidad.

6.º La suspensión cautelar en el ejercicio de la patria potestad y/o en el ejercicio de la guarda y custodia, la suspensión cautelar del régimen de visitas y comunicaciones establecidos en resolución judicial o convenio judicialmente aprobado y, en general, las demás disposiciones que considere oportunas, a fin de apartar al menor de un peligro o de evitarle perjuicios en su entorno familiar o frente a terceras personas.

En caso de posible desamparo del menor, el Juzgado comunicará las medidas a la Entidad Pública. Todas estas medidas podrán adoptarse dentro de cualquier proceso judicial o penal o bien en un expediente de jurisdicción voluntaria, en que la autoridad judicial habrá de garantizar la audiencia de la persona menor de edad, pudiendo el Tribunal ser auxiliado por personas externas para garantizar que pueda ejercitarse este derecho por sí misma».

Cuatro. Se modifica el apartado 5 del artículo 172 del Código Civil, aprobado por Real Decreto de 24 de julio de 1889, que queda redactado como sigue:

«5. La Entidad Pública cesará en la tutela que ostente sobre los menores declarados en situación de desamparo cuando constate, mediante los correspondientes informes, la desaparición de las causas que motivaron su asunción, por alguno de los supuestos previstos en los artículos 276 y 277.1, y cuando compruebe fehacientemente alguna de las siguientes circunstancias:

a) Que el menor se ha trasladado voluntariamente a otro país.

b) Que el menor se encuentra en el territorio de otra comunidad autónoma, en cuyo caso se procederá al traslado del expediente de protección y cuya Entidad Pública hubiere dictado resolución sobre declaración de situación de desamparo y asumido su tutela o medida de protección correspondiente, o entendiere que ya no es necesario adoptar medidas de protección a tenor de la situación del menor.

c) Que hayan transcurrido doce meses desde que el menor abandonó voluntariamente el centro de protección, encontrándose en paradero desconocido.

La guarda provisional cesará por las mismas causas que la tutela».

Disposición final tercera. Modificación de la Ley Orgánica 1/1979, de 26 de septiembre, General Penitenciaria.

Se introduce un artículo sesenta y seis bis en la Ley Orgánica 1/1979, de 26 de septiembre, General Penitenciaria, con el siguiente contenido:

«Artículo sesenta y seis bis.

1. La Administración penitenciaria elaborará programas específicos para las personas internas que hayan sido condenadas por delitos relacionados con la violencia contra la infancia y adolescencia, al objeto de desarrollar en ellos una actitud de respeto hacia los derechos de niños, niñas y adolescentes, en los términos que se determinen reglamentariamente.

2. Las Juntas de Tratamiento valorarán, en las progresiones de grado, concesión de permisos y concesión de la libertad condicional, el seguimiento y aprovechamiento de dichos programas específicos por parte de las personas internas a que se refiere el apartado anterior».

Disposición final cuarta. Modificación de la Ley Orgánica 6/1985, de 1 de julio, del Poder Judicial.

La Ley Orgánica 6/1985, de 1 de julio, del Poder Judicial, queda modificada de la forma siguiente:

Uno. Se modifica el apartado 2 del artículo 307, que queda redactado en los siguientes términos:

«2. El curso de selección incluirá necesariamente: un programa teórico de formación multidisciplinar, un período de prácticas tuteladas en diferentes órganos de todos los órdenes jurisdiccionales y un período en el que los jueces y juezas en prácticas desempeñarán funciones de sustitución y refuerzo. Solamente la superación de cada uno de ellos posibilitará el acceso al siguiente.

En la fase teórica de formación multidisciplinar se incluirá el estudio en profundidad de las materias que integran el principio de no discriminación y la igualdad entre hombres y mujeres, y en particular de la legislación especial para la lucha contra la violencia sobre la mujer en todas sus formas. Asimismo, incluirá el estudio en profundidad de la legislación nacional e internacional sobre los derechos de la infancia y la adolescencia, con especial atención a la Convención sobre los Derechos del Niño y sus observaciones generales».

Dos. Se modifica el artículo 310, que queda redactado en los siguientes términos:

«Artículo 310.

Todas las pruebas selectivas para el ingreso y la promoción en las Carreras Judicial y Fiscal contemplarán el estudio del principio de igualdad entre mujeres y hombres, incluyendo las medidas contra la violencia de género, y su aplicación con carácter transversal en el ámbito de la función jurisdiccional.

El temario deberá garantizar la adquisición de conocimientos sobre el principio de no discriminación y especialmente de igualdad entre mujeres y hombres y, en particular, de la normativa específica dictada para combatir la violencia sobre la mujer, incluyendo la de la Unión Europea y la de tratados e instrumentos internacionales en materia de igualdad, discriminación y violencia contra las mujeres ratificados por España.

Asimismo, las pruebas selectivas contemplarán el estudio de la tutela judicial de los derechos de la infancia y la adolescencia, su protección y la aplicación del principio del interés superior de la persona menor de edad. El temario deberá garantizar la adquisición de conocimientos sobre normativa interna, europea e internacional, con especial atención a la Convención sobre los Derechos del Niño y sus observaciones generales».

Tres. Se modifica el apartado 5 del artículo 433 bis, que queda redactado en los siguientes términos:

«5. El Plan de Formación Continuada de la Carrera Judicial contendrá cursos específicos de naturaleza multidisciplinar sobre la tutela judicial del principio de igualdad entre mujeres y hombres, la discriminación por cuestión de sexo, la múltiple discriminación y la violencia ejercida sobre las mujeres, así como la trata en todas sus formas y manifestaciones y la capacitación en la aplicación de la perspectiva de género en la interpretación y aplicación del Derecho, además de incluir dicha formación de manera transversal en el resto de cursos.

Asimismo, el Plan de Formación Continuada contemplará cursos específicos de naturaleza disciplinar sobre la tutela judicial de los derechos de los niños, niñas y adolescentes. En todo caso, en los cursos de formación se introducirá el enfoque de la discapacidad de los niños, niñas y adolescentes».

Cuatro. Se modifica el apartado 2 del artículo 434, que queda redactado en los siguientes términos:

«2. Tendrá como función la colaboración con el Ministerio de Justicia en la selección, formación inicial y continuada de los miembros de la Carrera Fiscal, el Cuerpo de Letrados y demás personal al servicio de la Administración de Justicia.

El Centro de Estudios Jurídicos impartirá anualmente cursos de formación sobre el principio de igualdad entre mujeres y hombres y su aplicación con carácter transversal a quienes integren la Carrera Fiscal, el Cuerpo de Letrados y demás personal al servicio de la Administración de Justicia, así como sobre la detección precoz y el tratamiento de situaciones de violencia de género.

Asimismo, el Centro de Estudios Jurídicos impartirá anualmente cursos específicos de naturaleza multidisciplinar sobre la tutela judicial de los derechos de la infancia y la adolescencia. En todo caso, en los cursos de formación se introducirá el enfoque de la discapacidad de los niños, niñas y adolescentes».

Cinco. Se modifican los apartados 3 y 4 del artículo 480 que quedan redactados como sigue:

«Artículo 480.

3. Los Facultativos del Instituto Nacional de Toxicología y Ciencias Forenses son funcionarios de carrera que constituyen un Cuerpo Nacional de Titulados Superiores al servicio de la Administración de Justicia. Atendiendo a la actividad técnica y científica del Instituto, dentro del citado Cuerpo podrán establecerse especialidades.

Son funciones del Cuerpo de Facultativos del Instituto Nacional de Toxicología y Ciencias Forenses la asistencia técnica en las materias de sus disciplinas profesionales a autoridades judiciales, gubernativas, al Ministerio Fiscal y a los médicos forenses, en el curso de las actuaciones judiciales o en las diligencias previas de investigación. A tal efecto llevarán a cabo los análisis e investigación que les sean solicitados, emitirán los dictámenes e informes pertinentes y evacuarán las consultas que les sean planteadas por las autoridades citadas, así como por los particulares en el curso de procesos judiciales y por organismos o empresas públicas que afecten al interés general, y contribuirán a la prevención de intoxicaciones.

Prestarán sus servicios en el Instituto Nacional de Toxicología y Ciencias Forenses, así como en los Institutos de Medicina Legal y Ciencias Forenses y en las unidades administrativas que se establezcan, en los supuestos y condiciones que se determinen en las correspondientes relaciones de puestos de trabajo.

4. Los Técnicos Especialistas del Instituto Nacional de Toxicología y Ciencias Forenses son funcionarios de carrera que constituyen un cuerpo nacional de auxilio especializado al servicio de la Administración de Justicia y realizarán funciones de auxilio técnico especializado en las actividades científicas y de investigación propias del citado Instituto, así como de los Institutos de Medicina Legal y Ciencias Forenses.

Prestarán servicio, en los supuestos y condiciones que se establezcan en las relaciones de puestos de trabajo de los citados organismos».

Disposición final quinta. Modificación de la Ley 34/1988, de 11 de noviembre, General de Publicidad.

Se modifica el párrafo a) del artículo 3 de la Ley 34/1988, de 11 de noviembre, General de Publicidad, que queda redactado en los siguientes términos:

«a) La publicidad que atente contra la dignidad de la persona o vulnere los valores y derechos reconocidos en la Constitución Española, especialmente a los que se refieren sus artículos 14, 18 y 20, apartado 4.

Se entenderán incluidos en la previsión anterior los anuncios que presenten a las mujeres de forma vejatoria o discriminatoria, bien utilizando particular y directamente su cuerpo o partes del mismo como mero objeto desvinculado del producto que se pretende promocionar, bien su imagen asociada a comportamientos estereotipados que vulneren los fundamentos de nuestro ordenamiento coadyuvando a generar la violencia a que se refiere la Ley Orgánica 1/2004, de 28 de diciembre, de Medidas de Protección Integral contra la Violencia de Género.

Asimismo, se entenderá incluida en la previsión anterior cualquier forma de publicidad que coadyuve a generar violencia o discriminación en cualquiera de sus manifestaciones sobre las personas menores de edad, o fomente estereotipos de carácter sexista, racista, estético o de carácter homofóbico o transfóbico o por razones de discapacidad».

Disposición final sexta. Modificación de la Ley Orgánica 10/1995, de 23 de noviembre, del Código Penal.

Se modifica la Ley Orgánica 10/1995, de 23 de noviembre, del Código Penal, que queda redactada en los siguientes términos:

Uno. Se modifica la circunstancia 4.ª del artículo 22, que queda redactada como sigue:

«4.ª Cometer el delito por motivos racistas, antisemitas u otra clase de discriminación referente a la ideología, religión o creencias de la víctima, la etnia, raza o nación a la que pertenezca, su sexo, edad, orientación o identidad sexual o de género, razones de género, de aporofobia o de exclusión social, la enfermedad que padezca o su discapacidad, con independencia de que tales condiciones o circunstancias concurran efectivamente en la persona sobre la que recaiga la conducta».

Dos. Se modifica el párrafo b) del artículo 39, que queda redactado como sigue:

«b) Las de inhabilitación especial para empleo o cargo público, profesión, oficio, industria o comercio, u otras actividades, sean o no retribuidas, o de los derechos de patria potestad, tutela, guarda o curatela, tenencia de animales, derecho de sufragio pasivo o de cualquier otro derecho».

Tres. Se modifica el artículo 45, que queda redactado en los siguientes términos:

«Artículo 45.

La inhabilitación especial para profesión, oficio, industria o comercio u otras actividades, sean o no retribuidas, o cualquier otro derecho, que ha de concretarse expresa y motivadamente en la sentencia, priva a la persona penada de la facultad de ejercerlos durante el tiempo de la condena. La autoridad judicial podrá restringir la inhabilitación a determinadas actividades o funciones de la profesión u oficio, retribuido o no, permitiendo, si ello fuera posible, el ejercicio de aquellas funciones no directamente relacionadas con el delito cometido».

Cuatro. Se modifica el artículo 46, que queda redactado en los siguientes términos:

«Artículo 46.

La inhabilitación especial para el ejercicio de la patria potestad, tutela, curatela, guarda o acogimiento, priva a la persona condenada de los derechos inherentes a la primera, y supone la extinción de las demás, así como la incapacidad para obtener nombramiento para dichos cargos durante el tiempo de la condena. La pena de privación de la patria potestad implica la pérdida de la titularidad de la misma, subsistiendo aquellos derechos de los que sea titular el hijo o la hija respecto de la persona condenada que se determinen judicialmente. La autoridad judicial podrá acordar estas penas respecto de todas o algunas de las personas menores de edad o personas con discapacidad necesitadas de especial protección que estén a cargo de la persona condenada.

Para concretar qué derechos de las personas menores de edad o personas con discapacidad han de subsistir en caso de privación de la patria potestad y para determinar respecto de qué personas se acuerda la pena, la autoridad judicial valorará el interés superior de la persona menor de edad o con discapacidad, en relación a las circunstancias del caso concreto.

A los efectos de este artículo, la patria potestad comprende tanto la regulada en el Código Civil, incluida la prorrogada y la rehabilitada, como las instituciones análogas previstas en la legislación civil de las comunidades autónomas».

Cinco. Se modifica el párrafo introductorio del artículo 49, que queda redactado en los siguientes términos:

«Los trabajos en beneficio de la comunidad, que no podrán imponerse sin el consentimiento de la persona condenada, le obligan a prestar su cooperación no retribuida en determinadas actividades de utilidad pública, que podrán consistir, en relación con delitos de similar naturaleza al cometido por la persona condenada, en labores de reparación de los daños causados o de apoyo o asistencia a las víctimas, así como en la participación de la persona condenada en talleres o programas formativos de reeducación, laborales, culturales, de educación vial, sexual, resolución pacífica de conflictos, parentalidad positiva y otros similares. Su duración diaria no podrá exceder de ocho horas y sus condiciones serán las siguientes:»

Seis. Se modifica el apartado 1 del artículo 57, que queda redactado como sigue:

«1. Las autoridades judiciales, en los delitos de homicidio, aborto, lesiones, contra la libertad, de torturas y contra la integridad moral, trata de seres humanos, contra la libertad e indemnidad sexuales, la intimidad, el derecho a la propia imagen y la inviolabilidad del domicilio, el honor, el patrimonio, el orden socioeconómico y las relaciones familiares, atendiendo a la gravedad de los hechos o al peligro que el delincuente represente, podrán acordar en sus sentencias la imposición de una o varias de las prohibiciones contempladas en el artículo 48, por un tiempo que no excederá de diez años si el delito fuera grave, o de cinco si fuera menos grave.

No obstante lo anterior, si la persona condenada lo fuera a pena de prisión y el Juez o Tribunal acordara la imposición de una o varias de dichas prohibiciones, lo hará por un tiempo superior entre uno y diez años al de la duración de la pena de prisión impuesta en la sentencia, si el delito fuera grave, y entre uno y cinco años, si fuera menos grave. En este supuesto, la pena de prisión y las prohibiciones antes citadas se cumplirán necesariamente por la persona condenada de forma simultánea».

Siete. Se modifica el párrafo 6.ª del apartado 1 del artículo 83, que queda redactado como sigue:

«6.ª Participar en programas formativos, laborales, culturales, de educación vial, sexual, de defensa del medio ambiente, de protección de los animales, de igualdad de trato y no discriminación, resolución pacífica de conflictos, parentalidad positiva y otros similares».

Ocho. Se modifica el artículo 107, que queda redactado como sigue:

«Artículo 107.

La autoridad judicial podrá decretar razonadamente la medida de inhabilitación para el ejercicio de determinado derecho, profesión, oficio, industria o comercio, cargo o empleo u otras actividades, sean o no retribuidas, por un tiempo de uno a cinco años, cuando la persona haya cometido con abuso de dicho ejercicio, o en relación con él, un hecho delictivo, y cuando de la valoración de las circunstancias concurrentes pueda deducirse el peligro de que vuelva a cometer el mismo delito u otros semejantes, siempre que no sea posible imponerle la pena correspondiente por encontrarse en alguna de las situaciones previstas en los números 1.º, 2.º y 3.º del artículo 20».

Nueve. Se modifica el párrafo 5.º del apartado 1 del artículo 130, que queda redactado como sigue:

«5.º Por el perdón de la persona ofendida, cuando se trate de delitos leves perseguibles a instancias de la persona agraviada o la ley así lo prevea. El perdón habrá de ser otorgado de forma expresa antes de que se haya dictado sentencia, a cuyo efecto la autoridad judicial sentenciadora deberá oír a la persona ofendida por el delito antes de dictarla.

En los delitos cometidos contra personas menores de edad o personas con discapacidad necesitadas de especial protección que afecten a bienes jurídicos eminentemente personales, el perdón de la persona ofendida no extingue la responsabilidad criminal».

Diez. Se modifica el apartado 1 del artículo 132, que queda redactado como sigue:

«1. Los términos previstos en el artículo precedente se computarán desde el día en que se haya cometido la infracción punible. En los casos de delito continuado, delito permanente, así como en las infracciones que exijan habitualidad, tales términos se computarán, respectivamente, desde el día en que se realizó la última infracción, desde que se eliminó la situación ilícita o desde que cesó la conducta.

En los delitos de aborto no consentido, lesiones, contra la libertad, de torturas y contra la integridad moral, contra la intimidad, el derecho a la propia imagen y la inviolabilidad del domicilio, y contra las relaciones familiares, excluidos los delitos contemplados en el párrafo siguiente, cuando la víctima fuere una persona menor de dieciocho años, los términos se computarán desde el día en que ésta haya alcanzado la mayoría de edad, y si falleciere antes de alcanzarla, a partir de la fecha del fallecimiento.

En los delitos de tentativa de homicidio, de lesiones de los artículos 149 y 150, en el delito de maltrato habitual previsto en el artículo 173.2, en los delitos contra la libertad, en los delitos contra la libertad e indemnidad sexual y en los delitos de trata de seres humanos, cuando la víctima fuere una persona menor de dieciocho años, los términos se computarán desde que la víctima cumpla los treinta y cinco años de edad, y si falleciere antes de alcanzar esa edad, a partir de la fecha del fallecimiento».

Once. Se modifica el artículo 140 bis, que queda redactado como sigue:

«Artículo 140 bis.

1. A las personas condenadas por la comisión de uno o más delitos comprendidos en este título se les podrá imponer además una medida de libertad vigilada.

2. Si la víctima y quien sea autor de los delitos previstos en los tres artículos precedentes tuvieran un hijo o hija en común, la autoridad judicial impondrá, respecto de este, la pena de privación de la patria potestad.

La misma pena se impondrá cuando la víctima fuere hijo o hija del autor, respecto de otros hijos e hijas, si existieren».

Doce. Se introduce un artículo 143 bis, con el siguiente contenido:

«Artículo 143 bis.

La distribución o difusión pública a través de Internet, del teléfono o de cualquier otra tecnología de la información o de la comunicación de contenidos específicamente destinados a promover, fomentar o incitar al suicidio de personas menores de edad o personas con discapacidad necesitadas de especial protección será castigada con la pena de prisión de uno a cuatro años.

Las autoridades judiciales ordenarán la adopción de las medidas necesarias para la retirada de los contenidos a los que se refiere el párrafo anterior, para la interrupción de los servicios que ofrezcan predominantemente dichos contenidos o para el bloqueo de unos y otros cuando radiquen en el extranjero».

Trece. Se modifica el apartado 3.º del artículo 148, que queda redactado como sigue:

«3.º Si la víctima fuere menor de catorce años o persona con discapacidad necesitada de especial protección».

Catorce. Se modifica el artículo 156 ter, que queda redactado como sigue:

«Artículo 156 ter.

La distribución o difusión pública a través de Internet, del teléfono o de cualquier otra tecnología de la información o de la comunicación de contenidos específicamente destinados a promover, fomentar o incitar a la autolesión de personas menores de edad o personas con discapacidad necesitadas de especial protección será castigada con la pena de prisión de seis meses a tres años.

Las autoridades judiciales ordenarán la adopción de las medidas necesarias para la retirada de los contenidos a los que se refiere el párrafo anterior, para la interrupción de los servicios que ofrezcan predominantemente dichos contenidos o para el bloqueo de unos y otros cuando radiquen en el extranjero».

Quince. Se introduce el artículo 156 quater, con el siguiente contenido:

«Artículo 156 quater.

A las personas condenadas por la comisión de uno o más delitos comprendidos en este Título, cuando la víctima fuere alguna de las personas a que se refiere el apartado 2 del artículo 173, se les podrá imponer además una medida de libertad vigilada».

Dieciséis. Se introduce el artículo 156 quinquies, con el siguiente contenido:

«Artículo 156 quinquies.

A las personas condenadas por la comisión de alguno de los delitos previstos en los artículos 147.1, 148, 149, 150 y 153 en los que la víctima sea una persona menor de edad se les podrá imponer, además de las penas que procedan, la pena de inhabilitación especial para cualquier profesión, oficio u otras actividades, sean o no retribuidos, que conlleve contacto regular y directo con personas menores de edad, por un tiempo superior entre tres y cinco años al de la duración de la pena de privación de libertad impuesta en la sentencia o por un tiempo de dos a cinco años cuando no se hubiere impuesto una pena de prisión, en ambos casos se atenderá proporcionalmente a la gravedad del delito, el número de los delitos cometidos y a las circunstancias que concurran en la persona condenada».

Diecisiete. Se modifica el apartado 1 del artículo 177 bis, que queda redactado como sigue:

«1. Será castigado con la pena de cinco a ocho años de prisión como reo de trata de seres humanos el que, sea en territorio español, sea desde España, en tránsito o con destino a ella, empleando violencia, intimidación o engaño, o abusando de una situación de superioridad o de necesidad o de vulnerabilidad de la víctima nacional o extranjera, o mediante la entrega o recepción de pagos o beneficios para lograr el consentimiento de la persona que poseyera el control sobre la víctima, la captare, transportare, trasladare, acogiere, o recibiere, incluido el intercambio o transferencia de control sobre esas personas, con cualquiera de las finalidades siguientes:

a) La imposición de trabajo o de servicios forzados, la esclavitud o prácticas similares a la esclavitud, a la servidumbre o a la mendicidad.

b) La explotación sexual, incluyendo la pornografía.

c) La explotación para realizar actividades delictivas.

d) La extracción de sus órganos corporales.

e) La celebración de matrimonios forzados.

Existe una situación de necesidad o vulnerabilidad cuando la persona en cuestión no tiene otra alternativa, real o aceptable, que someterse al abuso.

Cuando la víctima de trata de seres humanos fuera una persona menor de edad se impondrá, en todo caso, la pena de inhabilitación especial para cualquier profesión, oficio o actividades, sean o no retribuidos, que conlleve contacto regular y directo con personas menores de edad, por un tiempo superior entre seis y veinte años al de la duración de la pena de privación de libertad impuesta».

Dieciocho. Se modifican las circunstancias 3.ª y 4.ª del apartado 1 del artículo 180, que quedan redactadas como sigue:

«3.ª Cuando los hechos se cometan contra una persona que se halle en una situación de especial vulnerabilidad por razón de su edad, enfermedad, discapacidad o por cualquier otra circunstancia, salvo lo dispuesto en el artículo 183.

4.ª Cuando, para la ejecución del delito, la persona responsable se hubiera prevalido de una situación de convivencia o de una relación de superioridad o parentesco, por ser ascendiente, o hermano, por naturaleza o adopción, o afines, con la víctima».

Diecinueve. Se modifican las letras a) y d) del apartado 4 del artículo 183, que quedan redactadas como sigue:

«a) Cuando la víctima se halle en una situación de especial vulnerabilidad por razón de su edad, enfermedad, discapacidad o por cualquier otra circunstancia, y, en todo caso, cuando sea menor de cuatro años.

d) Cuando, para la ejecución del delito, el responsable se hubiera prevalido de una situación de convivencia o de una relación de superioridad o parentesco, por ser ascendiente, o hermano, por naturaleza o adopción, o afines, con la víctima».

Veinte. Se modifica el artículo 183 quater, que queda redactado como sigue:

«Artículo 183 quater.

El consentimiento libre del menor de dieciséis años, excepto en los casos del artículo 183.2 del Código Penal, excluirá la responsabilidad penal por los delitos previstos en este capítulo cuando el autor sea una persona próxima al menor por edad y grado de desarrollo o madurez física y psicológica».

Veintiuno. Se modifican las letras a) y b) del apartado 3 del artículo 188, que quedan redactadas como sigue:

«a) Cuando la víctima se halle en una situación de especial vulnerabilidad por razón de su edad, enfermedad, discapacidad o por cualquier otra circunstancia.

b) Cuando, para la ejecución del delito, el responsable se hubiera prevalido de una situación de convivencia o de una relación de superioridad o parentesco, por ser ascendiente, o hermano, por naturaleza o adopción, o afines, con la víctima».

Veintidós. Se modifican las letras b), c) y g) del apartado 2 del artículo 189, que quedan redactadas como sigue:

«b) Cuando los hechos revistan un carácter particularmente degradante o vejatorio, se emplee violencia física o sexual para la obtención del material pornográfico o se representen escenas de violencia física o sexual.

c) Cuando se utilice a personas menores de edad que se hallen en una situación de especial vulnerabilidad por razón de enfermedad, discapacidad o por cualquier otra circunstancia.

g) Cuando el responsable sea ascendiente, tutor, curador, guardador, maestro o cualquier otra persona encargada, de hecho, aunque fuera provisionalmente, o de derecho, de la persona menor de edad o persona con discapacidad necesitada de especial protección, o se trate de cualquier persona que conviva con él o de otra persona que haya actuado abusando de su posición reconocida de confianza o autoridad».

Veintitrés. Se modifica el artículo 189 bis, que queda redactado como sigue:

«Artículo 189 bis.

La distribución o difusión pública a través de Internet, del teléfono o de cualquier otra tecnología de la información o de la comunicación de contenidos específicamente destinados a promover, fomentar o incitar a la comisión de los delitos previstos en este capítulo y en los capítulos II bis y IV del presente título será castigada con la pena de multa de seis a doce meses o pena de prisión de uno a tres años.

Las autoridades judiciales ordenarán la adopción de las medidas necesarias para la retirada de los contenidos a los que se refiere el párrafo anterior, para la interrupción de los servicios que ofrezcan predominantemente dichos contenidos o para el bloqueo de unos y otros cuando radiquen en el extranjero».

Veinticuatro. Se introduce el artículo 189 ter, con el siguiente contenido:

«Artículo 189 ter.

Cuando de acuerdo con lo establecido en el artículo 31 bis una persona jurídica sea responsable de los delitos comprendidos en este Capítulo, se le impondrán las siguientes penas:

a) Multa del triple al quíntuple del beneficio obtenido, si el delito cometido por la persona física tiene prevista una pena de prisión de más de cinco años.

b) Multa del doble al cuádruple del beneficio obtenido, si el delito cometido por la persona física tiene prevista una pena de prisión de más de dos años no incluida en el anterior inciso.

c) Multa del doble al triple del beneficio obtenido, en el resto de los casos.

Atendidas las reglas establecidas en el artículo 66 bis, las autoridades judiciales podrán asimismo imponer las penas recogidas en las letras b) a g) del apartado 7 del artículo 33».

Veinticinco. Se modifica el apartado 3 del artículo 192, que queda redactado como sigue:

«3. La autoridad judicial podrá imponer razonadamente, además, la pena de privación de la patria potestad o la pena de inhabilitación especial para el ejercicio de los derechos de la patria potestad, tutela, curatela, guarda o acogimiento, por el tiempo de seis meses a seis años, y la pena de inhabilitación para empleo o cargo público o ejercicio de la profesión u oficio, retribuido o no, por el tiempo de seis meses a seis años.

La autoridad judicial impondrá a las personas responsables de los delitos comprendidos en el presente título, sin perjuicio de las penas que correspondan con arreglo a los artículos precedentes, una pena de inhabilitación especial para cualquier profesión, oficio o actividades, sean o no retribuidos, que conlleve contacto regular y directo con personas menores de edad, por un tiempo superior entre cinco y veinte años al de la duración de la pena de privación de libertad impuesta en la sentencia si el delito fuera grave, y entre dos y veinte años si fuera menos grave, en ambos casos se atenderá proporcionalmente a la gravedad del delito, el número de los delitos cometidos y a las circunstancias que concurran en la persona condenada».

Veintiséis. Se modifica el artículo 201, que queda redactado como sigue:

«1. Para proceder por los delitos previstos en este Capítulo será necesaria denuncia de la persona agraviada o de su representante legal.

2. No será precisa la denuncia exigida en el apartado anterior para proceder por los hechos descritos en el artículo 198 de este Código, ni cuando la co-

misión del delito afecte a los intereses generales, a una pluralidad de personas o si la víctima es una persona menor de edad o una persona con discapacidad necesitada de especial protección.

3. El perdón del ofendido o de su representante legal, en su caso, extingue la acción penal sin perjuicio de lo dispuesto en el artículo 130.1.5.º, párrafo segundo».

Veintisiete. Se modifica el apartado 3 del artículo 215, que queda redactado como sigue:

«El perdón de la persona ofendida extingue la acción penal, sin perjuicio de lo dispuesto en el artículo 130.1.5.º, párrafo segundo de este Código».

Veintiocho. Se modifica el apartado 2 del artículo 220, que queda redactado como sigue:

«2. La misma pena se impondrá a quien ocultare o entregare a terceros una persona menor de dieciocho años para alterar o modificar su filiación».

Veintinueve. Se modifica el apartado 2 del artículo 225 bis, que queda redactado como sigue:

«2. A los efectos de este artículo, se considera sustracción:

1.º El traslado de una persona menor de edad de su lugar de residencia habitual sin consentimiento del otro progenitor o de las personas o instituciones a las cuales estuviese confiada su guarda o custodia.

2.º La retención de una persona menor de edad incumpliendo gravemente el deber establecido por resolución judicial o administrativa».

Treinta. Se modifica el párrafo tercero del artículo 267, que queda redactado como sigue:

«En estos casos, el perdón de la persona ofendida extingue la acción penal».

Treinta y uno. Se modifica el artículo 314, que queda redactado como sigue:

«Artículo 314.

Quienes produzcan una grave discriminación en el empleo, público o privado, contra alguna persona por razón de su ideología, religión o creencias, su situación familiar, su pertenencia a una etnia, raza o nación, su origen nacional, su sexo, edad, orientación o identidad sexual o de género, razones de género, de aporofobia o de exclusión social, la enfermedad que padezca o su discapacidad, por ostentar la representación legal o sindical de los trabajadores, por el parentesco con otros trabajadores de la empresa o por el uso de alguna de las lenguas oficiales dentro del Estado español, y no restablezcan la situación de igualdad ante la ley tras requerimiento o sanción administrativa, reparando los daños económicos que se hayan derivado, serán castigados con la pena de prisión de seis meses a dos años o multa de doce a veinticuatro meses».

Treinta y dos. Se introduce un nuevo artículo 361 bis, que queda redactado como sigue:

«Artículo 361 bis.

La distribución o difusión pública a través de Internet, del teléfono o de cualquier otra tecnología de la información o de la comunicación de contenidos específicamente destinados a promover o facilitar, entre personas menores de edad o personas con discapacidad necesitadas de especial protección, el consumo de productos, preparados o sustancias o la utilización de técnicas de ingestión o eliminación de productos alimenticios cuyo uso sea susceptible de generar riesgo para la salud de las personas será castigado con la pena de multa de seis a doce meses o pena de prisión de uno a tres años.

Las autoridades judiciales ordenarán la adopción de las medidas necesarias para la retirada de los contenidos a los que se refiere el párrafo anterior, para la interrupción de los servicios que ofrezcan predominantemente dichos contenidos o para el bloqueo de unos y otros cuando radiquen en el extranjero».

Treinta y tres. Se modifica el artículo 511, que queda redactado como sigue:

«Artículo 511.

1. Incurrirá en la pena de prisión de seis meses a dos años, multa de doce a veinticuatro meses e inhabilitación especial para empleo o cargo público por tiempo de uno a tres años el particular encargado de un servicio público que deniegue a una persona una prestación a la que tenga derecho por razón de su ideología, religión o creencias, su situación familiar, pertenencia a una etnia, raza o nación, su origen nacional, su sexo, edad, orientación o identidad sexual o de género, razones de género, de aporofobia o de exclusión social, la enfermedad que padezca o su discapacidad.

2. Las mismas penas serán aplicables cuando los hechos se cometan contra una asociación, fundación, sociedad o corporación o contra sus miembros por razón de su ideología, religión o creencias, su situación familiar, la pertenencia de sus miembros o de alguno de ellos a una etnia, raza o nación, su origen nacional, su sexo, edad, orientación o identidad sexual o de género, razones

de género, de aporofobia o de exclusión social, la enfermedad que padezca o su discapacidad.

3. Los funcionarios públicos que cometan alguno de los hechos previstos en este artículo, incurrirán en las mismas penas en su mitad superior y en la de inhabilitación especial para empleo o cargo público por tiempo de dos a cuatro años.

4. En todos los casos se impondrá además la pena de inhabilitación especial para profesión u oficio educativos, en el ámbito docente, deportivo y de tiempo libre, por un tiempo superior entre uno y tres años al de la duración de la pena impuesta si esta fuera de privación de libertad, cuando la pena impuesta fuera de multa, la pena de inhabilitación especial tendrá una duración de uno a tres años. En todo caso se atenderá proporcionalmente a la gravedad del delito y a las circunstancias que concurran en el delincuente».

Treinta y cuatro. Se modifica el artículo 512, que queda redactado como sigue:

«Artículo 512.

Quienes en el ejercicio de sus actividades profesionales o empresariales denegaren a una persona una prestación a la que tenga derecho por razón de su ideología, religión o creencias, su situación familiar, su pertenencia a una etnia, raza o nación, su origen nacional, su sexo, edad, orientación o identidad sexual o de género, razones de género, de aporofobia o de exclusión social, la enfermedad que padezca o su discapacidad, incurrirán en la pena de inhabilitación especial para el ejercicio de profesión, oficio, industria o comercio e inhabilitación especial para profesión u oficio educativos, en el ámbito docente, deportivo y de tiempo libre por un periodo de uno a cuatro años».

Treinta y cinco. Se modifica el apartado 4.º del artículo 515, que queda redactado como sigue:

«4.º Las que fomenten, promuevan o inciten directa o indirectamente al odio, hostilidad, discriminación o violencia contra personas, grupos o asociaciones por razón de su ideología, religión o creencias, la pertenencia de sus miembros o de alguno de ellos a una etnia, raza o nación, su origen nacional, su sexo, edad, orientación o identidad sexual o de género, razones de género, de aporofobia o de exclusión social, situación familiar, enfermedad o discapacidad».

Disposición final séptima. Modificación de la Ley 1/1996, de 10 de enero, de asistencia jurídica gratuita.

Se modifica el párrafo g) del artículo 2 de la Ley 1/1996, de 10 de enero, de asistencia jurídica gratuita que queda redactado como sigue:

«g) Con independencia de la existencia de recursos para litigar, se reconoce el derecho de asistencia jurídica gratuita, que se les prestará de inmediato, a las víctimas de violencia de género, de terrorismo y de trata de seres humanos en aquellos procesos que tengan vinculación, deriven o sean consecuencia de su condición de víctimas, así como a las personas menores de edad y las personas con discapacidad necesitadas de especial protección cuando sean víctimas de delitos de homicidio, de lesiones de los artículos 149 y 150, en el delito de maltrato habitual previsto en el artículo 173.2, en los delitos contra la libertad, en los delitos contra la libertad e indemnidad sexual y en los delitos de trata de seres humanos.

Este derecho asistirá también a los causahabientes en caso de fallecimiento de la víctima, siempre que no fueran partícipes en los hechos.

A los efectos de la concesión del beneficio de justicia gratuita, la condición de víctima se adquirirá cuando se formule denuncia o querella, o se inicie un procedimiento penal, por alguno de los delitos a que se refiere esta letra, y se mantendrá mientras permanezca en vigor el procedimiento penal o cuando, tras su finalización, se hubiere dictado sentencia condenatoria. El beneficio de justifica gratuita se perderá tras la firmeza de la sentencia absolutoria, o del sobreseimiento definitivo o provisional por no resultar acreditados los hechos delictivos, sin la obligación de abonar el coste de las prestaciones disfrutadas gratuitamente hasta ese momento.

En los distintos procesos que puedan iniciarse como consecuencia de la condición de víctima de los delitos a que se refiere esta letra y, en especial, en los de violencia de género, deberá ser el mismo abogado el que asista a aquella, siempre que con ello se garantice debidamente su derecho de defensa».

Disposición final octava. Modificación de la Ley Orgánica 1/1996, de 15 de enero, de Protección Jurídica del Menor, de modificación parcial del Código Civil y de la Ley de Enjuiciamiento Civil.

La Ley Orgánica 1/1996, de 15 de enero, de Protección Jurídica del Menor, de modificación parcial del Código Civil y de la Ley de Enjuiciamiento Civil, queda modificada en los siguientes términos:

Uno. Se modifica el primer párrafo y la letra c) del apartado 5 del artículo 2, que quedan redactados como sigue:

«5. Toda resolución de cualquier orden jurisdiccional y toda medida en el interés superior de la persona menor de edad deberá ser adoptada respetando las debidas garantías del proceso y, en particular:

[…]

c) La participación de progenitores, tutores o representantes legales del menor o de un defensor judicial si hubiera conflicto de interés o discrepancia con ellos y del Ministerio Fiscal en el proceso en defensa de sus intereses. Se presumirá que existe un conflicto de interés cuando la opinión de la persona menor de edad sea contraria a la medida que se adopte sobre ella o suponga una restricción de sus derechos».

Dos. Se modifica el artículo 12, que queda redactado como sigue:

«Artículo 12. Actuaciones de protección.

1. La protección de los menores por los poderes públicos se realizará mediante la prevención, detección y reparación de situaciones de riesgo, con el establecimiento de los servicios y recursos adecuados para tal fin, el ejercicio de la guarda y, en los casos de declaración de desamparo, la asunción de la tutela por ministerio de la ley. En las actuaciones de protección deberán primar, en todo caso, las medidas familiares frente a las residenciales, las estables frente a las temporales y las consensuadas frente a las impuestas.

2. Los poderes públicos velarán para que los progenitores, tutores, guardadores o acogedores, desarrollen adecuadamente sus responsabilidades y les facilitarán servicios accesibles de prevención, asesoramiento y acompañamiento en todas las áreas que afectan al desarrollo de los menores.

3. Cuando los menores se encuentren bajo la patria potestad, tutela, guarda o acogimiento de una víctima de violencia de género o doméstica, las actuaciones de los poderes públicos estarán encaminadas a garantizar el apoyo necesario para procurar la permanencia de los menores, con independencia de su edad, con aquella, así como su protección, atención especializada y recuperación.

4. Cuando no pueda ser establecida la mayoría de edad de una persona, será considerada menor de edad a los efectos de lo previsto en esta ley, en tanto se determina su edad. A tal efecto, el Fiscal deberá realizar un juicio de proporcionalidad que pondere adecuadamente las razones por las que se considera que el pasaporte o documento equivalente de identidad presentado, en su

caso, no es fiable. La realización de pruebas médicas para la determinación de la edad de los menores se someterá al principio de celeridad, exigirá el previo consentimiento informado del afectado y se llevará a cabo con respeto a su dignidad y sin que suponga un riesgo para su salud, no pudiendo aplicarse indiscriminadamente. No podrán realizarse, en ningún caso, desnudos integrales, exploraciones genitales u otras pruebas médicas especialmente invasivas.

Asimismo, una vez adoptada la medida de guarda o tutela respecto a personas menores de edad que hayan llegado solas a España, las Entidades Públicas comunicarán la adopción de dicha medida al Ministerio del Interior, a efectos de inscripción en el Registro Estatal correspondiente.

5. Las Entidades Públicas garantizarán los derechos reconocidos en esta ley a las personas menores de edad desde el momento que accede por primera vez a un recurso de protección y proporcionarán una atención inmediata integral y adecuada a sus necesidades, evitando la prolongación de las medidas de carácter provisional y de la estancia en los recursos de primera acogida.

6. Cualquier medida de protección no permanente que se adopte respecto de menores de tres años se revisará cada tres meses, y respecto de mayores de esa edad se revisará cada seis meses. En los acogimientos permanentes la revisión tendrá lugar el primer año cada seis meses y, a partir del segundo año, cada doce meses.

7. Además, de las distintas funciones atribuidas por ley, la Entidad Pública remitirá al Ministerio Fiscal informe justificativo de la situación de un determinado menor cuando este se haya encontrado en acogimiento residencial o acogimiento familiar temporal durante un periodo superior a dos años, debiendo justificar la Entidad Pública las causas por las que no se ha adoptado una medida protectora de carácter más estable en ese intervalo,

8. Los poderes públicos garantizarán los derechos y obligaciones de los menores con discapacidad en lo que respecta a su custodia, tutela, guarda, adopción o instituciones similares, velando al máximo por el interés superior del menor. Asimismo, garantizarán que los menores con discapacidad tengan los mismos derechos respecto a la vida en familia. Para hacer efectivos estos derechos y a fin de prevenir su ocultación, abandono, negligencia o segregación velarán porque se proporcione con anticipación información, servicios y apoyo generales a los menores con discapacidad y a sus familias».

Tres. Se modifica el apartado 1, que queda redactado como sigue, y se suprimen los apartados 4 y 5 del artículo 13:

«1. Toda persona o autoridad, especialmente aquellas que por su profesión, oficio o actividad detecten una situación de riesgo o posible desamparo de una persona menor de edad, lo comunicarán a la autoridad o sus agentes más próximos, sin perjuicio de prestarle el auxilio inmediato que precise».

Cuatro. Se introduce un artículo 14 bis con el siguiente contenido:

«Artículo 14 bis. Actuaciones en casos de urgencia.

1. Cuando la urgencia del caso lo requiera, sin perjuicio de la guarda provisional a la que se refiere el artículo anterior y el artículo 172.4 del Código Civil, la actuación de los servicios sociales será inmediata.

2. La atención en casos de urgencia a que se refiere este artículo no está sujeta a requisitos procedimentales ni de forma, y se entiende en todo caso sin perjuicio del deber de prestar a las personas menores de edad el auxilio inmediato que precisen».

Cinco. Se modifican los apartados 1 y 2 del artículo 17, que quedan redactados como sigue:

«1. Se considerará situación de riesgo aquella en la que, a causa de circunstancias, carencias o conflictos familiares, sociales o educativos, la persona menor de edad se vea perjudicada en su desarrollo personal, familiar, social o educativo, en su bienestar o en sus derechos de forma que, sin alcanzar la entidad, intensidad o persistencia que fundamentarían su declaración de situación de desamparo y la asunción de la tutela por ministerio de la ley, sea precisa la intervención de la administración pública competente, para eliminar, reducir o compensar las dificultades o inadaptación que le afectan y evitar su desamparo y exclusión social, sin tener que ser separado de su entorno familiar.

2. Serán considerados como indicadores de riesgo, entre otros:

a) La falta de atención física o psíquica del niño, niña o adolescente por parte de los progenitores, o por las personas que ejerzan la tutela, guarda, o acogimiento, que comporte un perjuicio leve para la salud física o emocional del niño, niña o adolescente cuando se estime, por la naturaleza o por la repetición de los episodios, la posibilidad de su persistencia o el agravamiento de sus efectos.

b) La negligencia en el cuidado de las personas menores de edad y la falta de seguimiento médico por parte de los progenitores, o por las personas que ejerzan la tutela, guarda o acogimiento.

c) La existencia de un hermano o hermana declarado en situación de riesgo o desamparo, salvo que las circunstancias familiares hayan cambiado de forma evidente.

d) La utilización, por parte de los progenitores, o de quienes ejerzan funciones de tutela, guarda o acogimiento, del castigo habitual y desproporcionado y de pautas de corrección violentas que, sin constituir un episodio severo o un patrón crónico de violencia, perjudiquen su desarrollo.

e) La evolución negativa de los programas de intervención seguidos con la familia y la obstrucción a su desarrollo o puesta en marcha.

f) Las prácticas discriminatorias, por parte de los responsables parentales, contra los niños, niñas y adolescentes que conlleven un perjuicio para su bienestar y su salud mental y física, en particular:

1.º Las actitudes discriminatorias que por razón de género, edad o discapacidad puedan aumentar las posibilidades de confinamiento en el hogar, la falta de acceso a la educación, las escasas oportunidades de ocio, la falta de acceso al arte y a la vida cultural, así como cualquier otra circunstancia que por razón de género, edad o discapacidad, les impidan disfrutar de sus derechos en igualdad.

2.º La no aceptación de la orientación sexual, identidad de género o las características sexuales de la persona menor de edad.

g) El riesgo de sufrir ablación, mutilación genital femenina o cualquier otra forma de violencia en el caso de niñas y adolescentes basadas en el género, las promesas o acuerdos de matrimonio forzado.

h) La identificación de las madres como víctimas de trata.

i) Las niñas y adolescentes víctimas de violencia de género en los términos establecidos en el artículo 1.1 de la Ley Orgánica 1/2004, de 28 de diciembre, de medidas de protección integral contra la violencia de género.

j) Los ingresos múltiples de personas menores de edad en distintos hospitales con síntomas recurrentes, inexplicables y/o que no se confirman diagnósticamente.

k) El consumo habitual de drogas tóxicas o bebidas alcohólicas por las personas menores de edad.

l) La exposición de la persona menor de edad a cualquier situación de violencia doméstica o de género.

m) Cualquier otra circunstancia que implique violencia sobre las personas menores de edad que, en caso de persistir, pueda evolucionar y derivar en el desamparo del niño, niña o adolescente».

Seis. Se añade un nuevo artículo 17 bis con el siguiente contenido:

«Artículo 17 bis. Personas menores de catorce años en conflicto con la ley.

Las personas a las que se refiere el artículo 3 de la Ley Orgánica 5/2000, de 12 de enero, de responsabilidad penal de los menores serán incluidas en un plan de seguimiento que valore su situación socio-familiar diseñado y realizado por los servicios sociales competentes de cada comunidad autónoma.

Si el acto violento pudiera ser constitutivo de un delito contra la libertad o indemnidad sexual o de violencia de género, el plan de seguimiento deberá incluir un módulo formativo en igualdad de género».

Siete. Se modifica el apartado 1 del artículo 20, que queda redactado como sigue:

«1. Cuando no sea posible la permanencia en el entorno familiar de origen, el acogimiento familiar, de acuerdo con su finalidad y con independencia del procedimiento en que se acuerde, revestirá las modalidades establecidas en el Código Civil y, en razón de la vinculación del menor con la familia acogedora, podrá tener lugar, de acuerdo al interés superior del menor, en la propia familia extensa del menor o en familia ajena.

El acogimiento familiar podrá ser especializado, entendiendo por tal el que se desarrolla en una familia en la que alguna o algunas de las personas que integran la unidad familiar dispone de cualificación, experiencia o formación específica para desempeñar esta función respecto de menores con necesidades o circunstancias especiales, pudiendo percibir por ello una compensación.

El acogimiento especializado podrá ser de dedicación exclusiva cuando así se determine por la Entidad Pública por razón de las necesidades y circunstancias especiales del menor en situación de ser acogido, percibiendo en tal caso la persona o personas designadas como acogedoras una compensación en atención a dicha dedicación».

Ocho. Se añade un artículo 20 ter con el siguiente contenido:

«Artículo 20 ter. Tramitación de las solicitudes de acogimiento transfronterizo de personas menores de edad en España remitidas por un Estado miembro de la Unión Europea o por un Estado parte del Convenio de La Haya de 1996.

1. El Ministerio de Justicia, en su calidad de Autoridad Central Española, será la autoridad competente para recibir las solicitudes de acogimiento trans-

fronterizo de personas menores de edad procedentes de un Estado miembro de la Unión Europea o de un Estado parte del Convenio de La Haya de 1996. Dichas solicitudes deberán ser remitidas por la Autoridad Central del Estado requirente al objeto de obtener la preceptiva autorización de las autoridades españolas competentes con carácter previo a que se pueda producir el acogimiento.

2. Las solicitudes de acogimiento deberán realizarse por escrito y acompañarse de los documentos que la Autoridad Central española requiera para valorar la idoneidad de la medida en beneficio de la persona menor de edad y la aptitud del establecimiento o familia para llevar a cabo dicho acogimiento. En todo caso, además de la requerida por la normativa internacional aplicable, deberá aportarse un informe sobre el niño, niña o adolescente, los motivos de su propuesta de acogimiento, la modalidad de acogimiento, la duración del mismo y cómo se prevé hacer seguimiento de la medida.

3. Recibida la solicitud de acogimiento transfronterizo, la Autoridad Central española comprobará que la solicitud reúne el contenido y los requisitos según lo previsto en el apartado anterior y la transmitirá a la Administración autonómica competente para su aprobación.

4. La Administración autonómica competente, una vez evaluada la solicitud, remitirá su decisión a la Autoridad Central española que la hará llegar a la Autoridad Central del Estado requirente. Únicamente en caso de ser favorable, las autoridades competentes de dicho Estado dictarán una resolución que ordene el acogimiento en España, notificarán a todas las partes interesadas y solicitarán su reconocimiento y ejecución en España directamente ante el Juzgado o Tribunal español territorialmente competente.

5. El plazo máximo para la tramitación y respuesta de la solicitud será de tres meses.

6. Las solicitudes de acogimiento y sus documentos adjuntos deberán acompañarse de una traducción legalizada en español».

Nueve. Se añade un artículo 20 quater con el siguiente contenido:

«Artículo 20 quater. Motivos de denegación de las solicitudes de acogimiento transfronterizo de personas menores de edad en España.

1. La Autoridad Central española rechazará las solicitudes de acogimiento transfronterizo cuando:

a) El objeto o finalidad de la solicitud de acogimiento no garantice el interés superior de la persona menor de edad para lo cual se tendrá especialmente en cuenta la existencia de vínculos con España.

b) La solicitud no reúna los requisitos exigidos para su tramitación. En este caso, se devolverá a la Autoridad Central requirente indicando los motivos concretos de la devolución con el fin de que pueda subsanarlos.

c) Se solicite el desplazamiento de una persona menor de edad incursa en un procedimiento penal o sancionador o que haya sido condenada o sancionada por la comisión de cualquier ilícito penal o administrativo.

d) No se haya respetado el derecho fundamental de la persona menor de edad a ser oída y escuchada, así como a mantener contactos con sus progenitores o representantes legales, salvo si ello es contrario a su superior interés».

Diez. Se añade un nuevo artículo 20 quinquies con el siguiente contenido:

«Artículo 20 quinquies. Del procedimiento para la transmisión de las solicitudes de acogimiento transfronterizo de personas menores de edad desde España a otro Estado miembro de la Unión Europea o a un Estado parte del Convenio de La Haya de 1996.

1. Las solicitudes de acogimiento transfronterizo que soliciten las Autoridades competentes en materia de protección de personas menores de edad se remitirán por escrito a la Autoridad Central española, que las transmitirá a las autoridades competentes del Estado miembro requerido para su tramitación.

2. La tramitación y aprobación de dichas solicitudes se regirá por el Derecho Nacional del Estado miembro requerido.

3. La Autoridad Central española remitirá la decisión del acogimiento requerido a la Autoridad solicitante.

4. Las solicitudes de acogimiento y los documentos adjuntos que se dirijan a una autoridad extranjera deberán acompañarse de una traducción a una lengua oficial del Estado requerido o aceptada por este».

Once. Se añade un nuevo artículo 21 ter con el siguiente contenido:

«Artículo 21 ter. Medidas para garantizar la convivencia y la seguridad en los centros de protección a la infancia y la adolescencia.

1. Las medidas adoptadas para garantizar la convivencia y la seguridad en los centros de protección a la infancia y la adolescencia, consistirán en medidas de carácter preventivo y de desescalada, pudiéndose también adoptar excepcionalmente y como último recurso, medidas de contención física del menor.

Se prohíbe la contención mecánica, consistente en la sujeción de una persona menor de edad o a una cama articulada o a un objeto fijo o anclado a las instalaciones o a objetos muebles.

2. Toda medida que se aplique en un centro de protección a la infancia y la adolescencia para garantizar la convivencia y seguridad se regirá por los principios de legalidad, necesidad, individualización, proporcionalidad, idoneidad, graduación, transparencia y buen gobierno.

Asimismo, la ejecución de las medidas de contención se regirá por los principios rectores de excepcionalidad, mínima intensidad posible y tiempo estrictamente necesario, y se llevarán a cabo con el respeto debido a la dignidad, a la privacidad y a los derechos de la persona menor de edad.

3. Las medidas de desescalada y de contención deberán aplicarse por personal especializado con formación en materia de derechos de la infancia y la adolescencia, así como en resolución de conflictos y técnicas de sujeción personal.

4. Las medidas de desescalada consistirán en todas aquellas técnicas verbales de gestión emocional conducentes a la reducción de la tensión u hostilidad del menor que se encuentre en estado de alteración y/o agitación con inminente y grave peligro para su vida e integridad o para la de otras personas.

5. Las medidas de contención física podrán consistir en la interposición entre el menor y la persona u objeto que se encuentra en peligro, la restricción física de espacios o movimientos y, en última instancia, bajo un estricto protocolo, la inmovilización física del menor por personal especializado del centro.

Como medida excepcional y únicamente aplicable en centros de protección de menores con trastornos de conducta, la medida de contención física podrá consistir en la sujeción de las muñecas del menor con equipos homologados, que se aplicará con las garantías previstas en el artículo 28 de esta ley.

6. Las medidas de contención aplicadas en los centros de protección a la infancia y la adolescencia deberán ser comunicadas con carácter inmediato a la Entidad Pública y al Ministerio Fiscal. Asimismo, se anotarán en el Libro Registro de Incidencias, que será supervisado por parte de la dirección del centro y en el expediente individualizado del menor, que debe mantenerse actualizado.

La aplicación de medidas de contención requerirá, en todos los casos en que se hiciera uso de la fuerza, la exploración física del menor por facultativo médico en el plazo máximo de 48 horas, extendiéndose el correspondiente parte médico.

7. Las medidas de contención no podrán aplicarse a personas menores de catorce años, a las menores gestantes, a las menores hasta seis meses después de la terminación del embarazo, a las madres lactantes, a las personas que tengan hijos e hijas consigo, ni a quienes se encuentren convalecientes por enfermedad grave, salvo que de la actuación de aquellos pudiera derivarse un inminente y grave peligro para su vida e integridad o para la de otras personas.

Corresponde al Director del Centro o persona en la que este haya delegado, la adopción de decisiones sobre las medidas de contención física consistentes en la restricción de espacios y movimientos o la inmovilización del menor, que deberán ser motivadas y habrán de notificarse con carácter inmediato a la Entidad Pública y al Ministerio Fiscal».

Doce. Se modifica el artículo 27, que queda redactado como sigue:

«Artículo 27. Medidas de seguridad.

1. Las medidas de seguridad podrán consistir en la contención del menor, en su aislamiento provisional o en registros personales y materiales. Las medidas de seguridad solo podrán utilizarse fracasadas las medidas preventivas y de desescalada, que tendrán carácter prioritario.

2. Las medidas de seguridad deberán aplicarse por personal especializado y con formación en materia de derechos de la infancia y la adolescencia, resolución de conflictos y técnicas de sujeción. Este personal solo podrá usar medidas de seguridad con los menores como último recurso, en casos de intentos de fuga, resistencia activa que suponga una alteración grave de la convivencia o una vulneración grave a los derechos de otros menores o riesgo directo de autolesión, de lesiones a otros o daños graves a las instalaciones.

3. Corresponde al Director del Centro o persona en la que este haya delegado, la adopción de decisiones sobre las medidas de seguridad, que deberán ser motivadas y habrán de notificarse con carácter inmediato a la Entidad Pública y al Ministerio Fiscal y podrán ser recurridas por el menor, el Ministerio Fiscal y la Entidad Pública, ante el órgano judicial que esté conociendo del ingreso, el cual resolverá tras recabar informe del centro y previa audiencia del menor y del Ministerio Fiscal.

4. Las medidas de seguridad aplicadas deberán registrarse en el Libro Registro de Incidencias, que será supervisado por parte de la dirección del centro».

Trece. Se modifica el artículo 28, que queda redactado como sigue:

«Artículo 28. Medidas de contención.

1. Las medidas de contención se adoptarán en atención a las circunstancias en presencia y en la forma en que se establece en los apartados siguientes del presente artículo.

2. El personal de los centros únicamente podrá utilizar medidas de contención previo intento de restauración de la convivencia y de la seguridad a través de medidas de desescalada.

3. La contención física solo podrá consistir en la interposición entre el menor y la persona o el objeto que se encuentra en peligro, la restricción física de espacios y movimientos y, en última instancia, bajo un estricto protocolo, la inmovilización física por personal especializado del centro.

En los centros de protección específicos de menores con problemas de conducta, será admisible únicamente y con carácter excepcional la sujeción de las muñecas del menor con equipos homologados, siempre y cuando se realice bajo un estricto protocolo y no sea posible evitar por otros medios la puesta en grave riesgo de la vida o la integridad física del menor o de terceros. Esta medida excepcional solo podrá aplicarse por el tiempo mínimo imprescindible, que no podrá ser superior a una hora. Durante este tiempo, la persona menor de edad estará acompañada presencialmente y de forma continua, o supervisada de manera permanente, por un educador u otro profesional del equipo educativo o técnico del centro.

La aplicación de esta medida se comunicará de manera inmediata a la Entidad Pública, al Ministerio Fiscal y al órgano judicial que esté conociendo del ingreso.

4. La contención mecánica está prohibida en los términos establecidos en el art. 21 ter de esta Ley».

Catorce. Se modifica el artículo 29, que queda redactado como sigue:

«Artículo 29. Aislamiento del menor.

1. El aislamiento provisional de un menor mediante su permanencia en un espacio adecuado del que se impida su salida solo podrá utilizarse en prevención de actos violentos, autolesiones, lesiones a otros menores residentes en el centro, al personal del mismo o a terceros, así como de daños graves a sus instalaciones. Se aplicará puntualmente en el momento en el que sea preciso y en ningún caso como medida disciplinaria.

2. El aislamiento no podrá exceder de tres horas consecutivas sin perjuicio del derecho al descanso del menor. Durante el periodo de tiempo en que el menor permanezca en aislamiento estará acompañado presencialmente y de

forma continua o supervisado de manera permanente por un educador u otro profesional del equipo educativo o técnico del centro».

Quince. Se modifica el artículo 30, que queda redactado como sigue:

«Artículo 30. Registros personales y materiales.

1. Los registros personales y materiales se llevarán a cabo con el respeto debido a la dignidad, privacidad y a los derechos fundamentales de la persona, con el fin de evitar situaciones de riesgo producidas por la introducción o salida del centro de objetos, instrumentos o sustancias que por sí mismos o por su uso inadecuado pueden resultar peligrosos o perjudiciales.

Se utilizarán preferentemente medios electrónicos.

2. El registro personal y cacheo del menor se efectuará por el personal indispensable que requerirá, al menos dos profesionales del centro del mismo sexo que el menor. Cuando implique alguna exposición corporal esta será parcial, se realizará en lugar adecuado, sin la presencia de otros menores y preservando en todo lo posible la intimidad del menor.

3. El personal del centro podrá realizar el registro de las pertenencias del menor, pudiendo retirarle aquellos objetos que se encuentren en su posesión que pudieran ser de ilícita procedencia, resultar dañinos para sí, para otros o para las instalaciones del centro o que no estén autorizados para menores de edad. Los registros materiales se deberán comunicar previamente al menor siempre que no pudieran efectuarse en su presencia».

Disposición final novena. Modificación de la Ley 1/2000, de 7 de enero, de Enjuiciamiento Civil.

Se modifican los artículos 779 y 780 con la siguiente redacción:

«Artículo 779. Carácter preferente del procedimiento. Competencia.

Los procedimientos en los que se sustancie la oposición a las resoluciones administrativas en materia de protección de menores tendrán carácter preferente y deberán realizarse en el plazo de tres meses desde la fecha en que se hubieren iniciado. La acumulación de procedimientos no suspenderá el plazo máximo.

Será competente para conocer de los mismos el Juzgado de Primera Instancia del domicilio de la Entidad Pública y, en su defecto o en los supuestos de los artículos 179 y 180 del Código Civil, el Tribunal del domicilio del adoptante.

Artículo 780. Oposición a las resoluciones administrativas en materia de protección de menores.

1. No será necesaria reclamación previa en vía administrativa para formular oposición, ante los tribunales civiles, a las resoluciones administrativas en materia de protección de menores. La oposición a las mismas podrá formularse en el plazo de dos meses desde su notificación.

Estarán legitimados para formular oposición a las resoluciones administrativas en materia de protección de menores, siempre que tengan interés legítimo y directo en tal resolución, los menores afectados por la resolución, los progenitores, tutores, acogedores, guardadores, el Ministerio Fiscal y aquellas personas que expresamente la ley les reconozca tal legitimación. Aunque no fueran actores podrán personarse en cualquier momento en el procedimiento, sin que se retrotraigan las actuaciones.

Los menores tendrán derecho a ser parte y a ser oídos y escuchados en el proceso conforme a lo establecido en la Ley Orgánica de Protección Jurídica del Menor. Ejercitarán sus pretensiones en relación a las resoluciones administrativas que les afecten a través de sus representantes legales siempre que no tengan intereses contrapuestos a los suyos, o a través de la persona que se designe o que ellos mismos designen como su defensor para que les represente.

2. El proceso de oposición a una resolución administrativa en materia de protección de menores se iniciará mediante la presentación de un escrito inicial en el que el actor sucintamente expresará la pretensión y la resolución a que se opone.

En el escrito consignará expresamente la fecha de notificación de la resolución administrativa y manifestará si existen procedimientos relativos a ese menor.

3. El Letrado de la Administración de Justicia reclamará a la entidad administrativa un testimonio completo del expediente, que deberá ser aportado en el plazo de diez días.

La entidad administrativa, podrá ser requerida para aportar al Tribunal antes de la vista, las actualizaciones que se hayan producido en el expediente del menor.

4. Recibido el testimonio del expediente administrativo, el Letrado de la Administración de Justicia, en el plazo máximo de cinco días, emplazará al actor por diez días para que presente la demanda, que se tramitará con arreglo a lo previsto en el artículo 753.

El Tribunal dictará sentencia dentro de los diez días siguientes a la terminación del juicio.

5. Se suprime.

6. Si el Ministerio Fiscal, las partes o el Juez competente tuvieren conocimiento de la existencia de más de un procedimiento de oposición a resoluciones administrativas relativas a la protección de un mismo menor, pedirán los primeros y dispondrá el segundo, incluso de oficio, la acumulación ante el Juzgado que estuviera conociendo del procedimiento más antiguo.

Acordada la acumulación, se procederá según dispone el artículo 84, con la especialidad de que no se suspenderá la vista que ya estuviera señalada si fuera posible tramitar el resto de procesos acumulados dentro del plazo determinado por el señalamiento. En caso contrario, el Letrado de la Administración de Justicia acordará la suspensión del que tuviera la vista ya fijada, hasta que los otros se hallen en el mismo estado, procediendo a realizar el nuevo señalamiento para todos con carácter preferente y, en todo caso, dentro de los diez días siguientes.

Contra el auto que deniegue la acumulación podrán interponerse los recursos de reposición y apelación sin efectos suspensivos. Contra el auto que acuerde la acumulación no se dará recurso alguno».

Disposición final décima. Modificación de la Ley Orgánica 1/2004, de 28 de diciembre, de Medidas de Protección Integral contra la Violencia de Género.

La Ley Orgánica 1/2004, de 28 de diciembre, de Medidas de Protección Integral contra la Violencia de Género queda modificada en los siguientes términos:

Se añade un apartado nuevo 4 al artículo 1, con la siguiente redacción:

«4. La violencia de género a que se refiere esta Ley también comprende la violencia que con el objetivo de causar perjuicio o daño a las mujeres se ejerza sobre sus familiares o allegados menores de edad por parte de las personas indicadas en el apartado primero».

Disposición final undécima. Modificación de la Ley Orgánica 5/2000, de 12 de enero, reguladora de la responsabilidad penal de los menores.

Se modifica la Ley Orgánica 5/2000, de 12 de enero, reguladora de la responsabilidad penal de los menores, que queda redactado en los siguientes términos:

Uno. Se modifica el artículo 4, que queda redactado como sigue:

«Artículo 4. Derechos de las víctimas y de las personas perjudicadas.

El Ministerio Fiscal y el Juez de Menores velarán en todo momento por la protección de los derechos de las víctimas y de las personas perjudicadas por las infracciones cometidas por las personas menores de edad.

De manera inmediata se les instruirá de las medidas de asistencia a las víctimas que prevé la legislación vigente, debiendo el Letrado de la Administración de Justicia derivar a la víctima de violencia a la Oficina de Atención a la Víctima competente.

Las víctimas y las personas perjudicadas tendrán derecho a personarse y ser parte en el expediente que se incoe al efecto, para lo cual el Letrado de la Administración de Justicia les informará en los términos previstos en los artículos 109 y 110 de la Ley de Enjuiciamiento Criminal, instruyéndoles de su derecho a nombrar dirección letrada o instar su nombramiento de oficio en caso de ser titulares del derecho a la asistencia jurídica gratuita. Asimismo, les informará de que, de no personarse en el expediente y no hacer renuncia ni reserva de acciones civiles, el Ministerio Fiscal las ejercitará si correspondiere.

Quienes se personaren podrán desde entonces tomar conocimiento de lo actuado e instar la práctica de diligencias y cuanto a su derecho convenga. Sin perjuicio de lo anterior, el Letrado de la Administración de Justicia deberá comunicar a las víctimas y a las personas perjudicadas, se hayan o no personado, todas aquellas resoluciones que se adopten tanto por el Ministerio Fiscal como por el Juez de Menores, que puedan afectar a sus intereses.

En especial, cuando el Ministerio Fiscal, en aplicación de lo dispuesto en el artículo 18 de esta Ley, desista de la incoación del expediente deberá inmediatamente ponerlo en conocimiento de las víctimas y las personas perjudicadas haciéndoles saber su derecho a ejercitar las acciones civiles que les asisten ante la jurisdicción civil.

Del mismo modo, el Letrado de la Administración de Justicia notificará por escrito la sentencia que se dicte a las víctimas y las personas perjudicadas por la infracción penal, aunque no se hayan mostrado parte en el expediente.

Cuando la víctima lo sea de un delito de violencia de género, tiene derecho a que le sean notificadas por escrito, mediante testimonio íntegro, las medidas cautelares de protección adoptadas. Asimismo, tales medidas cautelares serán comunicadas a las administraciones públicas competentes para la adopción de medidas de protección, sean estas de seguridad o de asistencia social, jurídica, sanitaria, psicológica o de cualquier otra índole.

La víctima de un delito violento tiene derecho a ser informada permanentemente de la situación procesal del presunto agresor. En particular, en el caso de una medida, cautelar o definitiva, de internamiento, la víctima será informada en todo momento de los permisos y salidas del centro del presunto agresor, salvo en aquellos casos en los que manifieste su deseo de no recibir notificaciones».

Dos. Se modifica el artículo 59, que queda redactado como sigue:

«Artículo 59. Medidas de vigilancia y seguridad.

1. Las actuaciones de vigilancia y seguridad interior en los centros podrán suponer, en la forma y con la periodicidad que se establezca reglamentariamente, inspecciones de los locales y dependencias, así como registros de personas, ropas y enseres de los menores internados.

2. Se podrán utilizar exclusivamente los medios de contención que se establezcan reglamentariamente para evitar actos de violencia o lesiones de las personas que cumplen las medidas previstas en esta ley, a sí mismos o a otras personas, para impedir actos de fuga y daños en las instalaciones del centro o ante la resistencia activa a las instrucciones del personal del mismo en el ejercicio legítimo de su cargo.

Solo será admisible, con carácter excepcional, la sujeción de las muñecas de la persona que cumple medida de internamiento con equipos homologados, siempre y cuando se realice bajo un estricto protocolo y no sea posible aplicar medidas menos lesivas.

3. Se prohíbe la contención mecánica consistente en la sujeción de una persona a una cama articulada o a un objeto fijo o anclado a las instalaciones o a objetos muebles.

4. La aplicación de medidas de contención requerirá en todos los casos en que se hiciera uso de la fuerza, la exploración física del interno por facultativo médico en el plazo máximo de 48 horas, extendiéndose el correspondiente parte médico.

5. Las medidas de contención aplicadas en los centros deberán ser comunicadas con carácter inmediato al Juzgado de Menores y al Ministerio Fiscal. Asimismo, se anotarán en el Libro Registro de Incidencias, que será supervisado por parte de la dirección del centro y en el expediente individualizado del menor, que debe mantenerse actualizado».

Disposición final duodécima. Modificación del Real Decreto Legislativo 5/2000, de 4 de agosto, por el que se aprueba el texto refundido de la Ley sobre Infracciones y Sanciones en el Orden Social.

Se añade un apartado 19 al artículo 8 del texto refundido de la Ley sobre Infracciones y Sanciones en el Orden Social, aprobado por Real Decreto Legislativo 5/2000, de 4 de agosto con la siguiente redacción:

«19. Incumplir las obligaciones establecidas en el artículo 57.3 de la Ley Orgánica de Protección Integral de la Infancia y la Adolescencia frente a la Violencia».

Disposición final decimotercera. Modificación de la Ley 41/2002, de 14 de noviembre, básica reguladora de la autonomía del paciente y de derechos y obligaciones en materia de información y documentación clínica.

Se añade un nuevo apartado 5 al artículo 15 de la Ley 41/2002, de 14 de noviembre, básica reguladora de la autonomía del paciente y de derechos y obligaciones en materia de información y documentación clínica, en los siguientes términos:

«5. Cuando la atención sanitaria prestada lo sea a consecuencia de violencia ejercida contra personas menores de edad, la historia clínica especificará esta circunstancia, además de la información a la que hace referencia este apartado».

Disposición final decimocuarta. Modificación de la Ley 44/2003, de 21 de noviembre, de ordenación de las profesiones sanitarias.

La Ley 44/2003, de 21 de noviembre, de ordenación de las profesiones sanitarias, queda modificada en los siguientes términos:

Uno. Se modifica el apartado 1 del artículo 17 que queda redactado de la siguiente manera:

«1. Los títulos de especialista en Ciencias de la Salud serán expedidos por el Ministerio de Sanidad».

Dos. Se añade una nueva disposición transitoria séptima con la siguiente redacción:

«Disposición transitoria séptima. Expedición de títulos de especialista en Ciencias de la Salud.

Los procedimientos de expedición de títulos iniciados con anterioridad al 1 de enero de 2022 y aún en curso, seguirán siendo tramitados por el Ministerio de Universidades y, por tanto, los títulos serán expedidos por este último».

Disposición final decimoquinta. Modificación de la Ley 15/2015, de 2 de julio, de la Jurisdicción Voluntaria.

Se modifica la especialidad 4.ª del apartado 2 del artículo 18 de la Ley 15/2015, de 2 de julio, de la Jurisdicción Voluntaria, que queda redactada como sigue:

«4.ª Cuando el expediente afecte a los intereses de una persona menor de edad o persona con discapacidad, se practicarán también en el mismo acto o, si no fuere posible, en los diez días siguientes, las diligencias relativas a dichos intereses que se acuerden de oficio o a instancia del Ministerio Fiscal.

La autoridad judicial o el Letrado de la Administración de Justicia podrán acordar que la audiencia de la persona menor de edad o persona con discapacidad se practique en acto separado, sin interferencias de otras personas, debiendo asistir el Ministerio Fiscal. En todo caso, se garantizará que puedan ser oídas en condiciones idóneas, en términos que les sean accesibles, comprensibles y adaptados a su edad, madurez y circunstancias, recabando el auxilio de especialistas cuando ello fuera necesario.

Del resultado de la exploración se levantará en todo caso, acta por el Letrado de la Administración de Justicia, expresando los datos objetivos del desarrollo de la audiencia, en la que reflejará las manifestaciones del niño, niña o adolescente imprescindibles por significativas, y por ello estrictamente relevantes, para la decisión del expediente, cuidando de preservar su intimidad. Si ello tuviera lugar después de la comparecencia, se dará traslado del acta correspondiente a las personas interesadas para que puedan efectuar alegaciones en el plazo de cinco días.

Tanto el Ministerio Fiscal en su informe como la autoridad judicial en la resolución que ponga fin al procedimiento deberán valorar motivadamente la exploración practicada.

En lo no previsto en este precepto, se aplicará lo dispuesto en la Ley Orgánica 1/1996, de 15 de enero, de Protección Jurídica del Menor, de modificación parcial del Código Civil y de la Ley de Enjuiciamiento Civil».

Disposición final decimosexta. Modificación de la Ley Orgánica 7/2015, de 21 de julio, por la que se modifica la Ley Orgánica 6/1985, de 1 de julio, del Poder Judicial.

Se modifica la disposición transitoria séptima de la Ley Orgánica 7/2015, de 21 de julio, por la que se modifica la Ley Orgánica 6/1985, de 1 de julio, del Poder Judicial, que queda redactada como sigue:

«Disposición transitoria séptima. Dilación del requisito de especialidad en Medicina Legal y Forense para el acceso al Cuerpo de Médicos Forenses.

La especialidad en Medicina Legal y Forense, exigida en el artículo 475 de la Ley Orgánica 6/1985, de 1 de julio, del Poder Judicial, para acceder al Cuerpo de Médicos Forenses, no será requisito obligatorio hasta que así lo determine el Ministerio de Justicia, una vez concluyan su formación por el sistema de residencia al menos la primera promoción de estos especialistas y se haya desarrollado la vía extraordinaria de acceso a dicho título según el procedimiento regulado en el real decreto que desarrolle el acceso a esta especialidad por el sistema de residencia».

Disposición final decimoséptima. Creación del consejo estatal de participación de la infancia y de la adolescencia.

El Gobierno, en el plazo de seis meses desde la aprobación de esta ley, procederá a la creación del Consejo Estatal de Participación de la Infancia y de la Adolescencia, de modo que se garantice el ejercicio efectivo del derecho de participación en la formulación, aplicación y evaluación de planes, programas y políticas nacionales que afectan a los niños, niñas y adolescentes.

Disposición final decimoctava. Título competencial.

La presente ley orgánica se dicta al amparo de lo previsto en el artículo 149.1, 1.ª, 2.ª y 18.ª de la Constitución española (en adelante CE), que atribuye al Estado la competencia exclusiva en materia de regulación de las condiciones básicas que garanticen la igualdad de todos los españoles en el ejercicio de los derechos y en el cumplimiento de los deberes constitucionales, nacionalidad, inmigración, emigración, extranjería y derecho de asilo, y bases del régimen jurídico de las administraciones públicas, respectivamente, y sin perjuicio de las competencias que puedan ostentar las comunidades autónomas, en virtud de los Estatutos de Autonomía que forman parte del cuerpo constitucional, que deberán respetarse en cualquier caso. De manera particular, los capítulos II, III, VII y IX del Título III de esta Ley Orgánica se entenderán sin perjuicio de la legislación que dicten las comunidades autónomas en virtud de sus competencias en materia de política familiar, asistencia social y deporte y ocio.

No obstante, los artículos 13 y 14 y la disposición final séptima se dictan al amparo de las competencias que corresponden al Estado en materia de administración de justicia y legislación procesal, sin perjuicio de las necesarias especialidades que en este orden se deriven de las particularidades del derecho sustantivo de las comunidades autónomas, de conformidad con lo previsto en los apartados 5.ª y 6.ª del artículo 149.1 CE.

Las disposiciones finales primera y decimoquinta se dictan al amparo de las competencias del Estado sobre legislación procesal, sin perjuicio de las necesarias especialidades que en este orden se deriven de las particularidades del derecho sustantivo de las comunidades autónomas, de conformidad con lo previsto por el artículo 149.1.6.ª CE.

La disposición final tercera se dicta al amparo de la competencia que el artículo 149.1.6.ª CE atribuye al Estado sobre legislación penitenciaria.

La disposición final sexta se dicta al amparo de la competencia que el artículo 149.1.6.ª CE atribuye al Estado sobre legislación penal.

La disposición final undécima se dicta al amparo de las competencias que el artículo 149.1.6.ª CE atribuye al Estado sobre legislación penal, procesal y penitenciaria.

La disposición adicional sexta se dicta al amparo de las competencias estatales que el artículo 149.1.5.ª CE atribuye al Estado sobre administración de justicia.

La disposición adicional novena se dicta al amparo del artículo 149.1.17.ª de la CE.

Los capítulos IV y V del título III se dictan al amparo del artículo 149.1.30.ª CE, que atribuye al Estado la competencia exclusiva sobre normas básicas para el desarrollo del artículo 27 CE.

El capítulo VI del título III y las disposiciones finales decimotercera y decimocuarta se dictan al amparo del artículo 149.1.16.ª CE, que atribuye al Estado la competencia exclusiva sobre bases y coordinación general de la sanidad, respetando, en todo caso, las competencias atribuidas a las comunidades autónomas en este ámbito por sus respectivos Estatutos de Autonomía.

El capítulo X del título III se dicta al amparo del artículo 149.1.29.ª CE, que atribuye al Estado la competencia exclusiva sobre seguridad pública, sin perjuicio de la posibilidad de creación de policías por las comunidades autónomas en la forma que se establezca en los respectivos Estatutos en el marco de lo que disponga una ley orgánica.

El artículo 55, así como las disposiciones finales cuarta, decimosexta y vigésima se dictan al amparo del artículo 149.1.5.ª CE, que atribuye al Estado la competencia exclusiva sobre Administración de Justicia.

El capítulo II del título V y la disposición final duodécima se dictan al amparo del artículo 149.1.7.ª CE, que atribuye al Estado la competencia exclusiva sobre legislación laboral, sin perjuicio de su ejecución por los órganos de las comunidades autónomas.

La disposición final segunda se dicta al amparo del artículo 149.1.8.ª CE, que atribuye al Estado la competencia exclusiva sobre legislación civil, sin perjuicio de la conservación, modificación y desarrollo por las comunidades autónomas de los derechos civiles, forales o especiales, allí donde existan.

La disposición final quinta se dicta al amparo del artículo 149.1.27.ª CE, que atribuye al Estado la competencia exclusiva sobre las normas básicas del régimen de prensa, radio y televisión y, en general, de todos los medios de comunicación social, sin perjuicio de las facultades que en su desarrollo y ejecución correspondan a las comunidades autónomas.

Disposición final decimonovena. Carácter ordinario de determinadas disposiciones.

La presente ley tiene el carácter de ley orgánica, a excepción de los artículos 5, 6, 7 y 8 del título preliminar; de los artículos 10, 11, 12, 13 y 14 del título I; de los títulos II, III y IV; de los artículos 57 a 60 del título V; así como de las disposiciones adicionales primera, segunda, tercera, cuarta, quinta, sexta y novena y de las disposiciones finales primera, segunda, quinta, séptima, novena, duodécima, decimotercera, decimocuarta, decimoquinta y decimonovena.

Disposición final vigésima. Especialización de los órganos judiciales, de la fiscalía y de los equipos técnicos que presten asistencia especializada a los juzgados y tribunales.

1. En el plazo de un año a contar desde la entrada en vigor de esta ley, el Gobierno remitirá a las Cortes Generales los siguientes proyectos de ley:

a) Un proyecto de modificación de la Ley Orgánica 6/1985, de 1 de julio, del Poder Judicial, dirigido a establecer, a través de los cauces previstos en la citada norma, la especialización tanto de los órganos judiciales como de sus titulares, para la instrucción y enjuiciamiento de las causas penales por delitos cometidos contra personas menores de edad. Tal especialización se realizará en orden a los principios y medidas establecidos en la presente ley. Con este propósito se planteará la inclusión de Juzgados de Violencia contra la Infancia y la Adolescencia, así como la especialización de los Juzgados de lo Penal y las Audiencias Provinciales. También serán objeto de adaptación, en el mismo sentido, las pruebas selectivas que permitan acceder a la titularidad de los órganos especializados, sin perjuicio de lo dispuesto en el artículo 312.4 de la citada Ley Orgánica 6/1985, de 1 de julio.

Del mismo modo, el mencionado proyecto de ley orgánica dispondrá las modificaciones necesarias para garantizar la especialización dentro del orden jurisdiccional civil en Infancia, Familia y Capacidad.

b) Un proyecto de ley de modificación de la Ley 50/1981, de 30 de diciembre, reguladora del Estatuto Orgánico del Ministerio Fiscal, a los efectos de establecer la especialización de fiscales en el ámbito de la violencia sobre la infancia y la adolescencia, conforme a su régimen estatutario.

2. Las administraciones competentes regularán en idéntico plazo la composición y funcionamiento de los equipos técnicos que presten asistencia especializada a los órganos judiciales especializados en infancia y adolescencia, y la forma de acceso a los mismos de acuerdo con los criterios de especialización y formación recogidos en esta ley.

Disposición final vigésima primera. Desarrollo normativo y ejecución de la ley.

Se autoriza al Consejo de Ministros y a los titulares de los Ministerios de Derechos Sociales y Agenda 2030, Justicia e Interior, en el ámbito de sus competencias, para dictar cuantas disposiciones reglamentarias sean necesarias para el desarrollo de esta ley, así como para acordar las medidas necesarias para garantizar su efectiva ejecución e implantación.

Disposición final vigésima segunda. Adaptación normativa.

En el plazo de un año a partir de la entrada en vigor de la ley, se deberán adecuar a la misma las normas reguladoras estatales, autonómicas y locales que sean incompatibles con lo previsto en esta ley.

Disposición final vigésima tercera. Incorporación de derecho de la unión europea.

Mediante esta ley se completa la incorporación al Derecho español de los artículos 3, apartados 2 a 4, 6 y 9, párrafos a), b) y g) de la Directiva 2011/93/UE del Parlamento Europeo y del Consejo, de 13 de diciembre de 2011, relativa a la lucha contra los abusos sexuales y la explotación sexual de los menores y la pornografía infantil y por la que se sustituye la Decisión marco 2004/68/JAI del Consejo.

Disposición final vigésima cuarta. Procedimiento para la determinación de edad.

El Gobierno, en el plazo de doce meses desde la aprobación de esta ley, procederá al desarrollo normativo del procedimiento para la determinación de la edad de los menores, de modo que se garantice el cumplimiento de las obligaciones internacionales contraídas por España, así como la prevalencia del interés superior del menor, sus derechos y su dignidad.

Disposición final vigésima quinta. Entrada en vigor.

Esta ley entrará en vigor a los veinte días de su publicación en el «Boletín Oficial del Estado».

No obstante, lo previsto en los artículos 5.3, 14.2, 14.3, 18, 35 y 48.1.b) y c) producirán efectos a los seis meses de la entrada en vigor de la ley.

Lo previsto en la disposición final decimocuarta producirá efectos a partir del 1 de enero de 2022.

Por tanto,

Mando a todos los españoles, particulares y autoridades, que guarden y hagan guardar esta ley orgánica.

Madrid, 4 de junio de 2021.

Real Decreto 1917/2008, de 21 de noviembre, por el que se aprueba el programa de inserción sociolaboral para mujeres víctimas de violencia de género

EXPOSICIÓN DE MOTIVOS

La Ley Orgánica 1/2004, de 28 de diciembre, de Medidas de Protección Integral contra la Violencia de Género, atiende a las víctimas de este tipo de violencia de un modo integral y multidisciplinar, por lo que para el cumplimiento de sus fines prevé un conjunto de medidas que abarcan aspectos preventivos, educativos, sociales, asistenciales y de atención posterior a las víctimas.

Entre dichas medidas, cabe destacar las que se dirigen a las víctimas desempleadas inscritas en los servicios públicos de empleo, que buscan su inserción sociolaboral y, de este modo, acceder a una independencia económica y personal necesaria para romper el vínculo con su agresor y lograr su efectiva recuperación integral. No obstante, las mujeres víctimas de violencia de género presentan, en muchas ocasiones, especiales dificultades para acceder a un empleo debido a circunstancias derivadas de la situación de violencia sufrida, tales como el consiguiente aislamiento del mundo laboral y social, el deterioro de la propia autoestima personal o el hecho de tener que hacerse cargo en exclusiva de los familiares dependientes. En otras ocasiones, se hallan en la necesidad de trasladar su residencia habitual a una localidad distinta en aras de su protección personal, lo que a menudo implica la búsqueda de un nuevo puesto de trabajo.

Por ello, la Ley Orgánica establece en su artículo 22 que «en el marco del Plan de Empleo del Reino de España, se incluirá un programa de acción específico para las víctimas de violencia de género inscritas como demandantes de empleo.

Este programa incluirá medidas para favorecer el inicio de una nueva actividad por cuenta propia».

En consecuencia, en el actual Programa Nacional de Reformas del Reino de España (PNR), cuyo predecesor, desde 1998, fue el Plan Nacional de Acción para el Empleo de cada año, se incluyó el mandato de poner en marcha un programa específico para las víctimas de violencia de género inscritas como demandantes de empleo, dentro de las medidas para aumentar la tasa de ocupación femenina y eliminar su discriminación laboral.

El artículo 17.3 del texto refundido de la Ley del Estatuto de los Trabajadores, aprobado por el Real Decreto Legislativo 1/1995, de 24 de marzo, establece que «el Gobierno podrá otorgar subvenciones, desgravaciones y otras medidas para fomentar el empleo de grupos específicos de trabajadores que encuentren dificultades especiales para acceder al empleo». En el mismo sentido, el artículo 26.1 de la Ley 56/2003, de 16 de diciembre, de Empleo, habilita al Gobierno para establecer programas específicos destinados a fomentar el empleo de las personas con especiales dificultades de integración en el mercado de trabajo.

Por su parte, la Ley Orgánica 3/2007, de 22 de marzo, para la Igualdad Efectiva de Mujeres y Hombres, prevé el desarrollo de políticas activas para hacer efectivo el principio de igualdad, cuya máxima expresión de quebranto se materializa en la violencia de género. Con este objetivo, su artículo 11 establece que los poderes públicos adoptarán medidas específicas en favor de las mujeres para corregir situaciones patentes de desigualdad de hecho respecto de los hombres. Tales medidas, que serán aplicables en tanto subsistan dichas situaciones, habrán de ser razonables y proporcionadas en relación con el objetivo perseguido en cada caso.

Asimismo, el apartado 6 del artículo 14 del mismo texto legal, establece que los poderes públicos podrán adoptar medidas de acción positiva en consideración de las singulares dificultades en que se encuentran las víctimas de la violencia de género, considerándolas expresamente como un colectivo de mujeres en situación de especial vulnerabilidad.

Finalmente, dentro del ámbito laboral, el apartado 2 del artículo 42 de la mencionada Ley Orgánica, permite que los programas de inserción sociolaboral activa se destinen prioritariamente a colectivos específicos de mujeres.

Este real decreto es una de las normas reguladoras de subvenciones concedidas por el Servicio Público de Empleo Estatal, a los efectos establecidos en los correspondientes reales decretos de traspaso a las comunidades autónomas de la gestión realizada por el Servicio Público de Empleo Estatal en el ámbito del trabajo, el empleo y la formación así como de los programas de apoyo a la creación de empleo.

El Programa que este real decreto aprueba, con el que se da cumplimiento al mandato del artículo 22 de la Ley Orgánica 1/2004, tiene su fundamento en los objetivos descritos. Por un lado compendia las ayudas que con la misma finalidad se han venido estableciendo desde la entrada en vigor de dicha Ley Orgánica y por otro establece ayudas adicionales que contribuirán al incremento de la empleabilidad de las mujeres víctimas de la violencia de género inscritas en los Servicios Públicos de Empleo como demandantes, facilitando y promoviendo la inserción sociolaboral tanto en el empleo por cuenta ajena como en la constitución como trabajadoras autónomas o en la creación de empresas.

Asimismo prevé la atención especializada y confidencial a través de puntos de atención a las víctimas de violencia de género integrados por personal de los Servicios Públicos de Empleo con formación específica en igualdad y violencia de género.

Por tanto, en el Programa se establecen acciones de políticas activas de empleo disponibles para facilitar la inserción sociolaboral de estas trabajadoras y se regulan subvenciones y ayudas específicas que se otorgan para hacer efectivo el desarrollo de tales acciones que conformarán el itinerario profesional de inserción de cada participante.

Por otro lado, y de acuerdo con la autorización al Gobierno establecida en la disposición final segunda de la Ley 43/2006, de 29 de diciembre, para la mejora del crecimiento y del empleo, este real decreto dispone el incremento de las bonificaciones por contratación indefinida de mujeres víctimas de violencia de género reguladas en dicha Ley a fin de promover su contratación, al tratarse de un colectivo, dentro de las mujeres, con especiales dificultades de acceso al mercado de trabajo.

Este real decreto prevé la concesión directa de las subvenciones de nueva creación recogidas en el mismo, atendiendo a su carácter singular por su interés público, social y humanitario derivado de las particulares circunstancias en que se encuentran las mujeres víctimas de violencia de género, al amparo de lo dispuesto en los artículos 22.2.c) y 28 de la Ley 38/2003, de 17 de noviembre, General de Subvenciones.

La gestión de estas subvenciones corresponderá al Servicio Público de Empleo Estatal y a las Comunidades Autónomas con competencias en materia de gestión de las políticas activas de empleo dentro del marco definido en este real decreto, que se dicta al amparo de lo establecido en el artículo 149.1.7 de la Constitución Española.

La Conferencia Sectorial de Asuntos Laborales, en la reunión celebrada el día 5 de noviembre de 2007 ha sido informada de este real decreto. Asimismo han sido consultadas las organizaciones sindicales y empresariales más representativas y las comunidades autónomas.

En su virtud, a propuesta conjunta del Ministro de Trabajo e Inmigración y de la Ministra de Igualdad, previo informe del Ministerio de Economía y Hacienda, con la aprobación previa de la Ministra de Administraciones Públicas, de acuerdo con el Consejo de Estado y previa deliberación del Consejo de Ministros en su reunión del día 21 de noviembre de 2008,

D I S P O N G O:

CAPÍTULO I. DISPOSICIONES GENERALES

Artículo 1. Objeto.

Este real decreto tiene por objeto la aprobación de un Programa de inserción sociolaboral para mujeres víctimas de violencia de género, inscritas como demandantes de empleo, que incluye un conjunto de medidas de políticas activas de empleo dirigidas a este colectivo y la regulación de las mismas.

Artículo 2. Medidas de actuación.

Las medidas de actuación del Programa que se contemplan en este real decreto son las siguientes:

a) Itinerario de inserción sociolaboral, individualizado y realizado por personal especializado.

b) Programa formativo específico para favorecer la inserción sociolaboral por cuenta ajena, en el que se trabaje en aspectos personales en su caso, llevando a cabo actuaciones dirigidas a incrementar la autoestima y motivación para el empleo, y en aspectos profesionales de las mujeres participantes en el programa.

c) Incentivos para favorecer el inicio de una nueva actividad por cuenta propia.

d) Incentivos para las empresas que contraten a víctimas de violencia de género.

e) Incentivos para facilitar la movilidad geográfica.

f) Incentivos para compensar diferencias salariales.

g) Convenios con empresas para facilitar la contratación de mujeres víctimas de violencia de género y su movilidad geográfica.

Artículo 3. Beneficiarias del programa.

1. Podrán ser beneficiarias de las acciones que integran el Programa las mujeres víctimas de la violencia de género que se encuentren inscritas como demandantes de empleo en los Servicios Públicos de Empleo. No obstante, no será necesaria la inscripción de las víctimas de violencia de género como demandantes de empleo para la aplicación de las bonificaciones contempladas en el artículo 9 de este real decreto.

2. La situación de violencia de género, a estos efectos, se acreditará:

a) A través de la sentencia condenatoria.

b) A través de la resolución judicial que hubiere acordado medidas cautelares para la protección de la víctima.

c) A través de la orden de protección acordada a favor de la víctima o, excepcionalmente, el informe del Ministerio Fiscal que indique la existencia de indicios de que la demandante es víctima de violencia de género hasta tanto se dicte la orden de protección.

3. El plazo para acceder a las medidas contempladas en este real decreto, salvo disposición en contrario en el mismo, será el siguiente, en función de la forma de acreditación de la condición de víctima de la violencia de género:

a) En el supuesto de sentencia condenatoria, durante los 24 meses posteriores a su notificación. Para acceder a los incentivos previstos en los artículos 10 y 11 de este real decreto, y cuando la víctima participara en el programa formativo específico contemplado en el artículo 7, este plazo de 24 meses se incrementará por el tiempo que dure la participación en dicho programa.

b) En los supuestos de resolución judicial que hubiere adoptado medidas cautelares o de la orden de protección, durante la vigencia de las mismas.

c) En el caso del informe del Ministerio Fiscal, hasta que se adopte la resolución que proceda sobre la orden de protección.

Estos plazos podrán ser concurrentes y de aplicación sucesiva, de acuerdo con la evolución de la situación de la víctima.

4. Por otra parte, podrán ser beneficiarias las mujeres víctimas de la violencia de género incorporadas al Programa de Renta Activa de Inserción por esta causa, en las condiciones reguladas en el Real Decreto 1369/2006, de 24 de noviembre, por el que se regula el programa de renta activa de inserción para desempleados con especiales necesidades económicas y dificultad para encontrar empleo.

Artículo 4. Puntos de atención a las víctimas de la violencia de género y tratamiento de datos.

1. Las Administraciones Públicas competentes en materia de empleo establecerán puntos de atención a las víctimas de la violencia de género, en los que la atención que se preste a dichas mujeres será especializada y confidencial.

2. En los procedimientos que se establezcan para la incorporación de las víctimas en las diferentes acciones de políticas activas, así como en los procesos de intermediación para su colocación, las administraciones públicas competentes deberán establecer los mecanismos necesarios para garantizar, en todo momento, la confidencialidad de los datos, de acuerdo con lo dispuesto en la Ley Orgánica 15/1999, de 13 de diciembre, de Protección de Datos de Carácter Personal.

Cuando la demanda de empleo se ponga en conocimiento de terceros, sólo se podrá dar a conocer la situación de violencia de género con el consentimiento expreso de la víctima.

Artículo 5. Compatibilidad de subvenciones.

Las medidas reguladas en este real decreto serán compatibles entre sí, así como con las demás medidas de políticas activas de empleo para la inserción laboral de este colectivo y con otras subvenciones, ayudas, ingresos o recursos para la misma finalidad, procedentes de cualesquiera Administraciones o entes públicos o privados, nacionales, de la Unión Europea o de organismos internacionales. No obstante lo anterior, será de aplicación a las bonificaciones a que se refiere el artículo 9 lo dispuesto en el artículo 7.3 de la Ley 43/2006, de 29 de diciembre, para la mejora del crecimiento y del empleo.

Las becas por asistencia a cursos de formación profesional para el empleo establecidas en el artículo 7 de este real decreto son compatibles con la percepción de las prestaciones y subsidios por desempleo, incluida la Renta Activa de Inserción.

CAPÍTULO II. MEDIDAS PARA FACILITAR LA INSERCIÓN SOCIOLABORAL DE LAS VÍCTIMAS DE VIOLENCIA DE GÉNERO

Artículo 6. Itinerario de inserción sociolaboral realizado por personal especializado.

La orientación que se desarrolle con las víctimas de violencia de género inscritas como demandantes de empleo en los Servicios Públicos de Empleo deberá ser individualizada, basada en los recursos y en las circunstancias que rodean a cada persona.

Se realizará por personal técnico especializado, para lo cual los Servicios Públicos de Empleo deberán garantizar que los técnicos especializados que atiendan a este colectivo tengan la formación necesaria para realizar un acompañamiento tutelado de la mujer en el proceso de inserción sociolaboral.

El técnico especializado que apoye a la mujer en el diseño de su itinerario será el responsable de su seguimiento y evaluación, coordinando las distintas acciones en las que participe hasta la inserción sociolaboral por cuenta ajena o propia.

Las acciones de orientación para el empleo se realizarán de manera individual, salvo en el caso de que el técnico especializado estime adecuado y beneficioso para las participantes su inclusión en acciones generales de orientación como los grupos de búsqueda de empleo, talleres de entrevistas, sesiones informativas o de motivación, o aquellas otras diseñadas para objetivos similares.

Con el fin de lograr el mayor grado de participación de estas personas en los diferentes programas de políticas activas de empleo que sean necesarios para el correcto desarrollo de su proceso de inserción profesional, en la aplicación de los criterios de prioridad para la selección de participantes en dichos programas, se señalará específicamente la condición de víctima de violencia de género, otorgando especial prioridad a esta condición.

Artículo 7. Programa formativo específico para favorecer la inserción sociolaboral.

Dentro del itinerario de inserción sociolaboral se podrá incluir la realización de un programa formativo específico. Este programa contará con dos fases: una primera fase de preformación y una segunda de formación profesional para el empleo. No obstante, el técnico especializado podrá determinar, a la vista de las necesidades específicas de la víctima de violencia de género, si ésta requiere su participación en las dos fases del programa o sólo en la segunda.

a) Fase primera de preformación.

El objetivo de esta fase es facilitar a las beneficiarias el desarrollo de habilidades sociales y, en su caso, una cualificación básica, así como motivarlas en su incorporación o reincorporación al mercado de trabajo y para afrontar la segunda fase de formación.

Esta fase se llevará a cabo a través de los recursos disponibles en cada comunidad autónoma, tales como servicios sociales, organismos de Igualdad, Organizaciones no gubernamentales u otros organismos o entidades, para lo cual el Servicio Público de Empleo articulará la correspondiente coordinación. Se tendrán en cuenta las necesidades específicas de las mujeres extranjeras, entre otras, el idioma, y de las mujeres discapacitadas, en su caso.

b) Fase segunda de formación profesional para el empleo.

Esta fase se realizará de conformidad con lo dispuesto en el Real Decreto 395/2007, de 23 de marzo, por el que se regula el subsistema de formación profesional para el empleo, y consistirá en la participación de las mujeres en las acciones formativas que oferten anualmente los Servicios Públicos de Empleo.

Su objetivo es proporcionar a las participantes formación profesional para el empleo en distintas especialidades que se adapten a su perfil inicial y pertenezcan a sectores de actividad con capacidad para generar empleo, garantizando así su inserción en el mercado laboral.

A efectos de procurar el mayor nivel de inserción sociolaboral, las acciones formativas, en la medida de lo posible, se desarrollarán fundamentalmente a través de acciones formativas que incluyan compromisos de contratación, contempladas en los artículos 22.1.d) y 23.2.d) del Real Decreto 395/2007, de 23 de marzo, por el que se regula el subsistema de formación profesional para el empleo, en los que al menos el 60% de las participantes formadas sean contratadas a la finalización del curso.

Durante el tiempo de participación en una acción formativa la mujer tendrá derecho a percibir una beca por asistencia de 10 euros por día lectivo hasta la finalización del curso. Esta beca es compatible con las ayudas y becas establecidas en el Real Decreto 395/2007, de 23 de marzo.

Asimismo, a fin de conciliar la asistencia a los cursos con el cuidado de hijos menores de 6 años o de familiares dependientes, se podrán otorgar ayudas en los términos establecidos en el artículo 25.4 del Real Decreto 395/2007.

Estas ayudas se concederán de acuerdo con el procedimiento establecido en el Real Decreto 395/2007, y normas de desarrollo.

Artículo 8. Incentivos para favorecer el inicio de una nueva actividad por cuenta propia.

Los incentivos para favorecer el inicio de una nueva actividad por cuenta propia se concederán de acuerdo con lo previsto en la Orden TAS/1622/2007, de 5 de junio, por la que se regula la concesión de subvenciones al Programa de Promoción del Empleo Autónomo, o norma que la sustituya. Dicha orden establece que, en el supuesto de mujeres víctimas de violencia de género, las subvenciones y ayudas para el establecimiento como trabajadoras autónomas o por cuenta propia, al ser considerado uno de los colectivos con especiales dificultades de inserción laboral, se incrementarán hasta un 10% respecto a las establecidas para las demás trabajadoras.

Artículo 9. Incentivos para las empresas que contraten a mujeres víctimas de violencia de género.

La contratación de mujeres víctimas de la violencia de género es objeto de bonificación en las cuotas a la seguridad social, tanto si es indefinida como temporal, según lo establecido en el artículo 2.4 de la Ley 43/2006 de 29 de diciembre, para la mejora del crecimiento y del empleo.

La cuantía de la bonificación por la contratación de las mujeres víctimas de violencia de género será la establecida en la disposición final primera de este real decreto. Las empresas que contraten a víctimas de la violencia de género, especialmente mediante contratos indefinidos, podrán recibir subvenciones en los términos que se establezcan en los programas para incentivar la contratación propios de las comunidades autónomas.

Artículo 10. Incentivos para facilitar la movilidad geográfica de las mujeres.

Las mujeres que, como consecuencia de su contratación, tengan que trasladar su residencia habitual, podrán recibir las siguientes subvenciones por movilidad geográfica para financiar los gastos derivados de dicho traslado:

a) Gastos de desplazamiento.

Estas subvenciones se destinarán a cubrir los gastos de desplazamiento de la beneficiaria, así como los de los familiares a su cargo que convivan con ella, desde la localidad de origen a la del nuevo destino.

Cuando el desplazamiento se realice en línea regular de transporte público la cuantía máxima de la ayuda será el importe del billete o pasaje dentro de la tarifa correspondiente a la clase segunda, turista o equivalente.

Si se utiliza para el desplazamiento el vehículo particular la cuantía máxima de la ayuda será la establecida al efecto en las administraciones públicas como indemnización por uso de vehículo particular, a la que se añadirá el importe de los peajes que se justifiquen.

b) Gastos de transporte de mobiliario y enseres.

Por el traslado de mobiliario y enseres, desde la localidad de origen a la del nuevo destino, en la cuantía del coste de dicho traslado, hasta un máximo de 4 veces el Indicador Público de Renta de Efectos Múltiples mensual vigente.

c) Gastos de alojamiento.

Estas subvenciones se destinarán a cubrir gastos generados por el alojamiento, incluyendo el alquiler o adquisición de vivienda u otros gastos de hospedaje, de la beneficiaria y de los familiares a su cargo que convivan con ella, en la localidad de nuevo destino, durante los doce primeros meses de vigencia del contrato. La cuantía máxima de la ayuda será de 10 veces el IPREM mensual vigente.

d) Gastos de guardería y de atención a personas dependientes.

Estas subvenciones se destinarán a cubrir gastos por asistencia a guarderías o centros de enseñanza durante el primer ciclo de educación infantil de los hijos de la beneficiaria que dependan económicamente de la misma o por atención de las personas dependientes a su cargo, generados durante los doce primeros meses de vigencia del contrato. La cuantía máxima de la ayuda será de 4 veces el IPREM mensual vigente.

Se considera que existe movilidad geográfica cuando, como consecuencia de la contratación, se produzca un traslado efectivo de la residencia habitual de la trabajadora a una localidad de destino que se encuentre a más de 50 Kilómetros de la localidad de origen, excepto cuando se trate de desplazamientos con destino u origen en Ceuta o Melilla o desplazamientos interinsulares, efectuados entre cualquiera de las islas de cada uno de los archipiélagos, en los que la distancia podrá ser inferior.

Artículo 11. Incentivos para compensar diferencias salariales.

Tendrán derecho a estos incentivos las mujeres cuyo contrato laboral se haya extinguido por decisión de la trabajadora que se vea obligada a abandonar definitivamente su puesto de trabajo como consecuencia de ser víctima de violencia de género, según lo establecido en el artículo 49.1.m) de la Ley del Estatuto de los Trabajadores, y el contrato subsiguiente que formalicen, ya sea indefinido o temporal, con una duración efectiva igual o superior a seis meses, implique una disminución salarial en los términos recogidos en el párrafo siguiente:

Cuando la base de cotización resultante del nuevo contrato de la trabajadora sea inferior a la del anterior contrato extinguido, la trabajadora tendrá derecho a percibir por meses una cuantía equivalente a la diferencia entre ambas bases de cotización, por un importe máximo de 500 euros/mes y durante un tiempo máximo de doce meses.

A efectos del cálculo de la diferencia se considerará el promedio de las bases de cotización para accidentes de trabajo y enfermedades profesionales, excluida la retribución por horas extraordinarias, durante los seis meses o periodo de tiempo inferior anteriores a la fecha de extinción del contrato anterior y el promedio de las bases de cotización siguientes a la fecha de vigencia del nuevo contrato, por periodos de seis meses. En el supuesto de que el último contrato de la trabajadora, el nuevo contrato o ambos sean a tiempo parcial, el cálculo se efectuará de forma proporcional a la jornada habitual o a tiempo completo.

Artículo 12. Convenios con empresas para facilitar la contratación de mujeres víctimas de la violencia de género y su movilidad geográfica.

La Delegación del Gobierno para la Violencia de Género, con el fin de facilitar la contratación a las mujeres víctimas de violencia de género y la movilidad geográfica, para aquellas que tengan necesidad de trasladar su residencia con la garantía de un empleo, promoverá la suscripción de convenios de colaboración con empresas para fomentar la sensibilización sobre la violencia de género y la inserción laboral de las víctimas.

Así mismo, la Delegación del Gobierno para la Violencia de Género difundirá estos convenios entre los Servicios Públicos de Empleo, y otros órganos y entidades que atienden a este colectivo, al objeto de que, se realicen las gestiones necesarias para poner en contacto a la mujer con las empresas a fin de promover su colocación.

En cada Convenio se establecerá una Comisión de Seguimiento del mismo. Las empresas que celebren contratos en el marco de estos Convenios, informarán de los mismos a la Comisión de Seguimiento del Convenio, a fin de que ésta realice el seguimiento y análisis del funcionamiento de esta medida y de su efectividad.

Artículo 13. Difusión del programa y de otras medidas para el fomento y promoción del empleo de las víctimas de violencia de género.

De acuerdo con lo establecido en los artículos 23 y 25 de la Ley 56/2003, de 16 de diciembre, de Empleo, los órganos administrativos competentes deberán organizar campañas de divulgación informativa acerca de las medidas contempladas en este Programa, así como de otras medidas y programas existentes para el fomento y promoción del empleo de las víctimas de la violencia de género.

Se procurará así mismo la implicación de las empresas en la formación de las trabajadoras víctimas de la violencia de género, para facilitar la realización de prácticas en las mismas a fin de proporcionar experiencia laboral como parte del itinerario de inserción profesional.

Para facilitar una información útil y actualizada de las convocatorias de ayudas, ofertas formativas, y otras acciones que se pongan a disposición de las mujeres víctimas de violencia de género, deberá existir una coordinación entre los Servicios Públicos de Empleo, los Organismos de Igualdad, casas de acogida y los servicios sociales.

Artículo 14. Financiación de las medidas.

1. Las becas reguladas en el artículo 7.b) y las subvenciones reguladas en los artículos 10 y 11 de este real decreto tienen el carácter de fondos de empleo de ámbito nacional y son competencia del Estado a través del Servicio Público de Empleo Estatal, de acuerdo con lo dispuesto en el artículo 14 de la Ley 56/2003, de 16 de diciembre, de Empleo.

La financiación de estas subvenciones se efectuará con cargo a los Presupuestos Generales del Estado a través de los créditos específicamente consignados cada año en el presupuesto de gastos del Servicio Público de Empleo Estatal.

En el supuesto de las comunidades autónomas con competencias en materia de gestión de las políticas activas de empleo los fondos mencionados se distribuirán de conformidad con lo establecido en el artículo 86 de la Ley 47/2003, de 26 de noviembre, General Presupuestaria y en el citado artículo 14 de la Ley 56/2003, de 16 de diciembre.

En todo caso, la concesión de las subvenciones reguladas en este real decreto quedará sometida a la disponibilidad de crédito adecuado y suficiente en la correspondiente partida presupuestaria.

2. Las bonificaciones a que se hace referencia en el artículo 9 se financiarán según lo dispuesto en la disposición adicional tercera de la Ley 43/2006, de 29 de diciembre.

3. Los incentivos para favorecer el inicio de una nueva actividad contemplados en el artículo 8 se financiarán de acuerdo con lo establecido en el artículo 5 de la Orden TAS/1622/2007, de 5 de junio, por la que se regula la concesión de subvenciones al Programa de Promoción del Empleo Autónomo.

Artículo 15. Naturaleza jurídica de los incentivos para facilitar la movilidad geográfica y para compensar diferencias salariales.

Las ayudas establecidas en los artículos 10 y 11 de este real decreto tendrán la naturaleza jurídica de subvenciones y se otorgarán en régimen de concesión directa, atendiendo a su carácter singular por su interés público, social y humanitario derivado de las particulares circunstancias en que se encuentran las mujeres víctimas de violencia de género, al amparo de lo dispuesto en los artículos 22.2.c) y 28 de la Ley 38/2003, de 17 de noviembre, General de Subvenciones y 67 de su Reglamento, aprobado por el Real Decreto 887/2006, de 21 de julio.

Capítulo III. Procedimiento de concesión de subvenciones

Artículo 16. Órganos gestores.

La gestión de las subvenciones establecidas en este real decreto corresponderá al Servicio Público de Empleo Estatal y a los órganos o entidades correspondientes de las comunidades autónomas con competencias en materia de gestión de las políticas activas de empleo respecto de las trabajadoras víctimas de violencia de género inscritas en las oficinas de empleo de su ámbito territorial. En los supuestos en que la subvención esté vinculada a la contratación de la trabajadora, será competente el Servicio Público de Empleo Estatal o los órganos o entidades correspondientes de las comunidades autónomas en cuyo ámbito territorial se ubique el centro de trabajo donde preste su actividad.

Artículo 17. Competencias de los servicios públicos de empleo.

Corresponde a los Servicios Públicos de Empleo competentes la determinación de la forma y plazos de la presentación de solicitudes de las subvenciones establecidas en este real decreto. Asimismo, corresponderá a los servicios públicos de empleo la tramitación del procedimiento, respetando la naturaleza jurídica de dichas subvenciones, la resolución y, en su caso, el pago de las mismas y la realización de los controles necesarios.

Artículo 18. Justificación y reintegro de las subvenciones.

La justificación por los beneficiarios de las subvenciones percibidas se ajustará a lo establecido en el artículo 30 de la Ley 38/2003, de 17 de noviembre, General de Subvenciones.

Será de aplicación el artículo 17.3 del Real Decreto Legislativo 5/2000, de 4 de agosto, por el que se aprueba el Texto Refundido de la Ley sobre Infracciones y Sanciones en el Orden Social.

Darán lugar a la obligación de devolver las cantidades percibidas las causas de invalidez de la resolución de concesión recogidas en el artículo 36 de la Ley 38/2003, de 17 de noviembre, General de Subvenciones. También procederá el reintegro, total o parcial, y la exigencia del interés de demora desde la fecha del pago de la subvención hasta que se acuerde la procedencia del reintegro de la misma, en los supuestos contemplados en el artículo 37 de la citada Ley.

Disposición adicional primera. Puntos de atención a las víctimas de la violencia de género por el servicio público de empleo estatal.

El Servicio Público de Empleo Estatal, en el ámbito de sus competencias, establecerá los puntos de atención a las víctimas de la violencia de género a los que se refiere el artículo 4.1 de este real decreto.

En estos puntos se ofrecerá información sobre la existencia de este programa, sus derechos y las ayudas y subvenciones establecidas para su inserción en el mercado laboral por parte de personal con formación en igualdad y violencia de género.

Posteriormente se derivará, cuando la mujer así lo requiera, a los procesos de orientación para iniciar el itinerario de inserción sociolaboral. El personal técnico especializado, que ha de tener formación en igualdad y violencia de género, establecerá el itinerario de inserción y coordinará las acciones al efecto.

Los técnicos especializados a los que se refiere el apartado anterior serán las personas legitimadas para acceder a los datos de identificación de las mujeres víctimas de violencia de género, que serán identificadas en el sistema con una clave específica a los efectos de lo previsto en el artículo 4.2 de este real decreto.

Disposición adicional segunda. Gestión de subvenciones por las comunidades autónomas.

Las Comunidades Autónomas que hayan asumido el traspaso de la gestión realizada por el Servicio Público de Empleo Estatal en el ámbito del trabajo, el empleo y la formación, así como de los programas de apoyo a la creación de empleo, ejercerán las funciones que les correspondan según lo dispuesto en los reales decretos de traspaso. Dicha gestión se realizará de acuerdo con lo establecido en este real decreto y en las normas de procedimiento y bases reguladoras para la concesión de subvenciones que dicten las comunidades autónomas para su ejecución en función de su propia organización.

Disposición adicional tercera. Seguimiento y evaluación.

1. Para el seguimiento del Programa se crea una Comisión de Seguimiento del mismo compuesta por: un representante del Servicio Público de Empleo Estatal, con rango, al menos, de subdirector general, que la presidirá; un representante, con rango, al menos, de subdirector general, de la Dirección General para la Igualdad en el Empleo del Ministerio de Igualdad, que asumirá la vicepresidencia; y un representante de cada comunidad autónoma con competencias de gestión asumidas en el ámbito del trabajo, el empleo y la formación. La citada Comisión estará adscrita al Ministerio de Trabajo e Inmigración a través del Servicio Público de Empleo Estatal.

Salvo que la Comisión acuerde otra periodicidad, ésta se reunirá al menos dos veces al año y en el orden del día se incluirá un punto sobre el análisis de la información relativa a las actuaciones realizadas por los diferentes órganos que intervienen en el Programa.

2. Los Servicios Públicos de Empleo remitirán a la Comisión con periodicidad trimestral un informe con, al menos los siguientes datos:

Programas o medidas de empleo y formación desarrolladas.

Número y características socio demográficas de las personas beneficiarias de los diferentes programas.

Resultados de las acciones realizadas.

Resultados en términos de inserción sociolaboral.

Otra información de interés y relación de buenas prácticas.

La Comisión transmitirá esta información a los interlocutores sociales a través del Observatorio Estatal de la Violencia sobre la Mujer y del Consejo General del Servicio Público de Empleo Estatal. Asimismo, la Comisión realizará anualmente una memoria de evaluación de las actuaciones realizadas.

3. En lo no regulado con arreglo a las normas anteriores la Comisión determinará sus propias normas de funcionamiento, siendo de aplicación de forma supletoria, en su caso, lo dispuesto en el capítulo II del título II de la Ley 30/1992, de 26 de noviembre.

Disposición adicional cuarta. Suministro de información.

1. Las comunidades autónomas que hayan asumido la gestión y control del programa regulado en este real decreto deberán proporcionar al Servicio Público de Empleo Estatal la información necesaria para la elaboración de la estadística de dicho programa, de forma que quede garantizada su coordinación e integración con el resto de la información estadística de ámbito estatal, así como la información sobre los resultados cualitativos obtenidos.

Asimismo, deberán proporcionar al Servicio Público de Empleo Estatal toda la información y documentación necesarias para el seguimiento de la ejecución de los fondos recibidos y de los planes de ejecución de la Estrategia Europea de Empleo y Programa Nacional de Reformas, así como las que precise el Servicio Público de Empleo Estatal para atender los requerimientos que se le hagan desde otros organismos o entidades nacionales o internacionales.

2. El intercambio de información se efectuará siempre que sea posible a través del sistema de información de los Servicios Públicos de Empleo común, integrado y compatible a que se refiere el apartado 2.a) del artículo 8 de la Ley 56/2003, de 16 de diciembre, de Empleo.

3. El Servicio Público de Empleo Estatal remitirá la información estadística al Observatorio

Estatal de Violencia sobre la Mujer.

Disposición adicional quinta. Régimen jurídico aplicable a las subvenciones.

Las subvenciones a las que se refiere este real decreto se regirán por lo establecido en la Ley 38/2003, de 17 de noviembre, General de Subvenciones y en el Real Decreto 887/2006, de 21 de julio, por el que se aprueba el Reglamento de la citada ley, salvo en lo que afecte a la aplicación de los principios de publicidad y concurrencia; la Ley 30/1992, de 26 de noviembre, de Régimen Jurídico de las Administraciones Públicas y del Procedimiento Administrativo Común; y el Real Decreto Legislativo 5/2000, de 4 de agosto, por el que se aprueba el Texto Refundido de la Ley sobre Infracciones y Sanciones en el Orden Social, así como las demás normas que resulten de aplicación.

En razón del objeto de las subvenciones previstas en este real decreto, no será de aplicación la obligación de publicidad de las subvenciones concedidas, de acuerdo con lo dispuesto en el artículo 18.3.d) de la Ley General de Subvenciones.

Disposición transitoria única. Aplicación de medidas.

1. Los incentivos para facilitar la movilidad geográfica y para compensar diferencias salariales establecidas en los artículos 10 y 11, así como la cuantía de las bonificaciones por contratación indefinida establecida en la disposición final primera serán de aplicación a los contratos de trabajo suscritos a partir de la entrada en vigor de este real decreto.

2. A efectos de las ayudas por compensación de diferencias salariales se considerará contrato anterior el que se haya extinguido a partir de la fecha de entrada en vigor de la Ley Orgánica 1/2004, de 28 de diciembre, de Medidas de Protección Integral contra la Violencia de Género, y en los términos contemplados en el artículo 11.

Disposición final primera. Modificación del programa de fomento del empleo regulado en la ley 43/2006, de 29 de diciembre, para la mejora del crecimiento y del empleo.

En ejercicio de la autorización al Gobierno establecida en la disposición final segunda de la Ley 43/2006, de 29 de diciembre, para la mejora del crecimiento y del empleo, se modifica la cuantía de la bonificación por la contratación indefinida a tiempo completo de las mujeres víctimas de violencia de género, que queda establecida en la de 125 euros/mes (1.500 euros/año), durante 4 años desde la contratación, o cuantía correspondiente de acuerdo con lo dispuesto en el artículo 2.7 de la Ley 43/2006 de 29 de diciembre, si el contrato es a tiempo parcial. En el caso de contratación temporal la bonificación será la establecida en el artículo 2.4, segundo párrafo, de la Ley 43/2006, de 29 de diciembre.

Disposición final segunda. Título competencial.

El presente real decreto se dicta al amparo de lo establecido en el artículo 149.1.7.ª de la Constitución, que atribuye al Estado competencia exclusiva en materia de legislación laboral, sin perjuicio de la ejecución de sus servicios por las comunidades autónomas. Se exceptúa de lo anterior la regulación de las bonificaciones contempladas en el artículo 9 y en la disposición final primera, que se dicta al amparo del artículo 149.1.17.ª de la Constitución, que atribuye al Estado la competencia exclusiva en materia de legislación básica y régimen económico de la Seguridad Social.

Disposición final tercera. Facultades de desarrollo.

Se autoriza al Ministro de Trabajo e Inmigración para dictar cuantas disposiciones sean necesarias para la aplicación y desarrollo de lo establecido en este real decreto.

Disposición final cuarta. Entrada en vigor.

El presente real decreto entrará en vigor el día siguiente al de su publicación en el «Boletín Oficial del Estado».

Real Decreto 1369/2006, de 24 de noviembre, por el que se regula el programa de renta activa de inserción para desempleados con especiales necesidades económicas y dificultad para encontrar empleo

EXPOSICIÓN DE MOTIVOS

Las directrices sobre el empleo de la Unión Europea, vienen destacando la idea de que una política eficaz frente al desempleo no se debe basar exclusivamente en la garantía de ingresos, sino en la combinación de esta con medidas adecuadas de inserción laboral y, por ello, proponen que los sistemas de prestaciones sociales fomenten activamente la capacidad de inserción de los parados, particularmente de aquellos con mayores dificultades.

Para dar respuesta a dichas directrices, por el Real Decreto 236/2000, de 18 de febrero, por el Real Decreto 781/2001, de 6 de julio, por la disposición adicional primera de la Ley 45/2002, de 12 de diciembre, por el Real Decreto 945/2003, de 18 de julio, por el Real Decreto 3/2004, de 9 de enero, por el Real Decreto 205/2005, de 25 de febrero, y por el Real Decreto 393/2006, de 31 de marzo, se reguló en los años 2000, 2001, 2002, 2003, 2004, 2005 y 2006, respectivamente, un programa de renta activa de inserción, que combinaba medidas de empleo activas con pasivas. Los resultados de dichos programas han puesto de manifiesto que debe mantenerse el doble objetivo de reinserción laboral y protección frente al desempleo, en la forma diseñada en éstos, para su aplicación más eficaz a los diferentes colectivos protegidos.

Por ello, el apartado 4 de la disposición final quinta del texto refundido de la Ley General de la Seguridad Social, aprobado por el Real Decreto Legislativo 1/1994, de 20 de junio, establece: «Se habilita al Gobierno a regular, dentro de la acción protectora por desempleo y con el régimen financiero y de gestión establecido en el capítulo V del título III de esta Ley, el establecimiento de una ayuda específica, denominada renta activa de inserción, dirigida a los desempleados con especiales necesidades económicas y dificultad para encontrar empleo que adquieran el compromiso de realizar actuaciones favorecedoras de su inserción laboral».

La renta activa de inserción forma parte así de la acción protectora por desempleo del régimen público de Seguridad Social, si bien con carácter específico y diferenciado del nivel contributivo y asistencial, a los que se refiere el apartado 1 del artículo 206 del texto refundido de la Ley General de la Seguridad Social, pero a la que es de aplicación el apartado 2 del citado artículo 206, cuando establece que esa acción protectora comprenderá acciones específicas de formación, perfeccionamiento, orientación, reconversión o inserción profesional en favor de los trabajadores desempleados.

En cumplimiento de la disposición final quinta citada, este real decreto establece un programa por el que se concede una renta activa de inserción a los desempleados que suscriben el compromiso de actividad en virtud del cual manifiestan su plena disponibilidad para buscar activamente empleo, para trabajar y para participar en las acciones ofrecidas por los servicios públicos de empleo y dirigidas a favorecer su inserción laboral. A partir de ese compromiso, se aplicarán distintas políticas de empleo, activas y pasivas, a los diferentes colectivos a los que se dirige el programa de desempleados en situación de necesidad y cuyas posibilidades de ocupación son menores: por ser mayores de 45 años, parados de larga duración o emigrantes retornados; o por ser parados de cualquier edad, discapacitados o víctimas de violencia de género o doméstica, siempre que, en cada caso, reúnan los requisitos exigidos para ser beneficiarios de éste.

Las modificaciones más importantes que incorpora el programa contenido en este real decreto, en relación con los programas anteriores, es que no se configura con una duración anual, sino que se ordena con carácter permanente estableciendo una garantía de continuidad en su aplicación como un derecho más y con la misma financiación que el resto de las prestaciones y subsidios por desempleo, también se establece la cotización a la Seguridad Social durante la percepción de la renta, en la forma recogida en el artículo 218.1.4. de la Ley General de la Seguridad Social.

Además, la ayuda para cambio de residencia de las víctimas de violencia de género o doméstica se incluye en la disposición transitoria primera del Real Decreto hasta tanto se establezca una financiación y consignación presupuestaria de esa ayuda al margen del sistema de protección por desempleo.

Por último, este real decreto deroga el Real Decreto 393/2006, de 31 de marzo, por el que se prorroga para el año 2006 el Programa de Renta Activa de Inserción para desempleados con especiales necesidades económicas y de dificultad para encontrar empleo, regulado por el Real Decreto 205/2005, de 25 de febrero.

Este real decreto ha sido consultado a las organizaciones empresariales y sindicales más representativas.

En su virtud, a propuesta del Ministro de Trabajo y Asuntos Sociales, de acuerdo con el Consejo de Estado y previa deliberación del Consejo de Ministros en su reunión del día 24 de noviembre de 2006,

D I S P O N G O:

Artículo 1. Objeto.

Este real decreto tiene por objeto la regulación del programa al que se refiere el apartado 4 de la disposición final quinta del texto refundido de la Ley General de la Seguridad Social, aprobado por el Real Decreto Legislativo 1/1994, de 20 de junio, que permite establecer, dentro de la acción protectora por desempleo, una ayuda específica denominada renta activa de inserción, dirigida a los desempleados con especiales necesidades económicas y dificultad para encontrar empleo, a los que se refiere el artículo 2, que adquieran el compromiso de realizar actuaciones favorecedoras de su inserción laboral, al que se refiere el artículo 3.

Artículo 2. Requisitos.

1. Podrán ser beneficiarios del programa los trabajadores desempleados menores de 65 años que, a la fecha de solicitud de incorporación, reúnan los siguientes requisitos:

a) Ser mayor de 45 años.

b) Ser demandante de empleo inscrito ininterrumpidamente como desempleado en la oficina de empleo durante 12 o más meses. A estos efectos, se considerará interrumpida la demanda de empleo por haber trabajado un período acumulado de 90 o más días en los 365 anteriores a la fecha de solicitud de incorporación al programa.

Durante la inscripción como demandante de empleo a que se refiere el párrafo anterior deberá buscarse activamente empleo, sin haber rechazado oferta de empleo adecuada ni haberse negado a participar, salvo causa justificada, en acciones de promoción, formación o reconversión profesionales u otras para incrementar la ocupabilidad.

En el momento de la solicitud se deberá acreditar haber realizado durante el periodo de inscripción antes indicado acciones de búsqueda activa de empleo en la forma que se determine reglamentariamente. En tanto se produzca ese desarrollo normativo se acreditarán de la forma establecida en el artículo 3 del Real Decreto-ley 16/2014, de 19 de diciembre, por el que se regula el Programa de Activación para el Empleo.

La salida al extranjero interrumpe la inscripción como demandante de empleo a estos efectos.

No se considerará interrumpida la inscripción cuando el solicitante acredite que la salida al extranjero se ha producido por matrimonio o nacimiento de hijo, fallecimiento o enfermedad grave del cónyuge o parientes hasta el segundo grado de consanguinidad o afinidad o por el cumplimiento de un deber inexcusable de carácter público y personal, y siempre que la estancia haya sido igual o inferior a 15 días.

Asimismo, tampoco interrumpirá la inscripción la salida a países del Espacio Económico europeo y Suiza para la búsqueda o realización de trabajo, perfeccionamiento profesional o cooperación internacional, y siempre que la estancia sea inferior a 90 días.

En los supuestos en que se interrumpa la demanda de empleo, se exigirá un periodo de 12 meses ininterrumpido desde la nueva inscripción.

c) Haber extinguido la prestación por desempleo de nivel contributivo y/o el subsidio por desempleo de nivel asistencial establecidos en el Título Tercero del texto refundido de la Ley General de la Seguridad Social, salvo cuando la extinción se hubiera producido por imposición de sanción, y no tener derecho a la protección por dicha contingencia.

Este requisito no se exigirá en los supuestos previstos en las letras b) y c) del apartado 2 de este artículo.

d) Carecer de rentas, de cualquier naturaleza, superiores en cómputo mensual al 75 por ciento del salario mínimo interprofesional, excluida la parte proporcional de dos pagas extraordinarias.

A estos efectos, aunque el solicitante carezca de rentas, en los términos anteriormente establecidos, si tiene cónyuge y/o hijos menores de 26 años, o mayores incapacitados o menores acogidos, únicamente se entenderá cumplido el requisito de carencia de rentas cuando la suma de las rentas de todos los integrantes de la unidad familiar así constituida, incluido el solicitante, dividida por el número de miembros que la componen, no supere el 75 por ciento del salario mínimo interprofesional, excluida la parte proporcional de dos pagas extraordinarias.

Se computará como renta el importe de los salarios sociales, rentas mínimas de inserción o ayudas análogas de asistencia social concedidas por las comunidades autónomas.

Se considerarán rentas las recogidas en el artículo 215.3.2 del texto refundido de la Ley General de la Seguridad Social, aprobado por el Real Decreto Legislativo 1/1994, de 20 de junio.

2. Asimismo, podrán ser beneficiarios del programa los trabajadores desempleados menores de 65 años que, a la fecha de solicitud de incorporación, reúnan los requisitos previstos en alguno de los párrafos siguientes:

a) Acreditar una minusvalía en grado igual o superior al 33 por ciento, o tener reconocida una incapacidad que suponga una disminución en su capacidad laboral del porcentaje anteriormente indicado, siempre que se reúnan los requisitos exigidos en el apartado 1, excepto el recogido en el párrafo a).

b) Ser trabajador emigrante que, tras haber retornado del extranjero en los 12 meses anteriores a la solicitud, hubiera trabajado, como mínimo, seis meses en el extranjero desde su última salida de España y esté inscrito como demandante de empleo, siempre que se reúnan los requisitos exigidos en el apartado 1, excepto el recogido en el párrafo b).

c) Tener acreditada por la Administración competente la condición de víctima de violencia de género o doméstica, salvo cuando conviva con el agresor, y estar inscrita como demandante de empleo, siempre que se reúnan los requisitos exigidos en el apartado 1, excepto los recogidos en los párrafos a) y b).

A los efectos de este programa, la violencia doméstica contemplada en al artículo 173 del Código Penal queda limitada a la ejercida sobre el cónyuge o persona ligada por análoga relación de afectividad o sobre los hijos o los padres.

3. Los beneficiarios de pensiones de invalidez no contributiva podrán ser incorporados al programa si reúnen, en el momento de la solicitud, los requisitos exigidos en este artículo, excepto el establecido en el apartado 1 d) por la percepción de la pensión, siempre que se acredite que dejarán de percibirla, a través de una certificación de la Administración competente sobre la suspensión de la pensión a partir de la fecha en que se inicie el devengo de la renta activa de inserción.

4. Los trabajadores, además, de reunir los requisitos exigidos en los apartados anteriores de este artículo, deben cumplir los dos siguientes:

a) No haber sido beneficiario de la renta activa de inserción en los 365 días naturales anteriores a la fecha de solicitud del derecho a la admisión al programa, salvo en el caso de los que acrediten un grado de minusvalía igual o superior al 33 por ciento o la condición de víctima de violencia de género o doméstica.

b) No haber sido beneficiario de tres derechos al programa de renta activa de inserción anteriores aunque no se hubieran disfrutado por el periodo de duración máxima de la renta.

Artículo 3. Compromiso de actividad.

1. Para ser beneficiarios del programa, los trabajadores, además de reunir los requisitos establecidos en el artículo 2, deberán solicitarlo y suscribir el compromiso de actividad, al que se refiere el artículo 231.2 del texto refundido de la Ley General de la Seguridad Social, aprobado por el Real Decreto Legislativo 1/1994, de 20 de junio, en virtud del cual realizarán las distintas actuaciones que se determinen por el servicio público de empleo, en el plan personal de inserción, que se desarrollarán mientras el trabajador se mantenga incorporado al programa.

2. Los servicios públicos de empleo aplicarán a los trabajadores las acciones de inserción laboral previstas en el artículo 7.

3. Los trabajadores, para su incorporación y mantenimiento en el programa, deberán cumplir las obligaciones que implique el compromiso de actividad y aquellas que se concretan en el plan personal de inserción laboral, así como las siguientes:

a) Proporcionar la documentación e información precisa en orden a la acreditación de los requisitos exigidos para la incorporación y el mantenimiento en el programa.

b) Participar en los programas de empleo o en las acciones de inserción, orientación, promoción, formación o reconversión profesionales, o en aquellas otras de mejora de la ocupabilidad.

c) Aceptar la colocación adecuada que les sea ofrecida, considerándose como tal la definida en el artículo 231.3 del texto refundido de la Ley General de la Seguridad Social, aprobado por el Real Decreto Legislativo 1/1994, de 20 de junio.

d) Renovar la demanda de empleo en la forma y fecha que se determinen en el documento de renovación de la demanda y comparecer cuando sea previamente requerido ante el Servicio Público de Empleo Estatal o ante los servicios públicos de empleo.

e) Comunicar las causas de baja, pérdida de requisitos o incompatibilidades en el momento en que se produzcan esas situaciones.

f) Presentarse a cubrir la oferta de empleo y devolver a los servicios públicos de empleo, en el plazo de cinco días, el correspondiente justificante de haber comparecido en el lugar y fecha indicados para cubrir las ofertas de empleo facilitadas por aquéllos.

g) Reintegrar las cantidades de la renta activa de inserción indebidamente percibidas.

h) Buscar activamente empleo.

Artículo 4. Cuantía de la renta activa de inserción y cotización a la seguridad social.

1. Los trabajadores, como consecuencia de su admisión y mantenimiento en el programa, tendrán reconocida y podrán percibir la renta activa de inserción con la cuantía, cotizaciones y duración establecidas en este artículo y en el siguiente.

2. La cuantía de la renta será igual al 80 por ciento del indicador público de renta de efectos múltiples (IPREM) mensual vigente en cada momento.

3. Durante la percepción de la renta activa de inserción el Servicio Público de Empleo Estatal ingresará las cotizaciones a la Seguridad Social conforme a lo establecido en los apartados 1 y 4 del artículo 218 del texto refundido de la Ley General de la Seguridad Social, aprobado por Real Decreto Legislativo 1/1994, de 20 de junio.

Artículo 5. Duración de la renta activa de inserción.

1. La duración máxima de la percepción de la renta será de 11 meses.

2. La renta activa de inserción se mantendrá hasta agotar su duración mientras el trabajador continúe en el programa.

Artículo 6. Ayudas para incentivar el trabajo.

Los trabajadores admitidos al programa, que realicen un trabajo por cuenta propia o por cuenta ajena a tiempo completo, percibirán una ayuda equivalente al 25 por ciento de la cuantía de la renta durante un máximo de 180 días a partir del primer día de trabajo tras la solicitud de admisión al programa, con independencia del número de contratos de trabajo o actividades por cuenta propia realizadas. La percepción de la ayuda no minorará la duración de la renta activa de inserción, establecida en el artículo 5, sin perjuicio de la aplicación de las normas establecidas en los artículos 9.1.d) y 10.1.d).

La ayuda no se aplicará a los contratos subvencionados por el Servicio Público de Empleo Estatal.

En el caso de trabajo por cuenta ajena a tiempo completo, la ayuda se reconocerá a solicitud del interesado, incorporada por una sola vez a la solicitud de admisión al programa por si se dieran en el futuro las condiciones para su obtención, y en el caso de trabajo por cuenta propia, la ayuda se reconocerá previa solicitud del interesado en la que comunique el inicio de la actividad.

Artículo 7. Acciones de inserción laboral.

El programa de renta activa de inserción comprende, además, acciones de inserción laboral, que se mantendrán, complementándose entre sí, mientras el trabajador permanezca en éste.

Los servicios públicos de empleo, definirán las acciones de inserción laboral a aplicar a los trabajadores. Estas acciones contemplarán:

a) Desarrollo de itinerario personalizado de inserción laboral: a partir de la admisión al programa y en el plazo máximo de 15 días, se establecerá el desarrollo del itinerario personalizado de inserción laboral del trabajador. Dicha acción supondrá:

La asignación al trabajador de un asesor de empleo que le prestará una atención individualizada, realizará el seguimiento y actualización de su itinerario de inserción laboral, propondrá y evaluará las acciones de mejora de su ocupabilidad e informará, en su caso, de los incumplimientos de las obligaciones establecidas en el momento en que se produzcan.

La entrevista profesional. Mediante la entrevista, el asesor de empleo completará y actualizará la información profesional sobre el trabajador que ya figura en los servicios públicos de empleo y que resulte necesaria para definir su perfil profesional.

La elaboración o actualización de un plan personal de inserción laboral. En función de las características personales, profesionales y formativas detectadas en la entrevista, el asesor de empleo establecerá el diagnóstico de la situación del trabajador y el itinerario personalizado de inserción laboral, con el calendario y las acciones que vaya a desarrollar. Se realizará un seguimiento y una actualización de dicho itinerario periódicamente.

b) Gestión de ofertas de colocación: el asesor de empleo promoverá la participación del trabajador en los procesos de selección para cubrir ofertas de colocación.

c) Incorporación a planes de empleo o formación: los trabajadores que se encuentren desarrollando un itinerario personalizado de inserción laboral pueden ser considerados para su participación en alguno de los siguientes planes o programas: Orientación Profesional; Plan Nacional de Formación e Inserción Profesional; Programa de Talleres de Empleo o Programa de Escuelas Taller y Casas de Oficios; Planes de Empleo para la contratación de desempleados en la realización de obras y servicios de interés general y social, que proporcionen la adquisición de práctica profesional adecuada; Programas Experimentales o Integrados para el empleo, que combinen acciones de diferente naturaleza, tales como información y asesoramiento, formación, práctica laboral y movilidad geográfica; Asesoramiento al autoempleo y otros programas dirigidos a la inserción laboral de los desempleados.

Los planes o programas de empleo o formación, incluidos los Programas Experimentales o Integrados para el empleo, podrán ser desarrollados por las entidades que colaboren con los servicios públicos de empleo en su realización, en los términos previstos en su normativa específica.

Asimismo, la participación de los trabajadores en los distintos planes y programas se regirá por su normativa específica.

Artículo 8. Derecho a la admisión al programa.

1. Tendrán derecho a ser admitidos al programa, los trabajadores que lo soliciten conforme a lo previsto en el artículo 11.1, y suscriban el compromiso de actividad en la fecha de solicitud, siempre que reúnan y acrediten los requisitos exigidos.

2. Los trabajadores, como consecuencia de su admisión al programa, tendrán reconocida la renta activa de inserción a partir del día siguiente a aquel en que se solicite.

3. Para obtener un nuevo derecho a la admisión al programa, deberá cumplirse lo exigido en el apartado 1 anterior y, además, también debe cumplirse lo establecido en los párrafos a) y b) del apartado 4 del artículo 2.

Artículo 9. Baja y reincorporación al programa.

1. Causarán baja definitiva en el programa los trabajadores en los que concurra alguno de los hechos siguientes:

a) Incumplimiento de las obligaciones que implique el compromiso de actividad y que se concretan en el plan personal de inserción laboral, salvo causa justificada.

b) No comparecer, previo requerimiento, ante el Servicio Público de Empleo Estatal o ante los servicios públicos de empleo, no renovar la demanda de empleo en la forma y fechas que se determinen en el documento de renovación de la demanda o no devolver en plazo a los servicios públicos de empleo el correspondiente justificante de haber comparecido en el lugar y fecha indicados para cubrir las ofertas de empleo facilitadas por dichos servicios, salvo causa justificada.

c) Rechazo de una oferta de colocación adecuada o de participación en programas de empleo o en acciones de inserción, orientación, promoción, formación o reconversión profesionales, salvo causa justificada.

d) Trabajo por cuenta propia o ajena a tiempo completo, conforme a lo establecido en el artículo 10.1.d), por un período de tiempo igual o superior a seis meses.

e) Obtener pensiones o prestaciones conforme a lo establecido en el artículo 10.1.c), así como obtener ayudas sociales, conforme a lo establecido en el artículo 10.1.e).

f) Dejar de reunir el requisito de carencia de rentas, conforme a lo establecido en el artículo 10.1.a), y salvo lo previsto en el apartado 3.

g) Acceder a una prestación por desempleo, a un subsidio por desempleo o a la renta agraria, conforme a lo establecido en el artículo 10.1.b).

h) Traslado al extranjero, salvo lo previsto en el apartado 3.

i) Renuncia voluntaria a la renta activa de inserción.

j) Obtener o mantener indebidamente la percepción de la renta activa de inserción.

k) Agotar el plazo máximo de duración de la renta activa de inserción.

2. Los trabajadores que causen baja definitiva en el programa sólo podrán volver a ser admitidos en éste cuando se cumpla lo establecido en el artículo 8.3.

3. Causarán baja temporal en el programa, sin consumo en la duración de la renta, los trabajadores incorporados a aquél en los que concurra alguno de los hechos siguientes:

a) El trabajo por cuenta ajena a tiempo completo por un período inferior a seis meses.

b) El trabajo por cuenta propia por un periodo inferior a seis meses.

c) La superación del límite de rentas, por un periodo inferior a seis meses.

d) El traslado al extranjero para la búsqueda o realización de trabajo o perfeccionamiento profesional o cooperación internacional por un periodo inferior a seis meses.

4. Producida la baja temporal en el programa por las causas previstas en el apartado 3, se producirá la reincorporación a aquél:

a) En el caso de cese en el trabajo por cuenta ajena a tiempo completo se recuperará de oficio la percepción de la renta activa de inserción, siempre que el trabajador figure inscrito como demandante de empleo, lo que implicará la reactivación del compromiso de actividad, y que la Entidad Gestora tenga constancia de la involuntariedad del cese, o, en otro caso, se exigirá la acreditación de los requisitos.

b) En el caso de cese en el trabajo por cuenta propia, cuando el interesado solicite la reincorporación al programa en los 15 días siguientes al cese en el trabajo, previa acreditación de la involuntariedad del cese, inscripción como demandante de empleo y reactivación del compromiso de actividad.

c) En el caso de volver a reunir el requisito de carencia de rentas individuales o de la unidad familiar, cuando el interesado solicite la reincorporación al programa a partir del día siguiente a la solicitud si acredita que vuelve a reunir dicho requisito y lo solicita dentro del plazo de seis meses desde la fecha de baja en el programa, previa inscripción como demandante de empleo y reactivación del compromiso de actividad.

d) En el caso de retorno del extranjero, cuando el interesado solicite la reincorporación al programa en los 15 días siguientes al retorno, previa inscripción como demandante de empleo, reactivación del compromiso de actividad y acreditar alguna de las causas de traslado recogidas en el párrafo d) del apartado 3.

5. La solicitud de reincorporación al programa fuera del plazo de 15 días señalado en los párrafos b) y d) del apartado anterior supondrá la pérdida de tantos días de renta y cotización a seguridad social como medien entre el día

siguiente al del cese en el trabajo por cuenta propia o al del retorno y el día de la solicitud.

Artículo 10. Incompatibilidad y compatibilidad.

Véase Jurisprudencia sistematizada en Observaciones

1. La renta activa de inserción será incompatible:

a) Con la obtención de rentas de cualquier naturaleza que hagan superar los límites establecidos, en los términos fijados en el artículo 2.1.d), sin que se computen a esos efectos las rentas que provengan de acciones o trabajos compatibles con la percepción de la renta.

b) Con la percepción de prestaciones o subsidios por desempleo, o de la renta agraria.

c) Con las pensiones o prestaciones de carácter económico de la Seguridad Social que sean incompatibles con el trabajo o que, sin serlo, excedan en su cuantía de los límites a que se refiere el artículo 2.1.d).

d) Con la realización simultánea de trabajo por cuenta propia o por cuenta ajena a tiempo completo, sin perjuicio de percibir la ayuda prevista en el artículo 6.

e) Con las ayudas sociales que se pudieran reconocer a las víctimas de violencia de género que no puedan participar en programas de empleo.

2. La renta activa de inserción será compatible:

a) Con las becas y ayudas, de cualquier naturaleza, que se pudieran obtener por la asistencia a acciones de formación profesional vinculadas al Plan nacional de formación e inserción profesional.

b) Con el trabajo por cuenta ajena a tiempo parcial, en cuyo caso se deducirá del importe de la renta activa de inserción la parte proporcional al tiempo trabajado y el período de la renta pendiente de percibir mientras se compatibiliza con ese trabajo se ampliará en la misma parte proporcional.

Artículo 11. Tramitación.

1. La solicitud de admisión al programa de renta activa de inserción, que incluirá el compromiso de actividad, deberá presentarse en la oficina de empleo que corresponda al trabajador, junto con la documentación acreditativa de reunir los requisitos establecidos en el artículo 2. El requisito de carencia de rentas deberá acreditarse mediante la presentación por el solicitante de la declaración de los miembros que componen su unidad familiar y de las rentas.

El Servicio Público de Empleo Estatal, previa autorización del interesado incluida en su solicitud, recabará de la Agencia Estatal de la Administración Tributaria información sobre los rendimientos percibidos por el solicitante en el ejercicio anterior, de acuerdo con el procedimiento telemático para el intercambio de información que se acuerde. Asimismo, el Servicio Público de Empleo Estatal podrá exigir, en su caso, copia de recibos de salarios y copia de recibos de cobro de pensiones o de cualquier otro documento acreditativo de las rentas percibidas.

2. El Servicio Público de Empleo Estatal verificará el cumplimiento de los requisitos exigidos en el artículo 2 y, en su caso, solicitará el informe de los servicios públicos de empleo sobre el requisito de inscripción como demandante de empleo, y deberá dictar resolución motivada que reconozca o deniegue el derecho a la admisión al programa en el plazo de los 15 días siguientes a la fecha de la solicitud.

La resolución que reconozca el derecho a la admisión al programa se comunicará a los servicios públicos de empleo competentes para que desarrollen las distintas acciones de inserción laboral previstas en el artículo 7.

3. Las bajas y las reincorporaciones al programa se resolverán por el Servicio Público de Empleo Estatal y se comunicarán a los servicios públicos de empleo competentes a los efectos que correspondan, en relación con la continuidad, o no, de las distintas acciones de inserción laboral previstas en el artículo 7.

4. La tramitación de las bajas en el programa en los supuestos previstos en los párrafos a), b), c) y j) del artículo 9.1 se iniciará con la información sobre los incumplimientos de las obligaciones o de las irregularidades que se hayan detectado. Como consecuencia de ello, se cursará una baja cautelar en el programa y se dará audiencia al interesado para que, en el plazo de 15 días, formule por escrito las alegaciones que considere oportuno y, transcurrido dicho plazo, se adoptará la resolución que corresponda, en los 15 días siguientes, a cuyos efectos será de aplicación lo previsto en el apartado 5 de este artículo.

5. Las admisiones, bajas y reincorporaciones al programa se resolverán por el Director Provincial del Servicio Público de Empleo Estatal y serán recurribles ante el orden jurisdiccional social, previa reclamación en la forma prevista en el artículo 71 del texto refundido de la Ley de Procedimiento Laboral, aprobado por el Real Decreto Legislativo 2/1995, de 7 de abril.

6. Lo establecido en el apartado anterior resultará, asimismo, aplicable a la ayuda regulada en el artículo 6.

Artículo 12. Devengo y pago.

1. El devengo de la cuantía de la renta activa de inserción y la cotización de Seguridad Social durante su percepción se iniciarán a partir del día siguiente a la fecha de solicitud de admisión al programa.

2. El derecho a la admisión al programa y el mantenimiento de la percepción de la renta activa de inserción conlleva la obligada participación del desempleado en alguna de las acciones de inserción laboral que le sean ofrecidas conforme a lo previsto en el artículo 7.

3. El pago de la renta activa de inserción se realizará por mensualidades de 30 días dentro del mes inmediato siguiente al que corresponde el devengo. En todo caso el derecho al percibo de cada mensualidad caducará al año de su respectivo vencimiento.

4. El pago de la ayuda prevista en el artículo 6 se realizará mensualmente, por los días que el trabajador por cuenta ajena a tiempo completo figure en alta en el correspondiente régimen de Seguridad Social, o por los días efectivos de actividad como trabajador autónomo.

Artículo 13. Competencias.

1. Corresponde al Servicio Público de Empleo Estatal la gestión del programa de renta activa de inserción, que deberá dictar resolución que reconozca o deniegue el derecho a la admisión al programa, resolver las bajas y las reincorporaciones, así como la concesión de la ayuda establecida en el artículo 6.

Asimismo, el Servicio Público de Empleo Estatal efectuará el pago de la renta y de la ayuda prevista en el artículo 6, la cotización a la Seguridad Social, el control de requisitos e incompatibilidades, la exigencia de la devolución de las cantidades indebidamente percibidas, así como las compensaciones en las prestaciones por desempleo o en la renta activa de inserción de las cantidades indebidamente percibidas por cualquiera de dichas percepciones, todo ello en los mismos términos fijados para las prestaciones por desempleo.

2. Las comunidades autónomas, que han asumido el traspaso de la gestión realizada por el antiguo Instituto Nacional de Empleo, actual Servicio Público de Empleo Estatal, en el ámbito del trabajo, el empleo y la formación, serán competentes para desarrollar las acciones de inserción laboral para el cum-

plimiento de este real decreto, de conformidad con lo previsto en los reales decretos de traspaso.

3. El Instituto Social de la Marina ejercerá las competencias atribuidas al Servicio Público de Empleo Estatal relativas a la gestión de la renta activa de inserción cuando se aplique a los desempleados procedentes del Régimen Especial de la Seguridad Social de los Trabajadores del Mar.

4. Igualmente, el Servicio Público de Empleo Estatal será competente para desarrollar las acciones de inserción del ámbito de las políticas activas de empleo que hayan de ser financiadas con cargo a los créditos específicamente autorizados, por la Ley anual de Presupuestos Generales del Estado, en su estado de gastos como reserva de gestión directa, de conformidad con lo establecido en el artículo 13.e) de la Ley 56/2003, de 16 de diciembre, de Empleo.

Artículo 14. Colaboración y coordinación entre las administraciones públicas.

1. El Servicio Público de Empleo Estatal o, en su caso, el Instituto Social de la Marina podrán establecer convenios de colaboración con las comunidades autónomas a las que se refiere el artículo 13.2 para desarrollar las actuaciones necesarias para el cumplimiento de lo previsto en este real decreto.

2. Las comunidades autónomas proporcionarán información al Servicio Público de Empleo Estatal o, en su caso, al Instituto Social de la Marina sobre los demandantes de empleo atendidos en las distintas acciones de inserción laboral y sobre las reincorporaciones al trabajo, o a planes de empleo y formación, así como sobre los incumplimientos de las obligaciones que se hayan detectado, e informarán sobre estos últimos en el momento en que se produzcan.

3. El Servicio Público de Empleo Estatal o, en su caso, el Instituto Social de la Marina proporcionarán a las comunidades autónomas información sobre las admisiones, bajas o reincorporaciones al programa en el momento en que se produzcan.

4. El seguimiento y evaluación del programa en el nivel nacional corresponderá al Servicio Público de Empleo Estatal.

5. Las acciones de inserción laboral a las que se refiere el artículo 7, podrán completarse con acciones de inserción social desarrolladas por los servicios sociales, para lo cual, las Administraciones Públicas competentes podrán suscribir convenios donde se concreten las mismas.

Artículo 15. Financiación.

1. La financiación de las acciones de inserción laboral se efectuará a través de las subvenciones previstas para fomento de la inserción y estabilidad laboral. Las comunidades autónomas a las que se refiere el artículo 13.2 deberán realizar la reserva y la afectación que corresponda de las subvenciones que gestionen para la ejecución del programa.

2. La financiación de la renta activa de inserción de la cotización a la Seguridad Social, y la de la ayuda recogida en el artículo 6 será la que corresponda a la acción protectora por desempleo establecida en el artículo 223 del texto refundido de la Ley General de la Seguridad Social, aprobado por Real Decreto Legislativo 1/1994, de 20 de junio.

Artículo 16. Servicios públicos de empleo.

1. Las referencias efectuadas en este real decreto a los servicios públicos de empleo se entenderán realizadas al Servicio Público de Empleo Estatal y a los correspondientes Servicios Públicos de Empleo de las comunidades autónomas a las que se refiere el artículo 13.2.

2. Asimismo, las referencias efectuadas a las oficinas de empleo se entenderán realizadas a las oficinas del Servicio Público de Empleo Estatal y a las oficinas de los correspondientes Servicios Públicos de Empleo de las comunidades autónomas citadas.

Disposición transitoria primera. Ayuda para cambio de residencia de víctimas de violencia de género o doméstica.

1. Las víctimas de violencia de género o doméstica, a las que se refiere el artículo 2.2. c) del presente real decreto, que se hayan visto obligadas y acrediten cambio de su residencia en los 12 meses anteriores a la solicitud de admisión al programa de renta activa de inserción o durante su permanencia en éste, podrán percibir en un pago único una ayuda suplementaria de cuantía equivalente al importe de tres meses de renta activa de inserción, a partir del día siguiente a aquel en que se solicite.

Esta ayuda se podrá percibir una sola vez por cada derecho a la admisión al programa de renta activa de inserción.

2. Por motivos de eficacia en la gestión y para su inmediata puesta a disposición de las víctimas, junto con la renta activa de inserción, la ayuda se

reconocerá, abonará y financiará conforme se indica en los artículos 11.6, 13.1 y 15.2 de este real decreto.

Disposición transitoria segunda. Financiación en 2006 de la cotización a la seguridad social de los perceptores de la renta activa de inserción.

En consideración a la aprobación y entrada en vigor de la nueva regulación del programa de la renta activa de inserción con posterioridad a la aprobación de la Ley 30/2005, de 29 de diciembre, de Presupuestos Generales del Estado para el año 2006, la financiación de la cotización a la Seguridad Social de los perceptores de la renta activa de inserción a que se refiere el artículo 4 de este Real Decreto, imputable al ejercicio económico de 2006, se sufragará con cargo al presupuesto de gastos del Servicio Público de Empleo Estatal.

Disposición transitoria tercera. Solicitudes y admisiones en programas de renta activa de inserción anteriores.

Las solicitudes y las admisiones al programa de renta activa de inserción anteriores a la entrada en vigor de este Real Decreto se regularán por la normativa vigente en la fecha de la solicitud.

Disposición derogatoria. Derogación del real decreto 393/2006, de 31 de marzo.

A partir de la entrada en vigor de este real decreto se deroga el Real Decreto 393/2006, de 31 de marzo, por el que se prorroga para el año 2006 el Programa de Renta Activa de Inserción para desempleados con especiales necesidades económicas y dificultad para encontrar empleo, regulado por el Real Decreto 205/2005, de 25 de febrero.

Disposición final primera. Habilitación normativa.

Se faculta al Ministro de Trabajo y Asuntos Sociales para dictar las normas necesarias para el desarrollo y aplicación de este real decreto.

Disposición final segunda. Entrada en vigor y aplicación.

El presente real decreto entrará en vigor el día siguiente al de su publicación en el «Boletín Oficial del Estado».

Acuerdo para favorecer la movilidad interadministrativa de las empleadas públicas víctimas de violencia de género, 16 de noviembre de 2018

La Decisión (UE) 2017/865 del Consejo, de 11 de mayo de 2017, relativa a la firma, en nombre de la Unión Europea, del Convenio del Consejo de Europa sobre prevención y lucha contra la violencia contra las mujeres y la violencia doméstica, en lo que respecta a asuntos relacionados con la cooperación judicial en materia penal señala que la violencia contra las mujeres es una violación de sus derechos humanos y una forma extrema de discriminación que no sólo hunde sus raíces en las desigualdades de género sino que además contribuye a mantenerlas y reforzarlas.

En este sentido, este Acuerdo forma parte de las medidas de lucha contra la violencia de género, dado que, en palabras del Parlamento Europeo, la violencia contra las mujeres constituye un atentado contra el derecho a la vida, a la seguridad, a la libertad, a la dignidad y a la integridad física y psíquica de las víctimas y supone, por lo tanto, un obstáculo para el desarrollo de una sociedad democrática.

El objetivo de garantizar la continuidad de las empleadas públicas víctimas de violencia de género en el desempeño de su empleo público, así como de mantener las retribuciones que vinieran percibiendo cuando se ven obligadas a cambiar de localidad de residencia más allá del ámbito competencial de la Administración Pública donde prestan sus servicios, viene amparado también por lo dispuesto en las Resoluciones del Parlamento Europeo de 2014 y 2017, en las que se destaca que al objeto de ser más eficaces, las medidas para combatir la violencia contra las mujeres deben ir acompañadas de acciones que aborden las desigualdades económicas en función del sexo y que promuevan la independencia económica de las mujeres y, se considera además que reforzar la independencia y la participación económica y social reduce la vulnerabilidad de las mujeres frente a la violencia de género.

Corresponde a los poderes públicos promover las condiciones para que la libertad y la igualdad del individuo y de los grupos en que se integra sean reales y efectivas, removiendo los obstáculos que impidan o dificulten su plenitud, de acuerdo con el artículo 9.2 de la Constitución española de 1978. Esta afirmación tiene especial trascendencia en las mujeres víctimas de violencia de género, dado que constituye uno de los ataques más flagrantes a los derechos fundamentales reconocidos en la Constitución, como la libertad, la igualdad, la vida, la seguridad y la no discriminación.

Si bien el artículo 82.1 del texto refundido de la Ley del Estatuto Básico del Empleado Público, aprobado por Real Decreto Legislativo 5/2015, de 30 de octubre, contempla la movilidad por razón de violencia de género como normativa básica, la coexistencia de diversas Administraciones Públicas con competencias en distintos ámbitos territoriales hace necesaria la articulación de medidas de colaboración y coordinación, al objeto de dar una respuesta eficaz y soluciones ágiles en esta materia cuando la solicitud de movilidad transcienda del ámbito competencial de una Administración Pública.

Este Acuerdo acoge las recomendaciones internacionales y la normativa básica en materia de empleo público abordando la movilidad motivada por la violencia de género, debiendo entenderse como parte de un sistema integral de prevención y protección de las empleadas víctimas de esta clase de violencia. Además, tiene como objetivo articular una respuesta efectiva que dote de seguridad jurídica a las empleadas públicas que sean víctimas de la violencia de género, así como dar respuesta a la necesidad de protección integral, en el marco del Pacto de Estado en materia de violencia de género.

Primero. Objeto.

Este Acuerdo se propone servir como marco general de colaboración, coordinación y comunicación, entre las Administraciones Públicas al objeto de facilitar la aplicación del principio de movilidad de las empleadas públicas de las Administraciones que tengan la condición de víctimas de violencia de género, dando efectividad al derecho contemplado en el artículo 82.1 del texto refundido de la Ley del Estatuto Básico del Empleado Público, aprobado por Real Decreto Legislativo 5/2015, de 30 de octubre, y demás normativa reguladora sobre la materia.

Segundo. Actuaciones.

Para facilitar la movilidad por razón de violencia de género de las empleadas públicas que se vean obligadas a abandonar su puesto de trabajo en la Administración de origen, es necesario que en términos de reciprocidad entre todas las Administraciones Públicas, y de acuerdo con la normativa reguladora en la materia, se aborden las acciones que resulten necesarias, dando efectividad a las medidas de protección o al derecho a la asistencia social integral, mediante:

a) La atención de las solicitudes de movilidad de las empleadas públicas víctimas de violencia de género a requerimiento de otra Administración Pública, siempre que la situación de víctima de violencia de género quede debidamente acreditada y no sea posible dar solución a la movilidad por parte de esa Administración.

b) La tramitación con carácter preferente de estos procedimientos, al objeto de que la resolución se dicte en el plazo más breve posible.

c) La protección de la intimidad de las víctimas, en especial sus datos personales, los de los ascendientes, descendientes y los de cualquier persona que esté bajo su custodia o guarda.

Tercero. Ámbito subjetivo.

El Acuerdo será de aplicación al conjunto de empleadas públicas víctimas de violencia de género que presten servicios en las Administraciones Públicas.

Cuarto. Acreditación de la situación de violencia de género.

La acreditación de la situación de violencia de género, a efectos de lo dispuesto en este Acuerdo, se realizará por alguno de los siguientes medios:

a) Sentencia condenatoria por un delito de violencia de género.

b) Orden de protección o cualquier otra resolución judicial que acuerde una medida cautelar a favor de la víctima.

c) Informe del Ministerio Fiscal que indique la existencia de indicios de que la demandante es víctima de violencia de género.

d) Informe de los servicios sociales, de los servicios especializados o de los servicios de acogida destinados a víctimas de violencia de género de la Administración Pública competente; o por cualquier título, siempre que ello esté previsto en las disposiciones normativas de carácter sectorial que regulen el acceso a cada uno de los derechos y recursos.

Quinto. Solicitud e instrucción del procedimiento.

1. La empleada pública deberá dirigir su solicitud al órgano competente de la Administración Pública en que se encuentra destinada, aportando la documentación justificativa de su condición de víctima de violencia de género

con indicación del ámbito geográfico al que desea que se lleve a efecto la movilidad y motivación de la necesidad de traslado a ese ámbito en concreto.

2. Cuando la Administración Pública de origen de la interesada no cuente con Unidades o Dependencias ubicadas en el ámbito geográfico por ella solicitado, o por otras causas justificadas no resulte posible su reubicación en la misma, la Administración que corresponda se dirigirá a la Administración o Administraciones Públicas con competencias en ese ámbito y que puedan disponer de una estructura de puestos de trabajo en él, instando la tramitación del expediente de movilidad. A estos efectos, adjuntará tanto la solicitud como el resto de documentación aportada por la solicitante.

3. Con carácter previo al traslado de la petición de movilidad de la empleada pública a otra Administración, la Administración de origen de dicha empleada pondrá a su disposición una relación de los puestos de trabajo ubicados en su respectivo ámbito, que pudieran permitir hacer efectiva su seguridad y asistencia social integral mediante su traslado a otro municipio distinto del solicitado.

4. La movilidad de la empleada pública se efectuará, en todo caso, a un puesto de trabajo ubicado en el ámbito geográfico nacional. Dicho puesto habrá de ser adecuado a la naturaleza de la relación de servicios de la solicitante y a su clasificación profesional, y ésta deberá reunir los requisitos exigidos para el desempeño del mismo que figuren en la respectiva relación de puestos de trabajo u otros instrumentos organizativos similares, pudiendo realizarse, en su caso, las adaptaciones y equivalencias que sean necesarias.

5. A estos efectos, cada Administración Pública regulará de manera expresa y clara, con la finalidad de facilitar el ejercicio de este derecho por parte de las empleadas públicas víctimas de violencia de género, los modelos de solicitud, así como la documentación a aportar y lugar de presentación y determinarán el procedimiento a seguir para resolverlo con carácter urgente y para salvaguardar siempre la privacidad de las empleadas afectadas y de sus familiares.

Sexto. Efectos de la movilidad y duración.

1. El traslado de localidad por razón de violencia de género tendrá la consideración de forzoso, tal como establece el artículo 82.1 del texto refundido de la Ley del Estatuto Básico del Empleado Público, aprobada por Real Decreto Legislativo 5/2015, de 30 de octubre.

2. Las indemnizaciones que, en su caso, correspondan a la empleada pública serán a cargo de la Administración Pública de origen en la que se encuentre destinada en el momento de efectuarse la movilidad.

3. La ocupación por la interesada del nuevo puesto adjudicado tendrá carácter provisional, en tanto no obtenga un puesto con carácter definitivo.

4. La incorporación al nuevo destino deberá realizarse en el plazo más breve posible. En todo caso, la incorporación deberá producirse en el plazo máximo de tres días hábiles si no comporta cambio de residencia de la empleada pública o de ocho días hábiles, prorrogables justificadamente hasta un máximo de un mes, si lo comporta, desde la notificación de la resolución de movilidad.

5. La Administración pública de destino, mantendrá a la empleada pública en el puesto que le sea adjudicado, en tanto permanezcan las circunstancias que dieron lugar a la movilidad, sin que dicho puesto de trabajo pueda ser durante todo ese período objeto de convocatoria para su cobertura definitiva.

6. La Administración de origen tendrá la obligación de reservar a la empleada pública un destino en la misma localidad y de iguales características retributivas a las del puesto que ocupaba, durante el tiempo en que dicha empleada permanezca destinada con carácter provisional en la Administración a la que se traslade por razón de violencia de género, hasta obtener un puesto con carácter definitivo, sea en la de Administración de destino, en la de origen o en una tercera.

7. Las Administraciones Públicas intervinientes en la movilidad se comunicarán recíprocamente la formalización del cese y la toma de posesión de la empleada pública en el momento en que se produzcan.

8. Todas las retribuciones correspondientes al plazo posesorio serán abonadas por la Administración Pública de origen en la cuantía correspondiente al puesto de trabajo que venía desempeñando. Las retribuciones o salarios del nuevo puesto corresponderán a la Administración Pública a la que va destinada a partir de la fecha de la toma de posesión en el nuevo puesto de trabajo.

9. La empleada pública tendrá derecho a percibir las retribuciones que correspondan al puesto que le sea adjudicado en la Administración a la que se traslade, para lo que la Administración de origen, en caso de que se produzca pérdida retributiva, regulará un mecanismo de compensación articulado desde la perspectiva presupuestaria, que permita el abono de una indemnización en tanto se mantenga esa diferencia retributiva.

10. La empleada pública tendrá la obligación de comunicar a la Administración en la que se le ha adjudicado el nuevo destino, la desaparición, en su caso, de las circunstancias que dieron lugar a la necesidad de traslado o la pérdida de la condición de víctima de violencia de género, promoviéndose en ese momento la reincorporación a su Administración de origen. Los plazos para dicha reincorporación serán los mismos indicados en el apartado 4 del presente punto y este retorno tendrá la consideración de movilidad voluntaria.

11. Se protegerá la intimidad de las empleadas públicas en las anotaciones de los actos administrativos que deban realizarse en los registros de personal de las Administraciones Públicas, así como en el acceso a la información existente sobre ellas en los sistemas de información de las distintas Administraciones Públicas.

Séptimo. Traslados de corta duración y solución transitoria ante la inexistencia de vacante.

En aquellos supuestos en los que, por las circunstancias excepcionales de su situación, la interesada solicite únicamente un traslado temporal de duración inferior a 6 meses, o cuando no exista vacante para poder resolver con la inmediatez necesaria el traslado, la Administración de origen y aquella en la que vaya a prestar servicios la empleada pública, podrán acordar en su favor una atribución temporal de funciones en comisión de servicios o figura similar que contemple el convenio colectivo aplicable al personal laboral, continuando la interesada como titular de su puesto de trabajo en la Administración de origen y percibiendo sus retribuciones con cargo a esa Administración.

Transcurrido ese plazo finalizará la atribución temporal de funciones o figura equivalente y se actuará de acuerdo con lo dispuesto en los apartados anteriores, en el caso de persistir la necesidad de traslado.

Octavo. Empleadas públicas con relación de servicios de carácter no permanente.

En los supuestos de movilidad de empleadas públicas con relaciones de servicio de carácter no permanente, la Administración Pública a la que vayan destinadas formalizará una nueva relación de servicios de igual carácter que aquella que mantenía con la Administración de origen.

Noveno. Otras consideraciones relacionadas con situaciones de violencia de género.

Las Administraciones Públicas procurarán la utilización también de las herramientas de provisión de puestos de trabajo existentes en su respectivo ámbito competencial para atender la posible necesidad de traslado de las empleadas o empleados públicos que tengan a su cargo bajo su patria potestad, tutela, guarda o acogimiento a una menor o a una persona con discapacidad, que tenga la condición de víctima de violencia de género, en aquellos supuestos en los que la situación de la víctima aconseje un cambio de localidad de la residencia familiar.

Décimo. Exclusión de obligaciones económicas.

La aplicación y ejecución de este Acuerdo, incluyéndose todos los actos jurídicos que puedan dictarse en su ejecución y desarrollo, no podrá suponer obligaciones económicas para las Administraciones Públicas y, en todo caso, se atenderán con sus medios personales y materiales, sin perjuicio de la ordenación del abono de retribuciones o salarios y, en su caso, indemnizaciones derivadas de la movilidad de la empleada pública.

Undécimo. Adecuación normativa.

Las Administraciones Públicas adecuarán sus normas legales y convencionales aplicables a la movilidad de las empleadas públicas víctimas de violencia de género a lo establecido en el presente Acuerdo, a través de los mecanismos jurídicos que sean necesarios para tal fin.

Duodécimo. Aplicación del presente Acuerdo a empleadas públicas con normativa específica.

Se promoverán, en el marco competencial correspondiente, las actuaciones necesarias para que las medidas recogidas en el presente Acuerdo puedan ser de aplicación a las empleadas públicas sujetas a legislación específica propia en materia de movilidad.

Ley 20/2007, de 11 de julio, del Estatuto del trabajo autónomo

Artículo 32. Beneficios en la cotización a la Seguridad Social para las personas con discapacidad, inicial o sobrevenida, víctimas de violencia de género y víctimas del terrorismo que se establezcan como trabajadores por cuenta propia.

La cotización a la Seguridad Social de los trabajadores por cuenta propia o autónomos con un grado de discapacidad igual o superior al 33 por ciento, víctimas de violencia de género y las víctimas de terrorismo que causen alta inicial o que no hubieran estado en situación de alta en los 2 años inmediatamente anteriores, a contar desde la fecha de efectos del alta, en el Régimen Especial de la Seguridad Social de los Trabajadores por Cuenta Propia o Autónomos, se efectuará de la siguiente forma:

1. En el caso de que se opte por cotizar por la base mínima que corresponda, podrán beneficiarse de una reducción sobre la cotización por contingencias comunes durante los 12 primeros meses inmediatamente siguientes a la fecha de efectos del alta, que consistirá en una cuota única mensual de 60 euros, que comprenderá tanto las contingencias comunes como las contingencias profesionales, quedando estos trabajadores exceptuados de cotizar por cese de actividad y por formación profesional. De esa cuota de 60 euros, 51,50 euros corresponden a contingencias comunes y 8,50 euros a contingencias profesionales.

2. Alternativamente, aquellos trabajadores por cuenta propia o autónomos que, cumpliendo los requisitos previstos en el apartado anterior, optasen por una base de cotización superior a la mínima que corresponda, podrán aplicarse durante los 12 primeros meses inmediatamente siguientes a la fecha de efectos del alta, una reducción del 80 por ciento sobre la cuota por contingencias comunes, siendo la cuota a reducir la resultante de aplicar a la base mínima de cotización que corresponda el tipo de cotización por contingencias comunes vigente en cada momento.

Con posterioridad al periodo inicial de 12 meses previsto en los dos apartados anteriores, y con independencia de la base de cotización elegida, los trabajadores por cuenta propia que disfruten de la medida prevista en este artículo podrán aplicarse una bonificación sobre la cuota por contingencias comunes, siendo la cuota a bonificar la resultante de aplicar a la base mínima de cotización que corresponda el 50 por ciento del resultado de aplicar a la base mínima de cotización que corresponda el tipo de cotización por contingencias comunes vigente en cada momento, por un periodo máximo de hasta 48 meses, hasta completar un periodo máximo de 5 años tras la fecha de efectos del alta.

3. En los supuestos que el trabajador por cuenta propia o autónomo resida y desarrolle su actividad en un municipio en cuyo padrón municipal actualizado al inicio de la actividad consten menos de 5.000 habitantes, finalizado el periodo inicial de 12 meses de aplicación de los beneficios en la cotización establecidos en los apartados anteriores, tendrá derecho durante los 12 meses siguientes a estos mismos incentivos. En estos casos la aplicación de la bonificación por el 50 por ciento, prevista en el apartado anterior, se aplicará una vez transcurridos los 24 meses iniciales, durante un periodo máximo de hasta 36 meses, hasta completar un periodo máximo de 5 años desde la fecha de efectos del alta.

Para beneficiarse de estas medidas durante los 12 meses siguientes al periodo inicial, el trabajador por cuenta propia o autónomo, deberá:

1.º Estar empadronado en un municipio de menos de 5.000 habitantes, según los datos oficiales del padrón en vigor en el momento del alta en el Régimen Especial de la Seguridad Social de los Trabajadores por Cuenta Propia o Autónomos que causa el derecho al incentivo contemplado en este artículo.

2.º Estar dado de alta en el Censo de Obligados Tributarios de la Agencia Estatal de Administración Tributaria o de las Haciendas Forales, correspondiendo el lugar de desarrollo de la actividad declarada a un municipio cuyo padrón municipal sea inferior a 5.000 habitantes.

3.º Mantener el alta en la actividad autónoma o por cuenta propia en el antedicho municipio en los dos años siguientes al alta en el Régimen Especial de la Seguridad Social de los Trabajadores por Cuenta Propia o Autónomos que causa el derecho al incentivo contemplado en este artículo; así como permanecer empadronado en el mismo municipio en los cuatro años siguientes a dicha alta.

La Tesorería General de la Seguridad Social realizará el control de esta reducción para lo cual el Instituto Nacional de Estadística y las Administraciones Tributarias antes citadas deberán poner a disposición de este Servicio Común los medios y la información necesarios que permitan comprobar el cumplimiento de los requisitos exigidos para beneficiarse de esta reducción.

En caso de no cumplir dichos requisitos, el trabajador por cuenta propia o autónomo deberá reintegrar la totalidad de las cantidades dejadas de ingresar por la aplicación del incentivo, a partir del día primero del mes siguiente en que quede acreditado tal incumplimiento.

4. El período de baja en el Régimen Especial de la Seguridad Social de los Trabajadores por Cuenta Propia o Autónomos, exigido en los apartados anteriores para tener derecho a los beneficios en la cotización en ellos previstos en caso de reemprender una actividad por cuenta propia, será de 3 años cuando los trabajadores autónomos hubieran disfrutado de dichos beneficios en su anterior período de alta en el citado régimen especial.

5. En el supuesto de que la fecha de efectos de las altas a que se refieren los apartados 1 a 3 no coincidiera con el día primero del respectivo mes natural, el beneficio correspondiente a dicho mes se aplicará de forma proporcional al número de días de alta en el mismo.

6. Lo dispuesto en los apartados anteriores será también de aplicación, cuando cumplan los requisitos en ellos establecidos, a los trabajadores por cuenta propia que queden incluidos en el grupo primero de cotización del Régimen Especial de la Seguridad Social de los Trabajadores del Mar y a los socios de sociedades laborales y a los socios trabajadores de cooperativas de trabajo asociado que queden encuadrados en el Régimen Especial de la Seguridad Social de los Trabajadores por Cuenta Propia o Autónomos o en el Régimen Especial de la Seguridad Social de los Trabajadores del Mar, dentro del grupo primero de cotización.

7. Lo previsto en el presente artículo resultará de aplicación aun cuando los beneficiarios de esta medida, una vez iniciada su actividad, empleen a trabajadores por cuenta ajena.

8. Las bonificaciones de cuotas previstas en este artículo se financiarán con cargo a la correspondiente partida presupuestaria del Servicio Público de Empleo Estatal y las reducciones de cuotas se soportarán por el presupuesto de ingresos de la Seguridad Social y por las Mutuas Colaboradoras con la Seguridad Social, respectivamente.

9. Finalizado el periodo máximo de disfrute de los beneficios de cotización contemplados en este artículo, procederá la cotización por todas las contingencias protegidas a partir del día primero del mes siguiente al que se produzca esa finalización.

10. Lo dispuesto en este artículo será también de aplicación, a opción de los interesados, en los supuestos de trabajadores autónomos que estando de alta en este régimen especial les sobrevenga una discapacidad en un grado igual o superior al 33 por ciento.

En tal caso, la aplicación de las medidas previstas en este artículo se producirán a partir del día primero del mes siguiente al que tal elección se realice.

Artículo 32 bis. Beneficios en la cotización a la Seguridad Social para las personas con discapacidad, inicial o sobrevenida, víctimas de violencia de género y víctimas del terrorismo que se establezcan como trabajadores por cuenta propia incluidos en el Sistema Especial para Trabajadores por Cuenta Propia Agrarios.

La cotización a la Seguridad Social de los trabajadores por cuenta propia agrarios incluidos en el Sistema Especial para Trabajadores por Cuenta Propia Agrarios con un grado de discapacidad igual o superior al 33 por ciento, víctimas de violencia de género y las víctimas de terrorismo, que causen alta inicial o que no hubieran estado en situación de alta en los 2 años inmediatamente anteriores, a contar desde la fecha de efectos del alta en dicho Sistema Especial, se efectuará de la siguiente forma:

1. En el caso de que se opte por cotizar por la base mínima que corresponda, podrán beneficiarse de una reducción en la cotización por contingencias comunes durante los 12 primeros meses inmediatamente siguientes a la fecha de efectos del alta, que consistirá en una cuota única mensual de 50 euros, correspondiente a contingencias comunes, quedando estos trabajadores exceptionados de cotizar por cese de actividad y formación profesional.

2. Alternativamente, aquellos trabajadores por cuenta propia agrarios que, cumpliendo los requisitos previstos en el apartado anterior, optasen por una base de cotización superior a la mínima que corresponda, podrán aplicarse durante los 12 primeros meses inmediatamente siguientes a la fecha de efectos del alta, una reducción del 80 por ciento sobre la cotización por contingencias comunes, siendo la cuota a reducir la resultante de aplicar a la base mínima de cotización que corresponda el tipo mínimo de cotización vigente por contingencias comunes.

Con posterioridad al periodo inicial de 12 meses previsto en los dos apartados anteriores, y con independencia de la base de cotización elegida, los trabajadores por cuenta propia que disfruten de la medida prevista en este artículo podrán aplicarse una bonificación sobre la cuota por contingencias comunes, siendo la cuota a bonificar la resultante de aplicar a la base mínima de cotización que corresponda el 50 por ciento del resultado de aplicar a la base mínima de cotización que corresponda el tipo de cotización por contingencias comunes vigente en cada momento, por un periodo máximo de hasta 48 meses, hasta completar un periodo máximo de 5 años tras la fecha de efectos del alta.

3. En los supuestos que el trabajador por cuenta propia agrario resida y desarrolle su actividad en un municipio en cuyo padrón municipal actualizado al inicio de la actividad consten menos de 5.000 habitantes, finalizado el periodo inicial de 12 meses de aplicación de los beneficios en la cotización establecidos en los apartados anteriores, tendrá derecho durante los 12 meses siguientes a estos mismos incentivos. En estos casos, la aplicación de la bonificación por el 50 por ciento, prevista en el apartado anterior, se aplicará una vez transcurridos los 24 meses iniciales, durante un periodo máximo de hasta 36 meses, hasta completar un periodo máximo de 5 años desde la fecha de efectos del alta.

Para beneficiarse de estas medidas durante los 12 meses siguientes al periodo inicial, el trabajador por cuenta propia agrario, deberá:

1.º) Estar empadronado en un municipio de menos de 5.000 habitantes, según los datos oficiales del padrón en vigor en el momento del alta en el Sistema Especial para Trabajadores por Cuenta Propia Agrarios que causa el derecho al incentivo contemplado en este artículo.

2.º) Estar dado de alta en el Censo de Obligados Tributarios de la Agencia Estatal de Administración Tributaria o de las Haciendas Forales, correspondiendo el lugar de desarrollo de la actividad declarada a un municipio cuyo padrón municipal sea inferior a 5.000 habitantes.

3.º) Mantener el alta en la actividad autónoma o por cuenta propia en el antedicho municipio en los dos años siguientes al alta en el Sistema Especial para Trabajadores por Cuenta Propia Agrarios que causa el derecho al incentivo contemplado en este artículo; así como permanecer empadronado en el mismo municipio en los cuatro años siguientes a dicha alta.

La Tesorería General de la Seguridad Social realizará el control de esta reducción para lo cual el Instituto Nacional de Estadística y las Administraciones Tributarias antes citadas deberán poner a disposición de este Servicio Común los medios y la información necesarios que permitan comprobar el cumplimiento de los requisitos exigidos para beneficiarse de esta reducción.

En caso de no cumplir dichos requisitos, el trabajador por cuenta propia agrario deberá reintegrar la totalidad de las cantidades dejadas de ingresar por la aplicación del incentivo, a partir del día primero del mes siguiente en que quede acreditado tal incumplimiento.

4. El período de baja en el Sistema Especial para Trabajadores por Cuenta Propia Agrarios exigido en los apartados anteriores para tener derecho a los beneficios en la cotización en ellos previstos en caso de reemprender una actividad por cuenta propia, será de 3 años cuando los trabajadores autónomos agrarios hubieran disfrutado de dichos beneficios en su anterior período de alta en el citado sistema especial.

5. En el supuesto de que la fecha de efectos de las altas a que se refieren los apartados 1 a 4 no coincidiera con el día primero del respectivo mes natural, el beneficio correspondiente a dicho mes se aplicará de forma proporcional al número de días de alta en el mismo.

6. Lo previsto en el presente artículo resultará de aplicación aun cuando los beneficiarios de esta medida, una vez iniciada su actividad, empleen a trabajadores por cuenta ajena, dentro de los límites previstos en el artículo 324 del texto refundido de la Ley General de la Seguridad Social.

7. Las bonificaciones de cuotas previstas en este artículo se financiarán con cargo a la correspondiente partida presupuestaria del Servicio Público de Empleo Estatal y las reducciones de cuotas se soportarán por el presupuesto de ingresos de la Seguridad Social y por las Mutuas Colaboradoras con la Seguridad Social, respectivamente.

8. Finalizado el periodo máximo de disfrute de los beneficios de cotización contemplados en este artículo, procederá la cotización por todas las contingencias protegidas a partir del día primero del mes siguiente al que se produzca esa finalización.

9. Lo dispuesto en este artículo será también de aplicación, a opción de los interesados, en los supuestos de trabajadores autónomos a los que, estando de alta en este régimen especial, les sobrevenga una discapacidad en un grado igual o superior al 33 por ciento.

En tal caso, la aplicación de las medidas previstas en este artículo se producirán a partir del día primero del mes siguiente al que tal elección se realice.

Acuerdo de 11 de noviembre de 2021 de la Conferencia Sectorial de Igualdad relativo a la acreditación de las situaciones de violencia de género

La violencia por razón de género que se ejerce sobre las mujeres por el mero hecho de serlo constituye una vulneración de sus derechos humanos y una discriminación contra las mujeres que obliga a los poderes públicos a adoptar las iniciativas y medidas necesarias encaminadas a su eliminación, así como a la atención y protección de sus víctimas.

La Ley Orgánica 1/2004, de 28 de diciembre, de Medidas de Protección Integral contra la Violencia de Género, tiene por objeto, según su artículo 1, «la violencia que, como manifestación de la discriminación, la situación de desigualdad y las relaciones de poder de los hombres sobre las mujeres, se ejerce sobre éstas por parte de quienes sean o hayan sido sus cónyuges o de quienes estén o hayan estado ligados a ellas por relaciones similares de afectividad, aun sin convivencia». Esta violencia es abordada por la Ley Orgánica de manera global con la finalidad de alcanzar, entre otros fines, que se consagren derechos de las mujeres víctimas de violencia de género, exigibles ante las Administraciones Públicas, y así asegurar un acceso rápido, transparente y eficaz a los servicios establecidos al efecto.

El Convenio del Consejo de Europa sobre prevención y lucha contra la violencia contra la mujer y la violencia doméstica, hecho en Estambul el 11 de mayo de 2011, ratificado por España en 2014, establece en su artículo 7 que «las Partes adoptarán las medidas legislativas y de otro tipo necesarias para adoptar y poner en práctica políticas nacionales efectivas, globales y coordinadas, incluyendo todas las medidas pertinentes para prevenir y combatir todas las formas de violencia incluidas en el ámbito de aplicación del presente Convenio, y ofrecer una respuesta global a la violencia contra la mujer». Además, dispone en su artículo 18.4 que «La prestación de servicios no debe depender de la voluntad de las víctimas de emprender acciones legales ni de testimoniar contra cualquier autor de delito».

El Congreso, en su sesión plenaria del 28 de septiembre de 2017, aprobó, sin ningún voto en contra, el Informe de la Subcomisión para un Pacto de Estado en materia de violencia de género. El 13 de septiembre de 2017, el Pleno del Senado aprobó, por unanimidad, el Informe de la Ponencia de Estudio para la elaboración de estrategias contra la violencia de género. Ambos informes contienen un conjunto de medidas dirigidas a prevenir y combatir la violencia contra las mujeres y a mejorar la respuesta que, desde las Instituciones, se proporciona a las mujeres víctimas y a sus hijas e hijos menores.

Entre estas medidas, se insta a «Introducir en la LO 1/2004 las modificaciones necesarias relativas a los títulos de acreditación, con expresión de sus límites y duración. El reconocimiento de esa condición no se supeditará necesariamente a la interposición de denuncia». (medida n.º 62 Informe del Congreso); y a «Diseñar, en el marco de la Conferencia Sectorial de Igualdad del Ministerio de Sanidad, Servicios Sociales e Igualdad, los procedimientos básicos que permitan poner en marcha un nuevo sistema de acreditación para poder acceder al estatuto integral de protección que la Ley Orgánica 1/2004 establece, así como las nuevas entidades capacitadas para emitir los títulos de acreditación». (medida n.º 63 Informe del Congreso).

A fin de procurar el desarrollo de estas medidas, el Real Decreto-ley 9/2018, de 3 de agosto, de medidas urgentes para el desarrollo del Pacto de Estado contra la violencia de género, modificó el artículo 23 de la Ley Orgánica 1/2004, de 28 de diciembre, con una doble finalidad. Por una parte, para concretar y ampliar los títulos judiciales habilitantes para acreditar la condición de víctima de violencia de género; y, por otra parte, para establecer otros títulos no judiciales habilitantes para los casos en los que no hay denuncia y, en consecuencia, tampoco existe procedimiento judicial abierto.

El artículo 23 de la Ley Orgánica 1/2004, de 28 de diciembre, en su redacción vigente tras esta modificación normativa, establece que «Las situaciones de violencia de género que dan lugar al reconocimiento de los derechos regulados en este capítulo se acreditarán mediante una sentencia condenatoria por un delito de violencia de género, una orden de protección o cualquier otra resolución judicial que acuerde una medida cautelar a favor de la víctima, o bien por el informe del Ministerio Fiscal que indique la existencia de indicios de que la demandante es víctima de violencia de género. También podrán acreditarse las situaciones de violencia de género mediante informe de los servicios sociales, de los servicios especializados, o de los servicios de acogida destinados a víctimas de violencia de género de la Administración Pública competente; o por cualquier otro título, siempre que ello esté previsto en las disposiciones normativas de carácter sectorial que regulen el acceso a cada uno de los derechos y recursos.

El Gobierno y las Comunidades Autónomas, en el marco de la Conferencia Sectorial de Igualdad, diseñaran, de común acuerdo, los procedimientos básicos que permitan poner en marcha los sistemas de acreditación de las situaciones de violencia de género».

Para diseñar, de común acuerdo, los procedimientos básicos para la acreditación de las situaciones de violencia de género por las Comunidades Autónomas y las Ciudades de Ceuta y Melilla mediante la emisión de un informe o título habilitante conforme al artículo 23 de la Ley Orgánica 1/2004, de 28 de diciembre, la Delegación del Gobierno contra la Violencia de Género ha constituido un grupo de trabajo con las Comunidades Autónomas y las Ciudades de Ceuta y Melilla.

Mediante el presente acuerdo se avanza y se mejora en el acceso de las víctimas de violencia de género a los derechos y prestaciones reconocidos en la normativa estatal al facilitarles el acceso a los mismos sin supeditarlo a la interposición de una denuncia, dando cumplimiento así a los requerimientos, tanto del Convenio del Consejo de Europa sobre prevención y lucha contra la violencia contra la mujer y la violencia doméstica, como del Pacto de Estado contra la violencia de género.

Por todo lo expuesto, el Pleno de la Conferencia Sectorial de Igualdad, en su reunión de 11 de noviembre de 2021, adopta el siguiente Acuerdo:

Procedimientos básicos para la acreditación administrativa de las situaciones de violencia de género por las Comunidades Autónomas y las Ciudades de Ceuta y Melilla conforme al artículo 23 de la Ley Orgánica 1/2004, de 28 de diciembre, de medidas de protección integral contra la violencia de género

Primero. Ámbito de aplicación.

El presente acuerdo tiene por objeto consensuar los procedimientos básicos o pautas mínimas comunes para permitir la acreditación, con efectos administrativos, de las situaciones de violencia de género en los términos del artículo 1 de la Ley Orgánica 1/2004, de 28 de diciembre, a los efectos de lo previsto en el artículo 23 de la misma.

Esta acreditación tendrá eficacia en todo el territorio del Estado y facilitará el acceso de las víctimas de violencia de género a los derechos regulados en el Capítulo II «Derechos laborales y prestaciones de la Seguridad Social» de la Ley Orgánica 1/2004 y a todos los derechos, recursos y servicios reconocidos en la normativa estatal que les resulte de aplicación, cuyas disposiciones normativas de carácter sectorial contemplen y regulen el acceso a cada uno de ellos, incluyendo, entre los requisitos exigidos, la acreditación de la situación de violencia de género mediante informe de los servicios sociales, de los servicios especializados, o de los servicios de acogida destinados a víctimas de violencia de género de la Administración Pública competente (en lo sucesivo, acreditación administrativa).

Los procedimientos básicos de acreditación no afectan ni modifican los requisitos y condiciones exigidos en la normativa estatal de carácter sectorial que regulen el acceso, mantenimiento y conservación de los derechos, recursos y servicios previstos en la misma destinados a las víctimas de violencia de género. Tampoco afectan a aquellos casos en los que el acceso a los servicios y recursos destinados a víctimas de violencia de género no está condicionado a ningún tipo de acreditación de ninguna naturaleza.

El presente procedimiento no será de aplicación para la acreditación de las situaciones de violencia de género que la normativa autonómica correspondiente, en el ámbito de sus competencias, prevea para el acceso a los derechos, recursos y servicios de su titularidad.

Segundo. Situaciones en las que cabe la solicitud de la acreditación administrativa.

La acreditación de naturaleza administrativa de las situaciones de violencia de género objeto de los procedimientos básicos de acreditación a los que se refiere el presente acuerdo podrá ser solicitada por las mujeres que se encuentren en las siguientes situaciones:

– Víctimas que se encuentren en proceso de toma de decisión de denunciar.

– Víctimas respecto de las cuales el procedimiento judicial haya quedado archivado o sobreseído.

– Víctimas que han interpuesto denuncia y el procedimiento penal esté instruyéndose.

– Víctimas con sentencia condenatoria firme con pena o penas ya extinguidas por prescripción, muerte del penado, cumplimiento de la condena, entre otras causas, u orden de protección que haya quedado inactiva (las medidas impuestas ya no están en vigor), por sentencia absolutoria o cualquier otra causa que no declare probada la existencia de la violencia.

– Víctimas a las que se haya denegado la orden de protección, pero existan diligencias penales abiertas.

– Cuando existan antecedentes previos de denuncia o retirada de la misma.

En estos supuestos, la expedición de la acreditación por los organismos/recursos/servicios designados por las Comunidades Autónomas o las Ciudades de Ceuta y Melilla, recogidos en el anexo 2 del presente acuerdo, y que será objeto de actualización periódica por la Delegación del Gobierno contra la Violencia de Género, de acuerdo con lo estipulado en el punto 7, requerirá la valoración previa del equipo de intervención/asistencial del servicio social, servicio especializado o cualquier otro recurso de la red de recursos al que esté acudiendo la persona usuaria.

Tercero. Actuación en caso de que la víctima cuente con un título de carácter judicial.

En los casos en los que la víctima cuente con alguno de los títulos de carácter judicial previstos en el artículo 23 de la Ley Orgánica 1/2004, de 28 de diciembre, es decir, sentencia condenatoria por un delito de violencia de género; orden de protección o cualquier otra resolución judicial que acuerde una medida cautelar a favor de la víctima; o bien informe del Ministerio Fiscal que indique la existencia de indicios de que la demandante es víctima de violencia de género, y las penas o medidas impuestas en sentencia, orden de protección o resolución judicial estén en vigor, las Administraciones públicas competentes no deben exigir ningún otro título para acreditar las situaciones de violencia de género para permitir el ejercicio de los derechos y el acceso a recursos y servicios reconocidos por la normativa estatal vigente.

En el caso de que los hechos probados de la sentencia contengan extremos especialmente sensibles para la intimidad de la víctima cuya utilización pueda suponer su revictimización, la victima podrá aportar una certificación del fallo testimoniada por el Juzgado.

A los efectos de verificar que los títulos habilitantes de carácter judicial presentados por la víctima en el correspondiente procedimiento para el acceso a los recursos y servicios previstos en la normativa estatal se mantienen en vigor, podrán articularse los correspondientes mecanismos de colaboración interinstitucional entre los órganos competentes de la Administración General del Estado y aquellos organismos públicos de las Comunidades Autónomas y Ciudades de Ceuta y Melilla habilitados como «Punto de Coordinación de Órdenes de Protección». A estos efectos, previo consentimiento de la interesada, y con cumplimiento de la normativa de protección de datos de carácter personal, la Administración pública designada como «Punto de Coordinación de Órdenes de Protección» podrá confirmar al organismo competente de la Administración General del Estado la vigencia del título de carácter judicial.

Cuarto. Procedimiento para la expedición de la acreditación administrativa.

El procedimiento de emisión de la acreditación administrativa se ajustará a las características propias de la organización y procedimientos de cada Administración Pública competente.

El procedimiento se iniciará con la solicitud de la interesada de la acreditación administrativa de la situación de violencia de género, a la que, con carácter general, se podrá requerir que aporte la siguiente documentación:

– Solicitud en modelo oficial establecido por cada Administración Pública competente, firmada por la solicitante, en la que se haga constar su solicitud de emisión de la acreditación administrativa de la situación de violencia de género.

– Copia del DNI/NIE/pasaporte de la solicitante, salvo que la solicitante autorice o consienta expresamente a la Administración Pública su consulta.

– Autorización de comunicación y tratamiento de datos personales firmada por la solicitante, de conformidad con la legislación vigente de protección de datos de carácter personal.

– Si se trata de víctimas de violencia de género con sentencia condenatoria, cuando la pena o penas impuestas en esta (por ejemplo, pena de alejamiento, prohibición de residencia, prohibición de comunicación, prohibición de porte de armas) estén extinguidas por prescripción, muerte del penado, cumplimiento de la condena u otras causas, o si en su momento se dictó orden de protección en su favor, pero las medidas impuestas ya no se encuentran en vigor, se aportará copia de la sentencia, auto, orden de protección o resolución que proceda.

– La solicitante podrá autorizar a la Administración Pública competente para que la sentencia y la orden de protección sean solicitadas por esta a los Puntos de coordinación de las Órdenes de Protección que poseen acceso a los datos de SIRAJ (Ministerio de Justicia).

– En el caso de que los hechos probados de la sentencia contengan extremos especialmente sensibles para la intimidad de la víctima cuya utilización pueda suponer su revictimización, podrá aportarse una certificación del fallo testimoniada por el Juzgado.

– En los casos en que la solicitante ya fuera usuaria del servicio ante el cual solicita la acreditación o de cualquier otro servicio u organismo de los mencionados en el listado de organismos acreditantes recogidos en el anexo 2 del presente acuerdo, y que será objeto de actualización periódica por la Delegación del Gobierno contra la Violencia de Género, de acuerdo con lo estipulado en el punto 7, el servicio que vaya a emitir la acreditación solicitará de oficio, previa autorización de la solicitante, los antecedentes relativos a las fechas en las que ha estado acudiendo y, en su caso, las áreas de intervención a las que haya acudido.

La acreditación administrativa de la situación de violencia de género será entregada a la mujer que lo solicite junto con un documento en el que conste que ha sido informada de sus derechos como víctima, de los recursos existentes, de la posibilidad de denuncia, y del derecho a la justicia gratuita conforme al modelo recogido en el Anexo 3 del presente acuerdo.

Quinto. Circunstancias a tener en cuenta para la emisión de la acreditación administrativa.

En el proceso de valoración llevado a cabo por el equipo de intervención/asistencial a los efectos de emisión de la acreditación administrativa o título habilitante se tendrán en cuenta las siguientes circunstancias, que se recogerán en el correspondiente informe de valoración:

– Si la solicitante ha emprendido acciones judiciales previamente y si ha contado con sentencia condenatoria por un delito de violencia de género cuyas penas de alejamiento y prohibición de comunicación estén extinguidas, o si contó en algún momento con una orden de protección, pero ya no se encuentra en vigor.

– Si la solicitante se encuentra en fase de ruptura de la relación con el presunto agresor. En caso de que se trate de una relación conyugal, si se han iniciado los trámites para obtener el divorcio/separación o si se tienen hijos o hijas menores en común si existen medidas relativas a la guarda, custodia, régimen de visitas y alimentos.

– La duración, la forma (física, psicológica, sexual) y la gravedad de la violencia sufrida; existencia de violencia verbal, ambiental y agresiones físicas; progresión en la violencia.

– Las secuelas psicológicas derivadas de la situación de violencia de género, como, por ejemplo: existencia de sintomatología relacionada con baja autoestima; posible sintomatología depresiva; ansiedad; estrés postraumático;

problemas de sueño, sentimiento de culpa; reexperimentación (ver sintomatología en el Protocolo Común para la actuación sanitaria ante la Violencia de Género aprobado por el Consejo Interterritorial del Sistema Nacional de Salud en 2012).

– Las situaciones especiales de vulnerabilidad, como la edad, la discapacidad, problemas de salud mental, el embarazo, tratarse de una mujer migrante, el desconocimiento del idioma o cualquier otra circunstancia personal que incida en la situación de violencia por las que está atravesando la mujer y que puedan dificultar el proceso de recuperación.

– Si la solicitante es o ha sido usuaria de servicios asistenciales se valorará la consecución de objetivos sociales trazados en plan de intervención y su participación en el mismo.

– En cuanto a la relación de pareja: dinámica de interacción que ha existido con su expareja (relación asimétrica de poder, existencia de control, relación caracterizada por imposición, maltrato verbal).

– El maltrato económico, entendido como la privación intencionada y no justificada legalmente de recursos para el bienestar físico o psicológico de la víctima y de sus hijas e hijos, así como la discriminación en la disposición de los recursos compartidos en el ámbito familiar o de pareja.

– En cuanto a la esfera de independencia de la solicitante: existencia de dependencia económica y/o emocional (por aislamiento o dependencia relacional), carencia o insuficiencia de recursos, empleada o en paro, dificultades de insertarse laboralmente.

– Si ha podido trabajar libremente durante su relación o ha encontrado en su expareja barreras.

– El grado de formación con el que cuenta la solicitante y si ha podido optar a una mejora de su formación o cualificación durante su relación de pareja.

– En su caso, antecedentes de violencia de género con otras parejas.

Sexto. Emisión del informe de valoración y de la acreditación administrativa.

Una vez analizados los aspectos recogidos en el punto anterior, si el equipo de intervención/asistencial estima que la solicitante es víctima de violencia de género, expedirá el informe de valoración de la solicitante. Sobre esa base se procederá a la emisión de la acreditación administrativa de violencia de género, de conformidad con lo dispuesto por el artículo 23 de la Ley Orgánica

1/2004, de 28 de diciembre, conforme al modelo del Anexo 1, por parte de los organismos incluidos en el Anexo 2 del presente procedimiento.

Séptimo. Relación de entidades y organismos que acreditan.

El listado de entidades y organismos habilitados para emitir la acreditación administrativa será el recogido en el Anexo 2 del presente acuerdo. Este será periódicamente actualizado por la Delegación del Gobierno contra la Violencia de Género cuando por alguna Comunidad/Ciudad Autónoma se indiquen cambios o actualizaciones consecuencia de cambios organizativos y/o competenciales.

La Delegación del Gobierno contra la Violencia de Género publicará en su página web y actualizará periódicamente la información facilitada por las Comunidades Autónomas y las Ciudades de Ceuta y Melilla sobre la relación de servicios en los que se puede solicitar en cada Comunidad Autónoma la acreditación, así como de los organismos habilitados para su emisión. Corresponderá a las Comunidades Autónomas y las Ciudades de Ceuta y Melilla aportar a la Delegación del Gobierno contra la Violencia de Género los datos e informar de los cambios que se produzcan.

En esta relación no se incluirá a personas profesionales que puedan emitir informes, ni a las personas habilitadas para emitir la acreditación administrativa, sino sólo la relación de entidades y organismos, sin perjuicio de la información obrante en cada Comunidad Autónoma.

Normas sobre orden de protección

Artículo 64. De las medidas de salida del domicilio, alejamiento o suspensión de las comunicaciones.

1. El Juez podrá ordenar la salida obligatoria del inculpado por violencia de género del domicilio en el que hubiera estado conviviendo o tenga su residencia la unidad familiar, así como la prohibición de volver al mismo.

2. El Juez, con carácter excepcional, podrá autorizar que la persona protegida concierte, con una agencia o sociedad pública allí donde la hubiere y que incluya entre sus actividades la del arrendamiento de viviendas, la permuta del uso atribuido de la vivienda familiar de la que sean copropietarios, por el uso de otra vivienda, durante el tiempo y en las condiciones que se determinen.

3. El Juez podrá prohibir al inculpado que se aproxime a la persona protegida, lo que le impide acercarse a la misma en cualquier lugar donde se encuentre, así como acercarse a su domicilio, a su lugar de trabajo o a cualquier otro que sea frecuentado por ella.

Podrá acordarse la utilización de instrumentos con la tecnología adecuada para verificar de inmediato su incumplimiento.

El Juez fijará una distancia mínima entre el inculpado y la persona protegida que no se podrá rebasar, bajo apercibimiento de incurrir en responsabilidad penal.

4. La medida de alejamiento podrá acordarse con independencia de que la persona afectada, o aquéllas a quienes se pretenda proteger, hubieran abandonado previamente el lugar.

5. El Juez podrá prohibir al inculpado toda clase de comunicación con la persona o personas que se indique, bajo apercibimiento de incurrir en responsabilidad penal.

6. Las medidas a que se refieren los apartados anteriores podrán acordarse acumulada o separadamente.

544 bis

«En los casos en los que se investigue un delito de los mencionados en el artículo 57 del Código Penal, el Juez o Tribunal podrá, de forma motivada y cuando resulte estrictamente necesario al fin de protección de la víctima, imponer cautelarmente al inculpado la prohibición de residir en un determinado lugar, barrio, municipio, provincia u otra entidad local, o Comunidad Autónoma.

En las mismas condiciones podrá imponerle cautelarmente la prohibición de acudir a determinados lugares, barrios, municipios, provincias u otras entidades locales, o Comunidades Autónomas, o de aproximarse o comunicarse, con la graduación que sea precisa, a determinadas personas.

Para la adopción de estas medidas se tendrá en cuenta la situación económica del inculpado y los requerimientos de su salud, situación familiar y actividad laboral. Se atenderá especialmente a la posibilidad de continuidad de esta última, tanto durante la vigencia de la medida como tras su finalización.

En caso de incumplimiento por parte del inculpado de la medida acordada por el juez o tribunal, éste convocará la comparecencia regulada en el artículo 505 para la adopción de la prisión provisional en los términos del artículo 503, de la orden de protección prevista en el artículo 544 ter o de otra medida cautelar que implique una mayor limitación de su libertad personal, para lo cual se tendrán en cuenta la incidencia del incumplimiento, sus motivos, gravedad y circunstancias, sin perjuicio de las responsabilidades que del incumplimiento pudieran resultar».

Art. 544 ter LECrim

«1. El juez de instrucción dictará orden de protección para las víctimas de violencia doméstica en los casos en que, existiendo indicios fundados de la comisión de un delito o falta contra la vida, integridad física o moral, libertad sexual, libertad o seguridad de alguna de las personas mencionadas en el artículo 153 del Código Penal resulte una situación objetiva de riesgo para la víctima que requiera la adopción de alguna de las medidas de protección reguladas en este artículo.

2. La orden de protección será acordada por el juez de oficio o a instancia de la víctima o persona que tenga con ella alguna de las relaciones indicadas en el apartado anterior, o del Ministerio Fiscal.

Sin perjuicio del deber general de denuncia previsto en el artículo 262 de esta ley, las entidades u organismos asistenciales, públicos o privados, que tuvieran conocimiento de alguno de los hechos mencionados en el apartado anterior deberán ponerlos inmediatamente en conocimiento del juez de guardia o del Ministerio Fiscal con el fin de que se pueda incoar o instar el procedimiento para la adopción de la orden de protección.

3. La orden de protección podrá solicitarse directamente ante la autoridad judicial o el Ministerio Fiscal, o bien ante las Fuerzas y Cuerpos de Seguridad, las oficinas de atención a la víctima o los servicios sociales o instituciones asistenciales dependientes de las Administraciones públicas.

Dicha solicitud habrá de ser remitida de forma inmediata al juez competente. En caso de suscitarse dudas acerca de la competencia territorial del juez, deberá iniciar y resolver el procedimiento para la adopción de la orden de protección el juez ante el que se haya solicitado ésta, sin perjuicio de remitir con posterioridad las actuaciones a aquel que resulte competente.

Los servicios sociales y las instituciones referidas anteriormente facilitarán a las víctimas de la violencia doméstica a las que hubieran de prestar asistencia la solicitud de la orden de protección, poniendo a su disposición con esta finalidad información, formularios y, en su caso, canales de comunicación telemáticos con la Administración de Justicia y el Ministerio Fiscal.

4. Recibida la solicitud de orden de protección, el juez de guardia, en los supuestos mencionados en el apartado 1 de este artículo, convocará a una audiencia urgente a la víctima o su representante legal, al solicitante y al agresor, asistido, en su caso, de abogado. Asimismo será convocado el Ministerio Fiscal.

Esta audiencia se podrá sustanciar simultáneamente con la prevista en el artículo 504 bis 2 cuando su convocatoria fuera procedente, con la audiencia regulada en el artículo 798 en aquellas causas que se tramiten conforme al procedimiento previsto en el título III del libro IV de esta ley o, en su caso, con el acto del juicio de faltas. Cuando excepcionalmente no fuese posible celebrar la audiencia durante el servicio de guardia, el juez ante el que hubiera sido formulada la solicitud la convocará en el plazo más breve posible. En cualquier caso la audiencia habrá de celebrarse en un plazo máximo de 72 horas desde la presentación de la solicitud.

Durante la audiencia, el juez de guardia adoptará las medidas oportunas para evitar la confrontación entre el agresor y la víctima, sus hijos y los restantes miembros de la familia. A estos efectos dispondrá que su declaración en esta audiencia se realice por separado.

Celebrada la audiencia, el juez de guardia resolverá mediante auto lo que proceda sobre la solicitud de la orden de protección, así como sobre el contenido y vigencia de las medidas que incorpore.

Sin perjuicio de ello, el juez de instrucción podrá adoptar en cualquier momento de la tramitación de la causa las medidas previstas en el artículo 544 bis.

5. La orden de protección confiere a la víctima de los hechos mencionados en el apartado 1 un estatuto integral de protección que comprenderá las medidas cautelares de orden civil y penal contempladas en este artículo y aquellas otras medidas de asistencia y protección social establecidas en el ordenamiento jurídico.

La orden de protección podrá hacerse valer ante cualquier autoridad y Administración pública.

6. Las medidas cautelares de carácter penal podrán consistir en cualesquiera de las previstas en la legislación procesal criminal. Sus requisitos, contenido y vigencia serán los establecidos con carácter general en esta ley. Se adoptarán por el juez de instrucción atendiendo a la necesidad de protección integral e inmediata de la víctima.

7. Las medidas de naturaleza civil deberán ser solicitadas por la víctima o su representante legal, o bien por el Ministerio Fiscal, cuando existan hijos menores o incapaces, siempre que no hubieran sido previamente acordadas por un órgano del orden jurisdiccional civil, y sin perjuicio de las medidas previstas en el artículo 158 del Código Civil. Estas medidas podrán consistir en la atribución del uso y disfrute de la vivienda familiar, determinar el régimen de custodia, visitas, comunicación y estancia con los hijos, el régimen de prestación de alimentos, así como cualquier disposición que se considere oportuna a fin de apartar al menor de un peligro o de evitarle perjuicios.

Las medidas de carácter civil contenidas en la orden de protección tendrán una vigencia temporal de 30 días. Si dentro de este plazo fuese incoado a instancia de la víctima o de su representante legal un proceso de familia ante la jurisdicción civil las medidas adoptadas permanecerán en vigor durante los treinta días siguientes a la presentación de la demanda. En este término las medidas deberán ser ratificadas, modificadas o dejadas sin efecto por el juez de primera instancia que resulte competente.

8. La orden de protección será notificada a las partes, y comunicada por el juez inmediatamente, mediante testimonio íntegro, a la víctima y a las Administraciones públicas competentes para la adopción de medidas de protección, sean éstas de seguridad o de asistencia social, jurídica, sanitaria, psicológica o de cualquier otra índole. A estos efectos se establecerá reglamentariamente

un sistema integrado de coordinación administrativa que garantice la agilidad de estas comunicaciones.

9. La orden de protección implicará el deber de informar permanentemente a la víctima sobre la situación procesal del imputado así como sobre el alcance y vigencia de las medidas cautelares adoptadas. En particular, la víctima será informada en todo momento de la situación penitenciaria del agresor. A estos efectos se dará cuenta de la orden de protección a la Administración penitenciaria.

10. La orden de protección será inscrita en el Registro Central para la Protección de las Víctimas de la Violencia Doméstica.

11. En aquellos casos en que durante la tramitación de un procedimiento penal en curso surja una situación de riesgo para alguna de las personas vinculadas con el imputado por alguna de las relaciones indicadas en el apartado 1 de este artículo, el Juez o Tribunal que conozca de la causa podrá acordar la orden de protección de la víctima con arreglo a lo establecido en los apartados anteriores».

La Protección europea
Ley 23/2014, 20 de noviembre de reconocimiento mutuo de resoluciones penales

Artículo 130. Orden europea de protección.

1. La orden europea de protección es una resolución en materia penal dictada por una autoridad judicial o equivalente de un Estado miembro en relación con una medida de protección que faculta a la autoridad competente de otro Estado miembro para adoptar las medidas oportunas a favor de las víctimas o posibles víctimas de delitos que puedan poner en peligro su vida, su integridad física o psicológica, su dignidad, su libertad individual o su integridad sexual, cuando se encuentren en su territorio.

2. La orden de protección puede emitirse tanto en relación con medidas impuestas cautelarmente en un proceso penal como respecto de las penas privativas de derechos, siempre que consistan en:

a) La prohibición de entrar o aproximarse a determinadas localidades, lugares o zonas definidas en las que la persona protegida reside o que frecuenta.

b) La prohibición o reglamentación de cualquier tipo de contacto con la persona protegida, incluidos los contactos telefónicos, por correo electrónico o postal, por fax o por cualquier otro medio.

c) O la prohibición o reglamentación del acercamiento a la persona protegida a una distancia menor de la indicada en la medida.

Artículo 131. Autoridades competentes en España para emitir y recibir una orden europea de protección.

1. Son autoridades competentes para emitir y transmitir una orden europea de protección, los Jueces o Tribunales que conozcan del procedimiento penal en el que se ha emitido la resolución adoptando la medida de protección.

2. Son autoridades competentes para reconocer y ejecutar la orden europea de protección, los Jueces de Instrucción o los Jueces de Violencia sobre la Mujer del lugar donde la víctima resida o tenga intención de hacerlo, sin perjuicio de lo dispuesto en el artículo siguiente.

No obstante, cuando se hubieran emitido resoluciones de libertad vigilada o de medidas alternativas a la prisión provisional será competente para reconocer y ejecutar la orden europea de protección, el mismo Juez o Tribunal que ya hubiera reconocido y ejecutado aquellas resoluciones.

Artículo 132. Relación de la orden europea de protección con otras resoluciones de reconocimiento mutuo.

Cuando previamente se haya transmitido a otro Estado miembro o se transmita con posterioridad una resolución sobre medidas alternativas a la prisión provisional o de libertad vigilada previstas en esta Ley, las medidas de protección de la víctima o posible víctima se adoptarán de acuerdo con las normas que regulan esas resoluciones y por la autoridad competente para adoptar estas resoluciones, sin perjuicio de que pueda transmitirse a otro Estado miembro distinto una orden europea de protección.

CAPÍTULO II. EMISIÓN Y TRANSMISIÓN DE UNA ORDEN EUROPEA DE PROTECCIÓN

Artículo 133. Requisitos para emitir y transmitir una orden europea de protección.

El Juez o Tribunal español competente podrá adoptar una orden europea de protección, teniendo en cuenta, entre otros criterios, la duración del período o períodos en que la persona protegida tiene intención de permanecer en el Estado de ejecución, así como la importancia de la necesidad de protección, cuando concurran los siguientes requisitos:

a) Que se haya dictado una resolución judicial penal adoptando la medida de protección, tanto si se trata de medidas cautelares impuestas como de penas privativas de derechos que, por su contenido análogo, persigan idéntica finalidad de protección de la víctima.

b) Que la víctima resida, permanezca o tenga intención de hacerlo en otro Estado miembro de la Unión Europea.

c) Que la víctima solicite la adopción de la orden de protección, por sí misma o a través de su tutor o representante legal.

Artículo 134. Procedimiento para la emisión de la orden europea de protección.

1. La autoridad judicial española que adopte alguna de las medidas de protección previstas en este Capítulo informará a la persona protegida o a su representante legal de la posibilidad de solicitar que se dicte una orden euro-

pea de protección en caso de que decida trasladarse a otro Estado miembro, así como de las condiciones básicas para presentar dicha solicitud. La autoridad aconsejará a la persona protegida que presente su solicitud antes de salir del territorio del Estado de emisión.

2. La víctima podrá formular su solicitud en el Estado de ejecución.

3. Antes de emitir la orden europea de protección, se dará audiencia a la persona causante del peligro, sin comunicarle en ningún caso la dirección ni otros datos de contacto de la persona protegida, a menos que ello sea necesario para la ejecución de la medida adoptada.

Si el imputado o condenado no hubiera sido oído en el proceso previamente en relación con la adopción de la resolución que decretaba medidas de protección, se convocará a éste, asistido de letrado, al Ministerio Fiscal y a las demás partes personadas, a una comparecencia, que deberá celebrarse en el plazo de 72 horas desde la recepción de la solicitud. El Juez o Tribunal resolverá por auto motivado.

Artículo 135. Documentación de la orden europea de protección.

La orden europea de protección se documentará en el certificado previsto en el anexo VIII y expresará si se ha transmitido a otro Estado, distinto del de ejecución, una resolución sobre medidas alternativas a la prisión provisional o de libertad vigilada, con indicación de la autoridad de ese Estado al que los respectivos certificados fueron enviados.

Artículo 136. Transmisión de una orden europea de protección a varios estados de ejecución.

La orden europea de protección podrá transmitirse, de manera simultánea, a varios Estados de ejecución si la víctima manifiesta su intención de permanecer en varios de ellos.

Artículo 137. Competencias del juez o tribunal español tras la transmisión de la orden europea de protección.

1. La autoridad judicial española que haya emitido la orden europea de protección tendrá competencia exclusiva para adoptar, de acuerdo con lo dispuesto en el ordenamiento jurídico español, las resoluciones relativas a:

a) La prórroga, revisión, modificación, revocación y anulación de la medida de protección y de la orden europea de protección.

b) La imposición de una medida privativa de libertad como consecuencia de la revocación de la medida de protección, siempre que la medida de protección se haya adoptado con motivo de una resolución de adopción de medidas de libertad provisional o de libertad vigilada, de acuerdo con esta Ley.

2. La autoridad judicial española informará sin demora a la autoridad competente del Estado de ejecución de cualquier resolución de modificación de la orden europea de protección. Asimismo, responderá a la solicitud de información que ésta pueda realizar en cuanto a la necesidad de mantener la protección otorgada por la orden europea de protección en las circunstancias del caso concreto de que se trate.

3. Cuando la medida de protección se incluya en una sentencia o resolución de libertad vigilada y ésta se modifique, la autoridad de emisión procederá sin dilación a prorrogar, revisar, modificar, revocar o anular en consecuencia la orden europea de protección, informando a la autoridad competente para su ejecución.

CAPÍTULO III. EJECUCIÓN DE UNA ORDEN EUROPEA DE PROTECCIÓN

Artículo 138. Ejecución de una orden europea de protección.

1. El Juez o Tribunal competente que reciba una orden europea de protección para su ejecución, tras dar audiencia al Ministerio Fiscal por plazo de tres días, la reconocerá sin dilación y adoptará una resolución en la que imponga cualquiera de las medidas previstas en el Derecho español para un caso análogo a fin de garantizar la protección de la persona protegida.

Una orden europea de protección se reconocerá con la misma prioridad que corresponda a estas medidas en el Derecho español, teniendo en cuenta las circunstancias particulares del caso, incluida su urgencia, la fecha prevista de llegada de la persona protegida al territorio del Estado de ejecución y, en la medida de lo posible, la gravedad del riesgo que corre la persona protegida.

2. La medida de protección que adopte el Juez o Tribunal como autoridad competente de ejecución, así como la que se adopte posteriormente en caso de incumplimiento, se ajustarán en la mayor medida posible a la medida de protección ordenada por el Estado de emisión.

3. El Juez o Tribunal informará a la persona causante del peligro, a la autoridad competente del Estado de emisión y a la persona protegida de las medidas que haya adoptado y de las consecuencias jurídicas de la infracción de tales medidas, con arreglo a lo dispuesto en el Derecho español y en este

Capítulo. No se darán a conocer a la persona causante del peligro la dirección ni otros datos de contacto de la persona protegida, a menos que ello sea necesario para la ejecución de la medida adoptada.

4. En el auto que acuerde el reconocimiento se darán las instrucciones oportunas a las Fuerzas y Cuerpos de Seguridad del Estado para que velen por el cumplimiento de las medidas recogidas en la orden de protección, así como para su inscripción en los registros que correspondan.

5. En caso de que el Juez o Tribunal de ejecución estime que la información transmitida con la orden europea de protección es incompleta, lo comunicará sin dilación a la autoridad competente del Estado de emisión, fijando un plazo razonable para que la autoridad de emisión aporte la información que falta.

6. Cuando la víctima solicite la adopción de las medidas de ejecución ante el Juez o Tribunal competente para su reconocimiento y ejecución en España, éstos transmitirán sin dilación dicha solicitud a la autoridad competente del Estado de emisión.

Artículo 139. Incumplimiento de una medida de protección.

1. En caso de incumplimiento de alguna de las medidas de protección adoptadas, la autoridad judicial española será competente para:

a) Imponer sanciones penales y adoptar cualquier otra medida como consecuencia del incumplimiento de esa medida, cuando tal incumplimiento constituya una infracción penal con arreglo al Derecho español.

b) Adoptar cualesquiera otras resoluciones relacionadas con el incumplimiento.

c) Adoptar las medidas provisionales urgentes para poner fin al incumplimiento, a la espera, en su caso, de una ulterior resolución del Estado de emisión.

2. La autoridad judicial española notificará a la autoridad competente del Estado de emisión cualquier incumplimiento de las medidas adoptadas en virtud de la orden europea de protección. La notificación se efectuará a través del certificado que figura como anexo IX.

Artículo 140. Denegación del reconocimiento y la ejecución de la orden europea de protección.

1. La autoridad judicial española denegará el reconocimiento de una orden europea de protección cuando concurra, además de alguno de los motivos previstos en el artículo 32, alguna de las siguientes circunstancias:

a) Que la resolución no se refiera a alguna de las medidas previstas en este Título.

b) Que la medida de protección se refiera a un hecho que no constituye infracción penal en España.

c) Que la protección derive de la ejecución de una pena o medida que, conforme al Derecho español, haya sido objeto de indulto y corresponda a un hecho o conducta sobre el que tenga competencia.

d) Que, conforme al Derecho español, la persona causante del peligro no pueda considerarse penalmente responsable del hecho o conducta que haya dado lugar a la adopción de la medida de protección, por razón de su edad.

2. La autoridad judicial española que deniegue el reconocimiento de una orden europea de protección notificará su decisión y los motivos de la misma, además de a la autoridad competente del Estado de emisión, a la persona protegida, informando a ésta, en su caso, de la posibilidad de solicitar la adopción de una medida de protección de conformidad con su Derecho nacional y de las vías de recurso existentes.

Artículo 141. Modificación de la orden europea de protección.

Cuando la autoridad competente del Estado de emisión modifique la orden europea de protección, la autoridad judicial española, previa audiencia al Ministerio Fiscal, modificará las medidas adoptadas, salvo los casos en que aquella modificación no se ajuste a los tipos de prohibiciones o restricciones previstos en este Capítulo o en caso de que la información transmitida con la orden europea de protección sea incompleta y no se haya completado dentro del plazo fijado.

Artículo 142. Finalización de las medidas adoptadas en virtud de una orden europea de protección.

1. La autoridad judicial española, previa audiencia al Ministerio Fiscal, podrá poner fin a las medidas adoptadas en ejecución de una orden europea de protección:

a) En caso de que la autoridad competente del Estado de emisión haya revocado o anulado la orden europea de protección, tan pronto como haya recibido la correspondiente notificación.

b) Cuando existan indicios claros de que la persona protegida no reside ni permanece en España o ha abandonado definitivamente el territorio español.

c) Cuando haya expirado, con arreglo al ordenamiento jurídico español, el plazo máximo de vigencia de las medidas adoptadas.

d) En el caso de que no se modifique la medida de protección por las causas previstas en el artículo anterior.

e) Cuando, tras el reconocimiento de la orden europea de protección, se haya transmitido al Estado de ejecución una resolución sobre medidas alternativas a la prisión provisional o de libertad vigilada.

2. La autoridad judicial española informará inmediatamente de tal resolución, además de a la autoridad competente del Estado de emisión, a la persona protegida cuando sea posible.

3. Antes de poner fin a las medidas de protección, la autoridad judicial española podrá solicitar a la autoridad competente del Estado de emisión que informe sobre la necesidad de mantener la protección otorgada por la orden europea de protección en las circunstancias del caso concreto de que se trate, concediéndole a tal efecto el plazo máximo de un mes.

Normas sobre extranjería e inmigración LO 4/2000 sobre derechos y libertades de los extranjeros en España y su integración social.

Artículo 19. Efectos de la reagrupación familiar en circunstancias especiales

1. La autorización de residencia por reagrupación familiar de la que sean titulares el cónyuge e hijos reagrupados cuando alcancen la edad laboral, habilitará para trabajar sin necesidad de ningún otro trámite administrativo.

2. El cónyuge reagrupado podrá obtener una autorización de residencia independiente cuando disponga de medios económicos suficientes para cubrir sus propias necesidades.

En caso de que la cónyuge reagrupada fuera víctima de violencia de género, sin necesidad de que se haya cumplido el requisito anterior, podrá obtener la autorización de residencia y trabajo independiente, desde el momento en que se hubiera dictado a su favor una orden de protección o, en su defecto, informe del Ministerio Fiscal que indique la existencia de indicios de violencia de género.

3. Los hijos reagrupados podrán obtener una autorización de residencia independiente cuando alcancen la mayoría de edad y dispongan de medios económicos suficientes para cubrir sus propias necesidades.

4. Reglamentariamente se determinará la forma y la cuantía de los medios económicos considerados suficientes para que los familiares reagrupados puedan obtener una autorización independiente.

5. En caso de muerte del reagrupante, los familiares reagrupados podrán obtener una autorización de residencia independiente en las condiciones que se determinen.

RD 557/2011 que desarrolla la LO 4/2000, modificado por Real Decreto 629/2022, de 26 de julio, por el que se modifica el Reglamento de la Ley Orgánica 4/2000, sobre derechos y libertades de los extranjeros en España y su integración social

El apartado 2 del artículo 71 queda redactado del siguiente modo:

«2. La autorización de residencia y trabajo por cuenta ajena se renovará a su expiración en los siguientes supuestos:

a) Cuando se acredite la continuidad en la relación laboral que dio lugar a la concesión de la autorización cuya renovación se pretende.

b) Cuando el trabajador haya tenido un periodo de actividad laboral de al menos tres meses por año, y el trabajador se encuentre en alguna de las siguientes circunstancias:

1.º Haya suscrito un contrato de trabajo con un nuevo empleador acorde con las características de su autorización para trabajar, y figure en situación de alta o asimilada al alta en el momento de solicitar la renovación.

2.º Disponga de un nuevo contrato que reúna los requisitos establecidos en el artículo 64 y con inicio de vigencia condicionado a la concesión de renovación.

3.º Que la relación laboral que dio lugar a la autorización cuya renovación se pretende se interrumpió por causas ajenas a su voluntad, y que ha buscado activamente empleo, mediante su inscripción en el Servicio Público de Empleo competente como demandante de empleo.

c) Cuando el trabajador se encuentre en alguna de las situaciones previstas en el artículo 38.6 b) y c) de la Ley Orgánica 4/2000, de 11 de enero.

d) De acuerdo con el artículo 38.6.d) de la Ley Orgánica 4/2000, de 11 de enero, cuando:

1.º El trabajador acredite que se ha encontrado trabajando y en alta en el régimen correspondiente de la Seguridad Social durante un mínimo de nueve meses en un periodo de doce, o de dieciocho meses en un periodo de veinticuatro, siempre que su última relación laboral se hubiese interrumpido por causas ajenas a su voluntad y haya buscado activamente empleo.

2.º El cónyuge cumpliera con los requisitos económicos para reagrupar al trabajador. Se procederá igualmente a la renovación, cuando el requisito sea cumplido por la persona con la que el extranjero mantenga una relación de análoga afectividad a la conyugal en los términos previstos en materia de reagrupación familiar.

3.º En los supuestos de extinción del contrato de trabajo o suspensión de la relación laboral como consecuencia de que la trabajadora sea víctima de violencia de género.»

RD 240/2007 sobre entrada, circulación y residencia dentro de la Unión Europea

Artículo 9. Mantenimiento a título personal del derecho de residencia de los miembros de la familia, en caso de fallecimiento, salida de España, nulidad del vínculo matrimonial, divorcio, o cancelación de la inscripción como pareja registrada, en relación con el titular del derecho de residencia.

1. El fallecimiento del ciudadano de un Estado miembro de la Unión Europea o de un Estado parte en el Acuerdo sobre el Espacio Económico Europeo, su salida de España, o la nulidad del vínculo matrimonial, divorcio, o cancelación de la inscripción como pareja registrada, no afectará al derecho de residencia de los miembros de su familia ciudadanos de uno de dichos Estados.

2. El fallecimiento del ciudadano de un Estado miembro de la Unión Europea o de un Estado parte en el Acuerdo sobre el Espacio Económico Europeo, en el caso de miembros de la familia que no sean ciudadanos de uno de dichos Estados, tampoco afectará a su derecho de residencia, siempre que éstos hayan residido en España, en calidad de miembros de la familia, antes del fallecimiento del titular del derecho. Los familiares tendrán obligación de comunicar el fallecimiento a las autoridades competentes.

3. La salida de España o el fallecimiento del ciudadano de un Estado miembro de la Unión Europea o de un Estado parte en el Acuerdo sobre el Espacio Económico Europeo no supondrá la pérdida del derecho de residencia de sus hijos ni del progenitor que tenga atribuida la custodia efectiva de éstos, con independencia de su nacionalidad, siempre que dichos hijos residan en España y se encuentren matriculados en un centro de enseñanza para cursar estudios, ello hasta la finalización de éstos.

4. En el caso de nulidad del vínculo matrimonial, divorcio o cancelación de la inscripción como pareja registrada, de un nacional de un Estado miembro de la Unión Europea o de un Estado parte en el Acuerdo sobre el Espacio Económico Europeo, con un nacional de un Estado que no lo sea, éste tendrá obligación de comunicar dicha circunstancia a las autoridades competentes. Para conservar el derecho de residencia, deberá acreditarse uno de los siguientes supuestos:

a) Duración de al menos tres años del matrimonio o situación de pareja registrada, hasta el inicio del procedimiento judicial de nulidad del matrimonio, divorcio o de la cancelación de la inscripción como pareja registrada, de los cuales deberá acreditarse que al menos uno de los años ha transcurrido en España.

b) Otorgamiento por mutuo acuerdo o decisión judicial, de la custodia de los hijos del ciudadano comunitario, al ex cónyuge o ex pareja registrada que no sea ciudadano de un Estado miembro de la Unión Europea ni de un Estado parte en el Acuerdo sobre el Espacio Económico Europeo.

c) Existencia de circunstancias especialmente difíciles como:

1.º Haber sido víctima de violencia de género durante el matrimonio o la situación de pareja registrada, circunstancia que se considerará acreditada de manera provisional cuando exista una orden de protección a su favor o informe del Ministerio Fiscal en el que se indique la existencia de indicios de violencia de género, y con carácter definitivo cuando haya recaído resolución judicial de la que se deduzca que se han producido las circunstancias alegadas.

2.º Haber sido sometido a trata de seres humanos por su cónyuge o pareja durante el matrimonio o la situación de pareja registrada, circunstancia que se considerará acreditada de manera provisional cuando exista un proceso judicial en el que el cónyuge o pareja tenga la condición de imputado y su familiar la de posible víctima, y con carácter definitivo cuando haya recaído resolución judicial de la que se deduzca que se han producido las circunstancias alegadas.

d) Resolución judicial o mutuo acuerdo entre las partes que determine el derecho de visita, al hijo menor, del ex cónyuge o ex pareja registrada que no sea ciudadano de un Estado miembro de la Unión Europea o de un Estado parte en el Acuerdo sobre el Espacio Económico Europeo, cuando dicho menor resida en España y dicha resolución o acuerdo se encuentre vigente.

5. Cuando las Autoridades competentes consideren que existen dudas razonables en cuanto al cumplimiento de las condiciones establecidas en los artículos 8 y 9, podrán llevar a cabo comprobaciones al objeto de verificar si se cumplen las mismas. Dichas comprobaciones no tendrán en ningún caso carácter sistemático.

Artículo 59.2 del Reglamento de la Ley Orgánica 4/2000, aprobado por el Real Decreto 557/2011, de 20 de abril

Artículo 59. Residencia de los familiares reagrupados, independiente de la del reagrupante.

1. El cónyuge o pareja reagrupado podrá obtener una autorización de residencia y trabajo independiente, cuando reúna alguno de los siguientes requisitos y no tenga deudas con la Administración tributaria o de Seguridad Social:

a) Contar con medios económicos suficientes para la concesión de una autorización de residencia temporal de carácter no lucrativo.

b) Contar con uno o varios contratos de trabajo, desde el momento de la solicitud, de los que se derive una retribución no inferior al salario mínimo interprofesional mensual referido a la jornada legal de trabajo o el que derive del convenio colectivo aplicable.

c) Cumplir los requisitos exigibles de cara a la concesión de una autorización de residencia temporal y trabajo por cuenta propia.

En los supuestos de los apartados b) y c) anteriores, la eficacia de la autorización de residencia y trabajo independiente estará condicionada a que se produzca, en caso de que no se hubiera producido con anterioridad, el alta del trabajador en el régimen correspondiente de la Seguridad Social, en el plazo de un mes desde la fecha de notificación de la resolución por la que se concede aquélla. Cumplida la condición, la vigencia de la autorización se retrotraerá al día inmediatamente siguiente al de la caducidad de la autorización anterior.

2. Asimismo, el cónyuge o pareja reagrupado podrá obtener una autorización de residencia y trabajo independiente, cuando se dé alguno de los siguientes supuestos:

a) Cuando se rompa el vínculo conyugal que dio origen a la situación de residencia, por separación de derecho, divorcio o por cancelación de la inscripción, o finalización de la vida en pareja, siempre y cuando acredite la convivencia en España con el cónyuge o pareja reagrupante durante al menos dos años.

b) Cuando fuera víctima de violencia de género, una vez dictada a su favor una orden judicial de protección o, en su defecto, exista un informe del Ministerio Fiscal que indique la existencia de indicios de violencia de género. Este supuesto será igualmente de aplicación cuando fuera víctima de un delito por conductas violentas ejercidas en el entorno familiar, una vez que exista una orden judicial de protección a favor de la víctima o, en su defecto, un informe del Ministerio Fiscal que indique la existencia de conducta violenta ejercida en el entorno familiar.

La tramitación de las solicitudes presentadas al amparo de este apartado tendrá carácter preferente y la duración de la autorización de residencia y trabajo independiente será de cinco años.

c) Por causa de muerte del reagrupante.

3. En los casos previstos en el apartado anterior, cuando, además del cónyuge o pareja, se haya reagrupado a otros familiares, éstos conservarán la autorización de residencia concedida y dependerán, a efectos de la renovación de la autorización de residencia por reagrupación familiar, del miembro de la familia con el que convivan.

4. Los hijos y menores sobre los que el reagrupante ostente la representación legal obtendrán una autorización de residencia independiente cuando alcancen la mayoría de edad y acrediten encontrarse en alguna de las situaciones descritas en el apartado 1 de este artículo, o bien cuando hayan alcanzado la mayoría de edad y residido en España durante cinco años.

5. Los ascendientes reagrupados podrán obtener una autorización de residencia independiente del reagrupante cuando hayan obtenido una autorización para trabajar, sin perjuicio de que los efectos de dicha autorización de residencia independiente, para el ejercicio de la reagrupación familiar, queden supeditados a lo dispuesto en el artículo 17.3 de la Ley Orgánica 4/2000 , de 11 de enero .

6. La autorización independiente tendrá la duración que corresponda, en función del tiempo previo de vigencia de la situación de residencia por reagrupación familiar. En todo caso, la autorización independiente tendrá una vigencia mínima de un año.

ÍNDICE ANALÍTICO